Practice Makes Perfect!

CEDU(쎄듀)는 A **C**omprehensive **E**nglish e**DU**cation(종합적 영어교육)의 약자입니다.

펴낸이 김기훈 김진희
펴낸곳 ㈜쎄듀/서울시 강남구 논현로 305 (역삼동)
발행일 2021년 10월 18일 제2개정판 1쇄
내용 문의 www.cedubook.com
구입 문의 콘텐츠 마케팅 사업본부
Tel. 02-6241-2007
Fax. 02-2058-0209
등록번호 제22-2472호
ISBN 978-89-6806-229-2
978-89-6806-227-8(세트)

Training Book

천일문 기본 문제집

저자

김기훈 現 ㈜쎄듀 대표이사
現 메가스터디 영어영역 대표강사
前 서울특별시 교육청 외국어 교육정책자문위원회 위원
저서 | 천일문 / 천일문 Training Book / 천일문 GRAMMAR
첫단추 BASIC / 어법끝 / 문법의 골든룰 101 / Grammar Q
어휘끝 / 쎄듀 본영어 / 절대평가 PLAN A / 독해가 된다
The 리딩플레이어 / 빈칸백서 / 오답백서 / 거침없이 Writing
첫단추 / 파워업 / ALL씀 서술형 / 수능영어 절대유형 / 수능실감 등

쎄듀 영어교육연구센터
쎄듀 영어교육센터는 영어 콘텐츠에 대한 전문지식과 경험을 바탕으로 최고의 교육 콘텐츠를 만들고자 최선의 노력을 다하는 전문가 집단입니다.
오혜정 센터장 · 장정문 선임연구원 · 이혜경 전임연구원 · 김민아 · 김지원

검토에 도움을 주신 분들
이선재 선생님(경기 용인 E-Clinic) · 한재혁 선생님(현수학영어학원) · 이헌승 선생님(스탠다드학원)
김지연 선생님(송도탑영어학원) · 김정원 선생님(MP영어) · 김지나 선생님(킴스영어)
심소미 선생님(봉담 쎈수학영어) · 황승휘 선생님(에버스쿨 영어학원) · 오보람 선생님(서울시 강서구 ASTE) · 아이린 선생님(광주광역시 서구)

마케팅 콘텐츠 마케팅 사업본부
영업 문병구
제작 정승호
인디자인 편집 올댓에디팅
디자인 유은아 · 윤혜영
영문교열 Stephen Daniel White

Foreword

본 교재는 〈천일문 기본〉편에서 학습한 구문의 개념을 확실히 이해했는지를 확인하고 이를 다른 예문들에 적용시켜볼 수 있도록 하기 위한 집중 훈련 문제집입니다.

〈천일문 기본〉편과 같은 순서로 구성되어 있으므로 병행 학습하여 복습 및 반복 학습의 효과를 최대한으로 높일 수 있습니다. 학교나 학원에서는 자습 과제로도 활용이 가능할 것입니다.

〈천일문 기본〉편은 우리말 설명을 최소화하고 예문을 중심으로 직독직해 위주의 학습이 진행됩니다. 본 교재에서는 구문 분석 및 어법, 영작, 해석, 문장 전환 등의 다양한 유형으로 적용하는 능동적 과정을 제공하므로, 구문에 대한 이해가 깊어지고 학습 내용을 자기 것으로 온전히 만들 수 있게 해줍니다. 또한 내신이나 수능에 직접적으로 도움이 되는 사항들도 점검해볼 수 있습니다.

문장을 정확하고 순발력 있게 이해하기 위해서는 양질의 다양한 예문으로 꾸준히 연습하는 활동이 반드시 필요합니다. 구문의 핵심을 꿰뚫는 유형으로 구성되도록 혼신의 힘을 다하였으므로 〈천일문 기본〉편의 학습을 충실히 보조해주리라 믿어 의심치 않습니다.

본 교재를 통해 정확한 해석력과 적용력을 튼튼히 길러, 어떤 문장이라도 호기롭고 자신감 있게 대처할 수 있게 될 것입니다. 학생 여러분의 무한한 발전과 성공을 기원합니다.

저자

Preview

Overall Inside Preview

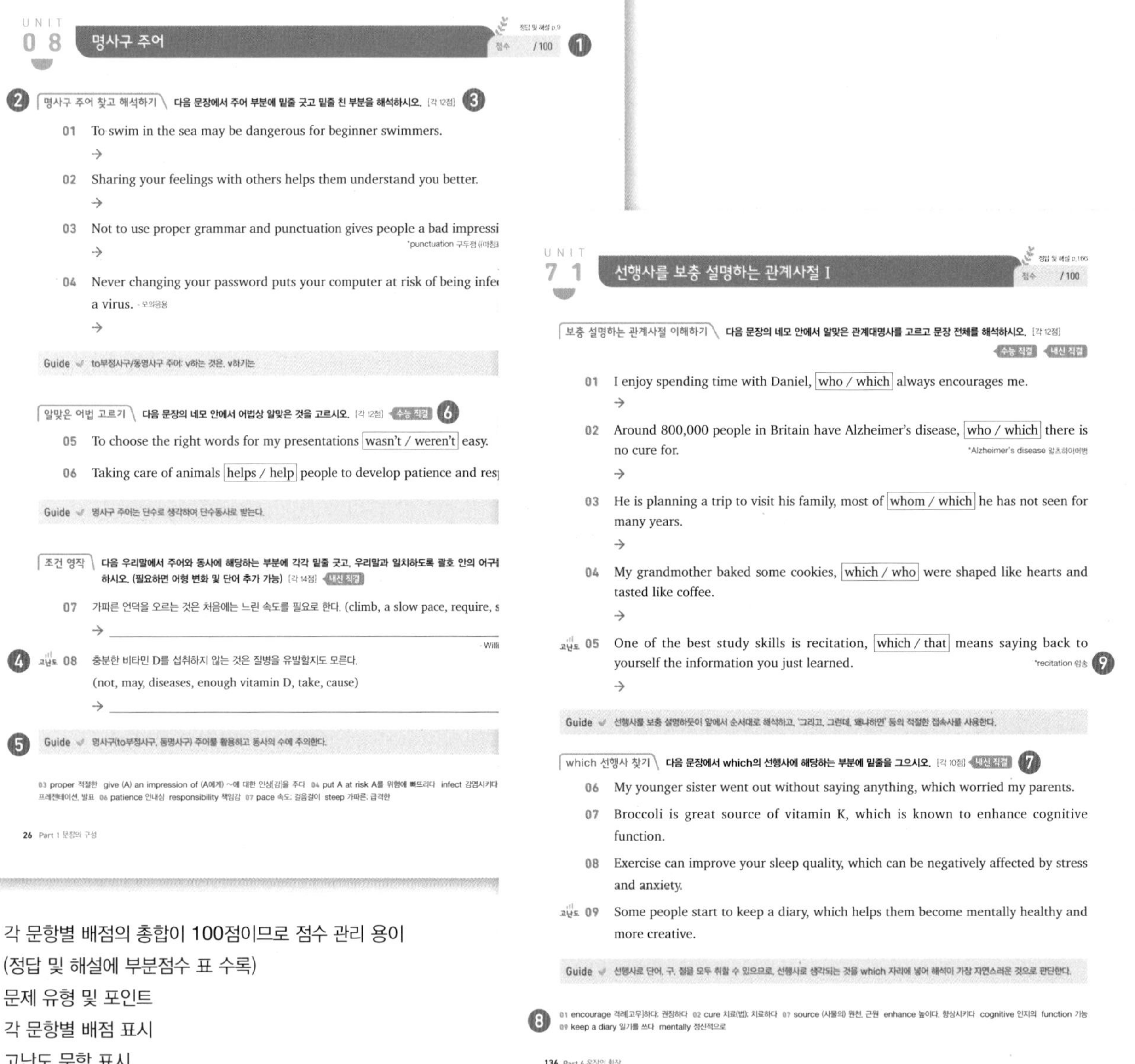

❶ 각 문항별 배점의 총합이 100점이므로 점수 관리 용이 (정답 및 해설에 부분점수 표 수록)
❷ 문제 유형 및 포인트
❸ 각 문항별 배점 표시
❹ 고난도 문항 표시
❺ 문제 풀이의 착안점 또는 정리 사항
❻ 수능·모의 기출 빈출 포인트 문제화
❼ 내신 기출 빈출 포인트 문제화
❽ 문제 풀이에 걸림돌이 되지 않도록 보기 편한 위치에 어휘 제시
❾ 학습 범위를 벗어나는 고난도 어휘 및 문제 풀이에 꼭 필요한 어휘는 별도 제시

어휘 무료 부가 서비스 **어휘리스트&어휘테스트** www.cedubook.com에서 다운로드 가능합니다.

More Detailed Inside Preview

❶ 구문 이해 확인에 특화된 다양한 문제

문장구조 파악하기 \ 다음 문장에서 주어(수식어 포함), 동사에 밑줄 긋고 각각 S, V로 표시

01 The K-pop stars appeared together on the stage.

→

02 A full moon will rise in the eastern sky around midnig

고난도 03

동사 의미 파악하기 \ 다음 문장의 밑줄 친 단어의 의미로 적절한 것을 고르시오. [각 10점]

04 A ham sandwich will do for a snack.

ⓐ (~을) 하다 ⓑ 충분하다

05 Experience counts a lot in performing a surgery.

ⓐ (수를) 세다 ⓑ 중요하다

*구문 통합 문제

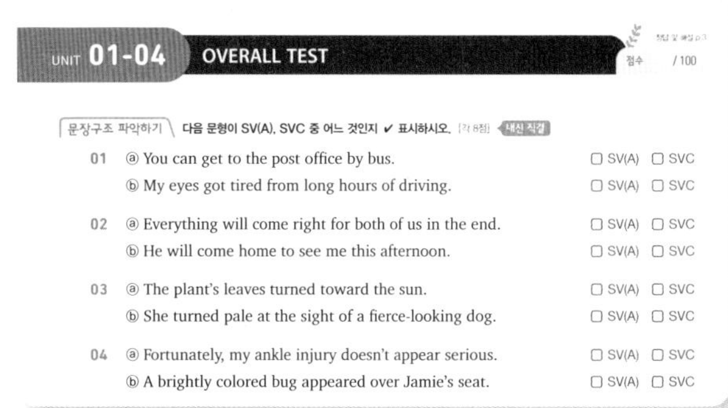
UNIT 01-04 OVERALL TEST

점수 / 100

문장구조 파악하기 \ 다음 문형이 SV(A), SVC 중 어느 것인지 ✔ 표시하시오. [각 8점] 내신 직결

01 ⓐ You can get to the post office by bus. ▢ SV(A) ▢ SVC
ⓑ My eyes got tired from long hours of driving. ▢ SV(A) ▢ SVC

02 ⓐ Everything will come right for both of us in the end. ▢ SV(A) ▢ SVC
ⓑ He will come home to see me this afternoon. ▢ SV(A) ▢ SVC

03 ⓐ The plant's leaves turned toward the sun. ▢ SV(A) ▢ SVC
ⓑ She turned pale at the sight of a fierce-looking dog. ▢ SV(A) ▢ SVC

04 ⓐ Fortunately, my ankle injury doesn't appear serious. ▢ SV(A) ▢ SVC
ⓑ A brightly colored bug appeared over Jamie's seat. ▢ SV(A) ▢ SVC

❷ 해석(부분 해석/전체 해석)

해석하기 \ 다음 문장의 밑줄 친 부분을 조동사의 의미에 유의하여 알맞게 해석하시오. [각

01 I may have seen the movie. Some scenes are familiar

→

02 Danny must have felt disappointed when he lost the

원급 구문 해석하기 \ 다음 문장을 원급 구문에 유의하여 알맞게 해석하시오. [각 10점]

01 I have grown my hair as long as my mother's.

→

02 I want renting a home to be as easy as ordering food

→

03 Yoga can be as effective as physical therapy at reduc

❸ 어법(네모/밑줄)

알맞은 어법 고르기 \ 다음 문장의 네모 안에서 어법상 알맞은 것을 고르시오. [각 12.5점]

01 How / What the universe began cannot be explaine

02 When / What ultimately killed King Tut is still a sou

03 Who / Whose business was most affected by the ne

어법 오류 찾기 \ 다음 밑줄 친 부분이 어법상 옳으면 ○, 틀리면 ×로 표시하고 바르게 고

04 The dog kept silently for a while.

고난도 05 The students looked so lovely on the stage.

06 On graduation day, some students appeared sadly.

07 The work will soon come easy with a little practice.

❹ 영작(배열/조건)

배열 영작 \ 다음 우리말과 일치하도록 괄호 안에 주어진 어구를 순서대로 배열하시오. [각

17 당신은 1층에서 계산원에게 돈을 내셔도 됩니다. (you, the money, pay

→ ______

18 아이리스는 자신의 딸에게 새 학기를 위한 몇 권의 책을 주문해주었다. (her daughter, ordered, some books)

조건 영작 \ 다음 우리말과 일치하도록 괄호 안의 어구를 활용하여 영작하시오. (필요하면

17 그 식당의 상한 음식은 손님들을 일주일 동안 아프게 했다. (a week, mak

→ Spoiled food at the restaurant ______

18 몇몇 사람들은 흰쌀과 설탕이 건강에 좋지 않다고 느낀다. (sugar, unhea

→ Some people ______

고난도 19 한국인들은 추석을 일 년의 가장 중요한 공휴일들 중 하나로 여긴다.

❺ 문장전환/문장쓰기

문장 전환 \ 다음 두 문장이 같은 뜻이 되도록 문장을 완성하시오. [각 6점]

01 To find a solution for this problem is difficult.

= It is ______

02 That failure can be a great learning tool for success i

= It is

문장 완성하기 \ 다음 주어진 상황을 〈if + 가정법 과거〉 구문을 사용하여 현재 사실과 반대로

01 I'm not bored in this countryside as I have a playful littl

→ I ______ bored in this countryside i
a playful little sister.

02 As Emma has enough money, she can rent a nice room.

→ If Emma ______ enough money, sh

Contents

PART 1 문장의 구성

PART 2 서술어의 이해

PART 3 수식어구의 이해: 준동사 중심

P A R T

문장의 구성

CHAPTER

01

동사와 문장의 기본 구조

UNIT 01

SV

정답 및 해설 p.2

점수 / 100

문장구조 파악하기 **다음 문장에서 주어(수식어 포함), 동사에 밑줄 긋고 각각 S, V로 표시한 뒤 밑줄 친 부분을 해석하시오.** [각 10점]

01 The K-pop stars appeared together on the stage.

→

02 A full moon will rise in the eastern sky around midnight.

→

고난도 **03** Finally, the plane took off on time despite the heavy rain.

→

Guide SV문형은 주어(S)와 동사(V)만으로도 의미가 통하지만, 수식어(M)가 붙어 의미를 더할 수 있다.

동사 의미 파악하기 **다음 문장의 밑줄 친 단어의 의미로 적절한 것을 고르시오.** [각 10점] 내신 직결

04 A ham sandwich will do for a snack.

ⓐ (~을) 하다 ⓑ 충분하다

05 Experience counts a lot in performing a surgery.

ⓐ (수를) 세다 ⓑ 중요하다

06 Chris can count up to ten in English.

ⓐ (수를) 세다 ⓑ 중요하다

07 Crime doesn't pay. It causes more trouble than benefit.

ⓐ 지불하다 ⓑ 수익을 내다 ⓒ 이익이 되다

08 Will you pay by credit card or by cash?

ⓐ 지불하다 ⓑ 수익을 내다 ⓒ 이익이 되다

고난도 **09** Liquid medicines such as cough syrups normally work very fast. *cough syrup 기침약

ⓐ 일하다 ⓑ 작동되다 ⓒ 효과가 있다

고난도 **10** The copy machine on the first floor didn't work this morning. *copy machine 복사기

ⓐ 일하다 ⓑ 작동되다 ⓒ 효과가 있다

Guide SV문형으로 쓰이는 동사가 여러 가지 의미로 해석될 수 있다. 문맥을 통해 의미를 파악해야 한다.

02 eastern 동쪽의 midnight 자정, 밤 열두시 03 take off 이륙하다(↔ land 착륙하다) despite ~에도 불구하고(= in spite of) 05 perform a surgery 수술을 집도하다 06 up to ~까지 07 crime 범죄 benefit 이득; 유익하다 09 liquid 액체(의) *cf.* solid 고체(의) normally 보통

UNIT 02

SVA

정답 및 해설 p.2

점수 / 100

문장구조 파악하기 다음 문장에서 주어(수식어 포함), 동사, 부사적 어구에 밑줄 긋고 각각 S, V, A로 표시한 뒤 밑줄 친 부분을 해석하시오. [각 12점]

01 They stayed in their hotel because of bad weather.

→

02 My older sister will live in another country from next month.

→

03 Last summer, we were in Rome with a package tour.

→

04 At lunchtime, I went to the school library with my friend.

→

고난도 05 Deposits of oil lie under the ground of Alaska. - 모의응용 *deposits of oil 석유 매장층

→

Guide SV문형 동사 중 일부는 '장소나 시간' 등을 나타내는 부사적 어구(A)가 있어야 의미가 완전해진다.

부사 역할의 명사 찾기 다음 문장에서 부사 역할을 하는 명사(구)에 밑줄 긋고 밑줄 친 부분을 해석하시오. [각 8점]

06 The overnight train runs every night except Sundays. *overnight train 야간열차

07 Millions of children die of starvation every year. *starvation 기아, 굶주림

08 James's English grades fell last month.

09 The hot and humid weather lasted a few weeks.

고난도 10 **A** Could you tell me where the pharmacy is around here?
B Just turn around and walk that way for two blocks.

Guide '장소, 시간, 방향' 등을 의미하는 명사(구)가 문장에서 부사 역할을 하기도 한다.

03 package tour 패키지여행 06 except (~을) 제외하고 07 die of ~로 죽다 08 grade 성적; 등급(을 매기다) 09 humid 습한 10 pharmacy 약국

SVC

정답 및 해설 p.3

점수 / 100

문장구조 파악하기 **다음 문장에서 주어(수식어 포함), 동사, 보어에 밑줄 긋고 각각 S, V, C로 표시한 뒤 밑줄 친 부분을 해석하시오.** [각 14점]

01 Bananas can keep fresh for two weeks at room temperature. *room temperature 상온

→

02 He will remain my favorite game character forever.

→

03 This hand cream smells like orange to me.

→

Guide SVC문형의 대표 동사를 먼저 확인하자. 주어의 성질, 상태 등을 설명하는 주격보어(C)로는 (대)명사, 형용사, 〈전치사+명사〉구 등이 쓰인다.

어법 오류 찾기 **다음 밑줄 친 부분이 어법상 옳으면 ○, 틀리면 ×로 표시하고 바르게 고치시오.** [04~08 6점, 09~12 7점] 수능 직결

04 The dog kept silently for a while.

고난도 05 The students looked so lovely on the stage.

06 On graduation day, some students appeared sadly.

07 The work will soon come easy with a little practice.

08 Her suitcase lay open on the bed with a few clothes inside.

고난도 09 Your plan for this vacation sounds absolutely good to me.

고난도 10 My family stayed wake all night to celebrate the New Year.

11 The weather suddenly turned coldly after the unexpected rain.

고난도 12 Before the presentation, my palms became sweaty with nervousness.

Guide 보어(C) 자리에 부사는 올 수 없다. 부사처럼 보이는 -ly 형태의 형용사와 명사를 꾸밀 수 없고 보어 역할만 할 수 있는 형용사에 유의하자.

04 silently 조용하게 *cf.* silent 조용한 for a while 잠시 동안, 잠깐 06 graduation 졸업(식) 08 suitcase 여행 가방 09 absolutely 전적으로, 완전히 11 unexpected 예기치 않은, 뜻밖의 12 presentation 발표; 제출 palm 손바닥 sweaty 땀이 나서 축축한; 땀나게 하는 nervousness 긴장, 신경과민

UNIT 04 SVO/SVOA

정답 및 해설 p.3

점수 / 100

문장구조 파악하기 **다음 밑줄 친 부분이 〈동사+목적어(VO)〉, 〈동사+보어(VC)〉 중 어느 것인지 ✔ 표시하고 밑줄 친 부분을 해석하시오.** [각 12점]

01 From birth, each baby has a unique personality. - 모의응용 ▢ VO ▢ VC

→

02 Yoga became a popular method of stress relief. ▢ VO ▢ VC

→

03 Anna took care of her sick daughter all night. ▢ VO ▢ VC

→

04 He put off the meeting due to his sudden illness. ▢ VO ▢ VC

→

고난도 **05** The origin of the virus still remains a mystery. ▢ VO ▢ VC

→

고난도 **06** The candidates confronted each other during a TV debate. ▢ VO ▢ VC

→

Guide ✔ 명사(구)는 동사 뒤에서 목적어 또는 보어로 쓰일 수 있다. 동사의 뜻과 문맥을 통해 문장 성분을 파악한다.

배열 영작 **다음 우리말과 일치하도록 괄호 안에 주어진 어구를 순서대로 배열하시오.** [각 14점]

07 너의 모든 달걀을 한 바구니에 넣지 마라. (one basket, all your eggs, don't, in, put)

→ ______________________________

08 그 남자는 몇 발을 발포한 후에 자신의 무기를 바닥에 내려놓았다.

(laid, the ground, the man, on, his weapon)

→ ______________________________ after firing a few shots.

01 unique 고유한; 독특한 personality 성격 02 relief 완화, 경감; 안심 04 put off 미루다, 연기하다 sudden 갑작스러운 05 origin 기원; 원인; 출신 06 candidate 후보자 confront 맞서다; 직면하다 debate 토론(하다) 08 weapon 무기 fire 발포하다; 불 shot (총기) 발사

UNIT 01-04 OVERALL TEST

정답 및 해설 p.3
점수 / 100

문장구조 파악하기 **다음 문형이 SV(A), SVC 중 어느 것인지 ✔ 표시하시오.** [각 8점] 내신 직결

01 ⓐ You can get to the post office by bus. ☐ SV(A) ☐ SVC
ⓑ My eyes got tired from long hours of driving. ☐ SV(A) ☐ SVC

02 ⓐ Everything will come right for both of us in the end. ☐ SV(A) ☐ SVC
ⓑ He will come home to see me this afternoon. ☐ SV(A) ☐ SVC

03 ⓐ The plant's leaves turned toward the sun. ☐ SV(A) ☐ SVC
ⓑ She turned pale at the sight of a fierce-looking dog. ☐ SV(A) ☐ SVC

04 ⓐ Fortunately, my ankle injury doesn't appear serious. ☐ SV(A) ☐ SVC
ⓑ A brightly colored bug appeared over Jamie's seat. ☐ SV(A) ☐ SVC

고난도 **05** ⓐ The public remained skeptical of today's announcement. ☐ SV(A) ☐ SVC
ⓑ Some cookie crumbs still remain on the ground. *crumb (빵)부스러기 ☐ SV(A) ☐ SVC

Guide 하나의 동사가 여러 문형에서 쓰이는 경우가 있다. 문맥을 통해 문형을 파악하자.

조건 영작 **다음 우리말과 일치하도록 괄호 안의 어구를 활용하여 영작하시오. (필요하면 어형 변화 가능)** [각 6점] 내신 직결

06 학교 첫날에 우리 반 친구들은 친절해 보였다. (friend, seem, my classmates)
→ ______________________ on the first day of school.

07 그 오래된 성은 30년이 넘는 동안 비어 있었다. (empty, the old castle, stand)
→ ______________________ for over 30 years.

고난도 **08** 작년에 집값이 급속하게 올랐다. (rapid, rise, house prices)
→ ______________________ last year.

고난도 **09** 아이들에게, 아이스크림은 행복과 같은 맛이 난다. (like, ice cream, happy, taste)
→ For children, ______________________.

Guide 우리말을 보고 SV(A)/SVC문형을 판단하여 영작할 수 있어야 한다.

해석하기 다음 문장의 밑줄 친 부분을 알맞게 해석하시오. [ⓐ, ⓑ, ⓒ 각 3점]

10 ⓐ Over the years, the population in the countryside declined a lot.

→

ⓑ Mary declined the job offer from the rival company politely.

→

11 ⓐ My new laptop fell on the floor.

→

ⓑ His latest movie fell short of our expectations. *fall short of ~에 못 미치다[부족하다]

→

12 ⓐ My classmate returned the textbook last Tuesday.

→

ⓑ Harry returned to his house in the city after a long vacation.

→

고난도 **13** ⓐ About this time of day, I get very hungry.

→

ⓑ I got a phone call from Paul in the middle of the night.

→

ⓒ My father didn't get home from work until midnight.

→

고난도 **14** ⓐ The college runs language courses for international exchange students.

*language course 어학 강좌

→

ⓑ The Airport Limousine runs every 15 minutes from the Seoul Station.

→

ⓒ We need water, but the well ran dry during the drought. *drought 가뭄

→

Guide 하나의 동사가 여러 문형에 쓰일 수 있음을 이해하고 문장의 구조에 따라 알맞게 해석한다.

02 in the end 결국, 마침내 03 pale 창백한 at the sight of ~을 보고 fierce-looking 사나워 보이는 *cf.* fierce 사나운 04 ankle 발목 05 skeptical 회의적인 announcement 발표 *cf.* announce 발표하다, 알리다 08 rapid 빠른 *cf.* rapidly 급속히, 빨리 10 population 인구 countryside 시골 decline 감소하다; 거절하다 politely 정중하게; 예의 바르게 11 expectation 기대 14 international 국제의, 국제적인 exchange student 교환학생 *cf.* exchange 교환(하다) well 우물

UNIT 05

SVOO

정답 및 해설 p.5

점수 / 100

문장구조 파악하기 다음 문장에서 동사, 간접목적어, 직접목적어를 찾아 밑줄 긋고 각각 V, IO, DO로 표시한 뒤, 밑줄 친 부분을 해석하시오. [각 4점]

01 Last night, my cousin lent me her new iPad.

→

02 He got his mother some ice out of the freezer.

→

03 He showed her his driver's license to prove his identity. *driver's license 운전면허증

→

04 Your language habits tell others your personality and values. *value ((복수형)) 가치관

→

05 My mom promised me toy bows and arrows as a birthday present. *bow 활 **arrow 화살

→

06 The man chose his girlfriend the diamond ring.

→

07 The famous influencer offered her followers useful tips for cooking.

→

*influencer (SNS상에서 팔로워가 많은) 인플루언서, 영향력이 있는 사람
**follower (SNS상에서의) 팔로워; 추종자

고난도 08 One of my friends on Jeju Island sends me a box of tangerines each year. *tangerine 귤

→

고난도 09 The student handed the homeroom teacher a sheet of paper. *homeroom teacher 담임 선생님

→

고난도 10 My grandmother cooks my family special dishes on New Year's Day.

→

Guide SVOO문형의 동사는 두 개의 목적어를 가지며 '…에게 ~을 (해)주다'라는 의미를 갖는다.

어법 오류 찾기 다음 밑줄 친 부분이 어법상 옳으면 ○, 틀리면 전치사가 들어가야 할 자리에 ∨표시하고 알맞은 전치사를 쓰시오.

[각 6점] 내신 직결

11 I wish you good luck and success.

12 The cabin crew found the passport the passenger. *cabin crew (비행기의) 승무원

13 He told us nothing about the quarrel with his best friend.

14 Engineers made the girl a robotic arm to play the violin.

15 To get home safely, the friendly old lady called a taxi me.

16 Many parents teach table manners their children from an early age.

*table manner 식사 예절

Guide SVOO문형을 만드는 동사는 〈동사+목적어+to[for/of] ...〉의 SVO문형을 만들 수도 있다.
각 동사별 취하는 전치사를 알아두자.

배열 영작 다음 우리말과 일치하도록 괄호 안에 주어진 어구를 순서대로 배열하시오. [각 6점] 내신 직결

17 당신은 1층에서 계산원에게 돈을 내셔도 됩니다. (you, the money, pay, the cashier, can)

→ ______________________________ on the first floor.

18 아이리스는 자신의 딸에게 새 학기를 위한 몇 권의 책을 주문해주었다.

(her daughter, ordered, some books)

→ Iris ______________________________ for the new semester.

19 세계화는 우리에게 다른 사회들에 관해 배울 기회를 준다. (a chance, us, globalization, gives)

→ ______________________________ to learn about other societies. - 모의

고난도 20 공동의 노력은 교사와 학생들에게 대단한 성공을 가져다준다.

(great success, bring, collaborative efforts, teachers and students)

→ ______________________________

Guide SVOO문형을 이루는 동사들임을 확인하고 〈주어+동사+간접목적어+직접목적어〉의 어순이 되도록 배열한다.

02 freezer 냉동고 03 prove 증명[입증]하다 identity 신분, 정체(성) 04 personality 성격, 개성 09 a sheet of paper 종이 한 장 12 passenger 승객
13 quarrel 다툼, 언쟁 14 robotic 로봇식의 17 cashier 계산원 18 semester 학기 19 globalization 세계화 20 collaborative 공동의 effort 노력

UNIT 06 SVOC

문장구조 파악하기 **다음 문장에서 동사, 목적어, 목적격보어(수식어구 포함)를 찾아 밑줄 긋고, 각각 V, O, C로 표시한 뒤 밑줄 친 부분을 해석하시오.** [각 5점]

01 They call their puppy a cute name.

→

02 The police declared him a suspect of fraud. *fraud 사기

→

03 The novelist left her second novel incomplete due to a slump. *slump 슬럼프, 부진; 폭락

→

04 A lot of homework keeps the students busy, even on weekends.

→

05 Many critics found the movie terrible in spite of its huge success.

→

06 My husband and I finally named our newborn baby Angela.

→

07 His friends don't believe him capable of cheating in exams. *cheating 부정행위

→

08 The president appointed her the Korean ambassador to the UN.

*ambassador 대사; 사절, 대표 **UN(United Nation) 유엔, 국제 연합

→

고난도 **09** The interviewers think the last interviewee suitable for the job.

→

고난도 **10** The minister pronounced the groom and bride husband and wife.

*pronounce 선언하다; 발음하다

→

Guide SVOC문형은 'O는 C이다, O가 C하다' 등으로 해석되며, 이때 O와 C는 '주어-술어 관계'이다.

문형 판별하기 | 다음 문형이 SVOO, SVOC 중 어느 것인지 ✔ 표시하시오. [각 4점] 내신 직결

11 The participants gave him a good score. ▢ SVOO ▢ SVOC

12 The team made the star player the new captain. ▢ SVOO ▢ SVOC

13 They named him the winner of the contest. ▢ SVOO ▢ SVOC

14 On the street, a stranger handed me a pamphlet. ▢ SVOO ▢ SVOC

15 My aunt sent me a bunch of flowers as a graduation gift. ▢ SVOO ▢ SVOC

16 US citizens elected Joe Biden the 46th president of the United States. ▢ SVOO ▢ SVOC

Guide ✔ 동사 뒤 두 번째 명사가 직접목적어(O)인지 목적격보어(C)인지 파악하여 SVOO문형과 SVOC문형을 구별하자.

조건 영작 | 다음 우리말과 일치하도록 괄호 안의 어구를 활용하여 영작하시오. (필요하면 어형 변화 가능, 단어 추가 불가) 내신 직결

17 그 식당의 상한 음식은 손님들을 일주일 동안 아프게 했다. (a week, make, sick, for, the customers) [6점]

→ Spoiled food at the restaurant ______________________.

18 몇몇 사람들은 흰쌀과 설탕이 건강에 좋지 않다고 느낀다. (sugar, unhealthy, feel, and, white rice) [6점]

→ Some people ______________________.

고난도 19 한국인들은 추석을 일 년의 가장 중요한 공휴일들 중 하나로 여긴다.

(one, the most important, *Chuseok*, of, consider, holidays) [7점]

→ Koreans ______________________ of the year.

고난도 20 사람들은 데카르트를 근대 수학의 창시자라고 부른다.

(the founder, Descartes, of, mathematics, call, modern) [7점]

→ People ______________________.

Guide ✔ 우리말 시제에 맞춰 동사의 형태를 바꾸고, 〈동사+목적어+목적격보어〉를 찾아 순서대로 배열한다.

02 declare O C O를 C로 공표[선언]하다 suspect 용의자; 의심하다 03 novelist 소설가 incomplete 미완성의(↔ complete 완성의) 05 critic 평론가 06 newborn 갓 태어난; 다시 태어난 07 capable of ~을 할 수 있는(↔ incapable of ~을 할 수 없는) 08 appoint O C O를 C로 임명하다 09 suitable for ~에 적합한(↔ unsuitable for ~에 부적당한) 10 minister 목사, 성직자; ((M-)) 장관 groom 신랑 bride 신부 11 participant 참가자 14 pamphlet 팸플릿 15 a bunch of 한 다발[묶음]의 16 citizen 시민; 국민 elect O C O를 C로 선출하다 17 spoiled (음식이) 상한 *cf.* spoil 망치다; (아이를) 버릇없게 키우다 20 founder (학파 등의) 창시자; 설립자 *cf.* found 설립하다 modern 근대의, 현대의

UNIT 07 주의해야 할 동사와 문형

정답 및 해설 p.7

점수 / 100

어법 오류 찾기 **다음 밑줄 친 부분이 어법상 옳으면 ○, 틀리면 ×로 표시하고 바르게 고치시오.** [각 6점] 수능 직결

01 Your new hairstyle suits with you well.

02 A dozen people in a guided tour group reached London.

03 Some of the students didn't attend at the class meeting.

04 More than her mother, my newborn niece resembles her father.

05 Several teachers discussed the schedule for the upcoming field trip. *field trip 현장학습

06 Student volunteers from the town entered into the shelter for the homeless.

07 Anne married with her childhood friend at a small church near the beach.

08 The astronauts of Apollo 11 approached the moon for the very first time.

Guide 목적어가 '~을[를]'로 해석되지 않는 타동사를 자동사로 착각하지 않도록 주의해야 한다.

알맞은 어법 고르기 **다음 문장의 네모 안에서 어법상 알맞은 것을 고르시오.** [각 6점] 수능 직결

09 He [laid / lied] the newspaper down on the table.

10 The cuckoo [lies / lays] its eggs in another bird's nest. *cuckoo 뻐꾸기

11 Last year, the price of masks [rose / raised] due to the air pollution.

고난도 **12** The Rio Grande River [lies / lays] on the border between Mexico and the United States.

고난도 **13** She was [lying / laying] when she told her parents that she had spent the afternoon studying.

Guide lie, lay / rise, raise의 의미와 동사 변화 형태를 잘 구별하여 알아두어야 한다.

조건 영작 다음 우리말과 일치하도록 괄호 안의 어구를 활용하여 영작하시오. (필요하면 어형 변화 및 단어 하나 추가 가능) 내신 직결

14 그는 자신의 가족에게 손님을 소개했다. (his family, his guest, introduce) [7점]

→ He ______________________________.

15 교수님은 강의 시간에 학생들에게 그 시를 설명하셨다. (the students, explain, the poem) [7점]

→ The professor ______________________________ during the lecture.

고난도 16 첫 번째 줄에 앉은 소녀가 손을 들고 질문에 답했다. (and, answer, her hand, raise, the question) [8점]

→ A girl in the first row ______________________________ ______________________________.

Guide 우리말 시제에 맞춰 동사의 형태를 바꾸고, 동사가 쓰이는 문형에 따라 필요한 단어가 있다면 추가하여 어구를 순서대로 배열한다.

02 dozen 12(개); 십여 개[명](로 된 무리) *cf.* dozens of 수십의, 많은 04 niece (여자) 조카 *cf.* nephew (남자) 조카 05 upcoming 다가오는, 곧 있을 06 volunteer 자원봉사자; 자원하다 shelter 쉼터; 보호소 08 astronaut 우주비행사 10 nest (새의) 둥지 11 air pollution 대기 오염 12 border 국경; 가장자리 15 lecture 강의, 강연 16 row (좌석의) 줄

OVERALL TEST

정답 및 해설 p.7

점수 / 100

어법 오류 찾기 다음 밑줄 친 부분이 어법상 옳으면 ○, 틀리면 ×로 표시하고 바르게 고치시오. [01~04 3점, 05~08 4점] 수능 직결

01 A hungry cat approached to the tuna can. *tuna 참치

02 In summer, the basement storage smells mold.

03 The jury believed the man guilty of the theft.

04 The national gallery became a tourist attraction.

05 Most students ran shortly of time in the writing test.

06 A single page came loosely from the old fairy tale book. *fairy tale book 동화책

고난도 07 Principal Lee suggested the new rules to the teachers.

고난도 08 Because of his outstanding performances, baseball fans call him a legend.

Guide 각 문장의 문형을 파악하고 문장성분의 형태가 적절한지 확인한다.

동사의 여러 쓰임 구별하기 다음 각 짝지어진 문장에 해당하는 문형을 〈보기〉에서 골라 번호를 쓴 뒤, 밑줄 친 부분을 해석하시오.

[ⓐ, ⓑ, ⓒ, ⓓ 각 3점] 내신 직결

〈보기〉 ① SV(A) ② SVC ③ SVO(A) ④ SVOO ⑤ SVOC

09 ⓐ He only told the truth to the judge in the court.

→

ⓑ Proverbs can tell us many things about life.

→

10 ⓐ After years, Jake still kept the old picture a secret.

→

ⓑ Our family kept the drawing for more than 50 years.

→

ⓒ Visitors must keep quiet in the library for the sake of everyone. *for the sake of ~을 위해

→

11 ⓐ The big company grew from a small business.

→

ⓑ Some people grow their own fruits and vegetables at home.

→

ⓒ The plants in the garden grew wild during the last few months.

→

12 ⓐ We cannot wish for what we don't know.

→

ⓑ I wish her health and happiness in her new school life.

→

ⓒ I wish a safe journey to my parents.

→

13 ⓐ Some people often feel lonely, even in a crowd.

→

ⓑ I could feel my mom's warm breath on my cheek.

→

ⓒ They felt his story unreliable due to his constant lies.

→

14 ⓐ Thankfully, I found my lost dog at the park.

→

ⓑ My mom found me a pair of socks in the messy room.

→

ⓒ They found the information useful in future analysis.

→

02 basement 지하실 storage 창고; 저장 mold 곰팡이 *cf.* moldy 곰팡내 나는; 곰팡이가 핀 **03** jury 배심원 guilty 유죄의(↔ innocent 무죄의; 순진한) theft 절도, 도둑질 **04** tourist attraction 관광 명소 **06** loosely 느슨하게 *cf.* loose 느슨한 **07** principal 교장; 주요한 **08** outstanding 뛰어난 performance 실적, 성과 legend 전설 **09** judge 판사; 판단하다 court 법정 **12** journey 여행(하다) **13** crowd 군중, 무리 breath 숨, 입김 *cf.* breathe 숨을 쉬다, 호흡하다 unreliable 믿을 수 없는(↔ reliable 믿을 수 있는) constant 거듭되는, 끊임없는 **14** lost 잃어버린; 길 잃은 messy 지저분한, 엉망인 analysis 분석

15 ⓐ On *Chuseok*, Koreans make *Songpyeon* with their family.

→

ⓑ My father made my younger brother and me paper boats.

→

ⓒ Moderate exercise makes us more alert and energetic. *alert 민첩한; 경계하는

→

고난도 16 ⓐ Helen left a great fortune to her son in her will. *fortune 재산; 운

→

ⓑ The train leaves for Brighton at 1 p.m. sharp.

→

ⓒ An explosion left two workers dead.

→

ⓓ My older sister left me a slice of pizza for lunch.

→

Guide ✔ 같은 동사라도 다른 문형을 만들 수 있다. 특히 문형에 따라 동사의 의미가 달라지는 것들을 기억하자.

15 moderate 적당한; 보통의, 중간의 16 will 유언(장); 의지 sharp 정각; 날카로운; 급격한; 뚜렷한 explosion 폭발 *cf.* explode 폭발하다

CHAPTER

0 2

주어의 이해

UNIT 08

명사구 주어

정답 및 해설 p.9

점수 / 100

명사구 주어 찾고 해석하기 **다음 문장에서 주어 부분에 밑줄 긋고 밑줄 친 부분을 해석하시오.** [각 12점]

01 To swim in the sea may be dangerous for beginner swimmers.

→

02 Sharing your feelings with others helps them understand you better.

→

03 Not to use proper grammar and punctuation gives people a bad impression of you.

*punctuation 구두점 ((마침표·물음표 등의 부호))

→

04 Never changing your password puts your computer at risk of being infected by a virus. - 모의응용

→

Guide to부정사구/동명사구 주어: v하는 것은, v하기는

알맞은 어법 고르기 **다음 문장의 네모 안에서 어법상 알맞은 것을 고르시오.** [각 12점] 수능 직결

05 To choose the right words for my presentations [wasn't / weren't] easy.

06 Taking care of animals [helps / help] people to develop patience and responsibility.

Guide 명사구 주어는 단수로 생각하여 단수동사로 받는다.

조건 영작 **다음 우리말에서 주어와 동사에 해당하는 부분에 각각 밑줄 긋고, 우리말과 일치하도록 괄호 안의 어구를 활용하여 영작하시오. (필요하면 어형 변화 및 단어 추가 가능)** [각 14점] 내신 직결

07 가파른 언덕을 오르는 것은 처음에는 느린 속도를 필요로 한다. (climb, a slow pace, require, steep hills)

→ ______________________________ at first.

- William Shakespeare

고난도 **08** 충분한 비타민 D를 섭취하지 않는 것은 질병을 유발할지도 모른다.

(not, may, diseases, enough vitamin D, take, cause)

→ ______________________________

Guide 명사구(to부정사구, 동명사구) 주어를 활용하고 동사의 수에 주의한다.

03 proper 적절한 give (A) an impression of (A에게) ~에 대한 인상[감]을 주다 04 put A at risk A를 위험에 빠뜨리다 infect 감염시키다 05 presentation 프레젠테이션, 발표 06 patience 인내심 responsibility 책임감 07 pace 속도; 걸음걸이 steep 가파른; 급격한

명사절 주어 I

정답 및 해설 p.9

점수 /100

배열 영작 **다음 우리말에서 주어에 해당하는 부분에 밑줄 긋고, 우리말과 일치하도록 〈보기〉에서 적절한 것을 골라 괄호 안에 주어진 어구와 함께 순서대로 배열하시오.** 내신 직결

〈보기〉 that whether when where how why

01 언제 그 가족이 러시아에서 여기로 왔는지는 명확하지 않다. [16점]

(is, came, from, not, Russia, the family, here, clear)

→ ______________________________

02 왜 그녀가 그렇게 종잡을 수 없게 행동하는지는 내가 전혀 알 수 없다. [16점]

(behaves, she, unpredictably, is, so)

→ ______________________________ above my apprehension.

03 어디로 우리가 소풍하러 가는지는 투표로 결정될 것이다. [17점]

(for, be decided, will, go, we, a picnic)

→ ______________________________ by a vote.

04 다음에 나오는 진술들이 옳은지 아닌지가 가장 중요하다. [17점]

(matters, the following statements, are, most, true or false)

→ ______________________________

05 어떻게 그가 혼자서 작곡하는 법을 배웠는지는 불확실하다. [17점]

(uncertain, learned, he, music, to, by himself, is, compose)

→ ______________________________

고난도 **06** 그가 영어를 유창하게 말하지 못한다는 것은 그를 속상하게 만든다. [17점]

(upset, speak, he, him, can't, English fluently, makes)

→ ______________________________

Guide
- 접속사 that+S′+V′ ~: S′가 V′하는 것은
- 접속사 whether+S′+V′ ~ (or not): S′가 V′인지(아닌지)는
- 의문부사 when[where, how, why]+S′+V′ ~: 언제[어디서, 어떻게, 왜] S′가 V′하는지는

02 unpredictably 종잡을[예측할] 수 없게(↔ predictably 예상대로) *cf.* unpredictable 종잡을[예측할] 수 없는, 예상 불가능한 be above one's apprehension 전혀 알 수 없다, 이해할 수 없다 *cf.* apprehension 이해; 우려, 걱정 03 vote 투표(하다); 투표권[수] 04 matter 중요하다; 문제 following 다음에[아래] 나오는 statement 진술 05 uncertain 불확실한; 확신이 없는(↔ certain 확실한; 확신하는) by oneself 혼자 compose 작곡하다; 구성하다 06 fluently 유창하게

UNIT 10

명사절 주어 Ⅱ

정답 및 해설 p.10

점수 / 100

명사절 내 주어, 동사 찾기 **다음 〈보기〉와 같이 문장의 명사절 내에서 주어, 동사를 찾아 밑줄 긋고, 각각 S, V로 표시하시오.** [각 6점]

〈보기〉 Who gave me the present // was known by James.
(Who = S, gave = V)

01 Which day you like the most // is my first question.

02 What future we are going to have // relies on our efforts.

03 Whose name he picked from the jar // was not disclosed.

04 What caused the fire last night // has not been identified yet.

05 Which you choose among the different activities // is based on your preference.

Guide 명사절에서 〈의문대명사〉, 〈의문사+명사〉 뒤에 동사가 뒤따르면 의문사가 '주어'이고, 뒤에 주어, 동사가 뒤따르고 목적어가 빠진 구조가 이어지면 의문사가 '목적어'이다.

배열 영작 **다음 우리말에서 주어에 해당하는 부분에 밑줄 긋고, 우리말과 일치하도록 괄호 안에 주어진 어구를 순서대로 배열하시오.** [각 10점] 내신 직결

06 누가 그 정보를 그 기자에게 주었는지는 기밀이다.
(to, who, the reporter, gave, confidential, the information, is)
→ ____________________

07 그녀가 어느 차를 살 수 있는지는 그녀의 예산에 달려 있다.
(can, which, depends on, she, buy, car, her budget)
→ ____________________

08 그 공포 영화에서 무엇이 갑자기 나타날지는 예상 불가능했다.
(in, would, unpredictable, the horror movie, suddenly appear, what, was)
→ ____________________

09 이 테스트에 따르면, 당신이 무슨 색을 선호하는지가 당신의 성격을 나타낼 수 있다.
(your personality, represent, prefer, color, can, you, what)
→ According to this test, ____________________.

02 rely[depend] on A A에 달려 있다 03 disclose 공개하다; 드러내다(= reveal) 04 identify 확인하다; 발견하다 05 preference 선호(도) 06 confidential 기밀[비밀]의; 신뢰를 받는 07 budget 예산 09 personality 성격 represent 나타내다; 대표하다 10 on display 전시[진열]된(= on show) examiner 심사위원, 채점관 11 emerge 드러나다 12 appoint A as B A를 B로 임명[지명]하다

고난도 **10** 누구의 그림이 일 년간 전시될 것인지는 심사위원들에 의해 결정될 것이다.

(will, painting, be, be decided, for, a year, whose, will, on display)

→ ______________________________ by the examiners.

고난도 **11** 어느 쪽이 더 나은 결과를 초래할지는 시간이 흐름에 따라 드러날 것이다.

(would, leads to, a better result, which, emerge)

→ ______________________________ as time goes on.

고난도 **12** 그들이 누구를 CEO로 임명할지는 내일 발표될 것이다.

(will, appoint, whom, be announced, CEO, they, as, will)

→ ______________________________ tomorrow.

Guide 우리말에 주어 표시한 부분의 어순을 먼저 결정하고 나머지 어구를 배열한다.

UNIT 09-10 OVERALL TEST

정답 및 해설 p.10

점수 / 100

알맞은 어법 고르기 다음 문장의 네모 안에서 어법상 알맞은 것을 고르시오. [각 12.5점] 수능 직결

01 [How / What] the universe began cannot be explained clearly.

02 [When / What] ultimately killed King Tut is still a source of debate.

*King Tut 투탕카멘 ((이집트 제18왕조의 왕))

03 [Who / Whose] business was most affected by the new policy is still unknown.

04 That the light bulb is one of the great American inventions [is / are] undeniable.

05 [Who / What] sent him a message that night was a considerable concern to him.

06 Whether the cup is half empty or half full [depend / depends] on your viewpoint.

07 [Which / How] team will advance to the finals will be determined by the match tonight.

08 [What / Why] the laws to protect children are not working should be made clear.

Guide
- 이끄는 절이 완전한 구조인지 불완전한 구조인지와 문맥으로 알맞은 의문사를 고른다.
- 명사절 주어는 단수동사로 받는다.

02 ultimately 궁극적으로, 결국 debate 논쟁(하다); 숙고하다 **03** affect 영향을 미치다 policy 정책, 방침 **04** light bulb 백열전구 invention 발명(품) undeniable 부인할 수 없는(↔ deniable 부인할 수 있는) **05** considerable 상당한, 많은(= significant) concern 관심사; 걱정 **06** viewpoint 관점, 시각(= perspective) **07** advance to A A에 진출하다 final 결승전

UNIT 11

가주어 it

정답 및 해설 p.10

점수 / 100

문장 전환 **다음 두 문장이 같은 뜻이 되도록 문장을 완성하시오.** [각 6점]

01 To find a solution for this problem is difficult.
= It is ______________________________.

02 That failure can be a great learning tool for success is true.
= It is ______________________________.

03 Whether Joe will be able to join us for lunch is not certain.
= It is ______________________________.

04 Why we fall in love with somebody is a mystery. *fall in love with ~와 사랑에 빠지다
= It is ______________________________.

Guide 〈가주어(it)+V+진주어(to-v구/명사절)〉: to-v구/명사절이 주어인 경우, 대부분 it을 주어 자리에 쓰고 진주어는 뒤로 보낸다.

배열 영작 **다음 우리말과 일치하도록 괄호 안의 어구를 순서대로 배열하시오.** [각 8점] 내신 직결

05 저널리스트에게, 문제의 양 측면 모두에 대해 글을 쓰는 것이 중요하다.
(important, both sides, an issue, is, write, about, to, of)
→ To a journalist, it ______________________________.

06 관광업이 유해한지 유익한지는 쉽게 판단될 수 없다.
(whether, is, be easily judged, can't, or, harmful, tourism, beneficial)
→ It ______________________________.

07 지금 당장 내가 아무 돈이 없다는 것은 큰 문제이다.
(don't, have, is, I, a big problem, any money, that)
→ It ______________________________ right now.

08 과거의 일들에 대해 걱정해 봐야 소용없다. (use, past events, no, worrying, is, about)
→ It ______________________________.

09 어떻게 비폭력적인(간접) 체벌이 학교에서 작용하는지는 불분명하다.
(nonviolent punishment, unclear, is, how, works, in schools)
→ It ______________________________.

Guide 〈가주어(it)+V+진주어(to-v구/명사절)〉 구문을 활용한다. 동명사구가 가주어 it을 사용하는 관용표현을 알아두자.

알맞은 단어 고르기 **다음 우리말과 일치하도록 〈보기〉에서 괄호 안에 알맞은 것을 골라 그 기호를 쓰시오.** [각 6점]

〈보기〉 ⓐ to ⓑ that ⓒ whether ⓓ who ⓔ which ⓕ why

10 어젯밤에 누가 그에게 전화했는지는 확실하지 않다.

→ It is not certain (   ) called him last night.

11 웬디가 가족을 위해 어느 음식을 만들지는 비밀이다.

→ It is a secret (   ) food Wendy will make for her family.

12 그가 과학 숙제를 오늘 끝낼 수 있을지는 의문스럽다.

→ It is questionable (   ) he can finish his science homework today.

13 온종일 균형 잡힌 식사를 하는 것은 중요하다.

→ It is important (   ) have balanced meals throughout the day.

14 왜 그가 그런 어리석은 선택을 했는지 이해할 수 없었다.

→ It was not understandable (   ) he made such a stupid choice.

고난도 **15** 책을 영화화한 것이 책 자체보다 더 좋은 것은 드물다.

→ It is rare (   ) the film version of the book is better than the book itself.

Guide 우리말과 괄호 뒤에 이어지는 문장 구조와 문맥을 보고 진주어를 이끄는 적절한 것을 파악한다.

02 failure 실패 learning tool 학습 도구 04 mystery 미스터리 05 journalist 저널리스트, 기자 06 judge 판단하다 harmful 유해한 tourism 관광업 beneficial 유익한 09 nonviolent 비폭력의(↔ violent 폭력적인) punishment 벌, 처벌 12 questionable 의문인; 의심스러운 13 balanced 균형 잡힌 throughout ~동안 죽, 내내 14 understandable 이해할 수 있는 15 rare 드문, 보기 힘든

UNIT 12

to부정사의 의미상의 주어

정답 및 해설 p.11

점수 / 100

의미상의 주어 찾기 다음 문장에서 굵게 표시한 to부정사의 의미상의 주어를 나타낸 부분에 밑줄 그으시오. [각 9점]

01 It is crucial for adolescents **to find** their aptitudes.

02 It was silly of her **to spend** all her money without any plans.

03 It is cruel of him **to keep** animals in a small cage.

04 This audition is a chance for you **to show** your amazing talent.

Guide ✔ 의미상의 주어는 to-v의 동작이나 상태의 주체이다.

알맞은 어법 고르기 다음 문장의 네모 안에서 어법상 알맞은 것을 고르시오. [각 10점] 수능 직결

05 It is careless [of / for] him to drive the car above the speed limit.

06 It is illegal [of / for] people to sell alcoholic beverages to anyone under 19.

07 It is desirable [of / for] you to submit your application before the deadline.

08 It was sensible [of / for] you not to judge people only by their appearances.

Guide ✔ 사람의 행동(to-v의 내용)에 대한 '칭찬'이나 '비난'의 형용사가 be동사의 보어인 경우에는 의미상의 주어를 〈of A〉로 나타낸다.

조건 영작 다음 우리말과 일치하도록 괄호 안의 어구를 활용하여 영작하시오. (필요하면 단어 하나 추가 가능) [각 12점] 내신 직결

고난도 **09** 무대에서의 불안감을 줄이기 위해 연설가가 자신의 원고를 암기하는 것은 중요하다.

(important, to, is, the speaker, his script, memorize)

→ It ______________________________

to reduce on-stage anxiety. - 모의

고난도 **10** 다른 사람들에게 폐를 끼치기를 원하지 않으니 너는 사려 깊구나.

(considerate, is, not, to, you, want, trouble, to, others)

→ It ______________________________.

Guide ✔ 의미상의 주어가 있는 가주어-진주어 구문은 〈it ~ for[of] A to-v〉의 형태이다.

01 crucial 중요한, 결정적인 adolescent 청소년 aptitude 적성, 소질 03 cage 우리; 새장 05 speed limit 제한 속도 06 illegal 불법[위법]의(↔ legal 합법의) alcoholic beverage 주류, 알코올성 음료 07 desirable 바람직한 submit 제출하다 application 지원(서) 08 sensible 현명한, 분별 있는; 느낄 수 있는 appearance 외모, (겉)모습; 출현 09 script 원고[대본] memorize 암기하다 on-stage 무대 위에서의 anxiety 불안감 10 considerate 사려 깊은 trouble 폐를 끼치다; 문제

UNIT 13 동명사의 의미상의 주어

정답 및 해설 p.11

점수 / 100

의미상의 주어 찾기 **다음 문장에서 굵게 표시한 동명사의 의미상의 주어를 나타낸 부분에 밑줄 그으시오.** [각 8점]

01 Lauren got upset about his **trying** to lie to her again.

02 I don't like my sister **wearing** my clothes without my permission.

03 Linda's brother was sure of her **getting** good grades on the exam.

04 Would you mind my **turning down** the volume of the radio?

05 The coach was not ashamed of his players **making** mistakes in the game.

Guide ✔ 동명사의 의미상의 주어는 동명사 앞에 '소유격' 또는 '목적격'을 써서 나타낸다.

동작의 주체 찾기 **다음 문장에서 굵게 표시한 부분의 의미상의 주어에 밑줄 그으시오. (일반인인 경우는 ×로 표시할 것)** [06~08 8점, 09~12 9점]

06 The photographers were looking for a good place **to take** pictures.

07 One customer kept **complaining** about the hair in his food.

08 It is encouraged **to share** bad feelings with friends and family.

09 Some environmental experts expect the future **to have** worse air pollution.

10 The mother bird's main concern is **providing** food for her young.

11 **Having** strong social ties may help to get through stressful times.

12 His plan **to get** a degree in economics and then **to work** abroad was successful.

Guide ✔ 의미상의 주어가 문장의 주어, 목적어, 주어 앞 또는 수식 받는 명사 앞의 소유격, 일반인인 경우에는 의미상의 주어를 별도로 나타내지 않는다.

02 permission 허락 05 be ashamed of ~을 창피해하다 06 photographer 사진작가 07 keep v-ing 계속해서 v하다 08 encourage 권장하다; 격려[고무]하다 09 environmental 환경의 expert 전문가 air pollution 대기 오염 10 provide A for B B에게 A를 제공하다(= provide B with A) 11 social tie 사회적 유대 *cf.* tie ((주로 복수형)) 유대[관계] get through ~을 견뎌내다[통과하다]; ~을 끝내다 stressful 스트레스가 많은 12 degree 학위; 정도 economics 경제학 abroad 해외에(서), 해외로

UNIT 14

it을 주어로 하는 구문

정답 및 해설 p.12

점수 / 100

비인칭 주어 파악하고 해석하기 **다음 문장에서 굵게 표시한 It[it]이 나타내는 것을 〈보기〉에서 골라 그 기호를 쓰고, 밑줄 친 부분을 해석하시오.** [각 14점] 내신 직결

〈보기〉 ⓐ 날씨 ⓑ 거리 ⓒ 명암 ⓓ 요일 ⓔ 막연한 상황

01 **It** is Sunday, the very last day of November.

→

02 How is **it** going with your weekly Chinese lessons?

→

03 **It**'s dark outside because of the clouds in the sky.

→

04 **It** is cold this morning despite the sun over our heads.

→

05 **It** is 2 kilometers to the library from the city hall.

→

Guide 시간, 날씨, 거리, 명암, 요일, 막연한 상황 등을 나타내는 문장에서 it이 주어로 쓰인다. 이때 it은 아무 뜻이 없으므로 해석하지 않는다.

조건 영작 **다음 우리말과 일치하도록 괄호 안의 어구를 활용하여 영작하시오. (필요하면 어형 변화 가능)** [각 10점] 내신 직결

06 이곳에서 인천국제공항까지 대략 두 시간 정도 걸린다. (from, it, two hours, here, about, take)

→ ______________________ to Incheon International Airport.

07 우리가 전화했을 때 공교롭게도 그는 사무실에 없었다. (that, he, in the office, be, not, it, happen)

→ ______________________ when we called.

고난도 08 단지 물만 마시는 것도 그녀를 살찌게 만드는 것 같다.

(weight, her, seem, gain, drinking, make, it, that, just, water)

→ ______________________

Guide it을 주어로 하는 기타 구문을 알아두자.

02 weekly 주간의 04 despite ~에도 불구하고(= in spite of) 05 city hall 시청 06 international 국제적인; 국제(상)의 08 gain weight 체중이 늘다 make O v O가 v하도록[하게] 만들다

CHAPTER

03

목적어의 이해

UNIT 15

to부정사/동명사 목적어 I

정답 및 해설 p.12

점수 /100

동사의 목적어 찾기 다음 문장에서 동사의 목적어로 쓰인 to부정사구 또는 동명사구가 이루는 의미 단위에 밑줄 긋고, 밑줄 친 부분을 해석하시오. [각 6점]

01 Sarah doesn't enjoy playing soccer on a rainy day.
→

02 Some people plant rice in their fields and expect to harvest corn.
→

고난도 03 We recommend going to the markets late to get the best deals.
→

고난도 04 I don't mind going out for lunch, but I don't want to have Chinese food.
→

Guide to부정사구가 목적어인 경우: v할 것을 / 동명사구가 목적어인 경우: v하는 것을, v한 것을

목적어 형태 파악하기 괄호 안의 동사를 알맞은 목적어 형태로 고쳐 쓰시오. [각 3점] 내신 직결

05 Neil denies (break) ________________ the neighbor's window.

06 You'd better quit (worry) ________________ about what you can't control.

07 She decided (leave) ________________ her country to pursue better job opportunities.

08 You should finish (write) ________________ the essay in an hour to meet the deadline.

09 I plan (stay) ________________ at my friend's house during my trip to Gangwon-do.

10 I hope (go) ________________ on a month-long journey around Europe someday.

11 We agreed (respect) ________________ each other's opinions after an argument.

12 The athlete admitted (take) ________________ banned substances before the competition.

Guide 동사에 따라 목적어로 취하는 명사구의 형태를 잘 구분해서 알아두자.

02 harvest 수확하다 03 deal 거래, 합의 05 neighbo(u)r 이웃(사람) 07 pursue 뒤쫓다; 추구하다 08 meet[miss] the deadline 마감 시간을 맞추다[놓치다] 10 month-long 한 달간의, 한 달 동안의 11 argument 논쟁, 논의 12 ban 금(지)하다 substance 물질; 실체; 핵심

목적어 의미와 형태 파악하기 빈칸에 들어갈 동사의 목적어를 〈보기〉에서 골라 알맞은 형태로 쓰시오. [각 3점] 내신 직결

〈보기〉 cry ask go pay

13 She can't afford ______________ the rent for next month.

14 I finally gave up ______________ him to change his mind.

15 We put off ______________ on a picnic because of the bad weather.

16 The girl pretended ______________ to get attention from her parents.

〈보기〉 sing invest change discriminate

17 We must learn ______________ between facts and opinions.

고난도 18 I determined not ______________ my major from physics to law.

19 My friend and I practiced ______________ for the audition.

20 He is not considering ______________ his money in stocks because of the high risk.

Guide ✔ 동사에 따른 목적어의 형태(to-v/v-ing)에 유의한다.

조건 영작 다음 우리말과 일치하도록 괄호 안의 어구를 활용하여 영작하시오. (필요하면 어형 변화 및 단어 하나 추가 가능) [각 7점] 내신 직결

21 그 회사는 자사의 식품이 안전하다는 것을 소비자들에게 납득시키지 못했다. (convince, fail, consumers)

→ The company ______________________________ that their foods are safe.

22 사람들은 어떻게 에너지를 더 효과적으로 사용할지를 알아야 한다. (use, effectively, how, more, energy)

→ People should know ______________________________.

23 당신은 필요하지 않은 것들에 너무 많은 돈을 쓰는 것을 피해야 한다.

(spend, should, too, money, avoid, much)

→ You ______________________________ on things you don't need.

고난도 24 우리는 12월에 있는 연주회의 앞줄 티켓들을 간신히 구했다.

(front row tickets, the concert, to, manage, get)

→ We ______________________________ in December.

Guide ✔ 동사의 시제와 목적어의 형태(to-v/v-ing)에 유의한다.

13~20 rent 임대료; 세내다, 임차하다 invest 투자하다 discriminate 구별하다; 차별하다 physics 물리학 stock ((주로 복수형)) 주식; 재고(품) 21 convince O that O에게 ~을 납득시키다 22 effectively 효과적으로 23 spend A on B A(시간 · 돈 등)를 B에 쓰다 24 row (좌석의) 줄

UNIT 16 to부정사/동명사 목적어 Ⅱ

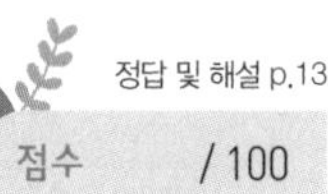

정답 및 해설 p.13

점수 /100

어법 오류 찾기 다음 밑줄 친 부분이 어법상 옳으면 ○, 틀리면 ×로 표시하고 바르게 고치시오. [각 6점] 내신 직결

01 After retirement, Sam continued to work as a lecturer.

02 Jacob likes to take pictures of his dog in various clothes.

03 Now I deeply regret to behave selfishly when I was young.

04 Always remember to put on your seatbelt before you drive.

05 He started speaking with a hoarse voice because of a cold. *hoarse (목이) 쉰

06 He can't forget to watch the football match in Barcelona last year.

07 We regret informing you that your application has been rejected.

08 He used to hate eating oysters and clams because of the fishy smell. *oyster 굴 **clam 조개

고난도 09 They stopped to talk about the issue temporarily to calm down.

고난도 10 Through the use of CCTV, the police tried to trace the criminal's movements.

Guide 동사가 취하는 목적어의 형태에 따라 달라지는 의미 차이에 주의한다.

문장 전환 | **다음 문장과 의미가 서로 통하도록 빈칸에 알맞은 말을 쓰시오.** [각 8점] 내신 직결

11 I am out of milk, so I have to buy some milk on my way home.

→ I have to remember ________________ some milk on my way home.

12 I sent the package to my sister at the post office and I remembered that.

→ I remembered ________________ the package to my sister at the post office.

13 He was supposed to meet me at the cafe this morning, but he forgot about it.

→ He forgot ________________ me at the cafe this morning.

고난도 14 Alex took a warm bath before he went to bed to solve his sleeping problem.

→ Alex tried ________________ a warm bath before he went to bed to solve his sleeping problem.

고난도 15 She read an article about the negative health aspects of white flour, so she made an effort not to eat it.

→ She tried ________________ white flour because it could harm her health.

Guide ✔ 동사와 목적어의 형태에 따른 의미 차이에 주의한다.

01 retirement 은퇴 lecturer 강연자 02 take picture of ~의 사진을 찍다 03 selfishly 이기적으로, 제멋대로 07 inform O that O에게 ~을 알리다 application 신청(서), 지원(서) reject 거부[거절]하다; 불합격시키다 09 temporarily 일시적으로, 임시로 calm down 진정하다; 진정시키다 10 trace 추적하다 criminal 범인; 범죄의 11 be out of ~이 떨어지다[바닥나다] on one's way home 집에 (돌아) 가는 길에 13 be supposed to-v v하기로 되어있다 14 take a warm bath 따뜻한 물로 목욕을 하다 15 article 기사, 글 aspect 측면, 양상 white flour 흰 밀가루 make an effort to-v v하려고 노력하다 harm 해치다; 해를 끼치다; 해, 손해

UNIT 17

명사절 목적어

정답 및 해설 p.14

점수 / 100

문장구조 파악하기 다음 문장에서 동사, 목적어를 찾아 밑줄 긋고 각각 V, O(또는 IO, DO)로 표시하시오. [각 4점]

01 When inviting people over for dinner, ask whether anyone is a vegetarian.

02 Can you explain why this model is more expensive than the others?

03 Having a positive attitude means that you focus on the good things.

04 You can find out where your nearest clinic is by searching the Internet.

고난도 05 The airport staff informed me when the last flight had landed at the airport.

Guide 접속사 that, whether/if, 의문사 등이 이끄는 명사절은 동사의 목적어 역할을 할 수 있다.

문장구조 파악하기 다음 문장에서 밑줄 친 명사절을 해석하고, 굵게 표시한 의문사가 명사절에서 하는 역할에 ✔ 표시하시오. [각 5점]

내신 직결

06 Smart consumers know very well **what** they should buy.

→ ▢ 주어 ▢ 목적어

07 The police still have not been able to figure out **who** the victim is. *victim 희생자; 피해자

→ ▢ 보어 ▢ 목적어

08 The waitress couldn't remember **which** was Mr. Coleman's coat.

→ ▢ 주어 ▢ 보어

고난도 09 The coach didn't say **whose** names were on the waiting list.

→ ▢ 명사 수식 ▢ 보어

Guide 명사절 안에서 의문대명사는 주어, 목적어, 보어, 명사 수식의 역할을 한다.

알맞은 명사절 접속사 고르기 다음 문장의 네모 안에서 어법상 알맞은 것을 고르시오. [각 6점] 수능 직결

10 ⓐ I truly understand [what / that] you need some alone time.

ⓑ I truly understand [what / that] you are trying to say.

11 ⓐ Do you know [what / that] makes the singer so famous in Taiwan?

ⓑ Do you know [what / that] she got a new job in Taiwan?

12 ⓐ Can you tell me [what / when] the next bus leaves for Seoul?

ⓑ Can you tell me [that / which] subway line I need to take to get to Seoul Station?

13 ⓐ An old lady asked me [what / who] the manager was at the restaurant.

ⓑ An old lady asked me [how / what] she could make a video call to her grandchild.

*make a video call 영상 통화를 걸다

고난도 14 ⓐ The beginning of growth comes when you learn [what / that] your weaknesses are.

ⓑ The beginning of growth comes when you learn [what / that] we all have weaknesses.

Guide ✔ 목적어 자리에 있는 명사절의 구조와 의미를 통해 적절한 접속사를 선택한다.

조건 영작 다음 우리말과 일치하도록 〈보기〉에서 알맞은 것을 고른 후, 괄호 안의 어구를 활용하여 영작하시오. (필요하면 어형 변화 가능) [각 5점] 내신 직결

〈보기〉 whether who that which how why

15 많은 훌륭한 책들은 우리에게 좋은 습관들이 성공으로 이어진다고 알려준다. (good, lead to, success, habits)

→ Many great books tell us ______________________.

16 이따금 우리는 왜 우리가 누군가를 좋아하는지 정확히 설명할 수 없다. (someone, we, like)

→ Sometimes we cannot exactly explain ______________________.

17 나는 우리가 싸운 이후 어떻게 내가 친구와 화해할 수 있을지 몰랐다. (my friend, I, make up with, could)

→ I didn't know ______________________ after we fought.

18 패션 전문가들은 다음 시즌에 어떤 색이 인기가 있을 것인지를 예측한다. (be, color, popular, will)

→ Fashion experts predict ______________________ in the next season.

고난도 19 비서가 내게 누가 회의에 참석해 있는지를 상기시켰다. (present, the meeting, be, at)

→ The secretary reminded me ______________________.

고난도 20 당신이 어떤 것을 하는 것을 즐기는지는 그것을 시도해 보기 전까지는 모른다. (enjoy, something, do, you)

→ You don't know ______________________ until you try it.

Guide ✔ 의문사 의문문이 명사절인 경우 〈의문사+(S'+)V'〉의 어순이 되는 것에 주의한다.

01 vegetarian 채식주의자 04 clinic 의원, 진료소 05 land 착륙하다(↔ take off 이륙하다) 10 alone time 혼자만의 시간 14 weakness 약점(↔ strength 강점) 15 lead to ~로 이어지다 17 make up with ~와 화해하다 18 predict 예측[예견]하다 19 secretary 비서 remind IO DO IO에게 DO를 상기시키다

UNIT 18

재귀대명사 목적어

정답 및 해설 p.15

점수 / 100

재귀대명사 목적어 vs. 목적격 대명사 다음 문장의 네모 안에서 어법상 알맞은 것을 고르시오. [각 7점] 수능 직결

01 I accidentally cut [me / myself] while chopping an onion.

02 The laptop will switch [it / itself] off when the upgrade is complete.

03 Your encouragement made [me / myself] confident about the future.

04 Kelly's classmates call [her / herself] an angel because of her kind nature.

05 The club members appointed [him / himself] as president of the dance club.

06 She dressed up in a Halloween costume because she wanted to disguise [her / herself].

고난도 07 Please remember that you are not just representing [you / yourselves], but the entire school.

Guide 문장의 주어와 목적어가 같은 경우 재귀대명사를 목적어로 사용한다.

재귀대명사의 관용표현 다음 문장에 적절한 관용표현을 〈보기〉에서 골라 알맞은 형태로 쓰시오. (한 번씩만 쓸 것) [08~11 10점, 12 11점]

〈보기〉 come to oneself / help oneself to / make oneself at home / behave oneself / apply oneself to

08 You should always ____________________ in front of elders.

09 She ____________________ her studies and soon achieved huge success.

10 We ____________________ the free drinks at the school festival last week.

11 I began to ____________________ and realize the wrongdoings I had done to my family.
*wrongdoing 잘못; 범죄

고난도 12 Kevin doesn't have much difficulty ____________________ anywhere he stays.

Guide 재귀대명사 관용적 표현의 형태와 의미를 잘 알아두어야 한다.

01 accidentally 실수로, 우연히 chop 다지다[썰다], 자르다 02 switch A off A를 끄다 complete 완료된; 완료하다 03 encouragement 격려 04 nature 성격, 본성; 자연 05 appoint A as B A를 B로 임명[지명]하다 06 disguise 변장하다; 감추다 07 represent 대표하다; 대변하다 08 elder ((복수형)) 어른들; 나이가 더 많은 12 have difficulty (in) v-ing v하는 데 어려움을 겪다

UNIT 19

전치사의 목적어

정답 및 해설 p.16

점수 / 100

어법 오류 찾기 다음 밑줄 친 부분이 어법상 옳으면 ○, 틀리면 ×로 표시하고 바르게 고치시오. [각 8점] 내신 직결

01 Many people object to <u>reveal</u> personal information on an online account.

02 A desert can be freezing cold, <u>contrary to</u> popular belief.

03 My grandmother is used to <u>use</u> gardening tools like a shovel.

04 As a soldier, she always does everything <u>according to</u> the rules.

05 Percy is the best I know when it comes to <u>cooking</u> Korean food.

고난도 06 The candidate is having trouble <u>get</u> his message across to the voters.

고난도 07 I could think of nothing to say to Helen <u>except for</u> I was so sorry.

고난도 08 You can use peaches <u>in place to</u> tomatoes when making sweet salsa.

*salsa 살사 ((멕시코 요리에 사용되는 매콤한 소스))

Guide ✔ 전치사의 목적어로 명사구[절]가 쓰이는 경우와 자주 쓰이는 구전치사를 알아둔다.

조건 영작 다음 우리말과 일치하도록 괄호 안의 어구를 활용하여 영작하시오. (필요하면 어형 변화 가능) [각 9점] 내신 직결

09 일광 화상으로 생긴 물집은 <u>피부암이 발생하는 위험을 증가시킨다.</u>

(the risk, skin cancer, increase, develop, of)

→ Blisters from sunburn ________________________________.

*blister 물집 **sunburn 일광 화상

10 나는 동창회에서 <u>나의 어린 시절 친구들을 보기를 고대하고 있다.</u>

(look forward to, be, my childhood friends, see)

→ I ________________________________ at the reunion.

11 인터넷은 <u>그것이 정보의 주요 원천으로 쓰인다는 점에서</u> 유용하다.

(as, of, the main source, information, in that, serve, it)

→ The Internet is useful ________________________________.

고난도 12 재활용을 통해 전자제품을 처리하는 것이 <u>우리 지역 사회를 깨끗하게 유지하는 데 매우 중요합니다.</u>

(our community, crucial, be, keep, in, clean)

→ Disposing of electronics through recycling ________________________________

________________. - 모의

Guide ✔ 전치사 뒤에는 (대)명사와 동명사 모두 가능한데, 뒤에 목적어가 바로 올 수 있는 것은 동명사이다.

01 reveal 드러내다, 밝히다 account (서비스 이용) 계정; 계좌; 설명하다 03 gardening tool 원예 도구 *cf.* garden 정원; 원예를 하다, 정원을 가꾸다 shovel 삽
06 candidate 후보자 voter 유권자 10 reunion 동창회; 재회, 재결합 12 crucial 매우 중요한, 결정적인 dispose of ~을 처리[처분]하다 electronics 전자제품

UNIT 20

가목적어 it

정답 및 해설 p.16

점수 / 100

진목적어 찾기 | **다음 문장에서 굵게 표시한 it이 대신하는 내용을 찾아 밑줄 그으시오.** [각 10점]

01 She made **it** clear to me that she firmly rejected their proposal.

02 His relatives took **it** for granted that they would inherit his wealth.

03 Many people believe **it** important to protect endangered animals from extinction.

04 Some people don't think **it** worthwhile to spend lots of money on space exploration.

Guide ✔ 가목적어 it은 to-v구나 명사절을 대신한다.

조건 영작 | **다음 우리말과 일치하도록 괄호 안의 어구를 활용하여 영작하시오. (단어 하나를 추가할 것)** [각 15점] 내신 직결

05 나는 적어도 한 달에 한 번 조부모님을 방문하는 것을 규칙으로 삼고 있다.
(my grandparents, a rule, visit, to, make)
→ I ______________________________ at least once a month.

06 그는 자신의 어린 시절을 보낸 그 도시를 떠나는 것이 힘들다는 것을 알았다.
(hard, leave, to, found, the city)
→ He ______________________________ where he had spent his youth.

07 나는 영양가 높은 아침을 먹는 것이 중요하다고 생각한다.
(believe, a nutritious breakfast, eat, important, to)
→ I ______________________________.

고난도 **08** 그 가수는 두 번째로 그 상을 받는 것을 큰 영광으로 여긴다.
(a great honor, the award, considers, receive, to)
→ The singer ______________________________
for a second time.

Guide ✔ 가목적어 it을 사용하는 구문의 형태는 〈S+V+it+C+to-v.../that S′ V′...〉이다.

01 firmly 단호히, 확고히 **02** relative 친척; 상대적인 inherit 상속받다 wealth 재산, 부 **03** endangered 멸종 위기에 처한 extinction 멸종 **04** worthwhile 가치 있는 exploration 탐사, 탐험 **07** nutritious 영양가가 높은 **08** hono(u)r 영광, 명예; 존경하다; 영광[명예]을 주다 award 상; 수여하다

CHAPTER

04

보어의 이해

UNIT 21

다양한 주격보어

정답 및 해설 p.17

점수 / 100

주격보어 파악하기 **다음 문장의 주어와 보어에 밑줄 그으시오.** [각 10점]

01 The woman seemed to disappear without any explanation.

02 His motive for working so hard is that he needs money.

03 The problem is who will tie the bell around the cat's neck. *tie a bell 방울을 달다

04 For ten years, Harry's job was to teach English to adult students.

05 My first question is whether parents spend enough time with their kids.

06 From the summer school, my biggest gain was learning how to study better.

Guide 주격보어 형태: (대)명사, 형용사, 〈전치사+명사〉구, 부정사, 동명사, 분사, 명사절

조건 영작 **다음 우리말과 일치하도록 괄호 안의 어구를 활용하여 영작하시오. (필요하면 어형 변화 및 단어 추가 가능)** [각 10점]

내신 직결

07 '돈으로 행복을 살 수 없다'는 그 오래된 속담은 그에게 사실로 판명되었다. (true, be, turn out)

→ That old saying "money can't buy happiness" ______________________ for him.

08 사랑은 상대방의 필요를 당신의 것 앞에 두는 것이다. (someone else's, put, needs)

→ Love is ______________________ before yours.

- 영화 *Frozen* (2013) 中

09 우리는 모두 능력을 가지고 있다. 차이는 어떻게 우리가 그것을 사용하는지이다.

(be, use, it, how, the difference, we)

→ We all have ability. ______________________.

- Stevie Wonder ((美 가수))

고난도 **10** 그 문은 강도의 여러 번의 시도에도 불구하고 잠긴 상태였다. (remain, the door, lock)

→ ______________________ despite the multiple attempts of the robber.

Guide 부정사, 동명사, 분사, 명사절 등 다양한 주격보어를 활용하여 영작해 본다.

01 explanation 설명 02 motive 동기, 이유 06 gain 이득(을 얻다) 10 despite ~에도 불구하고(= in spite of) multiple 다수의; 다양한 attempt 시도(하다) robber 강도

UNIT 22

to부정사 목적격보어

정답 및 해설 p.17

점수 / 100

문장구조 판별하기 다음 〈보기〉와 같이 짝지어진 문장 중 굵게 표시한 to-v가 목적격보어인 문장에 ✔표시하고, 밑줄 친 부분을 모두 해석하시오. [각 12.5점] 내신 직결

〈보기〉 ☐ She wanted more time **to finish** the test. 시험을 끝내기 위해[위한] 더 많은 시간을 원했다
☑ He wanted me **to bring back** his book. 내가 그의 책을 돌려주기를 원했다

01 ☐ You should ask your teacher **to help** you.
☐ He asked my name **to write** it on the form.

02 ☐ She got a new chair **to sit on** at her office.
☐ The prosecutor finally got him **to confess** his guilt. *prosecutor 검사

03 ☐ Her experience led her **to consider** writing a book.
☐ He will lead the seminar **to discuss** our issues.

04 ☐ I ordered a large cheese pizza **to share** with her.
☐ The policeman ordered the criminals **to drop** their weapons.

05 ☐ The game requires an update **to continue** playing.
☐ Success on any major scale requires you **to accept** responsibility.
*accept responsibility 책임을 지다

06 ☐ The experts told us **to drink** plenty of water in hot weather.
☐ He told a lie **to save** money for a round-the-world trip. *a round-the-world trip 세계 일주 여행

07 ☐ Some recording studios don't allow smoking **to protect** the equipment.
☐ Many VR games allow players **to feel** sensations of motion and touch. - 모의응용
*VR(Virtual Reality) 가상현실

08 ☐ The college encourages freshmen **to read** various books.
☐ The government encouraged investment **to boost** the economy.

Guide ✔ 〈목적어+to-v(목적격보어)〉는 'O가 v하다'라는 '주어-술어'의 관계이다.

02 confess 자백[고백]하다 guilt 죄; 유죄 03 consider v-ing v할 것을 고려하다 04 criminal 범인; 범죄의 weapon 무기 05 continue v-ing v하는 것을 계속하다 06 plenty of 충분한; 많은 07 equipment 장비 sensation 감각 motion 움직임; 동작[몸짓] 08 freshman 신입생 investment 투자(액) boost the economy 경제를 활성화하다

UNIT 23

원형부정사(v) 목적격보어

정답 및 해설 p.18

점수 / 100

목적격보어 파악하기 **다음 각 문장의 동사에 밑줄 긋고, 괄호 안의 단어를 이용하여 빈칸을 완성하시오. (동사에 조동사를 포함할 것, 빈칸에는 to-v 또는 v(원형부정사)의 형태로 쓸 것)** [01~17 5.5점, 18 6.5점] 내신 직결

01 The man noticed the cat (try) ______________ to catch a fly.

02 Right before the performance, I felt my heart (stop) ______________ for a second.

03 The kids were listening to him (sing) ______________ a song with cute lyrics.

04 We didn't expect him (become) ______________ a successful writer.

05 Last night, Robin heard someone (open) ______________ the door.

06 Muscles in our faces enable us (make) ______________ facial expressions. - 모의응용

07 My brother reminded me (buy) ______________ more milk from the store.

08 This hot tea will make your pain and fever (go away) ______________.

09 John observed the dog (run) ______________ quickly toward the ball.

10 That advertising persuades people (donate) ______________ money to the poor.

11 Lilly didn't let her children (make) ______________ too much noise in the restaurant. - 수능응용

12 He is watching the buses (drive away) ______________ from the bus station.

13 My mom forces us (drink) ______________ green smoothies every morning.

14 Through the window, she saw drops of rain (begin) ______________ to fall in the yard.

15 She had her younger brother (replace) ______________ the flat tire before the journey.

16 Forgetting the past can cause you (repeat) ______________ the same mistakes again and again.

17 His mother looked at him (dance) ______________ on the stage with a smile on her face.

고난도 **18** Our society helps people with learning difficulties (reach) ______________ their full potential.

*learning difficulties 학습 장애 **reach one's full potential ~의 잠재력을 최대한 발휘하다

Guide 동사에 주의하여 목적격보어로 to-v를 취하는지 v를 취하는지를 판단한다.

03 lyric ((복수형)) (노래) 가사 06 facial expression 얼굴 표정 08 go away 사라지다; (떠나)가다 10 advertising 광고 donate 기부하다 *cf.* donation 기부, 기증
11 make much noise 시끄럽게 떠들다 15 replace 교체하다 flat 바람이 빠진; 편평한 journey 여행

UNIT 24 현재분사(v-ing) 목적격보어

정답 및 해설 p.19

점수 / 100

목적격보어 파악하기 다음 각 문장에서 네모 부분을 목적격보어로 취하는 동사에 밑줄 긋고, 네모 안에서 어법상 알맞은 것을 모두 고르시오. (동사에 조동사를 포함할 것) [01~16 5.5점, 17~18 6점] 수능 직결

01 I could smell something [to burn / burn / burning] on the stove.

02 Tom overheard a group of classmates [to talk / talk / talking] about him.

03 The police warned them [to stay / stay / staying] indoors for their safety.

04 Suddenly, we felt the ground [to shake / shake / shaking] for about half a minute.

05 With the change of seasons, I saw crops [to ripen / ripen / ripening] in the fields.

06 The whole class urged Alexandra [to have / have / having] confidence in herself.

07 The food you eat keeps your immune system [to work / work / working] properly.

08 Jake noticed smoke [to rise / rise / rising] from the roof of the building.

09 At the zoo, we watched the monkey [to peel / peel / peeling] the banana.

10 The full moon permitted me [to see / see / seeing] far into the distance at night.

11 I often found my mother [to watch / watch / watching] TV in the living room.

12 Helena caught the stranger [to look at / look at / looking at] her around the corner.

13 In a hot summer, you might hear the ocean [to call / call / calling] you.

14 Her parents wish her [to get / get / getting] enough sleep to recover from the injury.

15 In an open class, parents can observe their children [to participate / participate / participating] in a variety of educational activities.

16 Her illness compelled her [to give up / give up / giving up] her dreams of going to university.

고난도 17 I got my laptop [to work / work / working] again after reinstalling Windows.

고난도 18 Somebody had the water [to run / run / running] for hours to keep the pipes from freezing.

Guide 동사별로 취하는 목적격보어의 형태를 알아두자.

01 stove 가스레인지 02 overhear 우연히 듣다 05 crop (농)작물 ripen 익(히)다 07 immune system 면역 체계 properly 적절히, 제대로 09 peel 껍질을 벗기다[깎다] 10 in(to) the distance 저 멀리[먼 곳에] 14 recover 회복하다 15 educational 교육의, 교육적인 17 reinstall 재설치[설비]하다 18 keep O from v-ing O가 v하는 것을 막다 freeze 동파되다, 얼다

UNIT 25

과거분사(p.p.) 목적격보어

점수 / 100

목적격보어 파악하기 **다음 문장의 네모 안에서 어법상 알맞은 것을 고르시오.** [01~08 6점, 09~12 7점, 13~15 8점] 수능 직결

01 I never saw my brother's room [cleaning / cleaned / be cleaned].

02 We will keep you [informed / informing / inform] of the progress on the project.

03 He noticed his friend [to sit / sitting / sits] at the table right next to him.

04 Before each class, I get everything on my desk [to organize / organized / organizing].

05 We often left some fruit on the trees and let it [eat / eaten / be eaten] by birds.

06 She felt herself [carry / carrying / carried] into the hospital hurriedly by the nurses.

07 Cheerfully, Lucas observed lots of balloons [to lift / lifted] into the sky.

08 In the morning, we found a car [parked / parks / to park] right outside of our house. - 모의

09 Ariana heard her name [to repeat / repeated / repeating] aloud several times in her sleep.

10 I looked at a woman with sunglasses [to watch / watching / watched] me with great interest.

11 Our teacher wants this assignment [to finish / finishing / finished] by the end of this week.

12 Camilla watched the final of the championship [to show / shows / shown] on TV.

13 Gilbert can make himself [to understand / understood / understand] in Korean though he is not fluent.

14 We all listened to the speaker [criticize / criticized / be criticized] the new economic policy.

15 Being in the sun for a long time can leave your hair [to damage / damaging / damaged] in the summer.

Guide O가 C의 동작을 받는 '수동'의 의미일 때는 C의 자리에 p.p.가 온다.

02 progress 진행(하다); 향상, 발달 04 organize 정리하다; 조직하다 06 carry A into B A를 B로 옮기다[운반하다] hurriedly 황급히 07 cheerfully 기분 좋게 lift 들어 올리다 09 in one's sleep 잠결에 10 with interest 관심[흥미]을 갖고 11 assignment 과제, 임무; 배치 12 championship 선수권 대회, 챔피언전 13 fluent 유창한; 유동성의 14 criticize 비판하다 economic 경제의 policy 정책, 방침 15 damage 손상(시키다)

UNIT 26 have+목적어+p.p.

정답 및 해설 p.21

점수 / 100

쓰임 판단하기&해석하기 **다음 밑줄 친 부분에서 굵게 표시한 have[had]의 쓰임으로 가장 알맞은 것을 〈보기〉에서 골라 그 기호를 쓰고, 밑줄 친 부분을 해석하시오.** [각 12점]

〈보기〉 ⓐ 사역 ⓑ (좋지 않은) 경험 ⓒ 상태

01 The two soccer teams **had** five minutes left before the end of the game.

→

02 Many people **had** their cars ruined by the storm last year. *ruin 손상시키다

→

03 I'll **have** an air conditioner installed in my room before summer.

→

04 Buildings and houses **had** their roofs torn off by the tornado. *tear off ~을 뜯어버리다[떼어내다]

→

05 The exam supervisor **had** all the electronic devices taken away during the exam.

*electronic device 전자기기 **take away 치우다

→

Guide 목적격보어로 p.p.가 쓰인 문장의 동사 have는 사역, (좋지 않은) 경험, 상태를 의미한다.

조건 영작 **다음 우리말과 일치하도록 괄호 안의 어구를 활용하여 영작하시오. (필요하면 어형 변화 가능)** 내신 직결

06 그 범죄자는 성난 시민들에 의해 얼굴에 계란이 던져졌다. (have, throw, eggs) [13점]

→ The criminal ________________ at his face by angry citizens.

07 당신은 당신의 프로젝트를 월말까지는 끝낸 상태여야 한다. (should, your project, complete, have) [13점]

→ You ________________ by the end of the month.

08 건강을 돌보기 위해, 당신은 당신의 몸을 정기적으로 검사받아야 한다. [14점]

(your body, examine, should, have, you)

→ To take care of your health, ________________ regularly.

Guide 1. 우리말을 통해 동사의 시제를 정한다.
2. O와 C의 관계를 파악하여 사역, 경험, 상태를 나타내면 C 자리를 p.p. 형태로 영작한다.

03 air conditioner 에어컨 install 설치하다 05 supervisor 감독관, 관리자 06 citizen 시민 08 examine 검사하다 regularly 정기적으로

UNIT 22-26 OVERALL TEST

점수 / 100

알맞은 목적격보어 고르기 다음 각 문장에서 네모 부분을 목적격보어로 취하는 동사에 밑줄 긋고, 네모 안에서 어법상 알맞은 것을 고르시오. (동사에 조동사를 포함할 것) [각 4점] 내신 직결

01 The poor harvest caused the price of potatoes [to rise / rise] sharply.

02 Her black suit and white blouse made her [to look / look] elegant.

03 I heard someone [to open / open] a pack of cookies in the quiet classroom.

04 Many parents want their children [to get / get] good test scores.

05 I listened to my father [to play / play] the electric guitar in the room.

06 He persuaded the volunteers [to help / help] him clean the streets.

07 The doctor will let you [to know / know] the results of your medical examination.

08 The city never permits public officials [to receive / receive] expensive gifts.

09 The reporter asked the athlete [to answer / answer] questions about her next plans.

10 He wishes people [to adopt / adopt] homeless dogs rather than buy one from a shop.

11 My grandfather made all of us [to laugh / laugh] all through the meal.

12 My personal trainer got me [to cut / cut] sugar and salt out of my diet.

13 Lack of time can lead us [to make / make] entirely wrong decisions.

14 We observed every star in the sky [to twinkle / twinkle] above the hill.

고난도 15 My dog always stares at me when I have him [to wait / wait] for his food.

고난도 16 Our brain lets us [to know / know] when we are hungry by controling our digestion.

고난도 17 I saw my friends [to stand / stand] to cheer for me, but I couldn't hear anything.

고난도 18 My parents don't go to bed until they hear me [to come / come] in the front door.

고난도 19 Science fiction helps students [to understand / understood] the principles of the universe. - 모의응용

*science fiction(= SF) 공상과학 영화[소설]

고난도 20 When I was sitting under the tree, I felt something [to crawl / crawl] upon my leg.

Guide ✔ 동사에 따라 취하는 목적격보어의 형태가 다르므로 구별하여 알아두자.

어법 오류 찾기 **다음 밑줄 친 부분이 어법상 옳으면 ○, 틀리면 ×로 표시하고 바르게 고치시오.** [각 4점] 수능 직결

21 Michael and I were observing the clouds moved slowly.

22 Charles didn't notice his name call behind him during class.

23 Jacob wanted his paintings and sculptures display in the gallery.

24 In order to prevent accidents, the officials had the road repaired.

25 I typically hear my friends complained about their annoying sisters or brothers.

Guide O와 C의 능동 · 수동 관계를 파악한다.

01 poor harvest 흉작 *cf.* harvest 수확(하다) sharply 급격히; 날카롭게 **02** elegant 우아한, 품격 있는 **07** medical examination 건강검진 **08** (public) official 공무원 receive 받다, 수령하다 **09** athlete (운동) 선수 **10** adopt 입양하다; 채택하다 homeless dog 유기견 **12** cut A out A를 빼다[삭제하다] **13** entirely 완전히, 전적으로 **14** twinkle 반짝반짝 빛나다 **15** stare at ~을 쳐다보다 **16** digestion 소화 **17** cheer 응원하다 **19** principle 원리; 원칙 **20** crawl 기어오르다 **23** sculpture 조각(품) display 전시하다 **25** typically 보통, 일반적으로 complain about ~에 대해 불평하다 annoying 귀찮은, 성가신

PART

서술어의 이해

CHAPTER

0 5

동사의 시제

UNIT 27

현재시제의 다양한 의미

정답 및 해설 p.23

점수 / 100

현재시제 의미 구분하기 **다음 밑줄 친 동사의 의미와 관련된 것을 〈보기〉에서 골라 그 기호를 쓰시오.** [각 4점] 내신 직결

〈보기〉 ⓐ 현재의 상태 ⓑ 반복적 행동 ⓒ 진리, 언제나 사실인 것 ⓓ 가까운 미래의 확정된 일

01 She looks a bit worried about the presentation this Friday.

02 Amanda keeps a diary every day in order to reduce her anxieties.

03 Sound travels at a speed of around 340 meters per second in air.

04 The winter vacation begins tomorrow and lasts for 30 days.

05 The Korean restaurant at 24 Madison Street always closes at 9 p.m.

06 Water freezes at zero degrees Celsius and boils at 100 degrees Celsius. *Celsius 섭씨(의)

07 My little brother wants to become a musician, just like my father.

고난도 08 Traffic controls occur next Sunday as part of preparations for the marathon.

Guide 현재시제가 나타내는 의미와 때를 문맥에 맞게 파악한다.

절 역할 판별하기 **다음 밑줄 친 절이 문장에서 하는 역할을 네모 안에서 고르시오.** [각 4점] 내신 직결

09 I wonder if you have received my e-mail about our appointment. [명사절 / 부사절]

10 Please contact us by this number if you are interested in free counseling. [명사절 / 부사절]

11 People don't know when they will die, so we must make the best of our lives. [명사절 / 부사절]

고난도 12 It is important to keep team members motivated when the project has no end in sight. [명사절 / 부사절]

Guide
• 명사절: if/whether(S'가 V'인지), when(언제 S'가 V'하는지)
• 부사절: if(만약 ~라면), when(~할 때)

01 presentation 발표; 제출; 증정 02 keep a diary 일기를 쓰다 reduce 줄이다 anxiety 불안, 염려 04 last 계속되다; 마지막의 06 freeze 얼다 boil 끓(이)다 08 traffic control 교통 통제 as part of ~의 일환으로 preparation 준비 09 appointment 약속; 임명 10 counseling 상담, 카운슬링, 조언 11 make the best of ~을 최대한으로 활용하다 12 keep O C O를 C인 상태로 두다 motivated 동기가 부여된, 의욕을 가진 in sight 보이는 곳에, 시야에

어법 오류 찾기 **다음 밑줄 친 부분이 어법상 옳으면 ○, 틀리면 ×로 표시하고 바르게 고치시오.** [각 4점] 내신 직결

13 Once she will retire, she will use her experiences to help others.

14 As soon as you sign up, you'll get instant access to all free e-books.

15 Please ask her when she will come back to pick up the luggage.

16 We will put off our picnic at the Han River if it will rain tomorrow.

17 Many people wonder if they will find their true love and get married.

18 You won't be able to use any electronic devices after the exam will begin.

19 Patricia will let you know whether the chairman will attend the meeting.

20 To make a baguette, you need to bake the bread until it will be golden.

21 Our center is going to offer full refunds if you will cancel 10 days in advance.

22 The workers will complete the school maintenance by the time the summer break ends.

Guide 시간/조건을 나타내는 접속사가 이끄는 부사절에서는 현재시제가 미래를 대신한다. << UNIT 73, 74, 76

- 시간: when, until[till], once, before, after, by the time, as soon as 등
- 조건: if, unless 등

조건 영작 **다음 우리말과 일치하도록 괄호 안의 어구를 활용하여 영작하시오. (필요하면 어형 변화 가능, 단어 추가 불가)** [각 4점] 내신 직결

23 우리는 나무가 광합성을 통해 이산화탄소를 흡수하고 산소를 방출한다고 배웠다.

(release, and, oxygen, CO_2, absorb)

→ We learned that trees ______________________________ through photosynthesis.

*photosynthesis 광합성

24 그녀는 정기검진을 위해 6개월마다 치과에 방문한다. (six months, the dentist, every, visit)

→ She ______________________________ for checkups.

고난도 25 그 도시는 이번 주말에 모든 연령의 음악 애호가들을 위한 음악 축제를 열 것이다.

(music lovers, its music festival, hold, of all ages, for)

→ The city ______________________________ this weekend.

13 retire 은퇴하다 14 sign up 가입하다, 등록하다 instant 즉각적인 access 이용권; 접근(하다) 18 electronic device 전자기기 19 chairman 회장, 의장 attend O O에 참석하다 21 in advance 미리 22 maintenance 보수(공사); 유지 23 release 방출하다; 풀어주다 oxygen 산소 absorb 흡수하다 24 checkup (정기)검진

UNIT 28

미래를 나타내는 표현

정답 및 해설 p.24

점수 / 100

시제 구분하기 **다음 밑줄 친 부분이 나타내는 때를 네모 안에서 고르시오.** [각 10점] 내신 직결

01 Richard has his driving test in about thirty minutes. 현재 / 미래

02 Bill is interested in studying the ancient history of Egypt. 현재 / 미래

03 The company is going to announce a new laptop soon. 현재 / 미래

04 The roof of the library is to become a small garden for visitors. 현재 / 미래

05 A woman with a stroller is about to get on the elevator. *stroller 유모차 현재 / 미래

06 My brother will tidy up the house while I go out for groceries. 현재 / 미래

07 The gold medalist is due to make an appearance on a TV show. 현재 / 미래

08 I don't have much time to get together with my family due to work. 현재 / 미래

고난도 09 The baby is sleeping. Please don't ring the doorbell or knock the door. 현재 / 미래

고난도 10 An international exhibition of modern art is opening this Saturday. 현재 / 미래

Guide 미래를 나타내는 다양한 표현들을 알아두고, 현재시제와 구분할 수 있어야 한다.

02 ancient 고대의(↔ modern 현대의) 03 announce 발표하다 06 tidy (up) 청소하다 grocery ((복수형)) 식료품 및 잡화 07 make an appearance 출연[등장]하다 *cf.* appear 출연하다; 나타나다; ~인 것 같다 10 international 국제(상)의; 국제적인 exhibition 전시(회)

UNIT 29 현재완료형/현재완료 진행형

정답 및 해설 p.24

점수 / 100

자주 쓰이는 부사 구별하기 현재완료의 각 의미별 자주 쓰이는 부사를 〈보기〉에서 골라 쓰시오. (〈보기〉의 모든 부사를 한 번만 사용할 것)

〈보기〉 for ~ 동안 / ever 언젠가 / already 이미, 벌써 / once 한 번 / since ~이래로, ~부터 / just 막, 방금
how long ~? 얼마 동안 ~? / before 전에 / yet 아직; 벌써 / never 한 번도 ~ 않다

01 계속 → [3점]

02 경험 → [4점]

03 완료 → [3점]

Guide
- 계속: (지금까지) 죽 ~해왔다
- 경험: ~한 일이 있다
- 완료: 막 ~했다

과거/현재완료 구분하기 다음 문장에서 시제 판단의 근거가 되는 부사(구, 절)에 밑줄 긋고, 괄호 안의 동사를 알맞은 형태로 쓰시오.

[각 4점] 내신 직결

04 They (be) ______________ married for twenty years now.

05 Mr. and Mrs. Smith (open) ______________ a restaurant in 1998.

06 I don't believe we (meet) ______________ before. My name is Keith.

07 My sister (appear) ______________ in a movie when she was young.

08 We (know) ______________ each other since we were eight years old.

09 My brother (go) ______________ to Australia for a backpacking trip yesterday.

고난도 **10** Susan (see) ______________ the singer on TV once but never in person.

11 Justin (visit) ______________ Vancouver two years ago to attend his uncle's funeral.

고난도 **12** The children (write) ______________ three letters to Santa Claus so far.

Guide 현재완료는 아래와 같은 명확한 과거를 나타내는 부사와는 같이 쓸 수 없다.
yesterday (morning) / last week / ~ ago / in + 특정 과거 연도 / when ~ 등

09 backpacking trip 배낭여행 10 in person 직접 11 funeral 장례식

과거/현재완료 의미 파악하기 다음 두 문장의 문맥이 자연스러우면 ○, 그렇지 않으면 ×로 표시하시오. [각 3점]

13 I have traveled to Paris several times.
I have never been to Europe.

14 I traveled to Paris for the first time last year.
I was excited to see the Eiffel Tower.

15 My father cleaned the house on New Year's Eve.
Let's go and help him.

16 My father has been cleaning the garage since morning.
He is resting in the living room now.

17 Julie went to Jeju Island to stay with her aunt for the summer.
I'm not sure if she is still there.

18 Julie has gone to Jeju island to stay with her aunt for the summer.
She's here in Seoul now.

고난도 19 Kyle has forgotten to bring his English dictionary to school.
He has trouble understanding some words in an English assignment now.

고난도 20 Kyle forgot to bring his English dictionary to school yesterday.
So he borrowed one from his friend.

Guide 과거시제는 과거의 일을 말하고 있을 뿐, 현재와는 아무런 관련이 없는 반면, 현재완료는 과거의 일이 현재와 연결됨을 나타낸다.

현재완료 의미 구분하기 **다음 문장에서 밑줄 친 현재완료의 의미를 〈보기〉에서 골라 그 기호를 쓰시오.** [각 3점] 내신 직결

〈보기〉 ⓐ 계속: (지금까지) 죽 ~해왔다 ⓑ 경험: ~한 일이 있다
ⓒ 완료: 막 ~했다 ⓓ 결과: ~했다 (그 결과 지금 …인 상태이다)

21 Have you ever met any celebrities face to face?

22 I have already sent you the application by e-mail.

23 A low-budget movie has topped the box office for four weeks straight.
*top the box office 흥행 1위를 하다

24 The kids in my neighborhood from Cuba have never seen snow.

25 My mother has thrown away my childhood toys, so I don't have them anymore.

26 One of my cousins has recently graduated from high school in Seoul.

27 My grandmother is very healthy and has never been in the hospital before. - 모의

28 She has just finished painting the room all by herself. Now the room looks cozy.

고난도 **29** Some people have lost their homes to the floods. They are now staying in the shelter.

고난도 **30** Photography has always played an important part in our understanding of the universe. - 모의

Guide 현재완료의 각 의미와 함께 자주 쓰이는 부사와 문맥을 확인한다.

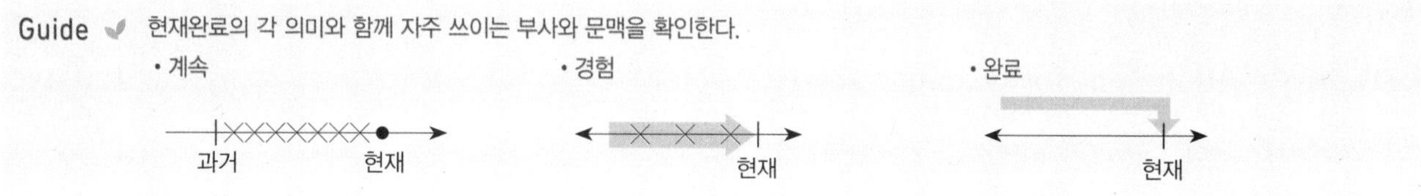

13 several 여러…; 몇몇의 16 garage 차고 rest 쉬다, 휴식을 취하다 19 have trouble v-ing v하는 데 어려움이 있다 assignment 과제; 배정 21 celebrity 유명 인사 face to face 대면하여; 마주 보고 22 application 지원(서) 23 low-budget 저예산의 24 neighbo(u)rhood 이웃; 근처 25 throw away A A를 버리다[없애다] 27 be in (the) hospital 입원 중이다 28 (all) by oneself 혼자 cozy 아늑한, 포근한 29 flood 홍수; 쇄도; 범람하다 shelter 보호 시설; 주거지; 보호하다 30 photography 사진술; 사진촬영 play a part 역할을 하다 understanding 이해; 이해심 있는 universe 만물, 세계; 우주

UNIT 30

과거완료형/미래완료형

정답 및 해설 p.25

점수 / 100

완료형의 의미 구분하기 **다음 문장의 밑줄 친 부분을 해석하고 그 의미를 네모 안에서 고르시오.** [각 8점] 내신 직결

01 She had never been to an opera before last night.

→ [경험 / 계속]

02 I will have finished fixing your laptop by the time you arrive on Monday.

→ [완료 / 경험]

03 I didn't have any money at the time because I had lost my wallet.

→ [계속 / 결과]

고난도 **04** When the rescue team arrived, the plane had already sunk into the ocean. - 모의

→ [완료 / 경험]

고난도 **05** The exploration mission to Jupiter will have proceeded for six years by next year.

→ [경험 / 계속]

*Jupiter 목성 **proceed 진행하다; 나아가다

Guide 과거완료와 미래완료는 현재완료와 마찬가지로 계속, 경험, 완료, 결과를 나타낸다.
현재완료처럼 각 의미와 함께 자주 쓰이는 부사를 알아두자.

완료형의 형태 파악하기 **다음 문장의 괄호 안에 주어진 동사를 문맥에 알맞은 완료형으로 쓰시오.** [각 7점] 내신 직결

06 My mother (go) ________________ to bed when I got home late yesterday.

07 Sources said that scientists (confirm) ________________ the coral reef's death.

*coral reef 산호초

08 The robbers (take) ________________ all the money by the time the police get here.

09 At the end of next month, I (have) ________________ my car for twenty years.

10 When they got married, my grandparents (know) ________________ each other for fifteen years.

11 Dr. Diego (work) ________________ for 24 hours straight when he finishes his shift tomorrow.

Guide 시간을 나타내는 부사구[절]와 시제, 문맥 등을 통해 적절한 완료형을 파악한다.

조건 영작 **다음 우리말과 일치하도록 괄호 안의 어구를 활용하여 영작하시오. (필요하면 어형 변화 가능)** [각 9점] 내신 직결

고난도 **12** 우리는 그곳에 10년 넘게 죽 살았었기 때문에 우리 가족은 그 집을 파는 게 슬펐다.

(have, for, there, ten years, live, we, over)

→ My family felt sad about selling the house because ______________________

______________________.

고난도 **13** 제인은 발행인을 만날 때까지는 자신의 소설을 집필하는 것을 끝내게 될 것이다.

(finish, have, her novel, will, write)

→ Jane ______________________ by the time she meets the publisher.

Guide ✔ • 과거완료 (대과거 → 과거) • 미래완료 (→ 미래)

04 rescue team 구조대 *cf.* rescue 구조(하다) sink(-sunk-sunk) 가라앉다 05 exploration 탐사 mission 임무 07 source 자료, 출처; 근원 confirm 확인[확증]하다, 사실임을 보여주다 08 robber 강도 *cf.* rob 빼앗다, 훔치다 11 shift (교대) 근무; 이동하다; 변화 13 publisher 발행자, 출판업자; 출판사

UNIT 31

to부정사/동명사의 완료형

정답 및 해설 p.26

점수 / 100

문장 전환 다음 두 문장의 의미가 일치하도록 to부정사 혹은 동명사를 활용하여 문장을 완성하시오. [각 10점] 내신 직결

01 He decided that he would donate his organs after death.

→ He decided ____________ ____________ his organs after death.

02 Researchers claim that they discovered a historical site in the desert.

→ Researchers claim ____________ ____________ ____________ a historical site in the desert.

03 The fact that I lived in the U.K. for several years has made me crave sunshine.

→ ____________ ____________ in the U.K. for several years has made me crave sunshine.

고난도 04 I am certain that she will win Rookie of the Year Award.

→ I am certain of ____________ ____________ Rookie of the Year Award.

*Rookie of the Year Award 올해의 신인상

Guide ✔ to부정사/동명사가 문장의 동사가 가리키는 때보다 이전의 일임을 나타낼 때는 to have p.p./having p.p.로 표현한다.

조건 영작 다음 우리말과 일치하도록 괄호 안의 어구를 활용하여 영작하시오. (필요하면 어형 변화 가능, 단어 추가 불가) [각 15점] 내신 직결

05 그는 선거 운동을 위한 자금을 받았던 것을 부인했다. (deny, receive, funding, have)

→ He ________________________________ for the election campaign.

06 제프는 보고서의 마감 기한을 잊어버렸던 것으로 보인다. (the deadline, have, to, forget, seem)

→ Jeff ________________________________ for the report.

고난도 07 그 블로거는 저작권법을 위반했던 것으로 고발당했다. (have, copyright laws, be accused of, violate)

→ The blogger ________________________________.

고난도 08 내 지갑이 지하철에서 사라졌던 유일한 것은 아니었다. (disappear, to, the only thing, have)

→ My wallet was not ________________________________ in the subway.

Guide ✔ 우리말의 시제와 주어의 수에 맞게 동사를 쓰고, to have p.p./having p.p. 중 알맞은 형태를 쓴다.

01 donate 기증[기부]하다 *cf.* donation 기증, 기부 organ (신체의) 장기; 오르간 02 historical site 사적지, 유적지 03 crave 갈망[열망]하다 05 deny 부인하다; 거절하다 election campaign 선거 운동 07 copyright law 저작권법 be accused of ~로 고발되다[비난받다] violate 위반하다

CHAPTER

06

동사에 의미를 더하는 조동사

UNIT 32

능력(Ability)/허가(Permission)

정답 및 해설 p.27

점수 / 100

조동사 의미 판단&해석하기 다음 문장에서 밑줄 친 조동사가 나타내는 의미를 〈보기〉에서 골라 그 기호를 쓰고, 밑줄 친 부분을 해석하시오. [각 12점] 내신 직결

〈보기〉 ⓐ 능력 ⓑ 허가 · 금지

01 You may hand in a letter of recommendation next Monday. *a letter of recommendation 추천서

→

02 Grace can memorize new words better and faster than me.

→

03 Users cannot copy or edit any materials on this website.

→

04 I could not beat my older brother at tennis when we were kids.

→

05 Camels can survive in extreme conditions like the heat of a desert.

→

06 Ancient humans could measure years, months, and days with the movements of the earth, the moon, and the sun. - 모의

→

Guide ✔ • can: ~할 수 있다 〈능력〉; ~해도 좋다 〈허가, 허락〉 / can't[cannot]: ~하면 안 된다 〈금지〉
• may: ~해도 좋다 〈허가, 허락〉

알맞은 조동사 고르기 다음 문장의 네모 안에서 문맥상 알맞은 것을 고르시오. [각 14점] 내신 직결

07 Because we [cannot / may not] have everything all at once, we are forced to make choices.

08 Electronic devices [may / can't] be used during takeoff. Please turn them off or switch them to airplane mode.

*airplane mode 비행기 모드 ((비행기 운항에 지장을 주지 않기 위해 전자기기의 통신을 차단하는 기능))

Guide ✔ 문맥으로 능력, 허가의 의미를 구별하여 알맞은 조동사를 판단한다.

01 hand in 제출하다(= submit) 02 memorize 암기하다 03 edit 편집하다; (글 등을) 수정하다 material 자료; 재료; 물질[물리]적인 04 beat(-beat-beaten) 이기다 05 camel 낙타 extreme 극한[극도]의; 극단적인 condition ((복수형)) 환경, 상태; 문제; 조건 06 ancient 고대의 measure 측정하다; 판단[평가]하다 movement 움직임 07 all at once 한꺼번에, 동시에; 갑자기 force O to-v O가 어쩔 수 없이 v하게 하다 08 electronic device 전자기기 takeoff 이륙(↔ landing 착륙)

UNIT 33 충고(Advisability)/의무(Necessity)

정답 및 해설 p.27

점수 / 100

문맥 파악 **다음 중 대화가 어색한 것을 2개 찾아 문맥에 맞게 고치시오. (한 단어만 고칠 것)** [60점] 내신 직결

ⓐ **A** How about sitting down here?
B Well, we shouldn't leave the seats for the elderly.

ⓑ **A** I bought these pants yesterday, but they are too tight.
B You must take your receipt if you want to exchange them.

ⓒ **A** Doesn't he have an English speaking test tomorrow?
B He need prepare for the test because he speaks English fluently.

ⓓ **A** Do you know why Kevin hasn't arrived for band practice yet?
B I have no idea. You ought to try calling his phone.

01

기호	어색한 표현	고친 표현

Guide ✔ 문맥상 알맞은 조동사가 쓰였는지를 판단한다.

충고/의무의 조동사 해석하기 **다음 문장의 밑줄 친 부분을 조동사의 의미에 유의하여 알맞게 해석하시오.**

02 Museum visitors <u>must not take any pictures</u> in the prohibited areas. [13점]
→

03 You <u>had better not use your smartphone in class</u>, or it'll be taken away. [13점]
→

04 Students <u>don't need to submit their assignments today</u>. The deadline is tomorrow.
*assignment 과제 [14점]
→

Guide ✔ 충고/의무를 나타내는 조동사의 부정 표현은 기본적으로 '금지'를 의미하지만, 일부 표현들은 '불필요'를 나타내므로 주의하자.

01 the elderly 노인들 receipt 영수증; 받기, 수령 exchange 교환(하다) fluently 유창하게 try v-ing 시험 삼아[그냥] 한번 v해 보다 *cf.* try to-v v하려고 노력하다[애쓰다] **02** prohibited 금지된 **03** take away 빼앗다; 제거하다 **04** deadline (마감) 기한

UNIT 34

현재나 미래에 대한 가능성/추측

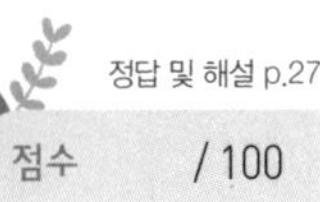

정답 및 해설 p.27

점수 / 100

알맞은 조동사 고르기 **다음 문장의 네모 안에서 문맥상 알맞은 것을 고르시오.** [각 10점] 수능 직결

01 The rumor [can't / must] be true because I haven't seen any proof.

02 Every day [may not / will] be good, but there's something good in every day.

03 You [will not / might] feel very pressured if you take on a big project.

04 The typhoon [might not / will] bring heavy rain and strong winds, so caution is needed.

05 The sun's ultraviolet light [can / cannot] cause some negative effects on the skin, so put on sunscreen. *ultraviolet light 자외선

06 Joe [can't / must] be a good singer. He has won the singing competition two years in a row.

07 Police suspect there [may / cannot] be a link between the two criminals because of their similar behavior.

고난도 **08** Doctors have warned that too much stress [may not / could] lead to depression by damaging the brain.

고난도 **09** The subway [could not / must] be the solution to traffic jams. It surely saves time during rush hours. *rush hour 러시아워, (출퇴근) 혼잡 시간대

고난도 **10** There [cannot / should] be an easier way of solving the problem. Jessica solved it faster than we did.

Guide 현재나 미래에 대한 가능성/추측의 의미가 조동사에 따라 어떻게 달라지는지를 알고, 문맥상 가장 알맞은 조동사를 골라야 한다.

01 proof 증거 *cf.* prove 증명하다 **03** feel pressured 부담을 느끼다 take on 떠맡다 **04** typhoon 태풍 caution 주의, 경고 **05** put on ~을 바르다[입다, 쓰다] sunscreen 자외선 차단제 **06** competition (경연) 대회 in a row 연이어, 잇달아 **07** suspect (어떤 범죄를 저지른 것으로) 의심하다, 혐의를 두다; 용의자 link 연관(성); 연결하다 criminal 범인; 범죄의 behavio(u)r 행동, 처신 **08** warn 경고하다 lead to ~을 초래하다, ~로 이어지다 depression 우울증; 불황 damage 손상(시키다) **09** solution 해결책 traffic jam 교통 체증

UNIT 35 과거에 대한 가능성/추측/후회

정답 및 해설 p.28

점수 / 100

해석하기 다음 문장의 밑줄 친 부분을 조동사의 의미에 유의하여 알맞게 해석하시오. [각 10점]

01 I may have seen the movie. Some scenes are familiar to me.

→

02 Danny must have felt disappointed when he lost the game.

→

03 My sister shouldn't have spent too much money buying souvenirs.

→

04 The students can't have paid attention to the principal's speech. It was just too boring.

→

05 Diana ought to have returned the book to the library. Now she has to pay a late fee.

→

Guide ✓ 과거의 일에 대한 가능성/추측/후회: 〈조동사+have p.p.〉

문맥 오류 찾기 다음 밑줄 친 부분이 문맥상 옳으면 ○, 틀리면 ×로 표시하고 바르게 고치시오. [각 10점] 수능 직결

06 You can't have seen me at the park yesterday. I was at home all day.

07 The store is closed. We should check first before we left home.

08 My briefcase was at the Lost and Found. Somebody might have found it in the lounge. *Lost and Found 분실물 보관소

09 I can't find the file on the computer. I must have stored it in the wrong place.

고난도 **10** Researchers say that living things could have grown well on Mars. There were no signs of life. *Mars 화성

Guide ✓ 〈조동사+have p.p.〉와 〈조동사+동사원형〉이 뜻하는 때를 구별하여 판단한다.

01 familiar (to) (~에) 익숙한, 친숙한 03 souvenir 기념품 04 pay attention to ~에 집중하다 principal 교장; 주요한 05 late fee 연체료 08 briefcase 서류 가방 lounge 휴게실, 라운지 09 store 저장하다

점수 / 100

UNIT 32-35 OVERALL TEST

알맞은 조동사 고르기 **다음 문장의 네모 안에서 문맥상 알맞은 것을 고르시오.** [각 12점] 수능 직결

01 He had worked hard for so long. He [must / cannot] have been very tired.

02 Inappropriate use of the home appliances [cannot / may] cause a fire.

*home appliance 가전제품

03 Life [can / might not] be like riding a roller coaster. There are ups and downs.

04 She [need not / must] take this medicine after each meal, or it will not be effective.

Guide 문맥으로 알맞은 조동사를 판단한다.

조동사 의미 판단하기 **다음 중 밑줄 친 조동사의 의미가 나머지와 다른 하나를 고르시오.** [각 12점]

05 ⓐ It could be dangerous not to wear any safety helmets here.

ⓑ Worry and anger can raise your blood pressure.

ⓒ No building can stand without strong foundations.

06 ⓐ You must get at least 60 points to pass the written exam for driving.

ⓑ The children must be excited about the upcoming summer camp.

ⓒ You must sign up as a member on the museum website to book tickets. - 모의

Guide 하나의 조동사가 여러 가지 의미로 쓰이는 경우에 주의한다.

조건 영작 **다음 우리말과 일치하도록 괄호 안의 어구를 활용하여 영작하시오. (필요하면 어형 변화 및 단어 추가 가능)** [각 14점]

내신 직결

07 현재 아무도 배고프지 않으므로 그는 저녁 식사를 요리할 필요가 없다. (cook, need, dinner)

→ He ______________________________, as nobody is hungry now.

08 그 레스토랑은 예약이 가득 차 있었다. 우리는 그 전날 예약했어야 했는데 (하지 않았다).

(a reservation, should, make)

→ The restaurant was fully booked. We ______________________________ the day before.

Guide 조동사의 부정형과 과거에 대한 후회/유감을 뜻하는 표현을 활용한다.

02 inappropriate 부적절한(↔ appropriate 적절한) 03 ups and downs 오르내림, 기복 04 effective 효과가 있는 05 safety helmet 안전모 blood pressure 혈압 foundation 토대, 기초; 기반; 설립 06 upcoming 다가오는 sign up 가입하다 book 예약[예매]하다 08 make a reservation 예약하다(= reserve)

UNIT 36 should의 특별한 쓰임

정답 및 해설 p.29

점수 / 100

어법 오류 찾기 다음 밑줄 친 부분이 어법상 옳으면 ○, 틀리면 ×로 표시하고 바르게 고치시오. [각 12점]

01 Linda demanded that her name is removed from the list of contestants.

02 It is desirable that children not make a hasty decision about their future.

03 Unfortunately, the test results from the vet suggested that her dog be ill. *vet 수의사

04 It is surprising that my old teacher should still remember all of our names.

Guide that절 내용이 '당위성'을 의미할 경우 that절에 《(should+)동사원형》을 쓴다. '당위성'이 아닌 현재나 과거의 '사실'일 때는 should를 쓰지 않고 동사를 주어의 인칭과 수 그리고 시제에 맞게 써야 한다. 감정을 나타낼 때 should를 쓰기도 한다.

어법 오류 판단하기 다음 중 어법상 틀린 문장을 2개 찾아 바르게 고치시오. [24점] 내신 직결

ⓐ The law requires that every worker get a 10-minute break every four hours.
ⓑ It is a pity that only a few people should attend the ceremony.
ⓒ The suspect insisted that he should not commit any crime before.
ⓓ The captain commanded that the crew abandoned the ship immediately.
ⓔ My recommendation to him is that he look for a job elsewhere.

고난도 **05**

기호	틀린 표현	고친 표현

Guide that절의 내용에 '당위성'이 있는지 주절에 쓰인 동사, 형용사, 명사의 의미와 함께 판단한다.

조건 영작 다음 우리말과 일치하도록 괄호 안의 어구를 활용하여 영작하시오. (필요하면 단어 추가 및 어형 변화 가능) [각 14점]

내신 직결

06 그 사고의 목격자는 자신이 현장에서 어젯밤 그 남자를 보았다고 주장한다. (the man, he, see)

→ The witness of the accident insists that ______________________ at the scene last night.

07 트레이시는 코너가 과학 시간 발표를 담당해야 한다고 제안했다.

(take charge of, Connor, the presentation)

→ Tracy proposed that ______________________ for science class.

01 contestant (대회 · 시합 등의) 참가자 02 hasty 성급한, 경솔한 03 ill 아픈, 병든 05 break 휴식 every+복수명사 매 ~마다 commit a crime 범죄를 저지르다 crew 선원; 승무원 abandon 버리다 immediately 즉시 06 witness 목격자; 목격하다 scene 현장; 장면 07 take charge of ~을 담당하다[떠맡다]

UNIT 37

자주 보이는 조동사 표현

정답 및 해설 p.30

점수 / 100

조동사 표현 의미 파악하기 주어진 문장의 의미를 가장 잘 표현한 것을 고르시오. [각 11점]

01 You cannot be too careful when you cross the street.

ⓐ You should pay close attention when you cross the street.

ⓑ You may not pay much attention when you cross the street.

02 When I was little, my father would read me stories about great people in history.

ⓐ My father was used to reading me stories about great people in history.

ⓑ My father used to read me stories about great people in history.

Guide 자주 보이는 조동사 표현들의 의미를 문맥 안에서 적절하게 파악할 수 있어야 한다.

조건 영작 다음 우리말과 일치하도록 〈보기〉에서 알맞은 표현을 고른 후, 괄호 안의 어구를 활용하여 영작하시오. (필요하면 어형 변화 가능) [각 13점] 내신 직결

〈보기〉			
	may as well	would like to-v	would rather ~ than …
	used to	may well	cannot help v-ing

03 릴리는 자신의 평범한 삶에서 벗어나는 것에 대해 꿈꾸곤 했다. (dream)

→ Lilly ________________ about escaping her ordinary life.

04 세계화 시대에, 당신은 외국어를 공부하지 않을 수 없다. (learn)

→ In the age of globalization, you ________________ foreign languages.

05 우리는 단기간의 손실보다는 장기간의 성장에 집중하고 싶다. (long-term, focus, growth, on)

→ We ________________ short-term losses.

- 모의응용

06 저는 오렌지 두 박스를 주문하고 싶습니다. (order, place, an)

→ I ________________ for two boxes of orange.

07 만약 버스가 한 시간 넘게 지연된다면, 당신은 지하철을 타는 것이 더 낫다. (subway, a, take)

→ If the bus is delayed more than an hour, you ________________.

고난도 **08** 제주도는 전 세계에서 가장 아름다운 섬들 중 하나일 것 같다. (beautiful, be, the, of, most, one, islands)

→ Jeju-do ________________ in the world.

Guide 다양한 조동사 표현으로 동사의 의미가 풍부해질 수 있다.

03 escape 벗어나다 ordinary 평범한, 보통의(↔ extraordinary 보기 드문, 비범한; 대단한) **04** globalization 세계화 **05** long-term 장기간의(↔ short-term 단기간의) growth 성장 loss 손실; 죽음 **06** place an order 주문하다

CHAPTER

07

동사의 태

UNIT 38

3문형/4문형의 수동태

정답 및 해설 p.30

점수 / 100

능동 vs. 수동 판별하기 **다음 괄호 안의 동사를 알맞은 형태로 바꿔 쓰시오. (수동형은 be p.p.의 형태로 쓸 것, 주어진 시제에 맞춰 쓸 것)** [각 4점] 수능 직결

01 Our car (steal) ________________ in front of our house last night. (과거)

02 Presidential elections (hold) ________________ every five years in Korea. (현재)

*presidential election 대통령 선거

03 The actor (offer) ________________ a major role by the film director a week ago. (과거)

04 Julia (leave) ________________ a vineyard by her grandfather in his will. (과거)

*vineyard 포도원[밭]

05 Mr. Brown (buy) ________________ a two-story house at a reasonable price in 2019. (과거)

06 Yesterday, over thirty people (wound) ________________ by the bombing. (과거)

*bombing 폭격

07 When I arrived there, the road (block) ________________ by fallen rocks. (과거)

08 Breakfast (serve) ________________ from 7 a.m. to 10 a.m. on all days. (현재)

09 The Navy (save) ________________ five fishermen in a terrible storm this morning. (과거)

*navy ((N-)) 해군

10 The pyramids (build) ________________ nearly 5,000 years ago by the ancient Egyptians. (과거)

11 Silk (produce) ________________ by silkworms and requires a lot of labor to make. (현재)

*silkworm 누에

12 The *Mona Lisa* (paint) ________________ by Leonardo da Vinci during the Renaissance period. (과거)

*Renaissance 르네상스

고난도 **13** In the UK, everyone (drive) ________________ his or her car on the left side of the road. (현재)

고난도 **14** The children (show) ________________ the balloon animals by the clown at the birthday party. (과거)

고난도 **15** Newborn babies (bear) ________________ with low level of vitamin K, so it (prescribe) ________________ by the doctor with their parent's consent. (현재)

Guide 주어가 동작을 하는 것이면 능동태, 동작을 받거나 당하는 것이면 수동태를 쓴다. 목적어가 두 개 있는 문장(SVOO문형)을 수동태로 표현하면 두 개의 목적어 중 하나가 주어가 되고 〈be p.p.〉 뒤에는 나머지 목적어가 남아있게 된다.

알맞은 어법 고르기 **다음 문장의 네모 안에서 어법상 알맞은 것을 고르시오.** [각 4점] 수능 직결

16 The wrong library card [gave / was given] to me by the librarian.

17 George [taught / was taught] how to ride a horse when he was eight.

18 John [asked / was asked] me whether my family would come to the school festival.

19 A lot of best-selling novels [rejected / were rejected] many times before publication. - 모의응용

고난도 **20** When printers weren't available, people [reproduced / were reproduced] maps by hand.

고난도 **21** In the world of jobs, people [judged / are judged] by two standards: their professional skills and their personal traits. - 모의응용

Guide 주어와 동사의 능동/수동 관계를 파악하여 알맞은 태를 선택한다.

조건 영작 **다음 우리말과 일치하도록 괄호 안의 어구를 활용하여 영작하시오. (필요하면 어형 변화 가능)** 내신 직결

22 몇몇 부패 사건들이 한 기자에 의해 신문에 폭로되었다. [5점]

(by, reveal, several, be, a reporter, corruption cases)

→ ________________________ in the newspaper.

23 2004년 아테네 올림픽에서, 모든 우승자들은 메달과 함께 월계관을 받았다. [5점]

(winner, give, every, be, an olive wreath)

→ In the 2004 Olympics in Athens, ________________________ along with their medal. - 모의응용

*olive wreath 월계관

고난도 **24** 학부모들은 교사들에 의해 폭설 때문에 학교가 문을 닫는다고 알림 받았다. [6점]

(was closing, that, inform, parents, the school, be)

→ ________________________ because of heavy snow by teachers.

Guide 수동태 문장에서 be동사의 시제와 수일치 그리고 p.p. 형태로의 변형에 주의한다.

03 director 감독; 책임자 04 will 유언(장); 의지 05 story (건물의) 층; 이야기 reasonable (가격이) 비싸지 않은, 적정한 06 wound 부상을 입히다; 상처, 부상 07 block 막다, 차단하다; 덩어리 09 fisherman 어부 10 ancient 고대의 11 labor 노동 14 clown 광대 15 newborn 갓 태어난; 다시 태어난 prescribe 처방하다 consent 동의(하다) 16 librarian 사서 19 best-selling 베스트셀러의, 가장 잘 팔리는 publication 출판; 발표 20 available 이용 가능한 reproduce 모사[복사]하다; 재생하다; 번식하다 21 standard ((주로 복수형)) 기준 trait 특성 22 reveal 폭로하다, 드러나다 reporter 기자, 리포터 corruption 부패 (행위); 타락 23 along with ~와 함께 24 inform O that O에게 ~을 알리다

UNIT 39

5문형의 수동태

정답 및 해설 p.32

점수 / 100

문장 전환 다음 문장을 주어진 어구로 시작하는 수동태 문장으로 바꿔 쓰시오. [각 5점] 내신 직결

01 The refrigerator keeps fruits and vegetables fresh.
→ Fruits and vegetables ______________________ by the refrigerator.

02 Hospitals ask visitors to wash their hands on arrival.
→ Visitors ______________________ on arrival by hospitals.

03 Her classmates think Anne a master of magic tricks.
→ Anne ______________________ by her classmates.

04 They heard a wild animal crying near the bushes.
→ A wild animal ______________________ near the bushes by them.

05 My mom left the door unlocked all weekend, but nothing was stolen.
→ The door ____________ all weekend by my mom, but nothing was stolen.

고난도 06 The teacher doesn't let the students talk during the exam.
→ The students ______________________ during the exam by the teacher.

고난도 07 After dinner, Victoria saw her cat crawl under the couch.
→ After dinner, her cat ______________________ under the couch by Victoria.

Guide 능동태의 목적격보어가 원형부정사일 때 수동태 문장에서의 형태에 주의한다.

알맞은 어법 고르기 다음 문장의 네모 안에서 어법상 알맞은 것을 고르시오. [각 4점] 수능 직결

08 A female chicken [calls / is called] a hen, and the opposite is a rooster.
*hen 암탉 **rooster 수탉

09 The police [found / were found] the missing child alive by the lake.

10 Commuters [advised / were advised] to leave early to avoid traffic jams.

11 The school principal [appointed / was appointed] Ms. Parker school counselor.

12 The exhibitions [make / are made] possible by the talented artists from around the world.

Guide 주어가 동작을 하는 것이면 능동태, 동작을 받거나 당하는 것이면 수동태를 쓴다.

조건 영작 \ **다음 우리말과 일치하도록 괄호 안의 어구를 활용하여 영작하시오. (필요하면 어형 변화 가능)** 내신 직결

13 속도위반이 자동차 사고의 주요인이라고 여겨진다. (consider, be, a major factor) [6점]

→ Speeding ______________________________ in car accidents.

고난도 **14** 우리 이웃의 개가 시끄럽게 짖는 것은 좀처럼 들리지 않는다. (be, loudly, rarely, to, hear, bark) [7점]

→ Our neighbor's dog ______________________________.

Guide ✔ 수동태 문장에서 목적격보어의 위치와 형태에 주의한다.

수동태 전치사 쓰기 \ **다음 문장의 빈칸에 알맞은 전치사를 쓰시오. (by는 제외할 것)** [각 4점] 내신 직결

15 The path through the garden is covered __________ small gray stones.

16 I was interested __________ Sherlock Homes, so I decided to travel to England.

17 He is never satisfied __________ what he's got and always jealous of others.

18 She was surprised __________ his sudden appearance out of the darkness.

19 My grandfather was engaged __________ the building industry when I was little.

20 The house was filled __________ the sweet sound of classical music during the party.

고난도 **21** Nelson Mandela is known __________ his long fight against racial prejudice.

*racial prejudice 인종적 편견

고난도 **22** The danger of tornadoes in the southern United States is well known __________ everyone.

Guide ✔ 수동태에서 by 이외에 다른 전치사를 사용하는 표현은 숙어처럼 암기해두자.

02 on (one's) arrival 도착하자마자 **04** bush 덤불 **07** crawl 기어가다 **08** opposite 반대(되는 것); 정반대의 **10** commuter 통근자 *cf.* commute 통근하다 traffic jam 교통 체증 **11** principal 교장; 주요한 appoint O C O를 C로 임명하다 counselor 상담사 **12** exhibition 전시(회) *cf.* exhibit 전시하다; 전시물 talented 재능 있는 **13** speeding 속도위반 **15** path (작은) 길 **17** jealous of ~을 시기하는[질투하는] **18** sudden 갑작스러운 appearance 등장; 외모 **19** industry ~업; 산업 **20** classical 클래식의; 고전주의의

UNIT 40 조동사/시제와 결합된 수동태

정답 및 해설 p.32

점수 / 100

태 전환하기 **주어진 동사구를 능동태는 수동태로, 수동태는 능동태로 바꿔 쓰시오.** [각 3점] 내신 직결

	능동태	수동태
01	is buying	
02		will be cut
03	was throwing	
04		had been found
05	can forbid	
06		will have been notified

Guide 불규칙 동사의 경우 과거분사(p.p.)의 형태 변화에 주의한다.

해석하기 **동사의 시제와 태에 주의하여 다음 문장의 밑줄 친 부분을 해석하시오.** [각 5점]

07 The crime is being investigated by police officers. *investigate 수사하다; 조사하다

→

08 The baseball game will be held at the stadium as scheduled.

→

09 When we arrived at the dock, our boat was being tossed by the huge waves.

*dock 부두 **toss 흔들다; 던지다

→

10 Everyone in society should be provided with equal opportunity and respect.

→

11 The movie has been viewed by over ten million people since its release.

→

12 During a flood, avoid contact with floodwater since it may be contaminated with sewage. *floodwater 홍수로 불어난 물 **sewage 하수, 오물

→

Guide 수동태는 '~되다/받다/당하다' 등으로 해석하며 조동사/시제에 주의하여 해석한다.

어법 오류 찾기 다음 밑줄 친 부분이 어법상 옳으면 ○, 틀리면 ×로 표시하고 바르게 고치시오. [각 5점] 수능 직결

13 You can't use the elevator as it is repairing at the moment.

14 The meaning of a word can be changed by the tone of a voice.

15 The winner of the competition will announce next month.

16 Hangul, the Korean alphabet, was created by King Sejong in 1446.

17 Thousands of people have been joined the environmental campaign so far.

18 Electrical cords should be unplugged when you aren't using the devices.

고난도 19 The new apartment complex is constructing now on the site of the old shoe factory.

고난도 20 Trees have planted to provide a habitat for the endangered birds since long before.

Guide 주어와 동사의 의미 관계에 따라 태가 옳게 쓰였는지 확인한다.

조건 영작 다음 우리말과 일치하도록 괄호 안의 어구를 활용하여 영작하시오. (필요하면 어형 변화 및 단어 추가 가능) [각 6점] 내신 직결

A Angela's Market. How may I help you?
B Hello. ⓐ 제 주문이 언제 배달될 것인지 알고 싶습니다.
A Can I have your order number, please?
B It's W862FR.
A ⓑ 고객님의 주문은 지금 포장되는 중입니다. A message will be sent to you when the delivery is on its way.
B I see. Thank you.

21 ⓐ I'd like to know when my order (deliver, will) ______________.

22 ⓑ Your order (pack, be) ______________ now.

Guide 수동태와 완료/진행시제, 조동사의 결합 형태에 주의하여 문장을 완성한다.

05 forbid(-forbade-forbidden) 금지하다 06 notify 통지하다 07 crime 범죄 08 as scheduled 예정대로, 계획대로 10 provide A with B A에게 B를 제공하다 (= provide B for A) equal 동등한 11 release 개봉(하다); 풀어 주다 12 contact 접촉; 연락(하다) contaminate 오염시키다 13 repair 수리하다 14 tone 어조, 말투; 음색 15 announce 발표하다 18 electrical 전기의 unplug 플러그를 뽑다 19 complex (건물) 단지; 복잡한 construct 건설하다; 구성하다 site 부지, 현장; 장소 20 habitat 서식지 endangered 멸종 위기에 처한 21~22 on one's[the] way 가는[오는] 중인

UNIT 41

형태에 유의해야 할 수동태

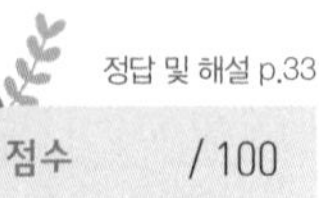

정답 및 해설 p.33

점수 / 100

문장 전환 **다음 문장을 주어진 어구로 시작하는 수동태 문장으로 바꿔 쓰시오.** [각 10점] 내신 직결

01 All his classmates speak well of him due to his great personality.
→ He ______________ by all his classmates due to his great personality.

02 Carrie ran over a branch as she was driving back from a party.
→ A branch ______________ by Carrie as she was driving back from a party.

고난도 **03** Volunteers have taken care of elderly people in the institution since last year.
→ Elderly people in the institution ______________ by volunteers since last year.

Guide 구동사는 수동태에서도 한 덩어리로 표현된다.

어법 오류 찾기 **다음 밑줄 친 부분이 어법상 옳으면 ○, 틀리면 ×로 표시하고 바르게 고치시오.** [각 10점] 수능 직결

04 The day when he could retire <u>was looked forward</u> by Greg.

05 Illegal parking must <u>be done away with</u>, especially on high-traffic roads.

06 High blood pressure <u>is referred to as</u> "the silent killer" because there are no symptoms.

고난도 **07** The politician's behavior <u>was laughed by</u> a comedian in his latest show.

Guide 수동태 문장에서 구동사가 올바르게 쓰였는지 확인한다.

문장 전환 **다음 문장을 주어진 어구로 시작하는 두 가지의 수동태 문장으로 바꿔 쓰시오.** [각 15점] 내신 직결

08 People say that the British have an unique sense of humor. *sense of humor 유머 감각
→ It ______________.
→ The British ______________.

09 People believe that small opportunities are the beginning of great achievements.
→ It ______________ of great achievements.
→ Small opportunities ______________ of great achievements.

Guide 가주어 it 또는 명사절의 주어를 수동태의 주어로 쓸 수 있는 동사로는 say, believe, think, know 등이 있다.

01 personality 성격 **03** elderly 연세가 드신 institution 보호 시설; 기관 **04** retire 은퇴하다 **05** illegal 불법의(↔ legal 합법의; 법률(상)의) parking 주차(장) high-traffic 교통이 혼잡한, 교통량이 많은 **06** symptom 증상 **08** unique 독특한; 특별한 **09** achievement 업적, 성취

UNIT 42

명령문/의문문 수동태

점수 / 100

문장 전환 다음 문장을 수동태로 바르게 바꾼 것을 모두 고르시오. [각 12점]

01 Complete the project by the deadline.

ⓐ Let the project be completed by the deadline.

ⓑ Let the project to be completed by the deadline.

02 Who brought you up when you were little?

ⓐ Who were you bring up when you were little?

ⓑ Who were you brought up by when you were little?

고난도 **03** Don't disturb your father while he is working.

ⓐ Let your father not to be disturbed while he is working.

ⓑ Let your father not be disturbed while he is working.

ⓒ Don't let your father disturb while he is working.

ⓓ Don't let your father be disturbed while he is working.

Guide 명령문과 의문문이 수동태로 전환될 때 취하는 고유한 형태에 주의한다.

문장 전환 다음 수동태 문장을 의문문으로 바르게 바꿔 쓰시오. [각 14점] 내신 직결

04 The Korean national football team was given a warm welcome by the fans.

→ ______________________ a warm welcome by the fans?

05 Feathers of the birds can be used to attract their mates. *mate 짝, 상대

→ ______________________ to attract their mates?

Guide 의문사가 없는 수동태 문장을 의문문으로 만들 때, be동사 또는 조동사가 문두로 나온다.

어법 오류 찾기 다음 밑줄 친 부분이 어법상 옳으면 ○, 틀리면 ×로 표시하고 바르게 고치시오. [각 12점] 내신 직결

06 Is aspirin also <u>taking</u> to reduce the risk of heart attacks? *aspirin 아스피린

07 What <u>was cooked</u> in the oven by her this morning?

고난도 **08** Don't let the exhibits <u>not be touched</u> at the museum.

Guide 주어와 동사의 관계를 파악하고 적절한 태가 쓰였는지 확인한다.

01 complete 완성하다; 완성된 deadline 마감 기한 02 bring up (아이를) 키우다 03 disturb 방해하다 05 feather 깃털 attract 유혹하다 06 heart attack 심장마비

UNIT 43

to부정사/동명사의 수동형

정답 및 해설 p.35

점수 / 100

문장 전환 다음 문장의 의미가 같도록 문장을 완성하시오. [각 9.5점] 내신 직결

01 It is known that an Arab merchant discovered cheese.

→ It is known that cheese ______________________ by an Arab merchant.

→ Cheese is known ______________________ by an Arab merchant.

02 It appeared that a beginning driver parked the car.

→ It appeared that the car ______________________ by a beginning driver.

→ The car appeared ______________________ by a beginning driver.

03 It turned out that someone had stolen my wallet on the subway.

→ It turned out that my wallet ______________ on the subway by someone.

→ My wallet turned out ______________ on the subway by someone.

Guide • 부정사와 의미상의 주어의 관계가 수동이면 수동형을 취한다.
• 문장의 동사보다 앞선 때를 나타내는 경우에는 완료 수동형을 쓴다.

어법 오류 찾기 다음 밑줄 친 부분이 어법상 옳으면 ○, 틀리면 ×로 표시하고 바르게 고치시오. [각 6.5점] 수능 직결

04 Nobody likes <u>being talked</u> about behind his or her back.

05 They deny <u>having involved</u> in the burglary last month.

06 Everyone deserves <u>to be respected</u> regardless of their social status.

07 This second-hand bicycle seems <u>to have been broken</u> once before.

08 My daughter has a pretty good memory, so she doesn't need <u>to tell</u> twice.

09 He is ashamed of <u>having scolded</u> by his teacher last week.

10 <u>Having been mentioned</u> as an honor graduate makes Amy proud. - 모의응용

11 I hate <u>to be forced</u> to watch advertisements before a movie starts.

고난도 **12** Jennie's classmates expect her <u>to choose</u> for the school's swimming team.

고난도 **13** The politician always avoids <u>being drawn</u> into discussion of controversial issues.

고난도 **14** The customer is complaining about <u>having given</u> poor service yesterday.

Guide 의미상의 주어와 to부정사/동명사구의 관계가 능동인지 수동인지 파악한다.

01 merchant 상인 04 behind one's back ~뒤에서, ~몰래 05 be involved in ~에 연루[개입]되다 burglary 절도 06 deserve to-v v할 자격[가치]이 있다 regardless of ~에 상관없이 social statue 사회적 지위 07 second-hand 중고의 09 scold 꾸짖다, 야단치다 10 an honor graduate 우등 졸업생 11 advertisement 광고 13 draw A into B A를 B에 끌어들이다 controversial 논란이 많은

CHAPTER

08

가정법

if+가정법 과거

정답 및 해설 p.36

점수 / 100

문장 완성하기 다음 주어진 상황을 〈if+가정법 과거〉 구문을 사용하여 현재 사실과 반대로 가정하는 문장을 완성하시오. [각 6점]

내신 직결

01 I'm not bored in this countryside as I have a playful little sister.

→ I ____________ bored in this countryside if I ____________ a playful little sister.

02 As Emma has enough money, she can rent a nice room.

→ If Emma ____________ enough money, she ____________ a nice room.

03 People deny their mistakes, so they don't learn much from them.

→ If people ____________ their mistakes, they ____________ much from them.

04 Since Lucy doesn't pay attention in class, she doesn't get better results.

→ If Lucy ____________ attention in class, she ____________ better results.

05 I can't send a thank-you e-mail to her because I don't know her e-mail address.

→ If I ____________ her e-mail address, I ____________ a thank-you e-mail to her.

06 My brother doesn't enjoy spending time with strangers since he isn't an outgoing person.

→ My brother ____________ spending time with strangers if he ____________ an outgoing person.

Guide 현재 사실을 나타내는 직설법을 '현재 사실과 반대로 가정·상상·소망'하는 〈if+가정법 과거〉 구문으로 바꿔 표현할 때는 if절과 주절의 동사의 형태에 주의한다.

가정법의 실제 시제 고르기 **다음 밑줄 친 부분이 실제로 가리키는 때를 네모 안에서 고르시오.** [각 5점]

07 If we had a garden, we would grow our own vegetables there. 과거 / 현재

08 If I became the president, I would take care of our economy. 과거 / 현재

09 If I were in her position, I would also decide to leave home. 과거 / 현재

10 If the class was canceled, why didn't you come home early? 과거 / 현재

11 You might find happiness if you stopped looking for it. 과거 / 현재

12 If Brenda didn't come to school this morning, she was probably sick. 과거 / 현재

Guide 가정법 과거는 if절에 동사의 과거형이 쓰이나 이는 '현재나 미래의 일들을 가정·상상·소망'하거나 '현재나 미래에 일어날 가능성이 매우 희박하거나 불가능한 일'을 나타낸다는 것에 주의하자.

어법 오류 찾기 **다음 밑줄 친 부분이 어법상 옳으면 ○, 틀리면 ×로 표시하고 바르게 고치시오.** [13~14 5점, 15~18 6점] 수능 직결

13 If life were a movie, we could replay the happy moments.

14 All of my classmates and my teacher will be thrilled if I won the race.

15 If you bring a ladder a few meters taller, we could reach the fruit on the tree.

16 If I were an author, I would write a novel about my travel experiences.

17 We might reduce the amount of energy used in manufacturing if we recycle waste.

18 If employees could work a four-day week, they would have a longer weekend to enjoy.

Guide 가정법 과거는 if절에 동사의 과거형/were, 주절에 〈조동사 과거형(would, could, might)+동사원형〉이 온다.

01 countryside 시골 playful 장난기 많은, 놀기 좋아하는 02 rent (단기간) 빌리다; 임차하다; 임대하다 03 deny 부인하다; 거부하다 04 pay attention 주의를 기울이다 result 결과; (결과로서) 생기다 06 outgoing 외향적인, 사교적인(= sociable) 08 take care of ~에 신경을 쓰다; ~을 돌보다 economy 경제 09 position 입장; 위치 decide 결정하다 *cf.* decision 결정 13 replay 다시 보다; 재경기를 하다 14 thrilled 아주 기쁜[신이 난] 15 ladder 사다리 reach O O에 닿다; O와 연락하다 17 manufacturing 제조업; 제조(업)의 *cf.* manufacture 제조하다

UNIT 45

if+should/were to

정답 및 해설 p.37

점수 / 100

if 가정법 과거 해석하기 **다음 문장의 밑줄 친 부분을 알맞게 해석하시오.** [각 20점]

01 Would you choose your present life <u>if you should have a chance to live again</u>?

→

02 <u>If a large asteroid were to hit the earth</u>, it would cause great destruction.

*asteroid 소행성

→

Guide if절에 should나 were to를 쓰면 일어날 가능성을 좀 더 희박하게 본다는 느낌을 준다.

알맞은 어법 고르기 **다음 문장의 네모 안에서 어법상 알맞은 것을 <u>모두</u> 고르시오.** [각 15점] 수능 직결

03 Please contact our customer service if you [should / were to] want to cancel your order.

04 If all imports [should / were to] stop, the country would only have 10 days worth of natural gas.

*natural gas 천연가스

05 If I [should / were to] meet with God in the street, I would ask Him to give me a strong will. - John Galsworthy ((英 소설가))

06 If you [should / were to] wake up early tomorrow, will you give me a wake-up call?

Guide were to와 달리 should 가정법은 주절에 조동사 현재형이나 명령문이 올 수도 있다.

02 destruction 파괴, 파멸 03 contact O O에게 연락하다 04 import 수입(하다)(↔ export 수출(하다)) 05 will 의지; 유언(장) 06 wake-up call 모닝콜; 관심을 불러일으키는 사건

UNIT 46

if+가정법 과거완료/혼합가정법

정답 및 해설 p.37

점수 / 100

알맞은 문장 고르기 다음 문장의 빈칸에 들어가기에 적절한 것을 고르시오. [각 10점]

01 ______________________, you could have seen the famous singer perform.

ⓐ If you were here earlier

ⓑ If you had been here earlier

02 If he had explained his ideas clearly, ______________________.

ⓐ they would accept them on the spot

ⓑ they would have accepted them on the spot

03 If I had followed the safety instructions, ______________________ now.

ⓐ I wouldn't be in hospital

ⓑ I would have been in hospital

Guide
- if+가정법 과거완료: 과거 사실과 반대로 가정 · 상상 · 소망하거나 과거에 일어났을 가능성이 매우 희박하거나 불가능하다고 보는 경우
- 혼합가정법: if절과 주절이 가리키는 때가 서로 다른 경우

가정법 의미 파악하기 다음 〈보기〉와 같이 문장에서 밑줄 친 부분이 실제로 의미하는 바를 쓰시오. [각 14점] 내신 직결

〈보기〉 If you had prepared for the exam well, you could have solved the problems easily.
→ You didn't prepare for the exam well.

04 What would have happened if dinosaurs had not gone extinct?

→

05 If she had played the heroine, she could have won an Oscar.

*Oscar 오스카상 ((아카데미상 수상자에게 주는 작은 황금상))

→

06 If it hadn't snowed heavily last night, we could play baseball now.

→

07 You could have bought the goods for half price if you had visited the store that day.

→

08 If Marie Curie had not discovered radium, cancer patients couldn't have radiotherapy today.

*radium 라듐 **radiotherapy 방사선 치료

→

01 see O v O가 v하는 것을 보다 perform 공연하다; 수행하다 02 accept 받아들이다; 수락하다 on the spot 현장에서; 즉각 03 safety instruction 안전 수칙
05 heroine (소설 · 영화 등의) 여자 주인공 *cf.* hero 남자 주인공 08 discover 발견하다

UNIT 44-46 OVERALL TEST

정답 및 해설 p.38

점수 / 100

가정법 의미 이해하기 \ **다음 문장의 괄호 안에 주어진 단어를 어법과 문맥에 맞게 고쳐 쓰시오.** [각 11점] 내신 직결

01 Lina's town has a poor transportation system, so she drives her car to work. If Lina's town (have) ________________ a better transportation system, she (can, leave) ________________ her car at home.

02 Sam died in a car accident as the ambulance arrived too late. If the ambulance (arrive) ________________ earlier, he (can, survive) ________________.

Guide if 가정법의 의미를 파악하여 어법과 문맥에 알맞게 빈칸을 완성한다.

가정법 시제 이해&해석하기 \ **다음 밑줄 친 부분이 실제로 가리키는 때를 네모 안에서 고르고 밑줄 친 부분을 해석하시오.** [각 12점]

03 The soup would taste better if we added more salt to it. 과거 / 현재

→

04 If James had tried again, he would probably have succeeded. 과거 / 현재

→

05 If he had not confessed his fault, he might still feel guilty. 과거 / 현재

→

06 I would travel all over Italy if I had unlimited leisure time. 과거 / 현재

→

*leisure time 여가 시간

Guide if 가정법 동사의 형태와 실제로 가리키는 때가 다르다는 것에 유의한다.

조건 영작 \ **다음 우리말과 일치하도록 괄호 안의 어구를 활용하여 영작하시오. (필요하면 어형 변화 및 단어 하나 추가 가능)** [각 15점]

내신 직결

07 우리 학교 축제에 제 가족과 친구들을 데려와도 괜찮을까요? (my family, bring, friends, and, I)

→ Would it be all right if ________________________________ to our school festival?

고난도 **08** 그녀가 스타킹에 구멍이 난 줄 알았더라면, 그녀는 다른 걸 신었을 텐데. (she, was, there, a hole, know)

→ If ________________________________ in her stockings, she would have worn a different pair.

01 transportation 교통 02 ambulance 구급차 05 confess 고백하다 fault 잘못; 결함 guilty 죄책감을 느끼는; 유죄의(↔ innocent 무죄의) 06 unlimited 무제한의

UNIT 47

if 생략 도치구문

정답 및 해설 p.38

점수 / 100

if 생략 도치구문 파악하기 **다음 a, b에 따라 각각 답하시오.** [각 20점] 내신 직결

a. if가 생략된 절을 찾아 밑줄 그으시오.
b. 밑줄 친 부분을 if로 시작하는 절로 바꿔 쓰시오.

01 Jake didn't get a checkup for 5 years. He was recently diagnosed with cancer. Had he gone for a regular checkup, he would have lived a healthier life.

→ If ________________________, he would have lived a healthier life.

02 You have to know how to take care of your children when they are sick. Should your children feel dizzy, it will be helpful to lay them down on the bed.

→ If ________________________, it will be helpful to lay them down on the bed.

03 I cannot reach Jane. She is not at her desk and not answering the phone. Should you run into Jane, would you tell her that the meeting has been postponed?

→ If ________________________, would you tell her that the meeting has been postponed?

04 Sparky, the dog, went missing and Sparky's owner doesn't know his whereabouts. Were a GPS chip attached to him, his owner would know where he is.

*whereabout 행방, 소재

→ If ________________________, his owner would know where he is.

고난도 **05** Charlotte became a world-famous artist after 10 years of being unknown. She would not have been successful had her family not supported her during that time.

→ She would not have been successful if ________________________
________________________.

Guide
• if를 생략할 경우 ⟨(조)동사+주어⟩의 어순으로 도치된다.
• 주절 다음에 if 생략 도치구문이 나오면 콤마가 없으므로 주의해야 한다.

01 checkup (건강) 검진 diagnose 진단하다 02 dizzy 어지러운 lay O down O를 눕히다, 내려놓다 03 run into ~와 우연히 마주치다 postpone 연기하다, 미루다 04 go[be] missing 행방불명이 되다 attach A to B A를 B에 붙이다[첨부하다] 05 unknown 무명의; 알려지지 않은

S+wish+가정법

정답 및 해설 p.38

점수 / 100

조건 영작 **다음 우리말과 일치하도록 괄호 안의 어구를 활용하여 영작하시오. (필요하면 어형 변화 가능)** [각 12점] 내신 직결

01 내가 이 식당을 미리 예약해 두었다면 좋을 텐데. (reserve, I, have)

→ I wish ________ ________ ________ a table in this restaurant beforehand.

02 일요일이기 때문에 조지는 자신이 침대에 더 오래 머물 수 있기를 바란다. (can, he, stay)

→ George wishes ________ ________ ________ in bed longer since it's Sunday.

03 엄마는 내 남동생이 그의 학교에서 큰 말썽을 일으키지 않기를 바라셨다. (do, big, not, trouble, make)

→ My mom wished my brother ________ ________ ________ ________ ________ in his school.

04 나는 내가 많은 사람들 앞에서 용감하게 내 의견을 표현할 수 있다면 좋을 텐데. (can, opinion, I, express, my)

→ I wish ________ ________ ________ ________ ________ bravely in front of many people.

Guide 〈S+wish(ed)+S'+가정법 과거〉는 주절과 wish(ed) 뒤의 명사절의 때가 같고, 〈S+wish(ed)+S'+가정법 과거완료〉는 주절보다 wish(ed) 뒤의 명사절의 때가 더 먼저이다.

가정법 시제 이해하기 **다음 문장의 괄호 안에 주어진 어구를 어법에 맞게 고쳐 쓰시오.** [각 13점] 내신 직결

05 I finally had my wisdom teeth taken out after weeks of suffering. I wish I (do, can) ________________ it when I first felt the pain. *wisdom teeth 사랑니

06 I went to the movie theater instead of the soccer stadium. Unfortunately, my favorite player was at the soccer game. I wish I (go) ________________ to the stadium instead.

07 Jack hasn't seen his grandparents for a year because they moved to another country. Jack wishes he (see, can) ________________ them again soon.

고난도 **08** Katy was in Spain for her business trip, and she was having trouble communicating in Spanish. She wished she (study) ________________ Spanish harder in her school days.

Guide 문맥을 통해 소망하는 시점과 소망 내용의 시점을 파악하여 적절한 형태로 쓴다.

01 reserve 예약하다(= book) *cf.* reservation 예약 beforehand 미리 03 make trouble 말썽을 일으키다 04 bravely 용감하게 05 take O out O를 제거하다 suffering 고통 06 instead of ~대신에 unfortunately 안타깝게도 08 have trouble[difficulty] (in) v-ing v하는 데 어려움을 겪다

as if+가정법

정답 및 해설 p.39

점수 / 100

조건 영작 **다음 우리말과 일치하도록 괄호 안의 어구를 활용하여 영작하시오. (필요하면 어형 변화 및 단어 추가 가능)** [각 12점]

내신 직결

01 그는 마치 한 달 동안 제대로 된 식사를 하지 못했던 것처럼 군다. (a decent meal, eat, as if, not, he)

→ He acts ______________________________ for a month.

02 우리가 그 사건에 관한 모든 사실을 말해야 할 때이다.

(tell, about, we, the whole truth, the case)

→ It's time that ______________________________.

03 그녀는 마치 몇 년 동안 교사였었던 것처럼 답을 설명했다. (a teacher, for, as if, be, she, years)

→ She explained the answers ______________________________.

04 그는 마치 전에 한 번도 거짓말을 한 일이 없었던 것처럼 그녀의 부정직함에 대해 비난했다.

(before, lie, as though, never, he)

→ He blamed her for her dishonesty ______________________________.

05 몰리는 마치 자신이 시험을 위해 공부를 열심히 하지 않는 것처럼 항상 말한다.

(study, she, for, hard, do not, the tests, as if)

→ Molly always speaks ______________________________.

고난도 06 제조 시스템의 불필요한 과정들이 없어져야 할 때이다.

(of, be removed, the manufacturing system, the unnecessary processes)

→ It's high time that ______________________________.

Guide
- 〈as if[though] 가정법 과거/과거완료〉의 의미와 형태 차이를 알아두자.
- It's (high/about) time 뒤에 이어지는 that절에 쓰이는 가정법에 대해 알아두자.

가정법 시제 이해하기 **다음 문장의 괄호 안에 주어진 어구를 어법에 맞게 고쳐 쓰시오.** 내신 직결

07 Recently, Lucas's basketball team won a trophy. Ever since, Lucas boasts as if he (be) ______________ the best basketball player in the world now. [9점]

08 She kept staring at Jason as though she (have) ______________ something to tell him. But the fact was she just wanted to take the crumbs off his chin. [9점] *crumb (빵) 부스러기

고난도 09 The retired comedian is performing for a charity event. He tells jokes as if he (leave, never) ______________ the spotlight at all. [10점] *leave the spotlight 활동을 중단하다

01 decent 제대로 된; 품위 있는 meal 식사 04 blame A for B B에 대해 A를 비난하다 dishonesty 부정직함 06 remove 없애다, 제거하다 07 trophy 트로피 boast 뽐내다, 자랑하다 08 stare 빤히 쳐다보다, 응시하다 take O off O를 떼다; O를 벗다 09 retired 은퇴한, 퇴직한 charity 자선 (단체)

UNIT 50

가정법을 이끄는 표현 ③

정답 및 해설 p.40
점수 /100

알맞은 어법 고르기 **다음 문장의 네모 안에서 어법상 알맞은 것을 고르시오.** [각 4점] 수능 직결

01 How would you spend your money provided you [win / won] the lottery?

02 Without passion, we would [achieve / have achieved] nothing at that time. - 모의응용

03 Many people wouldn't be alive if it [were / is] not for the numerous blood donors.

04 But for air conditioners, the summer heat [would / will] be unbearable this year.

05 Supposing the weather [had been / was] nice, we would have gone on a picnic.

06 [Were it not for / Had it not been for] your determination, you would fail to quit bad habits.

07 Olivia is a big fan of the singer. Otherwise, she [doesn't / wouldn't] pay that much for the concert ticket.

08 [Were it not for / Had it not been for] the subtitles during the movie, I couldn't have understood the plot of the movie.

Guide ✔ otherwise / without, but for / suppose[supposing], provided[providing] (that) 등은 조건의 의미를 나타낸다.

문장 전환 **다음 두 문장의 의미가 일치하도록 빈칸을 완성하시오.** [각 6.5점] 내신 직결

09 But for pain, we would not appreciate pleasure.
→ If it __________ __________ __________ pain, we would not appreciate pleasure.

10 With technical support, students could have attended online classes.
→ If there __________ __________ technical support, students could have attended online classes.

11 To watch any one of the director's movies, you would realize why many people call him a genius.
→ If __________ __________ any one of the director's movies, you would realize why many people call him a genius.

고난도 **12** Without the assistance of his wife, he couldn't have been an excellent player.
→ Had it __________ __________ __________ the assistance of his wife, he couldn't have been an excellent player.

해석 완성&문장 전환 다음 밑줄 친 부분을 해석하고, 괄호 안의 어구를 활용하여 if절로 바꿔 쓰시오. (필요하면 어형 변화 및 단어 추가 가능) [각 7점] 내신 직결

13 In different circumstances, they would not have broken up. *circumstance 상황, 환경

→ ______________________, 그들은 헤어지지 않았을 것이다.

→ If ______________________, they would not have broken up. (in, be, different, they, circumstances)

14 An offer of $2,000 per week might produce thousands of applicants.

→ ______________________ 수천 명의 지원자가 나올지도 모른다.

→ If ______________________, it might produce thousands of applicants. (be offered, $2,000, per week)

15 Going to see the musical, you might want to read its original novel.

→ ______________________, 너는 아마 그것의 원작 소설을 읽고 싶어질지도 모른다.

→ If ______________________, you might want to read its original novel. (the musical, see, go, you, to)

16 Talking with her, you would think she's full of confidence.

→ ______________________, 당신은 그녀가 자신감으로 가득 차 있다고 생각할 것이다.

→ If ______________________, you would think she's full of confidence. (talk, you, her, with)

17 With healthy competition, we could improve and know how far we could push ourselves. *push oneself 밀어젖히고 나아가다

→ ______________________, 우리는 성장할 수 있으며 우리가 얼마나 멀리 밀어젖히고 나아갈 수 있는지 알 수 있다.

→ If ______________________, we could improve and know how far we could push ourselves. (healthy, be, there, competition)

18 Having made a reservation last week, we could have sat in the first row.

→ ______________________, 우리는 첫 번째 줄에 앉을 수 있었을 것이다.

→ If ______________________, we could have sat in the first row. (last week, make, we, a reservation)

Guide ✔ 주절의 시제와 문맥으로 if절의 시제를 판단한다.

01 lottery 복권 02 passion 열정 03 numerous 많은 donor 기증[기부]자 04 unbearable 견딜[참을] 수 없는(= intolerable) 06 determination 결단(력); 결심 08 subtitle 자막 plot (시·소설 등의) 줄거리 09 appreciate 진가를 알아보다[인정하다]; 고마워하다 10 technical (과학) 기술의 attend O O에 출석하다 12 assistance 지원, 도움 14 applicant 지원자 15 original 원작[원형]의; 최초[원래]의; 독창적인 16 confidence 자신감 17 competition 경쟁; 대회, 시합 18 row (좌석) 줄

PART

수식어구의 이해: 준동사 중심

CHAPTER 09 수식어구: to부정사, 분사

CHAPTER 10 분사구문

수식어구: to부정사, 분사

UNIT 51

to부정사의 형용사적 수식

정답 및 해설 p.42

점수 / 100

수식어구 파악하기 다음 문장에서 밑줄 친 명사구를 수식하는 to-v구를 찾아 ( )로 표시한 후, 문장 전체를 해석하시오. [각 6점]

01 They are looking for a new group member to play the drum.

→

02 Neil Armstrong was the first person to walk on the moon.

→

03 I bought a newspaper to read on the train at the newsstand. *newsstand 신문 가판대

→

04 He made an attempt to apologize for his mistake, but his apology wasn't accepted.

→

고난도 **05** Students were asked to bring some food to share with friends and wear sunscreen. *sunscreen 자외선 차단제

→

Guide to-v(구)는 명사를 뒤에서 수식하며, 'v할, v하는, v한' 등으로 해석한다.

명사+to-v(+전치사) 다음 〈보기〉와 같이 우리말을 바르게 표현한 어구를 네모 안에서 고르고, 이를 〈명사+to-v〉 형태로 바꿔 쓰시오. [각 6점] 내신 직결

〈보기〉 의자에 앉다 [sit a chair / sit on a chair ✔] → 앉을 의자 *a chair to sit on*

06 친구와 놀다 [play a friend / play with a friend]

→ 놀 친구 ____________________

07 학교에 다니다 [go a school / go to a school]

→ 다닐 학교 ____________________

08 회의에 참석하다 [attend the meeting / attend at the meeting]

→ 참석할 회의 ____________________

09 문제에 답하다 [answer a question / answer to a question]

→ 답할 문제 ____________________

10 토론에 참여하다 [participate a discussion / participate in a discussion]

→ 참여할 토론 ____________________

Guide • 〈자동사+전치사+명사〉 → 〈명사+to-v+전치사〉 / • 〈타동사+명사〉 → 〈명사+to-v〉

어법 오류 찾기 **다음 밑줄 친 부분이 어법상 옳으면 ○, 틀리면 ×로 표시하고 바르게 고치시오.** [각 5점] 수능 직결

11 It is fortunate to have a person to depend when you need some help.

12 Shoppers usually have a limited amount of time and money to spend on.

13 A mistake is not something to be ashamed of; it is a foundation for your growth.

14 CEOs have a lot of stress to deal with, but they also have the benefits of being in charge.

고난도 15 Society must have reasonable rules to live to protect its members.

Guide 수식을 받는 명사가 to-v구를 이루는 전치사의 의미상 목적어가 되는 경우에 주의한다.

배열 영작 **다음 우리말과 일치하도록 괄호 안에 주어진 어구를 순서대로 배열하시오.** 내신 직결

16 당신이 죄가 없다면 두려워할 어떤 것도 없다. (of, be, anything, afraid, to) [6점]

→ You don't have ______________________ if you are not guilty.

고난도 17 설악산은 한국에서 단풍을 볼 수 있는 최고의 장소 중 하나로 알려져 있다. [7점]

(autumn leaves, of, the, one, best, to, places, see) *autumn leaves 단풍

→ Seoraksan is known as ______________________ in Korea.

고난도 18 그 도시는 버스와 지하철 시스템 모두를 포함하여 이용할 다양한 대중교통을 제공한다. [7점]

(public transportation, of, use, a, variety, to)

→ The city offers ______________________, including both buses and a subway system.

Guide 명사를 수식하는 to-v구의 위치에 유의한다.

01 look for ~을 찾다 04 make an attempt 시도하다 apologize 사과하다 *cf.* apology 사과 11 fortunate 행운의(↔ unfortunate 불운[불행]한) 12 limited 한정된 *cf.* limit 한정[제한]하다 amount 양, 액수 13 foundation 토대, 기초 14 benefit 혜택, 이득; 이익을 얻다 be in charge 책임을 지다 15 reasonable 타당한, 합리적인 live by ~에 따라서 살다 16 guilty 유죄의(↔ innocent 무죄의) 17 be known as ~로 알려지다 18 public transportation 대중교통 a variety of 다양한, 여러 가지의

UNIT 52 분사(v-ing/p.p.)의 형용사적 수식

정답 및 해설 p.43

점수 / 100

수식어구 파악하기 **다음 문장의 밑줄 친 명사(구)를 수식하는 분사(구)를 찾아 ( )로 표시한 후, 문장 전체를 해석하시오.** [각 5점]

01 She really enjoyed the paintings and sculptures exhibited in the art festival.

*art festival 예술제

→

02 Local residents gave overwhelming support for opening the public library.

→

03 The tourists from Germany admired the river flowing through Seoul.

*admire 감탄하며 바라보다

→

04 In Korea, people born in the year of the ox are believed to be hard workers.

*ox 소 **hard worker 근면한 사람

→

Guide 분사(v-ing/p.p.)는 명사를 앞이나 뒤에서 수식할 수 있다.

v-ing vs. p.p. **다음 괄호 안의 단어를 알맞은 분사 형태로 바꿔 쓰시오.** [빈칸 당 3.5점] 내신 직결

05 These days, there are many people (go) __________ to Jeju-do for vacation.

06 This video gives you information (need) __________ to start learning coding.

*coding 코딩 ((컴퓨터용 언어로 프로그램을 만드는 것))

07 DNA is the genetic material (find) __________ inside every cell of the body.

08 Parents need to give special care and attention to a (grow) __________ child.

09 The (steal) __________ jewels were found in the suspect's house by the police.

10 Ninety percent of wood (consume) __________ in developing nations is used for cooking and heating. - 수능응용

*developing nation 개발도상국

고난도 **11** Eskimos (live) __________ in the Arctic resemble the group of people (know) __________ as Mongolians.

*Mongolian 몽골 사람; 몽골의

Guide
- 수식 받는 명사와의 관계가 '능동'이면 v-ing(현재분사)
- 수식 받는 명사와의 관계가 '수동'이면 p.p.(과거분사)

어법 오류 찾기 다음 밑줄 친 부분이 어법상 옳으면 ○, 틀리면 ×로 표시하고 바르게 고치시오. [각 4점] 수능 직결

12 Don't pick up break pieces of glass with your bare hands.

13 Anyone attending the seminar should register in advance.

14 Read magazines write in English to improve your English skills.

15 The cook putting the potatoes in boiling water a minute ago to make a soup.

16 The company completed the reconstruction of the building destroyed by fire last year.

고난도 17 Poor eating habits develop at an early age lead to a lifetime of health problems. - 모의응용

Guide 문장의 동사 자리인지 아니면 명사를 수식하는 분사 자리인지를 판단한 후 형태를 확인한다.

알맞은 어법 고르기 다음 문장의 네모 안에서 어법상 알맞은 것을 고르시오. [각 4점] 수능 직결

18 Cellular phones made in Korea [is / are] exported to many other countries.

19 Funds collected from the school [is / are] given to the charity each year.

20 Rumors published on the Internet quickly [becomes / become] "facts" regardless of their reliability.

21 The government policy restricting the use of plastics [has / have] become well established. - 모의응용

Guide 수식어구를 제외한 주어의 핵심 어구에 동사의 수를 일치시킨다.

조건 영작 다음 우리말과 일치하도록 괄호 안의 어구를 활용하여 영작하시오. (필요하면 어형 변화 가능) [각 6점] 내신 직결

22 탁자 위에 진열된 책들은 언어 학습자들에게 도움이 된다. (on, the books, display, the table)

→ ______________________ are helpful for language learners.

23 주인 앞에 앉아 있는 그 개는 간식을 먹길 바라고 있다. (front, the owner, in, sit, of, the dog)

→ ______________________ hopes to have a snack.

Guide 수식하는 명사와의 관계가 '능동'인지 '수동'인지를 파악하여 알맞은 형태의 분사를 적절한 곳에 위치시킨다.

01 sculpture 조각(품) exhibit 전시하다 02 resident 주민 overwhelm 압도하다; 제압하다 03 through ~을 관통하여; 내내 07 genetic 유전자의 material 물질; 직물 cell 세포 09 suspect 용의자; 의심하다 10 consume 소비하다; 먹다, 마시다 11 Arctic 북극(의) *cf.* Antarctic 남극(의) 12 bare 맨–, 벌거벗은 13 in advance 사전에 16 reconstruction 재건축 18 export 수출하다(↔ import 수입하다) 19 fund 기금, 자금 charity 자선 단체 20 publish 공개하다; 출판하다 reliability 신빙성 *cf.* reliable 믿을 수 있는 regardless of ~에 상관없이 21 restrict 제한하다 well established 확실히 자리를 잡은

UNIT 53 감정 분사(v-ing/p.p.)의 형용사적 수식

정답 및 해설 p.44

점수 / 100

수식어구 파악하기 다음 문장의 밑줄 친 명사(구)를 수식하는 분사(구)를 찾아 ( )로 표시한 후, 문장 전체를 해석하시오. [각 6점]

01 The teacher solved the math problem frustrating many of her students.

→

02 The advertisement showed reviews from customers satisfied with the product.

→

03 People terrified by speaking in front of others rank the fear of it higher than death.

→

Guide 감정을 나타내는 분사(v-ing/p.p.)는 명사(구)를 수식할 수 있다.

v-ing vs. p.p. 다음 문장의 네모 안에서 어법상 알맞은 것을 고르시오. [ⓐ와 ⓑ 각 3점] 수능 직결

04 ⓐ The reporter asked the actress [embarrassing / embarrassed] questions.

ⓑ George gave an [embarrassing / embarrassed] look as he quickly hid his love letter.

05 ⓐ Games might provide some amusement for [boring / bored] teenagers.

ⓑ The director makes [boring / bored] movies with cliché plot lines.

*cliché 상투적인

06 ⓐ He told us a [touching / touched] story the power of forgiveness.

ⓑ The musician was approached by a woman deeply [touching / touched] by his music.

07 ⓐ The people [shocking / shocked] by the terrible accident suffered trauma.

ⓑ [Shocking / Shocked] news about the earthquake made people panic buy daily necessities.

*trauma 트라우마 ((정신적 외상)) **panic buy 사재기하다

08 ⓐ The pianist gave a [disappointing / disappointed] performance due to his bad condition.

ⓑ The manufacturer has promised to refund any customers [disappointing / disappointed] with its merchandise.

*merchandise 제품, 상품

Guide
- 수식 받는 명사가 감정을 불러일으킬 때: 현재분사(v-ing).
- 수식 받는 명사가 감정을 느낄 때: 과거분사(p.p.)

어법 오류 찾기 **다음 밑줄 친 부분이 어법상 옳으면 ○, 틀리면 ×로 표시하고 바르게 고치시오.** [각 6점] 수능 직결

09 The book offers a fascinating story about the lives of bees.

10 Chess can be a confused game to understand for beginners.

11 People gathered at the square to see the magician's amazing tricks.

12 Our excited camp will give your child the opportunity to try new activities. - 모의응용

13 Amused spectators on the boat saw dolphins swimming in large groups.

14 The most frightened event in my childhood was when I was chased by dogs.

Guide 분사의 수식을 받는 명사가 감정을 불러일으키는지 또는 느끼는지를 파악하여 적절한 형태를 판단한다.

조건 영작 **다음 우리말과 일치하도록 괄호 안의 어구를 활용하여 영작하시오. (필요하면 어형 변화 가능)** [각 8점] 내신 직결

15 그 패키지여행은 신나는 스카이다이빙 경험을 포함한다. (sky-diving, thrill, include, a, experience)

→ The package tour ______________________________.

16 엄마가 없어 당황한 소녀가 큰 소리로 울기 시작했다. (of, puzzle, her mother, by, the absence)

→ A girl ______________________________ began to cry loudly.

Guide 1. 수식 받는 명사가 감정을 불러일으키는지 감정을 느끼는지를 파악하여 적절한 분사의 형태를 결정한다.
2. 분사에 딸린 어구가 있으면 명사 뒤에 위치시킨다.

02 advertisement 광고 03 rank 평가하다; 지위; 계급 05 amusement 즐거움 plot line 줄거리 06 forgiveness 용서 approach 다가오다, 접근하다 07 daily necessity 생필품 08 manufacturer 제조사 *cf.* manufacture 제조하다 11 gather 모이다; 모으다 square 광장 trick 마술; 속임수 13 spectator 구경꾼, 관중 see O v-ing O가 v하고 있는 것을 보다 14 chase 뒤쫓다; 추구하다 16 absence 부재; 결석 *cf.* absent 부재한; 결석한

UNIT 54 to부정사의 부사적 수식 I

정답 및 해설 p.45

점수 / 100

to-v 의미 파악하기 **다음 문장에서 밑줄 친 to-v구가 의미하는 것을 〈보기〉에서 골라 그 기호를 쓰고, 문장 전체를 해석하시오.** [각 8점]

〈보기〉 ⓐ 목적 ⓑ 감정의 원인 ⓒ 판단의 근거

01 He is so strong to turn his difficulties into something positive.
→

02 I was genuinely delighted to receive the invitation to your wedding.
→

03 She is really patient to work hard for so many years to achieve her dream.
→

04 At his last lecture, all of the students were touched to hear his success story.
→

05 You must wash your hands with soap to get rid of bacteria and viruses.
→

Guide
- 목적: v하기 위해서, v하도록
- 감정의 원인: v해서
- 판단의 근거: v하다니, v하는 것을 보니

알맞은 어법 고르기 **다음 문장의 네모 안에서 어법상 알맞은 것을 고르시오.** [각 7점] 수능 직결

06 Humans need to control their conflicts [live / to live] harmoniously.

07 Some people [eliminate / to eliminate] certain foods from their diet to be healthy.

08 Anthony studies very hard [get / to get] better grades in the final exam.

09 Most jeans may look better and [become / to become] softer as time goes by.

10 You don't have to pay extra money [uses / to use] the facilities, including the swimming pool.

Guide 동사 자리인지 준동사 자리인지를 판단하여 알맞은 형태를 선택한다.

조건 영작 \ **다음 우리말과 일치하도록 괄호 안의 어구를 활용하여 영작하시오. (필요하면 어형 변화 가능)** 내신 직결

11 독자들을 혼란하게 하지 않도록 단어의 의미는 명확해야 한다. (not, so, confuse, as, the readers, to) [8점]

→ The word's definition should be clear ______________________________.

12 아무런 불평 없이 자신의 할머니를 돌보는 것을 보니 그녀는 사려 깊다. [8점]

(grandmother, she, look after, to, considerate, be, her)

→ ____ without any complaints.

고난도 **13** 한국 팬들은 그녀가 목에 금메달을 걸고 서 있는 모습을 보고 매우 기뻐했다. [9점]

(thrill, to, her, Korean fans, see, be, standing)

→ ____ with a gold medal around her neck.

Guide
- 〈(so as) to-v〉: v하기 위해서 (목적) *부정형: 〈(so as) not[never] to-v〉
- 〈'감정'을 뜻하는 어구+to-v〉: v해서 (감정의 원인)
- 〈'판단이나 추측'의 어구+to-v〉: v하다니, v하는 것을 보니 (판단의 근거)

01 turn A into B A를 B로 바꾸다 02 genuinely 진심으로 invitation 초대(장) 05 get rid of ~을 제거하다[없애다](= remove, eliminate) 06 conflict 갈등, 충돌; 상충하다 harmoniously 조화롭게 *cf.* harmony 조화, 화합 09 go by 지나가다, 흐르다 10 facility ((주로 복수형)) 시설; 기능; 재능 11 definition 의미, 뜻; 정의 12 considerate 사려 깊은 complaint 불평 *cf.* complain about ~에 대해 불평하다

UNIT 55 to부정사의 부사적 수식 Ⅱ

정답 및 해설 p.46

점수 / 100

to-v 의미 파악하기 다음 문장에서 밑줄 친 to-v구가 의미하는 것을 〈보기〉에서 골라 그 기호를 쓰고, 밑줄 친 부분을 해석하시오. [각 6점] 내신 직결

〈보기〉 ⓐ 결과 ⓑ 조건

01 The bank robbers attempted to open the safe, only to find it locked. *safe 금고

→

02 To be adapted into a movie, this novel would be a lot more popular. *adapt 각색하다

→

03 She rose from an unknown chef to become the most influential celebrity.

→

04 To hear him talk, you might recognize where he was from because of his strong accent.

→

05 When he saw the baby deer standing over its dead mother, the hunter put down his gun, never to hunt again.

→

Guide • 결과의 to-v: (~해서) v하다 / only to-v: (그러나 결국) v할 뿐인 / never to-v: (그리고 결코) v하지 못한
• 조건의 to-v: v하면 (~할 것이다)

배열 영작 다음 우리말과 일치하도록 괄호 안에 주어진 어구를 순서대로 배열하시오. [각 7점] 내신 직결

06 나는 점원에게 할인 쿠폰을 보여주었는데, 이미 그것이 기한 만료되었다는 것을 알게 되었다.
(expired, find, only, had, it, to)
→ I showed the clerk a discount coupon, ______________________ already.

07 차에 아이를 혼자 두면, 몇몇 국가에서 부모들은 처벌을 받을 것이다. (their child, leave, alone, to)
→ ______________________ in the car, parents would be punished in some countries.

Guide to-v에 이어지는 어구의 어순에 주의하여 결과, 조건을 나타내는 to-v구를 완성한다.

01 attempt to-v v하려고 시도하다 find O C O가 C인 것을 알게 되다[깨닫다] 03 rise 출세하다; 오르다 influential 영향력 있는 celebrity 유명 인사 04 recognize 알다, 알아보다; 인식하다 accent 억양; 말씨 05 stand over ~을 옆에서 지켜보다 06 expire 만료되다 show IO DO IO에게 DO를 보여주다 07 leave O C O를 C인 상태로 두다 punish 처벌하다

to-v 의미 파악하기 다음 문장의 밑줄 친 부분을 수식하는 to-v구를 찾아 ( )로 표시한 후, 밑줄 친 부분과 함께 해석하시오. [각 7점]

08 A foreign language is quite hard to master in only a year.

→

09 My new headphones are not comfortable to wear for a long time.

→

고난도 10 The area is considered dangerous to approach due to an active volcano.

*active volcano 활화산

→

Guide ✔ to-v가 형용사를 수식할 때는 'v하기에 ~하다'로 해석한다.

문장 연결 문장이 자연스러운 의미가 되도록 〈보기〉에서 알맞은 표현을 골라 그 기호를 쓰시오. [각 7점]

〈보기〉 ⓐ to solve with only a standard formula
ⓑ to exchange their opinions
ⓒ to increase its speed

11 A sea turtle's flippers are very helpful ________ in the water. *flipper 지느러미발

12 The last question was fairly complicated ________.

13 The students in the discussion class were free ________ about the topic.

Guide ✔ 형용사를 수식하는 to-v는 막연한 형용사의 의미를 분명하게 밝혀준다.

배열 영작 다음 우리말과 일치하도록 괄호 안에 주어진 어구를 순서대로 배열하시오. [각 7점] 내신 직결

14 그 범인들은 오토바이를 타고 있어서 뒤쫓기에 힘들었다. (chase, tough, the criminals, to, were)

→ ________________________ because they were on motorcycles.

고난도 15 이 도시는 신나는 활동들로 가득 차 있기 때문에 휴가를 보내기에 이상적이다.

(a holiday, is, to, ideal, in, spend)

→ This city ________________________ because it's filled with exciting activities.

Guide ✔ 형용사를 수식하는 to-v는 형용사를 뒤에서 수식한다.

08 master 통달하다; 주인 11~13 standard 일반적인; 표준의 formula 공식 exchange 교환하다 fairly 상당히, 꽤; 공정하게 14 chase 뒤쫓다; 추구하다 criminal 범인; 범죄의 motorcycle 오토바이 15 ideal 이상적인 be filled with ~로 가득 차다(= be full of)

UNIT 54-55 OVERALL TEST

점수 /100

to-v 의미 파악 **다음 문장에서 밑줄 친 to-v구가 의미하는 것을 〈보기〉에서 골라 그 기호를 쓰고, 밑줄 친 부분을 해석하시오.** [각 10점] 내신 직결

〈보기〉 ⓐ 목적: v하기 위해서, v하도록 ⓑ 감정의 원인: v해서
ⓒ 판단의 근거: v하다니, v하는 것을 보니 ⓓ 결과: ~해서 (결국) v하다
ⓔ 조건: v하면 ⓕ 형용사 수식: v하기에 ~하다

01 My parents always wished I would grow up to be a person with a warm heart.
→

02 They found it necessary to learn English to have access to more information.
→

03 As a big fan of soccer, he must be thrilled to go to Spain in a month.
→

04 Bottled water is convenient to have on a walking tour through the city.
→
*bottled water 병[휴대용 용기]에 든 생수

05 I arrived at the airport to discover that her flight had been delayed. - 모의응용
→

06 She must be a fool to believe the ridiculous rumor going around.
→
*ridiculous 말도 안 되는, 터무니없는

07 Not to disturb others, I turned off my smartphone before the movie started.
→

08 To go to England in winter, you would be able to visit the Christmas markets.
→

09 Broadcasting companies use commercials to pay for the production costs.
→

10 Most people are surprised to see that cooperation is found among animals. - 모의응용
→

02 have access to A A에 접근할 수 있다 *cf.* access 접근(하다); 이용(하다) 04 walking tour 도보 여행 05 discover 알다, 발견하다 delay 연착[지연]시키다; 연착, 지연 06 rumor 소문 go around 떠돌다; 돌아다니다 07 disturb 방해하다 09 broadcasting 방송업[계] commercial 광고 production 제작; 생산 10 cooperation 협동

to부정사가 만드는 주요 구문

정답 및 해설 p.47

점수 / 100

해석하기 굵게 표시한 부분에 유의하여 다음 문장의 해석을 완성하시오. [각 5점]

01 The surface on some streets is **too** slippery for people **to** bike on.

→ 어떤 거리의 지면은 ______________________________.

02 He was **so** kind **as to** take me back home last night.

→ 그는 어젯밤 ______________________________.

03 She got up early **enough** for her **to** catch the first bus of the day.

→ 그녀는 ______________________________ 일찍 일어났다.

Guide to부정사가 만드는 주요 구문의 해석에 주의한다.

문장 전환 다음 두 문장이 같은 의미가 되도록 괄호 안의 구문을 활용하여 문장을 완성하시오. [각 8점] 내신 직결

04 The speaker was so well known as to need no introduction.

→ The speaker was ______________________________ no introduction. (~ enough to)

05 I was so forgetful that I couldn't remember the password for my e-mail account.

→ I was ______________________________ the password for my e-mail account. (too ~ to)

06 The kid was thoughtful enough to consider what his friends needed.

→ The kid was ______________________________ what his friends needed. (so ~ as to)

07 The country's economy is so strong as to compete with neighboring nations.

→ The country's economy is ______________________________ neighboring nations. (~ enough to)

08 After the five-hour flight, John was so tired that he couldn't go sightseeing that day.

→ After flying for 5 hours, John was ______________________________ that day. (too ~ to)

01 surface 지면, 표면 slippery 미끄러운 bike 자전거를 타다; 자전거 04 well known 잘 알려진 introduction 소개; 도입 05 forgetful 건망증이 있는 account 계정; 계좌; 설명 06 thoughtful 배려심 있는; 생각에 잠긴 07 compete with ~와 겨루다 neighboring 인접한; 이웃의 08 go sightseeing 관광하다, 구경하다

어법 오류 찾기 **다음 밑줄 친 부분이 어법상 옳으면 ○, 틀리면 ×로 표시하고 바르게 고치시오.** [각 5점] 수능 직결

09 Kathy was too nervous sing in front of an audience.

10 The alley is enough wide for two vehicles to pass.

11 Her hair was black, but not so dark as to look unnatural.

Guide ✔ to부정사가 만드는 주요 구문의 형태에 주의한다.

배열 영작 **다음 우리말과 일치하도록 괄호 안에 주어진 어구를 순서대로 배열하시오.** [각 6점] 내신 직결

12 그는 너무 가난해서 고향으로 가는 버스표를 구매하지 못했다. (buy, poor, to, a bus ticket, too)

→ He was ______________________________ to his hometown.

13 그날, 태양은 1도 화상을 초래할 만큼 충분히 강렬했다. (first-degree burns, enough, cause, to, strong)

→ On that day, the sun was ______________________________.

14 진실을 말하자면, 나는 내 드레스의 색상이 전혀 마음에 들지 않았다. (the, to, truth, tell)

→ ______________________________, I didn't like the color of my dress at all.

15 사만다는 영어는 말할 것도 없이 한국어와 일본어도 말할 수 있다. (speak, English, to, of, not)

→ Samantha can speak Korean and Japanese, ______________________________.

고난도 16 그 레스토랑의 서비스는 나를 짜증 나게 할 만큼 매우 느렸다. (make, so, as, me, to, slow, annoyed)

→ The restaurant's service was ______________________________.

Guide ✔ 문장 전체를 수식하는 to-v 표현과 '정도·결과'를 나타내는 to-v 구문의 어순에 주의하도록 하자.

10 alley 골목 vehicle 차량, 탈 것 11 unnatural 부자연스러운 13 burn 화상; 타다

CHAPTER 10

분사구문

UNIT 57 분사구문의 의미

정답 및 해설 p.48

점수 / 100

분사구문 이해하기 **다음 각 문장을 a~c에 따라 답하시오.** [각 4점] 내신 직결

a. 네모 안에서 문맥상 알맞은 접속사를 고르시오.
b. 밑줄 친 부분을 해석하시오.
c. 밑줄 친 부분을 분사구문 형태로 바꾸어 쓰시오. (접속사는 생략할 것)

01 **a.** [Because / If] you break your word again, you'll lose the trust of others.

b. *break one's word (약속한) 말을 어기다

c.

02 **a.** [After / If] he picked up the pencil, the artist began drawing my face rapidly.

b.

c.

03 **a.** [Since / When] I arrived at the museum, I saw an endless line at the entrance.

b.

c.

04 **a.** [As / Before] we dined at the restaurant, we complimented the chef on his excellent food. *dine 식사를 하다

b.

c.

05 **a.** Mary took one look at the painting, [and / if] she offered to buy it on the spot.

b. *on the spot 즉각, 즉석에서

c.

06 **a.** [After / Because] he took a deep breath, he grabbed his board and ran into the water. - 수능응용 *take a deep breath 심호흡을 하다

b.

c.

고난도 **07** **a.** [If / Because] they didn't know where to go, they only walked around nervously.

b.

c.

고난도 08 a. Relief supplies were distributed at the right time, [and / since] they saved lots of refugees from hunger.

*relief supplies 구호품 **refugee 난민

b.

c.

Guide
• 분사구문과 주절은 동시동작, 연속동작, 결과, 시간, 원인, 조건, 양보 등의 논리적 관계를 갖는다.
• 접속사가 이끄는 절에서 접속사를 없애고, 주어가 주절의 주어와 같으면 주어도 없앤 뒤 동사를 v-ing형으로 표현한다.

분사구문 해석하기

다음 〈보기〉와 같이 각 문장의 분사구문에 밑줄 긋고 밑줄 친 부분을 생략된 주어와 함께 해석하시오. [각 3점]

〈보기〉 Feeling tired, he placed the book back on the shelf.
→ 그는 피곤해서

09 Telling a lie, you steal someone's right to know the truth.
→

10 Examining the burial grounds, archaeologists found some ancient vessels.

*burial ground 묘지; 매장지 **archaeologist 고고학자

→

11 Having two cups of coffee, I concentrated on my studies better than usual.
→

12 You need to evenly apply this cream over your face, avoiding the lip and eye areas.
→

13 Ordering our product online, you can get a 20% discount off the original price.
→

14 In the middle of the night, he suddenly woke up, hearing the sound of a window breaking. - 모의응용
→

고난도 15 The Niagara Falls, producing large amounts of electricity, are a source of hydropower.

*hydropower 수력(水力) 전기

→

Guide 분사구문은 문장에 따라 두 가지 이상의 의미로 해석될 수 있다.

02 rapidly 빠르게, 신속히 03 entrance 입구; 입장 04 compliment 칭찬(하다) 06 grab 잡다, 움켜잡다 run into ~로 달려 들어가다; 우연히 마주치다 07 walk around 서성이다 08 distribute 배부하다, 나누어 주다 10 vessel (액체를 담는) 그릇; (대형) 선박 11 concentrate on ~에 집중하다 than usual 평소보다 12 evenly 고르게; 균등하게 apply (크림 등을) 바르다; 적용하다 15 electricity 전기

분사구문 영작하기 **A와 관련된 내용을 B에서 골라 기호를 쓰고, A를 분사구문으로 바꿔 두 문장을 한 문장으로 쓰시오. (A, B 순서대로 쓸 것)** [각 3점] 내신 직결

A	① I sat at the cafe with my friends. ② I parked my car in the parking lot. ③ I didn't know how to use the machine.
B	ⓐ I asked the staff for help. ⓑ I bumped into another car. ⓒ I suddenly realized that I had left my laptop at home.

	A	B	분사구문 문장(A+B)
16	①		
17	②		
고난도 **18**	③		

Guide 두 문장의 관계를 파악하여 알맞은 형태의 분사구문으로 나타낸다.

문장 전환 **다음 두 문장의 의미가 일치하도록 괄호 안에서 알맞은 접속사를 골라 문장을 완성하시오.** [각 3점] 내신 직결

19 Hearing of the accident, I was very worried about Jonathan.

→ ______________________________, I was very worried about Jonathan. (if / when)

20 Missing school yesterday, I couldn't understand the lecture today.

→ ______________________________, I couldn't understand the lecture today. (because / if)

21 Taking a non-stop flight to your destination, you will arrive there more quickly.

→ ______________________________, you will arrive there more quickly. (while / if)

22 Hundreds of fish were catching light from the sun, moving upstream. -수능응용

→ Hundreds of fish were catching light from the sun, ______________________________ ______________________________. (while / because)

고난도 23 The movie can be enjoyed by all age groups, not involving any violent scenes.

→ The movie can be enjoyed by all age groups, ______________________________

______________________________. (since / while)

고난도 24 My mother opened an old photo album, finding pictures of her childhood.

→ My mother opened an old photo album, ______________________________

______________________________. (and / when)

Guide 분사구문과 〈S+V ~〉의 논리적 관계를 살펴 가장 자연스러운 접속사를 포함한 문장으로 바꿔 쓴다.

조건 영작 **다음 우리말과 일치하도록 괄호 안의 어구를 활용하여 영작하시오. (필요하면 어형 변화 가능, 단어 추가 불가)** [각 5점]

내신 직결

25 낮 동안에 잠깐 낮잠을 잔다면, 당신은 생산성을 향상시킬 수 있다. (during, take, the day, a short nap)

→ ______________________________, you can improve your productivity.

26 대회에서 다른 경쟁자들을 이겼기 때문에, 그녀는 챔피언이 되었다.

(competitors, the contest, the other, in, beat)

→ ______________________________, she became the champion.

27 시카고에서 오는 기차가 탈선했고, 약 10명의 사상자를 냈다. (about, casualties, cause, ten)

→ The train from Chicago derailed, ______________________________.

28 공원에서 개를 산책시키던 중, 우리는 친절한 이웃인 브라운 씨를 만났다. (the dog, the park, in, walk)

→ ______________________________, we met our friendly neighbor, Mr. Brown.

Guide 우리말과 일치하도록 분사구문을 이용하여 문장을 완성한다.

16~18 bump into ~에 부딪치다; (우연히) ~와 마주치다 21 non-stop 직항[직행]의(= direct) destination 목적지 22 upstream 상류로(↔ downstream 하류로) 23 involve 포함[수반]하다 violent 폭력적인 24 childhood 어린 시절 25 take a nap 낮잠을 자다 productivity 생산성 26 competitor 경쟁자 beat(-beat-beaten) (게임·시합에서) 이기다 27 derail 탈선하다 casualty 사상자 28 walk the dog 개를 산책시키다

UNIT 58

주의해야 할 분사구문의 형태

정답 및 해설 p.50

점수 / 100

분사구문 쓰기 다음 문장의 주절과 종속절의 동사에 각각 밑줄 그은 후, 두 문장의 의미가 일치하도록 분사구문을 사용하여 문장을 완성하시오. (접속사는 생략할 것) [각 5점] 내신 직결

01 If it is treated with care, the pottery can last for generations. *pottery 도자기

→ ________________________, the pottery can last for generations.

02 Because it appeared in a famous movie, the island is gaining popularity.

→ ________________________, the island is gaining popularity.

03 As he was unable to finish work on time, Mr. Smith missed the train.

→ ________________________ on time, Mr. Smith missed the train.

고난도 04 Since he hadn't prepared hard for the exam James failed it.

→ ________________________ hard for the exam, James failed it.

05 My English essay had few mistakes as it was written with caution.

→ My English essay, ________________________, had few mistakes.

06 After she had unpacked the suitcase, Christine found that she had lost her purse.

→ ________________________, Christine found that she had lost her purse.

07 Although I had been asked to join a musical club, I still haven't decided yet.

→ ________________________, I still haven't decided yet.

08 Because he was certain about his career path, Ron trained to become a pilot.

→ ________________________, Ron trained to become a pilot.

고난도 09 Since he hadn't expected to win the match, he wasn't disappointed with defeat.

→ ________________________, he wasn't disappointed with defeat.

고난도 10 Because she was a professional figure skater, she didn't lose her balance even after a mistake.

→ ________________________, she didn't lose her balance even after a mistake.

Guide ✔ 주절과 종속절의 시제에 주의한다.

01 last 오래가다; (기능이) 지속되다 generation 세대 02 popularity 인기 03 finish work 근무를 마치다 on time 정시에 06 unpack (짐을) 풀다(↔ pack (짐을) 싸다) suitcase 여행 가방 08 career path 진로, 앞날 train to-v v하도록 훈련받다 09 defeat 패배(시키다) 10 professional 프로의; 전문적인 balance 균형 (잡다)

능동·수동 파악하고 해석하기 다음 〈보기〉와 같이 각 문장의 네모 안에서 어법상 알맞은 것을 고른 후 주어와 분사구문을 함께 해석하시오. [각 5점] 수능 직결

〈보기〉 This robotic vacuum can operate for 40 minutes when fully [charging / charged ✔].
→ 이 로봇 청소기는 완전히 충전되면

11 [Lived / Having lived] in France before, Chris can speak French fluently.
→

12 [Caught / Catching] in the hurricane, our ship sent out an SOS signal.
*SOS signal 구조 신호
→

13 [Eaten / Having eaten] my breakfast, I got ready to leave for school.
→

14 Not [seen / having seen] the movie, I don't want you to tell me the end of the movie.
→

15 If [washing / washed] at the right temperature, the cardigan should not shrink.
*cardigan 카디건
→

16 [Covering / Covered] with slippery ice, the road to the supermarket was dangerous.
→

고난도 17 Not [having been treated / having treated] properly, he seemed to get worse.
→

고난도 18 [Asked / Having asked] a tough question at the interview, Ben began to feel nervous.
→

고난도 19 [Exhausted / Exhausting] after her dance performance, my younger sister fell asleep on the sofa.
→

고난도 20 When [distressing / distressed], adolescents can develop problem solving skills of their own.
*adolescent 청소년
→

Guide • 부사절의 주어와 분사의 관계를 통해 분사구문의 능동·수동 형태를 파악한다.
• 분사구문이 주절보다 앞선 일인지 아닌지 판단한다.

11 fluently 유창하게 11 send out ~을 보내다[발송하다] 15 shrink(-shrank[shrunk]-shrunk) 줄어들다; 움츠러지다 16 slippery 미끄러운 18 tough 어려운, 힘든; 단단한 20 distress 괴롭히다, 고통스럽게 하다; 괴로움 of one's own 자기 자신의

UNIT 59

주의해야 할 분사구문의 의미상의 주어

정답 및 해설 p.51

점수 / 100

문장 전환 다음 두 문장의 의미가 일치하도록 분사구문을 사용하여 문장을 완성하시오. (접속사는 생략할 것) [각 6점] 내신 직결

01 If we consider all things, this model is the best choice.

→ ______________________, this model is the best choice.

02 Since the recent economy fluctuates, businesses are struggling to survive.

→ ______________________, businesses are struggling to survive.

Guide 부사절의 주어가 주절의 주어와 다를 경우, 부사절의 주어가 분사 앞에 남아 〈S'+v-ing/p.p.~, S+V ...〉의 형태가 된다.

알맞은 태 고르고 해석하기 다음 문장의 네모 안에서 어법상 알맞은 것을 고른 후 해석을 완성하시오. [각 8점] 수능 직결

03 The phone [ringing / rung], I took it out from my bag and answered it.

→ ______________________, 나는 그것을 가방에서 꺼내서 전화를 받았다.

04 With the umbrella [breaking / broken], I became soaking wet from the heavy rain.

→ ______________________, 나는 폭우에 흠뻑 젖었다.

05 Chewing with your mouth [closing / closed] is part of good table manners.

→ ______________________ 씹는 것은 올바른 식사 예절의 일부이다.

06 He couldn't focus on his studies with his roommate [playing / played] loud music.

→ ______________________ 그는 공부에 집중할 수 없었다.

07 The garden looked better with the flowers [planting / planted] near the trees.

→ ______________________ 그 정원은 더 좋아 보였다.

08 The robber arrived at the bank with the gun [hiding / hidden] under his coat.

→ 그 강도는 ______________________ 은행에 도착했다.

고난도 **09** There [being / been] so much traffic, we were late for the Christmas concert.

→ ______________________, 우리는 그 크리스마스 콘서트에 늦었다.

고난도 **10** John came to the hospital with his arm [wrapping / wrapped] tightly in a bandage.

→ 존은 ______________________ 병원에 왔다.

Guide
- 주어와 분사의 관계를 파악하여 적절한 분사를 고른다.
- 〈with+O'+v-ing/p.p.〉에서는 O'와 분사의 관계를 보고 능동인 경우에는 v-ing, 수동인 경우에는 p.p.를 고른다.

관용표현 해석하기 **분사구문의 관용표현에 유의하여 다음 문장의 해석을 완성하시오.** [각 6점]

11 Judging by his appearance, it looks like he is in his late 50s.

→ ______________________________, 그는 50대 후반인 것처럼 보인다.

12 Talking of automation, it will have a huge impact on jobs in cities. *automation 자동화

→ ______________________________, 그것은 도시들의 일자리에 막대한 영향을 줄 것이다.

13 Frankly speaking, Allan wasn't satisfied with his performance that day.

→ ______________________________, 앨런은 그날 선보인 자신의 공연에 만족스러워 하지 않았다.

고난도 **14** Granting that her story is possible, I can still hardly believe it.

→ ______________________________, 나는 여전히 그것을 거의 믿을 수 없다.

Guide ✔ 분사구문 관용표현은 숙어처럼 의미를 익혀두자.

02 recent 최근의 *cf.* recently 최근에 fluctuate 변동[등락]을 거듭하다 struggle to-v v하려고 분투하다 **04** soaking (wet) 흠뻑 젖은 **05** chew 씹다, 물어뜯다 **08** robber 강도 **10** wrap (감)싸다; 포장하다 tightly 단단히, 꽉 bandage 붕대(를 감다) **11** appearance 외모; 나타남, 출현 *cf.* appear 나타나다 **12** have an impact on[upon] ~에 영향[충격]을 주다 **14** hardly 거의 ~ 않는

UNIT 57-59 OVERALL TEST

점수 / 100

분사구문 해석하기 **다음 문장의 해석을 완성하시오.** [각 5점]

01 Being priced a little lower, these phones were a big hit. *price 가격을 매기다

→ ____________________, 이 휴대전화들은 큰 인기를 얻었다.

02 Compared to other animals, humans have a quite weak sense of smell.

→ ____________________, 인간은 꽤 약한 후각을 가지고 있다.

03 The son of a bookstore owner, he spent most of his childhood reading books.

→ ____________________, 그는 어린 시절 대부분을 책을 읽으며 보냈다.

04 Being seated by the window, you'll enjoy a wonderful view with your food.

→ ____________________, 당신은 음식과 함께 멋진 경치를 즐길 것이다.

05 Having a severe stomachache, my brother was rushed to the emergency room.

→ ____________________, 내 남동생은 응급실로 급히 보내졌다.

06 Having been raised in a large family, he got used to sharing clothes and toys.

→ ____________________, 그는 옷과 장난감을 공유하는 것에 익숙해졌다.

07 Having finished the first volume of the book, he wanted to read the entire book series. *volume (시리즈로 된 책의) 권

→ ____________________, 그는 전체 책 시리즈를 읽고 싶어 했다.

08 Job satisfaction increases productivity, allowing workers to produce more at a lower cost. - 모의응용

→ 업무 만족도는 생산성을 높여, 그 결과 ____________________.

고난도 **09** The "brightest" student of my third-grade class, Liam was asked to recite a lengthy poem for a school event. - 모의응용

→ ____________________, 리암은 학교 행사를 위해 긴 시를 낭송하도록 요청받았다.

고난도 **10** Fueled by investments in exports, Argentina's economy was expected to grow about 7 percent. *fuel ~에 활기를 불어넣다

→ ____________________, 아르헨티나의 경제는 약 7퍼센트 성장할 것으로 예상되었다.

Guide 분사구문과 〈S+V ~〉의 논리적 관계 및 능동·수동 관계를 파악하여 분사구문을 알맞게 해석한다.

어법 오류 찾기 다음 밑줄 친 부분이 어법상 옳으면 ○, 틀리면 ×로 표시하고 바르게 고치시오. [각 5점] 내신 직결

11 He was sitting at the table with his arms crossing.

12 Snowing heavily, the transport authority warns of traffic congestion.

*transport authority 교통 당국

13 There being issues to discuss, they are urged to attend the monthly meeting.

14 When recognizing for my accomplishments, I thought all my efforts were worth it.

15 Our airline has a perfect safety record, not having been involved in any accident.

16 Judging from the movement of the clouds, you will need to bring an umbrella to school today.

17 Being located over a vast area, the United States has a great variety of climates.

고난도 18 Engineers and scientists are slightly different, with engineers addressed more of the practical aspects of science.

고난도 19 Concerned about their future in our competitive society, many parents tell their children to study instead of letting them go out to play. - 모의

고난도 20 When chosen between a competent person without interest and a less competent person with zeal, I always choose zeal over ability. - 수능

Guide 분사구문의 형태를 파악한 후 문맥에 따라 어법 정오를 판단하도록 한다.

01 a big hit 큰 인기 02 compare A to B A를 B에 비교하다 05 severe 심한, 격심한; 엄한 rush 급히 보내다[수송하다] emergency room 응급실 06 large family 대가족 get[become] used to v-ing v하는 것에 익숙해지다 07 entire 전체의 08 job satisfaction 업무 만족도 allow O to-v O가 v하도록 (허락)하다 09 recite 낭송[암송]하다 lengthy 긴; 장황한 10 export 수출(하다)(↔ import 수입(하다)) 12 warn of ~을 경고하다 traffic congestion 교통 정체 13 urge O to-v O가 v하도록 요구[촉구]하다 14 accomplishment 업적, 공적(= achievement) 15 be involved in ~에 관련[연루]되다 17 be located 위치해 있다 vast 광대한 18 slightly 약간 address (문제를) 다루다; 연설하다 practical 실용적인 aspect 측면 19 competitive 경쟁을 하는; 경쟁력 있는 tell O to-v O가 v하라고 말하다 let O v O가 v하게 하다 20 competent 유능한(= capable) zeal 열정, 열의 choose A over B B보다 A를 선택하다

PART

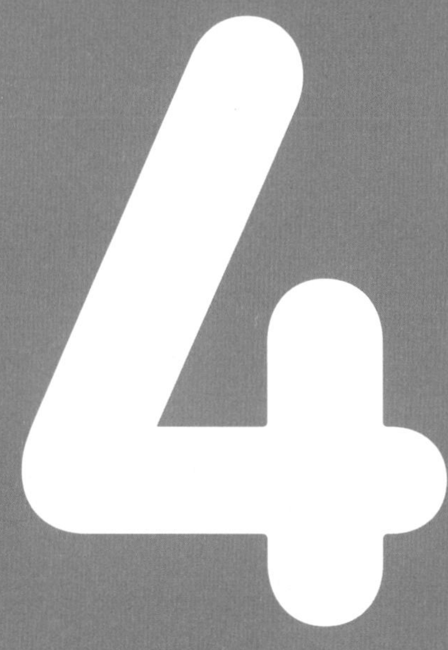

문장의 확장

CHAPTER

11

등위절과 병렬구조

등위접속사 and/but/or/for/nor/yet

정답 및 해설 p.53

점수 / 100

알맞은 접속사 고르기 \ **다음 문장의 네모 안에서 문맥상 알맞은 접속사를 고르시오.** [각 8점] 내신 직결

01 Summer has arrived, [for / yet] the rainy season has come.

02 Don't touch the baking dish, [and / or] you will burn yourself.

03 I have not been asked to resign, [nor / but] do I intend to do so.

04 There was no evidence in the case, [nor / but] the police didn't give up.

05 I think she knows Kelly, [for / yet] they went to the same middle school.

06 All living languages change, [for / but] the rate of change varies over time.

07 Film critics were not impressed with his movie, [for / nor] were the audiences.

08 Know how to listen, [and / or] you will profit even from those who talk badly.

- Plutarch ((그리스 전기 작가))

09 I enjoy the physical work, [and / nor] I like the sense of achievement earned from it.

- 모의응용

고난도 **10** Many people will walk in and out of your life, [for / yet] only true friends will leave footprints in your heart.

Guide ✔ 등위접속사가 절과 절을 연결하는 경우 두 문장의 관계를 파악하여 적절한 의미의 접속사를 사용한다.

배열 영작 \ **다음 우리말과 일치하도록 〈보기〉에서 알맞은 단어를 고른 후, 괄호 안에 주어진 어구와 함께 순서대로 배열하시오.** [각 10점]

〈보기〉 or nor

11 너 자신을 존경하라. <u>안 그러면 아무도 너를 존경하지 않을 것이다</u>. (no one, respect, will, you, else)

→ Respect yourself, ______________________________.

고난도 **12** 그는 귀 기울일 수 없었고, <u>우리가 말한 것을 이해할 수도 없었다</u>. (he, what, said, understand, could, we)

→ He could not listen, ______________________________.

Guide ✔ 어느 접속사가 두 문장을 자연스럽게 연결해주는지 확인하고 접속사 뒤의 어순을 올바르게 배열한다.

01 rainy season 장마철, 우기 02 burn 화상을 입히다; (불이) 타오르다; 태우다 03 resign 사퇴[사임]하다 intend to-v v하려고 생각하다 04 evidence 증거 06 rate 속도; 비율 vary 달라지다; 바꾸다 07 critic 평론가, 비평가 impressed 감명을 받은 08 profit from ~에서 이득[이익]을 얻다 badly 서투르게; 나쁘게; 대단히, 몹시 09 physical 신체적인 a sense of achievement 성취감 earn 얻다; (돈을) 벌다 10 footprint 발자국

병렬구조

정답 및 해설 p.53

점수 / 100

연결 의미 단위 파악하기 다음 굵게 표시한 접속사와 콤마(,)로 대등하게 연결된 부분에 밑줄 그으시오. [각 3점]

01 Christine was born in Mexico **but** raised in the United States.

02 It takes courage to stretch your limits **and** to fulfill your potential.

03 After a long journey to the mountain top, we felt exhausted **but** refreshed.

04 It doesn't matter what age you are**,** what you look like**, or** where you come from.

05 You can choose to receive your phone bill by e-mail **or** to have it sent to your home.

06 Eyebrows are a key part of non-verbal communication as they display emotions like sadness**,** anger**, or** excitement.

07 From an evolutionary perspective, fear has contributed to limiting change **and** to preserving the species.

*evolutionary 진화론적인; 진화의

08 Competition is healthy when you compete against yourself**, or** when it challenges you to become your best.

고난도 **09** The goal of pruning is to remove unwanted branches**,** improve the tree's structure **and** direct new growth.

*pruning (나무 등의) 가지치기

고난도 **10** With lack of water**,** high daytime temperatures **and** freezing conditions at night, deserts can be dangerous for humans.

Guide 접속사 뒤의 형태를 보고 앞에서 이와 같은 형태의 것을 찾아 문맥과 전체 문장구조를 확인한다.

01 raise 기르다; 올리다 02 it takes A to-v v하는 데 A가 필요하다 stretch one's limit ~의 한계를 뛰어넘다[극복하다] fulfill 발휘하다; 달성하다; (의무를) 다하다 potential 잠재력; 잠재력 있는 06 non-verbal 비언어적인(↔ verbal 언어적인) 07 perspective 관점(= viewpoint) contribute to A A에 기여하다; A의 원인이 되다 preserve 보존하다 species 종(種) 08 challenge O to-v O가 v하도록 의욕을 북돋우다 09 branch 가지; 갈라지다 improve 개선하다; 향상시키다 direct 이끌다, 총괄하다; 직접적인 10 (a) lack of ~의 부족[결핍] freezing 너무나[꽁꽁 얼어붙을 정도로] 추운

병렬구조 파악하기 **다음 문장의 네모 안에서 어법상 알맞은 것을 고르시오.** [각 3점] 수능 직결

11 Scarecrows prevent birds from disturbing crops or [feed / feeding] on them.
*scarecrow 허수아비

12 Cultural characteristics have been transformed or [adapt /adapted] over the centuries.

13 Positive thinking can increase lifespan and [decrease / decreasing] the risk of heart disease.

14 The human brain weighs 1/50 of the total body weight but [uses / using] up to 1/5 of the total energy needs.

15 Some have insisted school uniforms are necessary to prevent discrimination or [promoted / to promote] safety.

고난도 **16** Toothpaste can be used to remove crayon from walls or [whiten / whitening] your sneakers.
*toothpaste 치약

고난도 **17** Music licensing protects music from being stolen and [preserves / preserving] both new and older music. - 모의응용
*music licensing 음악 저작권

고난도 **18** Drinking enough water may reduce body weight by raising your metabolism and [to cut / cutting] your appetite.
*metabolism 신진대사

고난도 **19** An interpreter is excellent at remembering what is said and [made / making] the remark simple but accurate.

고난도 **20** Some people think tourism provides more recreation areas and [improve / improves] the quality of public facilities. - 수능응용
*recreation area 휴양지

Guide 접속사가 무엇과 무엇을 연결하는 것인지를 전체 문장 구조와 문맥을 통해 정확히 파악한다.

11 prevent[protect] A from v-ing A가 v하는 것을 막다 disturb 건드리다; 방해하다 crop 농작물; 수확량 feed on ~을 먹다[먹고 살다] **12** characteristic 특성; 특징 transform 변형시키다 adapt 조정하다; 적응시키다 **15** insist (that) (~라고) 주장하다 necessary 필요한, 필수적인 discrimination 차별 *cf.* discriminate 차별하다; 구별하다 promote 촉진[증진]하다; 홍보하다; 승진시키다 **16** be used to-v v하는 데 사용되다 whiten 표백하다, 희게 하다 sneakers 운동화 **17** preserve 보호하다; 보존하다 **18** appetite 식욕 **19** interpreter 통역가 remark 말, 발언; 말하다, 언급하다 accurate 정확한 **20** public facility 공공 시설 *cf.* facility ((보통 복수형)) 시설; 재주, 솜씨

어법 오류 찾기 다음 밑줄 친 부분이 어법상 옳으면 ○, 틀리면 ×로 표시하고 바르게 고치시오. [각 5점] 수능 직결

21 My father was very strict about good manners but always friendly to us.

22 Readers decide to read or not reading an article depending on its headline. - 모의응용

23 Playing games together helps children to get along and following rules.

24 If you have ear pain during flight, you need to drink water or yawn to ease the symptoms.

고난도 25 Hugging may help reduce stress by releasing a feel-good hormone and lowering blood pressure.

*feel-good 기분 좋게 해 주는

고난도 26 Context clues are a piece of information that appears near an unknown word or phrase and make its meaning clearer.

*context clue 문맥 단서

Guide 등위접속사가 서로 연결하는 어구를 찾아 문법적인 형태와 기능이 대등한지 확인한다.

병렬형태 파악하기 다음 괄호 안에 주어진 단어를 알맞은 형태로 쓰시오. [각 5점] 내신 직결

27 The plan for cleaning the river was proposed but (deny) ______________ due to the lack of funds.

*fund 자금, 기금

28 You can save money by making your lunch at home and (bring) ______________ it with you to work.

Guide 등위접속사가 연결하는 어구는 서로 대등한 형태로 쓰는 것에 주의한다.

21 strict 엄격한 22 headline 표제, 제목 23 get along 잘[사이좋게] 지내다 24 yawn 하품(하다) ease (고통 등을) 완화하다; 용이하게 하다 symptom 증상
25 release 분비하다; 풀어주다 hormone 호르몬 26 phrase ((문법)) 구 27 propose 제안하다; 청혼하다 deny 거부[거절]하다; 부인하다 due to A A때문에

both A and B 등

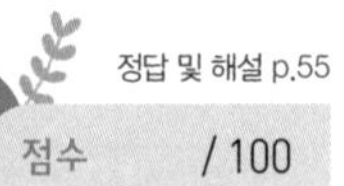

정답 및 해설 p.55

점수 / 100

알맞은 어구 쓰기 **빈칸에 알맞은 연결 어구를 쓰시오.** [각 6점] 내신 직결

01 John decided to buy ______________ a camera or a computer with his savings.

02 Not either my father ______________ I can play the drums well, unlike my brother.

03 I did not read the book series ______________ watched the movie series instead.

04 To keep himself healthy, the famous actor ______________ drinks nor smokes.

05 The writer not only wrote the book ______________ drew the illustrations in it.

Guide 두 개의 어구가 짝을 이루는 상관접속사의 연결 어구를 넣어 문장을 완성한다.

어법 오류 판단 **다음 중 어법상 틀린 문장을 2개 찾아 바르게 고치시오.** [28점] 내신 직결

ⓐ Either contacts or glasses are prescribed when you have bad eyesight.
ⓑ Parents expect their children both to get on with their friends nor to do well in school.
ⓒ A good friend not only helps you get through bad times, but also helps you stay focused on your goals.
ⓓ Living a happy life is not accepting someone else's philosophy, but stays true to your own beliefs.

고난도 **06**

기호	틀린 표현	고친 표현

Guide • 짝을 이루어 하나의 의미를 만드는 상관접속사들을 알아둔다.
• 상관접속사에 의해 연결되는 어구는 병렬구조를 이루므로 문법적인 형태와 기능이 대등해야 한다.

의미 파악하기 **다음 굵게 표시한 접속사로 연결된 부분에 밑줄 긋고, 문장 전체를 해석하시오.** [각 6점]

07 She had **neither** done any homework **nor** brought any of her textbooks to class.

→

08 Blood helps take away waste matter **as well as** deliver important substances to our cells. *waste matter 노폐물 **substance 성분, 물질

→

09 Your personality affects **not only** your relationships with others, **but also** your learning abilities. - 모의응용 *personality 성향, 성격

→

Guide ✓ 상관접속사가 연결하는 두 개의 어구는 문법적으로 대등한 형태여야 한다.

조건 영작 **다음 우리말과 일치하도록 괄호 안의 어구를 활용하여 영작하시오. (필요하면 어형 변화 가능)** [각 6점] 내신 직결

10 나의 딸과 아들 둘 다 뉴욕에 있는 법률 사무소에서 근무한다. (son, work, my daughter, and, both)

→ ______________________________ in a law firm in New York.

11 내 남동생과 나 둘 중 한 명은 택배를 받기 위해 집에 있어야 한다. (have to, I, my brother, or, either, stay)

→ ______________________________ at home to receive the package.

12 잭뿐만 아니라 그의 학급 친구들도 그 질문의 답을 알지 못한다.

(his classmates, but also, know, not only, Jack, don't)

→ ______________________________ the answer to the question.

고난도 13 수업 마지막 날, 학생들뿐만 아니라 선생님도 여름 방학에 들떠 있었다.

(be, the teacher, his students, excited, as well as)

→ On the last day of class, ______________________________ for summer break.

Guide ✓ 상관접속사로 연결된 A와 B가 주어일 경우 동사의 수를 A와 B 중 어느 것에 일치시켜야 하는지 확인한다.

01 saving 저축한 돈; 절약 04 keep O C O를 C하게 유지하다 05 illustration 삽화 06 prescribe 처방하다 eyesight 시력 get on (well) with ~와 사이좋게 지내다 help O (to-)v O가 v하도록 돕다 get through (곤란 등을) 벗어나다; ~을 빠져나가다 accept 받아들이다 philosophy 사상; 철학 stay true to A A에 충실하다 08 take away 제거하다; 치우다; 줄이다 cell 세포; 작은 방, 독방 10 law firm 법률(변호사) 사무소 13 summer break 여름 방학[휴가]

UNIT 63 one/another/the other가 만드는 표현

정답 및 해설 p.56

점수 / 100

지칭 파악하기 다음 문장에서 밑줄 친 부분이 가리키는 것을 찾아 밑줄 그으시오. [각 14점]

01 I borrowed a hair pin and a comb from a friend, but I lost the former by accident.

02 Vice and virtue are before you; the one leads to misery, the other to happiness.

03 The original and the copy are easily distinguished since the one is much more vivid than the other.

04 When there is a disagreement between the verbal and non-verbal message, the latter typically weighs more in forming a judgment.

Guide 문맥을 통해 대명사가 가리키는 것을 파악한다.

의미 파악하기 다음 문장에서 밑줄 친 표현의 의미로 알맞은 것을 고르시오. 내신 직결

05 Teachers in England are not accepted in Scotland, and vice versa. [14점]

ⓐ Teachers in Scotland are not allowed to teach in England.

ⓑ Teachers in Scotland are allowed to teach in England.

고난도 06 We should be able to control our emotions; not the other way around. [15점]

ⓐ We shouldn't let our emotions control us.

ⓑ We should not be able to control our emotions.

고난도 07 Rapid economic growth has improved the nation's quality of life, but we need to consider the other side of the coin. [15점]

ⓐ Rapid economic growth has more advantages to come.

ⓑ Rapid economic growth might also have negative consequences.

Guide 선택지의 내용을 각각 문장에 대입하여 문맥상 의미가 자연스러운지 확인해 본다.

01 by accident 어쩌다가, 우연히(↔ on purpose 고의로, 일부러) 02 vice 악덕(↔ virtue 미덕) lead to ~로 이어지다 misery 불행 03 original 원본; 원작; 최초의; 독창적인 copy 복사(본); 복사[복제]하다 distinguish 구별하다 vivid 선명한 04 disagreement 불일치; 논쟁 typically 보통, 일반적으로 weigh 영향을 주다; 무게가 ~이다 judg(e)ment 판단(력); 판결 05 be allowed to-v v하는 것이 허용되다 06 emotion 감정 07 rapid 빠른, 신속한 consequence 결과; 중요성

CHAPTER

12

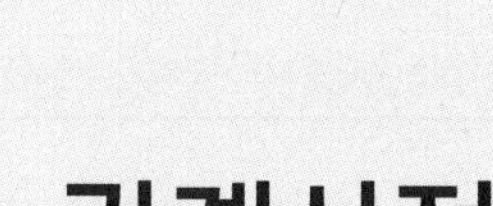

관계사절

UNIT 64

주격/소유격 관계대명사

정답 및 해설 p.56

점수 / 100

관계대명사 파악&해석하기 다음 문장의 네모 안에서 알맞은 관계대명사를 고르고, 문장 전체를 해석하시오. [각 15점] 내신 직결

01 The restaurant is looking for a chef [who / which] specializes in Italian food.

*chef 요리사 **specialize in ~을 전문으로 하다

→

02 For security reasons, do not accept any packages [whose / which] do not belong to you.

→

03 Henry went to a bakery [which / whose] best-selling product is brownies.

→

Guide 1. 선행사의 종류와 관계대명사절 내에서 관계사의 역할에 따라 who, which, whose를 고른다.
2. 관계대명사절이 선행사를 수식하는 형태로 알맞게 해석한다.

관계대명사절 만들기 다음 ⓐ, ⓑ 문장을 주격/소유격 관계대명사를 사용하여 한 문장으로 완성하시오. [각 11점] 내신 직결

04 ⓐ We caught a fish. + ⓑ Its scales are blue and purple. *scale (물고기의) 비늘

→ We caught a fish ______________________.

05 ⓐ The class contains students. + ⓑ They are learning the basics of physics.

→ The class contains students ______________________.

고난도 **06** ⓐ White tigers have a rare gene. + ⓑ It is only present in around 1 in every 1,000 tigers.

→ White tigers have a rare gene ______________________.

고난도 **07** ⓐ This program blocks Internet sites. + ⓑ Their contents are not suitable for children.

→ This program blocks Internet sites ______________________.

고난도 **08** ⓐ Children are more likely to become overweight at a young age. + ⓑ They don't get enough sleep.

→ Children ______________________ are more likely to become overweight at a young age.

Guide 선행사의 종류와 관계대명사의 역할에 따라 알맞은 관계사를 사용하여 문장을 연결한다.

02 security 보안; 안전 package 소포 belong to A A의 것이다; A에 속하다 **05** contain (속에) 있다; 포함하다; (감정을) 억제하다 physics 물리학 **06** rare 희귀한, 드문 gene 유전자 present 존재하는; 참석한; 제시하다 **07** block 차단하다, 막다 suitable for ~에 적합한 **08** overweight 과체중의, 비만의(↔ underweight 저체중의)

UNIT 65

목적격 관계대명사

정답 및 해설 p.57

점수 / 100

관계대명사절 만들기 **다음 ⓐ, ⓑ 문장을 목적격 관계대명사를 사용하여 한 문장으로 완성하시오.** [각 10점] 내신 직결

01 ⓐ Plants generate chemicals. + ⓑ They use them to protect themselves. - 모의응용

→ Plants generate chemicals ______________________.

02 ⓐ The restaurant serves special pizza. + ⓑ They make it using their secret recipe.

→ The restaurant serves special pizza ______________________.

03 ⓐ Alice had the critical evidence. + ⓑ The police were trying to find it.

→ Alice had the critical evidence ______________________.

04 ⓐ The creativity needs to be developed throughout their development. +

ⓑ Children possess it. *throughout ~동안 죽

→ The creativity ______________________ needs to be developed throughout their development.

고난도 **05** ⓐ I ran into my old friend. + ⓑ I had not talked to him for years after graduation.

→ I ran into my old friend ______________________.

고난도 **06** ⓐ The athlete finally beat her rival. + ⓑ She has been competing with her since they were juniors. *junior 주니어[청소년] 선수

→ The athlete finally beat her rival ______________________.

Guide 목적격 관계대명사는 관계대명사절 내에서 동사, 준동사, 전치사 등의 '목적어'이면서 동시에 접속사 역할을 하는 것이다.

목적격 관계대명사 찾기 **다음 문장에서 목적격 관계대명사를 찾아 밑줄 긋고, 관계대명사절 내에서 원래 목적어가 위치했던 자리에 ●로 표시하시오.** [각 10점]

07 I bought a desk made by a craftsman that I have known for many years. *craftsman 장인

고난도 **08** I recommend the restaurant which I went to last night. It has a great appetizer which is full of vegetables. *appetizer 전채요리

고난도 **09** A new experience which has a strong impression can change a belief that you have had for your entire life. - 모의응용

고난도 **10** Linguists study the languages which are spoken today and the languages which our ancestors used to use in the past. *linguist 언어학자

01 generate 만들어 내다 chemical 화학 물질; 화학적인 03 critical 결정적인, 중요한; 비판적인 evidence 증거; 증언 04 possess 지니다; 소유하다 05 run into ~을 (우연히) 마주치다(= come across, bump into, encounter) 06 athlete 운동선수 beat(-beat-beaten) (게임·시합에서) 이기다 rival 경쟁자 compete with ~와 경쟁하다[겨루다] 08 be full of ~로 가득 차다 09 impression 인상; 감명 entire 전체의, 온 10 ancestor 조상 used to v v하곤 했다

UNIT 66

관계부사

정답 및 해설 p.58

점수 / 100

알맞은 관계부사 쓰기 **다음 문장의 빈칸에 when, where, why, how 중 알맞은 관계부사를 쓰시오.** [각 4점]

01 The reason ______________ she didn't come to school yesterday was not clear.

02 The city ______________ they live has a lot of tourist attractions and interesting places to visit.

03 Smart boards have changed ______________ teachers teach their subjects in the classroom.

*smart board 전자 칠판 ((학교에서 사용되는 일종의 프레젠테이션 디스플레이 장치))

04 We took a photo of the moment ______________ I first held my baby in my arms.

05 A flea market is a place ______________ people can buy and sell used things.

*flea market 벼룩시장

Guide 선행사의 종류와 문맥에 따라 적절한 관계부사를 사용해야 한다.

배열 영작 **다음 우리말과 일치하도록 〈보기〉에서 알맞은 관계부사를 고른 후, 괄호 안에 주어진 어구와 함께 순서대로 배열하시오.**

[각 6점] 내신 직결

〈보기〉 when where why how

06 우리가 외로움을 느끼는 이유는 한 가지 원인으로 설명될 수 없다. (feel, the reason, lonely, we)

→ ______________________________ can't be explained by a single cause.

07 학생들은 학교에서 다른 사람들과 협동하는 방법을 배울 수 있다. (with, they, cooperate, others)

→ Students can be taught ______________________________ in school.

08 아버지는 그가 어머니를 대학에서 처음 만났던 때에 관해 내게 말해주셨다.

(college, the time, my mother, he, in, first met)

→ My father told me about ______________________________.

09 인터넷은 사람들이 소통하고, 쇼핑하고, 일하는 방식을 변화시켜 왔다.

(work, shop, communicate, people, and)

→ The Internet has changed ______________________________.

10 나는 따뜻하고 화창한 지역에 있는 집을 사고 싶다. (it, and, an area, warm, is, sunny)

→ I want to buy a house in ______________________________.

Guide 선행사에 따라 적절한 관계부사를 사용하고, 〈선행사+관계부사절〉의 어순이 되도록 배열한다.

관계대명사 vs. 관계부사 **다음 문장의 네모 안에서 어법상 알맞은 것을 고르시오.** [각 5점] 수능 직결

11 Bridge designs depend on the type of terrain [which / where] they are constructed.
*terrain 지형

12 She showed him her love through the playful nickname [which / when] she constantly used.

13 The people around me are the only reason [which / why] I could overcome all the obstacles.

14 People helped the family [whose / how] house had flooded during the storm.

15 The artists want to say something about the society [which / where] they live.

고난도 16 Empathy is a trait [which / how] we value in ourselves and in our friends or family.
- 모의응용

고난도 17 She returned a ring yesterday [which / when] he bought her for her birthday.

Guide ✔ 관계대명사는 주어, 목적어, 보어가 없는 불완전한 구조의 절을, 관계부사는 완전한 구조의 절을 이끈다.

배열 영작 **다음 우리말과 일치하도록 〈보기〉에서 알맞은 관계사를 고른 후, 괄호 안에 주어진 어구와 함께 순서대로 배열하시오.**
[각 5점] 내신 직결

〈보기〉 who(m) when which whose how

18 역사상 음식이 부족한 수많은 시기가 있었다. (been, has, food, scarce)
→ There have been numerous times in history ______________________.
- 모의응용

고난도 19 코알라는 뇌가 두개골의 절반을 겨우 채운다고 알려진 유일한 동물이다. (only fills, brain, half, its skull, of)
→ The koala is the only known animal ______________________
*skull 두개골
______________________. - 모의

20 스마트폰의 도입은 사람들이 정보를 위해 인터넷을 활용하는 방식에 영향을 끼쳤다.
(utilize, people, information, for, Internet)
→ The introduction of the smartphone has affected ______________________
______________________.

Guide ✔ 선행사에 따라 적절한 관계사를 선택한 후 나머지 어구들을 배열한다.

02 tourist attraction 관광명소 06 cause 원인; 일으키다[야기하다] 07 cooperate with ~와 협동[협력]하다 11 construct 건설하다, 세우다 12 playful 장난스러운 constantly 끊임없이 13 overcome(-overcame-overcome) 극복하다 obstacle 장애물 14 flood 침수되다; 침수시키다 16 empathy 공감 trait 특질, 특징 value 중요하게 여기다; 평가하다; 가치 18 scarce 부족한, 드문 numerous 수많은 20 utilize 활용하다 introduction 도입; 소개

관계사의 생략

정답 및 해설 p.59

점수 / 100

생략된 목적격 관계대명사 파악하기 **다음 〈보기〉와 같이 각 문장을 a~c에 따라 답하시오.** [각 6점]

a. 목적격 관계대명사가 생략된 곳에 ∨로 표시하시오.
b. 관계대명사절 내에서 원래 목적어가 위치했던 자리에 ●로 표시하시오.
c. 생략된 관계대명사를 쓰시오.

〈보기〉 The new employee∨I hired●is a hard worker. *who(m)[that]*

01 He showed me the postcards he had collected from his travels.

02 Jerry introduced the woman he danced with as his girlfriend to us.

03 People have always desired the things they cannot readily obtain.

04 The ant measures the distance it has traveled by counting its footsteps. - 모의응용

05 I apologized to the man I hit with the ball by accident while playing soccer.

06 The reporter interviewed a tennis player he was hoping to meet in person.

07 The delivery man finally brought me the package my friend sent a few days ago.

08 Mr. Park misses his brother he was separated from during the Korean War.

09 My older sister was given the wedding dress my mom had worn at her wedding.

10 The children showed a special bond they all shared as a result of the summer camp.

Guide 1. (대)명사 뒤에 이를 수식하는 〈S′+V′~〉절이 이어지는 부분을 찾는다.
2. 〈S′+V′~〉절에서 동사, 준동사, 전치사 등의 목적어가 생략된 부분을 확인한다.

01 postcard 엽서 collect 수집하다 **02** introduce A as B A를 B라고 소개하다 **03** desire 갈망하다; 욕구 readily 손쉽게 obtain (특히 노력 끝에) 얻다 **04** measure 측정하다; 치수 distance 거리 travel (일정 거리를) 나아가다; 여행(하다); 이동하다 count (수를) 세다; 중요하다 footstep 발자국 **05** apologize to ~에게 사과하다 by accident 실수로(↔ on purpose 고의로) **06** hope to-v v하기를 바라다 in person 직접, 몸소 **08** be separated from ~와 헤어지다[(따로) 떨어지다] **10** bond 유대; 끈

선행사 파악하기 **다음 문장의 네모 안에서 어법상 알맞은 선행사를 고르시오.** [각 4점] 수능 직결

11 Shawn couldn't figure out [the way / the reason] Sally was angry with him.

12 July and August are [the season / the reason] most people go on holiday.

13 Our town is [the moment / a place] your children can wander around safely, even at night.

고난도 **14** Certain human activities, such as hunting and tourism, directly alter [the way / the place] animals move around their natural habitats.

Guide ✔ 관계부사는 생략되어 있으므로 문맥을 통해 적절한 선행사를 판단한다.

생략된 관계부사 파악하기 **다음 문장에서 관계부사가 생략된 곳에 ∨로 표시하고 생략된 관계부사를 쓰시오.** [각 6점]

15 The place my mother works is a two-hundred-year-old building.

16 I remember the time I learned how to ride a bicycle for the first time.

17 The investigators are trying to find the reason the fire started yesterday.

18 Valentine's Day is celebrated on February 14 because it is the day Saint Valentine died.

Guide ✔
- (대)명사 다음에 완전한 문장 구조의 〈S'+V' ~〉절이 이어지면, 그 사이에 있던 관계부사가 생략되었을 가능성이 크다.
- 문맥과 관계사절이 수식하는 선행사를 확인하고 적절한 관계부사를 사용해야 한다.

11 figure out 알아내다 13 wander 돌아다니다 14 certain 특정한; 어떤, 어느; 확실한 alter 바꾸다 habitat 서식지 17 investigator 조사관 *cf.* investigate 조사하다 try to-v v하려고 애쓰다[노력하다] 18 celebrate 기념하다 saint 성(聖), 성인

선행사와 떨어진 관계사절

정답 및 해설 p.60

점수 / 100

선행사와 떨어진 관계사절 파악하기 **다음 문장에서 선행사에 밑줄 긋고, 네모 안에서 알맞은 관계사를 고르시오.** [각 9.5점] 내신 직결

01 The girl with brown hair [who / which] was sitting next to me was friendly.

02 The police arrested a suspect in a murder case [who / which] tried to run away.

03 Mr. Kim canceled the appointment with his doctor [who / that] he had made two weeks before.

04 I found a book written by Steve Austin I had wanted to read [who / which] had gone out of print. *go out of print 절판되다

고난도 05 You can face a situation in life [which / where] you have to make a choice between two options.

Guide 문맥상 관계사절의 수식을 받는 것이 무엇인지를 확인한다.

관계대명사절 수일치 판단 **다음 문장의 네모 안에서 어법상 알맞은 것을 고르시오.** [각 7.5점] 수능 직결

06 We made a coffee table with wooden boxes which [suits / suit] our living room.

07 Do you know any pharmacies which are open until 11 p.m. and which [don't / doesn't] take more than 20 minutes to get to by car?

08 I don't remember where I put the shirt with stripes which [belongs / belong] to my sister.

09 The village is located in an area which is surrounded by mountains and that [is / are] difficult to safely enter due to the wild animals around it.

10 The university provides accommodation to all students that [ranges / range] from shared dormitories to individual rooms.

고난도 11 A time capsule holds items from a specific point in time that [tells / tell] the owner's story back then.

고난도 12 The business is dealing with a problem affecting many of its employees that [need / needs] to be solved.

Guide 주격 관계대명사 뒤의 동사의 수는 선행사에 일치시켜야 한다.

02 arrest 체포하다 suspect 용의자; 의심하다 murder case 살인 사건 03 appointment 예약; 약속 06 suit O O에 어울리다 07 pharmacy 약국 09 be located in ~에 위치해 있다 be surrounded by ~로 둘러싸이다 10 provide A to[for] B A를 B에게 제공하다 accommodation 숙소 range from A to B 범위가 A에서 B에 이르다 dormitory 기숙사 11 specific 특정한; 구체적인 12 deal with ~을 다루다

UNIT 64-68 OVERALL TEST

정답 및 해설 p.61

점수 / 100

어법 오류 판단 다음 밑줄 친 부분이 어법상 옳으면 ○, 틀리면 ×로 표시하고 바르게 고치시오. [01~05 6점, 06~15 7점] 수능 직결

01 The laptop that my grandfather bought me it last week is on the table.

02 There is a scar on his forehead which he got from the car accident.

03 The story of a wise man that I heard from my father has affected me a lot.

04 A best friend is someone whom loves you when you forget to love yourself. - Proverb

05 A boy whose photo was featured in a famous magazine became popular overnight.

06 People who drink two glasses of water before each meal get full sooner, eating fewer calories.

07 The friends with that I attended high school have been my friends for life.

고난도 08 The effort that she put it into her project was not useless and paid off after all.

고난도 09 In the contest, twenty chefs will participate which represent five distinct regions of Canada.

고난도 10 The cafe where she has run for eight years provides takeout as well as table service.

11 The reason the economy is growing more slowly is a lack of workers.

12 Geologists have studied the way how heat flows from the earth.

13 Many animals have a natural camouflage which hide them from their enemies.

*camouflage (보호색 등을 통한 동물들의) 위장

고난도 14 The program written by a good engineer who finds words that frequently occur together is very useful.

고난도 15 People around us in our life which tells us our faults and help us to improve them are our valuable assets.

02 scar 상처 05 feature 특별히 포함하다, 특종으로 크게 다루다; 특징(을 이루다) overnight 하룻밤 사이에; 밤새 08 effort 노력(하다) useless 쓸모없는 pay off 성과가 있다, 성공하다 after all 결국에는; 어쨌든 09 represent 대표하다; 나타내다 distinct 별개의; 뚜렷한; 독특한 region 지역 11 (a) lack of ~의 부족 12 geologist 지질학자 13 hide 숨기다; 숨다 enemy 적 14 frequently 자주, 흔히 15 fault 결점; 잘못, 책임 asset 자산, 재산

명사절을 이끄는 관계대명사 what

정답 및 해설 p.62

점수 / 100

what절 이해하기 **다음 각 문장을 a, b에 따라 답하시오.** [각 12점]

a. 관계대명사 What[what]이 이끄는 명사절에 밑줄 그으시오.
b. 밑줄 친 명사절을 해석하고, 그것이 주어(S), 목적어(O), 보어(C) 중 어느 것인지 ✔ 표시하시오.

01 The happiest people simply appreciate what they already have in life.
→ ☐S ☐O ☐C

02 What causes a person to be inactive is a lack of goals and purpose. - 모의
→ ☐S ☐O ☐C

고난도 03 We must remember what we learned in math class to pass this test.
→ ☐S ☐O ☐C

04 His ability to capture the moment is what makes him a famous photographer.
→ ☐S ☐O ☐C

05 Babies in the womb can taste and remember what Mom has been eating. - 모의응용
→ ☐S ☐O ☐C

Guide ✔ 관계대명사 what은 문장에서 주어, 목적어, 보어의 역할을 하는 명사절을 이끌고, '~하는 것'으로 해석한다.

접속사 that vs. 관계대명사 what **다음 문장의 네모 안에서 어법상 알맞은 것을 고르시오.** [각 8점] 수능 직결

06 You are free to choose [that / what] you want to make of your life. - 모의

07 Much of [that / what] we do each day is automatic and guided by habit. - 모의응용

08 Some people agree [that / what] Christmas has become too commercialized.
*commercialized 상업화된

고난도 09 Humans tend to like [that / what] they have grown up with and gotten used to.

고난도 10 [That / What] our teacher expects us to write an essay every day is very unrealistic.

Guide ✔ 접속사 that은 완전한 구조의 절을 이끌지만, 관계대명사 what은 절 내에서 대명사 역할을 하므로 불완전한 구조의 절을 이끈다.

01 appreciate 감사하다; 감상하다; 진가를 알아보다 02 inactive 게으른(↔ active 활동적인) 04 capture 포착하다; 붙잡다, 포획하다 photographer 사진작가 05 womb 자궁 07 automatic 무의식적인; 자동의 guide 좌우[지배]하다; 인도[지도]하다 09 grow up with ~와 함께 자라다[성장하다] get[become] used to A A에 익숙해지다 10 unrealistic 비현실적인(↔ realistic 현실적인)

UNIT 70 명사절을 이끄는 복합관계대명사

정답 및 해설 p.62

점수 / 100

Wh-ever절 이해하기 다음 각 문장을 a, b에 따라 답하시오. [각 12점]

a. -ever가 이끄는 명사절에 밑줄 그으시오.
b. 밑줄 친 명사절을 해석하고, 그것이 주어(S), 목적어(O), 보어(C) 중 어느 것인지 ✔ 표시하시오.

01 Whoever cares to learn will always find a teacher. - Proverb *care to-v v하려고 노력하다

→ ☐S ☐O ☐C

02 My parents fully support whatever I decide to do in the future.

→ ☐S ☐O ☐C

03 In the finals, whichever team reaches 20 points first wins the game.

→ ☐S ☐O ☐C

04 You may take whichever road you like because they all lead to the same place.

→ ☐S ☐O ☐C

05 The winner is whoever makes the most mistakes because they learn more from them.

→ ☐S ☐O ☐C

Guide ✔ • wh-ever는 〈명사(선행사)+관계대명사〉의 의미로, 문장에서 명사절을 이끈다.
• whichever와 whatever는 명사 앞에서 명사를 수식하는 형용사의 역할로도 많이 쓰인다.

알맞은 복합관계사 고르기 다음 문장의 네모 안에서 어법상 알맞은 것을 고르시오. [각 8점] 수능 직결

06 You can invite [whoever / whichever] you want to your birthday party.

07 [Whomever / Whatever] is worth doing at all is worth doing well.
- Phillip D. Stanhope ((英 정치인))

08 Style can be [whoever / whatever] you wear if you wear it with confidence.

09 [Whichever / Whomever] recipe she cooks will taste amazing because she is a great cook.

고난도 **10** I will take [whoever / whomever] wants to go with me to the hockey game this Friday.

Guide ✔ 복합관계대명사가 절 내에서 어떤 역할을 하는지, 어떤 의미가 자연스러운지에 따라 알맞은 형태를 고른다.

02 support 지지하다 03 final 결승전 reach 달성하다; (~에) 닿다, 도달하다 04 lead to A A로 이어지다 07 worth v-ing v할 가치가 있다 at all 조금이라도; 전혀
08 style (특히 옷 등의) 스타일 confidence 자신(감); 신뢰

UNIT 71

선행사를 보충 설명하는 관계사절 I

정답 및 해설 p.63

점수 /100

보충 설명하는 관계사절 이해하기 **다음 문장의 네모 안에서 알맞은 관계대명사를 고르고, 문장 전체를 해석하시오.** [각 12점] 수능 직결

01 I enjoy spending time with Daniel, [who / which] always encourages me.

→

02 Around 800,000 people in Britain have Alzheimer's disease, [who / which] there is no cure for.

*Alzheimer's disease 알츠하이머병 ((노인성 치매의 가장 흔한 원인질환))

→

03 He is planning a trip to visit his family, most of [whom / which] he has not seen for many years.

→

04 My grandmother baked some cookies, [which / who] were shaped like hearts and tasted like coffee.

→

고난도 05 One of the best study skills is recitation, [which / that] means saying back to yourself the information you just learned.

*recitation 암송

→

Guide ✔ 선행사를 보충 설명하듯이 앞에서 순서대로 해석하고, '그리고, 그런데, 왜냐하면' 등의 적절한 접속사를 덧붙인다.

which의 선행사 찾기 **다음 문장에서 which의 선행사에 해당하는 부분에 밑줄 그으시오.** [각 10점] 내신 직결

06 My younger sister went out without saying anything, which worried my parents.

07 Broccoli is a great source of vitamin K, which is known to enhance cognitive function.

08 Exercise can improve your sleep quality, which can be negatively affected by stress and anxiety.

고난도 09 Some people start to keep a diary, which helps them become mentally healthy and more creative.

Guide ✔ 선행사로 단어, 구, 절을 모두 취할 수 있으므로, 선행사로 생각되는 것을 which 자리에 넣어 해석이 가장 자연스러운 것으로 판단한다.

01 encourage 격려[고무]하다; 권장하다 02 cure 치료(법); 치료하다 07 source (사물의) 원천, 근원 enhance 높이다, 향상시키다 cognitive 인지의 function 기능(하다) 08 anxiety 불안(감) 09 keep a diary 일기를 쓰다 mentally 정신적으로

UNIT 72

선행사를 보충 설명하는 관계사절 Ⅱ

점수 /100

보충 설명하는 관계사절 이해하기 **다음 문장의 네모 안에서 알맞은 관계부사를 고르고, 문장 전체를 해석하시오.** [각 20점]

수능 직결

01 Spanish sailors brought peanuts to Asia, [when / where] peanuts became an important product.

→

02 Yesterday was Memorial Day, [when / where] hundreds of people gathered in Memorial Park.

*Memorial Day 현충일

→

03 Modern chewing gum dates from the 1860s, [when / where] a substance called chicle was developed.

*chicle 치클 ((사포딜라 나무에서 채취하는 껌의 원료))

→

04 He did a lot of his office work at his home, [when / where] he could manage his time better.

→

05 The guest house has a living room next to the kitchen, [when / where] we can talk with other people.

*guest house 게스트 하우스, 소규모 호텔

→

Guide 보충 설명하는 선행사가 무엇인지 파악하고, 그에 맞는 관계부사를 고른다.
선행사를 보충 설명하듯이 앞에서 순서대로 해석하고, '그리고, 그런데, 왜냐하면' 등의 적절한 접속사를 덧붙인다.

01 sailor 선원 peanut 땅콩 product 생산물, 상품 02 memorial 추도의; 추억의 gather 모이다; 모으다 03 chewing gum 껌, 추잉 껌 *cf.* chew 씹다, 깨물다 date from ~부터 시작되다 substance 물질 04 manage 관리[경영]하다; 간신히 해내다

정답 및 해설 p.64

점수 / 100

알맞은 어법 고르기 **다음 문장의 네모 안에서 어법상 알맞은 것을 고르시오.** [각 7.5점] 수능 직결

01 He makes friends easily with [who / whomever / whatever] he meets at school.

02 It is desirable for children to have free time, [when / that / where] they just run around.

03 You can use [whoever / whatever / whichever] flour you like, whole wheat or white wheat. *wheat 밀

04 Our ability to ask a questions is something [what / that / who] separates us from animals.

05 The term "nano" is derived from the Greek word "nanos," [which / that / what] means extremely small.

06 With less active lifestyles, humans now have a diet [who / what / that] contains far more calories than necessary.

07 In the film, the actor plays a spy [whose / which / who] mission is to steal a secret military document.

Guide 수식 받는 선행사, 관계사절 내에서 관계사의 역할, 문맥, 관계사가 이끄는 절의 구조가 완전한지를 모두 고려하여 알맞은 관계사를 고른다.

어법 오류 판단 **다음 밑줄 친 부분이 어법상 옳으면 ○, 틀리면 ×로 표시하고 바르게 고치시오.** [각 9.5점] 수능 직결

08 Sometimes, there are cases <u>where</u> an innocent person was convicted.

09 Do not do to others <u>that</u> you would not want others to do to you. - 수능

10 In table tennis, a player <u>whose</u> scores 11 points first is declared the winner.

고난도 **11** My grandfather added fertilizer to his garden <u>what</u> makes the soil more fertile.

고난도 **12** The wedding guests, many of <u>them</u> were dressed in traditional clothes, got wet in a sudden shower.

03 flour 밀가루 04 separate A from B A를 B와 구별하다 05 term 용어, 말 be derived from ~에서 유래[파생]하다 extremely 극도로, 극히 07 spy 스파이, 첩자 mission 임무 military 군사의, 무력의 document 문서 08 innocent 죄가 없는, 결백한(↔ guilty 유죄의) convict 유죄를 선고하다 10 score 득점(하다); 점수, 성적 declare 선언하다 11 fertilizer 비료 fertile 비옥한, 기름진(↔ infertile 비옥하지 않은) 12 traditional 전통적인 sudden 갑작스러운 shower 소나기

CHAPTER

13

부사절

UNIT 73

시간을 나타내는 부사절 I

정답 및 해설 p.65

점수 / 100

알맞은 어법 고르기 **다음 문장의 네모 안에서 어법상 알맞은 것을 고르시오.** [각 10점] 내신 직결

01 The audience was asked to remain seated [during / while] the performance.

02 The stubborn boy won't stop crying until he [gets / will get] a toy.

03 [When / Since] it opened, the restaurant has been crowded with customers every day.

04 Before you [come / will come] back home, your brother will finish up the chores.

05 Love is only a word [until / when] you meet someone who gives it meaning.

06 [During / As] the sun rises higher, the air in contact with the ground becomes warmer. - EBS

07 Sunflowers were used to remove toxins from the soil [during / after] the nuclear disaster took place.

08 [Until / Once] the principal started his speech, the students stopped talking and looked at him.

고난도 **09** The Native Americans had already lived in America [before / after] Columbus arrived and called them "Indians."

*Native American 북미 원주민

고난도 **10** You may experience temporary deafness [until / when] you are simultaneously focusing on visual tasks.

*deafness 귀가 들리지 않는 것

Guide
- 시간을 나타내는 부사절에서는 현재시제가 미래를 대신한다.
- 부사절 접속사 뒤에는 절이 오지만 전치사 뒤에는 명사(구)가 온다.
- 주절과 부사절의 문맥에 따라 가장 적절한 의미의 접속사를 고른다.

01 audience 관객 be asked to-v v하도록 요청받다 performance 공연; 실적 02 stubborn 고집 센, 완고한 03 crowded 붐비는, 복잡한 04 chore ((복수형)) 집안일 06 in contact with ~와 접촉하는 07 remove 제거하다; 이동시키다 toxin 독소 nuclear 핵(의) disaster 재난; 재앙 take place 일어나다; 개최되다 08 principal 교장, (단체의) 장; 주요한, 주된 09 call O C O를 C라고 부르다 10 temporary 일시적인(↔ permanent 영구적인) simultaneously 동시에 visual 시각의, (눈으로) 보는

UNIT 74

시간을 나타내는 부사절 Ⅱ

정답 및 해설 p.65

점수 / 100

부사절 연결하기 **다음 문장이 자연스러운 의미가 되도록 〈보기〉에서 알맞은 부사절을 골라 그 기호를 쓰시오.** [각 10점] 내신 직결

〈보기〉 ⓐ as soon as it is proven to be wrong ⓑ the moment she got on the bus
ⓒ by the time we arrived ⓓ whenever I'm caught in difficult situations

01 The other guests were already sitting at the table ________.

02 My mom always provides me with clear guidance ________.

03 She realized she didn't put money on her card ________.

04 We must be ready to abandon our hypothesis ________. - 모의응용

Guide 각 부사절의 의미를 파악하여 문맥에 가장 자연스러운 것을 선택한다.

배열 영작 **다음 우리말과 일치하도록 〈보기〉에서 알맞은 것을 고른 후, 괄호 안에 주어진 어구와 함께 순서대로 배열하시오.** [각 15점] 내신 직결

〈보기〉 hardly ~ when ... by the time as long as it will not be long before

05 내가 숙제를 마쳤을 무렵에는 밖이 이미 어두워져 있었다. (I, homework, finished, my)
→ It was already dark outside ________________________.

06 여러분 지역에 대기 오염 수준이 높은 동안에는 실외 활동을 피해야 합니다.
(high, the air pollution levels, are)
→ You should avoid outdoor activities ________________________
in your area.

07 네가 매일 연습한다면, 머지않아 너의 스페인어 말하기 능력은 향상될 것이다.
(improve, your, speaking, Spanish, skills)
→ If you practice every day, ________________________.

고난도 **08** 내가 약을 먹자마자 두통이 사라졌다. (I, had, the medicine, taken)
→ ________________________ my headache disappeared.

Guide 적절한 의미의 접속사를 선택하고, 부정어구를 문장 앞에 둘 경우 어순에 주의한다.

01~04 prove 증명하다, 판명 나다 provide A with B A에게 B를 제공하다(= provide B for A) guidance 지침, 안내 abandon 버리다 hypothesis 가설
06 outdoor 실외의(↔ indoor 실내의)

UNIT 75

이유/원인을 나타내는 부사절

정답 및 해설 p.66

점수 / 100

부사절 의미 파악 **다음 ⓐ, ⓑ 두 문장을 접속사 because로 연결하여 한 문장으로 쓰시오.** [각 15점]

01 ⓐ All the banks are closed. ⓑ Today is a national holiday.

→

고난도 **02** ⓐ The minimum enrollment was not met. ⓑ The class was canceled.

→

Guide 주절은 because가 이끄는 부사절이 '원인'이 되어 일어나는 '결과'를 나타낸다.

부사절 연결하기 **다음 문장이 자연스러운 의미가 되도록 〈보기〉에서 알맞은 부사절을 골라 그 기호를 쓰시오.** [각 10점] 내신 직결

〈보기〉 ⓐ seeing that it is raining so heavily ⓑ now that the problem has been identified
ⓒ as it had already been checked out ⓓ since their habitats are being destroyed by humans

03 Gorillas are an endangered species ________.

04 She couldn't borrow the book ________.

05 Appropriate action can be taken ________.

06 We may as well change the appointment, ________.

Guide 각 부사절의 의미를 파악하여 문맥에 가장 자연스러운 것을 선택한다.

배열 영작 **다음 우리말과 일치하도록 괄호 안에 주어진 어구를 순서대로 배열하시오.** [각 15점] 내신 직결

07 데이비드는 중국 베이징에서 아주 멋진 관광을 즐겼기 때문에 만족스러워 한다.

(he, that, a wonderful tour, enjoyed)

→ David is satisfied ________________________ in Beijing, China.

고난도 **08** 나는 병원에 갈 필요가 없어서가 아니라, 무서워서 가지 않았다.

(I, not because, but because, was afraid, didn't have to, I)

→ I didn't go to the hospital ________________________,

________________________.

Guide 주절은 부사절 내용이 원인이 되어 일어나는 '결과'를 나타낸다.

01 national holiday 국경일 02 minimum 최소(의), 최저(의)(↔ maximum 최고(의)) enrollment 등록(자 수) meet 충족시키다; 만나다 03~06 identify 확인하다; 동일시하다 check out (책 등을) 대출받다; 확인하다; 살펴보다 habitat 서식지 destroy 파괴하다 endangered 멸종 위기의 species 종(種) appropriate 적절한 (↔ inappropriate 부적절한) may as well ~하는 게 더 낫다 appointment 약속; 임명 07 satisfied 만족스러워 하는

UNIT 76

조건을 나타내는 부사절

정답 및 해설 p.66

점수 / 100

부사절 의미 파악 **다음 ⓐ, ⓑ 두 문장을 접속사 if로 연결하여 한 문장으로 쓰시오.** [각 14점]

01 ⓐ The video file won't open. ⓑ The relevant program is not installed.

→

고난도 02 ⓐ Two or more time zones are crossed. ⓑ Jet lag symptoms can occur.

*time zone 표준시간대 **jet lag 시차로 인한 피로

→

Guide 주절은 if가 이끄는 부사절의 내용을 '조건'으로 하는 '결과, 결말'을 나타낸다.

알맞은 어법 고르기 **다음 문장의 네모 안에서 어법상 알맞은 것을 고르시오.** [각 10점] 수능 직결

03 [If / Unless] you come on time, we are going to leave without you.

04 [In case / Unless] you need my help, please don't hesitate to call me.

고난도 05 You will miss the last subway unless you [walk / don't walk] more quickly.

Guide 부정의 의미가 포함된 접속사의 쓰임에 유의한다.

배열 영작 **다음 우리말과 일치하도록 〈보기〉에서 알맞은 것을 고른 후, 괄호 안에 주어진 어구와 함께 순서대로 배열하시오.** [각 14점] 내신 직결

〈보기〉 provided that unless only if

06 여러분이 티켓을 특정 카드로 구매하셔야만 여러분은 할인을 받으실 수 있습니다. (you, the tickets, purchase)

→ You can get a discount ________________ with a certain card.

고난도 07 시위자들은 자신들의 요구 사항이 만족되지 않으면 계속할 것이다. (fulfilled, their demands, are)

→ The protesters are going to continue ________________.

08 몇몇 나라에서는, 여정이 편안했다면 당신은 택시 기사에게 팁을 주어야 한다. (comfortable, the trip, was)

→ In some countries, you should give tips to your cab driver, ________________

________________.

*tip 팁 ((서비스에 대한 감사의 의미로 주는 돈))

Guide 우리말 문장에 알맞은 것을 고른 뒤 어순에 맞게 배열한다.

01 relevant 적절한, 관련 있는 install 설치하다 02 symptom 증상 04 hesitate 망설이다 06 certain 특정한; 어떤; 확실한 07 fulfill 만족시키다; 이행하다 demand 요구 (사항); 요구하다 protester 시위자 *cf.* protest 항의하다

UNIT 77

양보/대조를 나타내는 부사절 I

정답 및 해설 p.67

점수 / 100

부사절 의미 파악 **다음 문장에서 양보/대조를 나타내는 부사절에 밑줄 긋고, 밑줄 친 부분을 알맞게 해석하시오.** [각 15점]

01 Everyone dreams every single night, whether they realize they dream or not.

→

02 Badly frightened as she was, she tried to stay calm to let the police know what had happened.

→

03 People with a high muscle mass percentage can be judged as overweight, even if they have a low body fat percentage. *muscle mass 근육량 **body fat percentage 체지방률

→

Guide 양보/대조를 나타내는 부사절은 주절과 역접 관계로서, 서로 반대되거나 일치하지 않는 내용이다.

부사절 연결하기 **다음 문장이 자연스러운 의미가 되도록 〈보기〉에서 알맞은 부사절을 골라 그 기호를 쓰시오.** [각 10점] 내신 직결

〈보기〉 ⓐ Although animal testing remains common today ⓑ Whereas fine art requires inborn talent ⓒ Whether you succeed or fail ⓓ While some bacteria can make you sick

04 __________, it doesn't mean that you should stop trying.

05 __________, commercial art tends to utilize acquired skill.

06 __________, others have benefits such as helping you digest food.

고난도 **07** __________, public support for such practices has declined in recent years.

Guide 각 부사절의 의미를 파악하여 문맥에 가장 자연스러운 것을 선택한다.

배열 영작 **다음 우리말과 일치하도록 괄호 안에 주어진 어구를 순서대로 배열하시오.** [각 15점] 내신 직결

고난도 **08** 비록 그는 격렬하게 싸웠지만, 그는 결국 패배했다. (as, fought, fiercely, he)

→ ______________________________, he was eventually defeated.

Guide 양보의 부사절을 이끄는 as절의 어순에 주의한다.

02 badly 몹시 frightened 무서워하는, 겁먹은 try to-v v하려고 노력하다[애쓰다] **04~07** fine art 순수 미술 inborn 타고난(↔ acquired 후천적으로 얻은) bacteria 박테리아, 세균 commercial art 상업 미술 utilize 활용하다 digest 소화시키다 practice 관행; 실행(하다); 연습(하다) decline 감소하다; 거절하다 **08** fiercely 격렬하게 eventually 결국 defeat 패배시키다

UNIT 78 양보/대조를 나타내는 부사절 Ⅱ

정답 및 해설 p.67

점수 / 100

부사절 의미 파악 **다음 문장에서 양보/대조를 나타내는 부사절에 밑줄 긋고, 밑줄 친 부분을 알맞게 해석하시오.** [각 20점]

01 Whatever I choose for my future, my parents will accept and support my decision.

→

고난도 **02** No matter how hard it is, just keep going because you only fail when you give up.

→

Guide 양보/대조의 부사절은 주절과 서로 반대되거나 일치하지 않는 내용이다.

문장 전환 **다음 두 문장이 같은 뜻이 되도록 문장을 완성하시오.** [각 20점] 내신 직결

03 No matter who calls me, I never answer the phone in the library.

→ ______________ calls me, I never answer the phone in the library.

04 However humble it may be, there is no place like home.

→ ______________ ______________ ______________ humble it may be, there is no place like home.

05 We can contact people instantly through the Internet, no matter where they are.

→ We can contact people instantly through the Internet, ______________ they are.

- 모의응용

Guide ⟨no matter+의문사⟩는 '의문사-ever' 형태의 접속사로 바꾸어 쓸 수 있다.

01 accept 인정하다, 받아들이다 support 지지(하다) 04 humble 누추한, 초라한; 겸손한 05 contact 연락하다; 접촉 instantly 즉시 *cf.* instant 즉각적인; (식품이) 인스턴트의

UNIT 79

목적/결과를 나타내는 부사절

정답 및 해설 p.67

점수 / 100

알맞은 어법 고르기 다음 문장의 네모 안에서 어법상 알맞은 것을 고르시오. [각 8점] 수능직결

01 Amy turned down the TV [lest / so that] she should miss the phone ringing.

02 Kevin should pack some extra clothes [in case / so that] he gets wet at the beach.

03 Jason lied to his father about his grades for fear [that / of] he should be scolded.

04 The camera was so expensive [that / which] I had to save up for 5 months to buy it.

05 Nothing was heard from him for weeks, [so / such] the club members thought he had quit.

06 We will send you a message in order [to / that] you arrive on time for your appointment.

07 I change my password frequently [so / in case] that I can avoid account theft.

고난도 08 The sofa in the living room is [so / such] a comfortable chair [which / that] my cat loves to sit on it all day.

Guide
- 문맥을 통해 올바른 접속사를 선택한다.
- so는 부사로서 형용사/부사를 수식하고, such는 형용사로서 명사를 수식한다.

어법 판단하기 다음 중 어법상 틀린 문장을 3개 찾아 바르게 고치시오. (한 단어만 고칠 것) [36점] 내신직결

ⓐ Lest we forgot, we published a book based on our stories.
ⓑ The hairdryer blows such loudly that it hurts my ears.
ⓒ Matthew is going to get insurance in case his dog gets sick.
ⓓ The actress was wearing so a delicate necklace that she walked carefully.
ⓔ Our teacher often gave us group projects so that we could learn to work together. - 모의

고난도 09

기호	틀린 표현	고친 표현

Guide 목적/결과를 나타내는 여러 접속사의 의미와 어순, 쓰임에 유의한다.

01 turn down (소리를) 줄이다; 거절하다 03 scold 야단치다, 꾸짖다 04 save up (돈을) 모으다 05 quit(-quit[quitted]-quit[quitted]) 그만두다 07 frequently 자주 account 계정; 계좌; 설명 theft 도난, 절도 09 publish 출판하다 insurance 보험 delicate 세심한 취급을 필요로 하는; 깨지기 쉬운; 섬세한 necklace 목걸이

UNIT 80

양태를 나타내는 부사절

정답 및 해설 p.68

점수 /100

부사절 의미 파악 **다음 문장의 밑줄 친 부분을 접속사 의미에 유의하여 알맞게 해석하시오.** [각 10점]

01 Attack is the best method of defense, as Napoleon once said.

→

02 Just as Americans love baseball, so Europeans love soccer.

→

03 Anne shrugged her shoulders as if she didn't understand what I said. *shrug (어깨를) 으쓱하다

→

고난도 **04** Mechanics can diagnose car problems through examination, the way doctors can identify a patient's problem.

→

Guide 양태를 나타내는 부사절을 이끄는 접속사는 주로 '~처럼, ~이듯이, ~대로'의 뜻을 가진다.

부사절 연결하기 **다음 문장이 자연스러운 의미가 되도록 〈보기〉에서 알맞은 부사절을 골라 그 기호를 쓰시오.** [각 8점] 내신 직결

〈보기〉
ⓐ As[as] if it's going to rain
ⓑ Just[just] as a business shouldn't rely on one client
ⓒ As[as] they are now
ⓓ Just[just] the way a house is built with bricks

05 Science is built with facts __________.

06 The sky is covered with dark clouds __________.

07 Leave things __________ until the police arrive at the scene.

08 __________, so your personal income shouldn't rely on one source.

Guide 양태를 나타내는 부사절은 주로 비유와 같은 표현으로 주절을 꾸며줄 때 사용한다.

01 attack 공격(↔ defense 방어); 공격하다 04 mechanic 정비사 diagnose 진단하다 examination 검사; 시험 05~08 rely on ~에 의존하다 brick 벽돌 personal 개인의 income 소득, 수입(↔ expenditure 지출)

배열 영작 다음 우리말과 일치하도록 〈보기〉에서 알맞은 것을 고른 후, 괄호 안에 주어진 어구와 함께 순서대로 배열하시오.

내신 직결

〈보기〉 as　　as though　　(just) as ~, so ...

09 계절이 변하는 것처럼 우리의 인생 역시 변한다. (change, our lives, change, the seasons) [9점]

→ ______________________________

as well.

10 너는 있는 그대로 완벽하다는 사실을 잊지 마. (are, you, perfect, you, are) [9점]

→ Don't forget the fact that ______________________________.

고난도 **11** 그녀는 우리가 떠나기 전 마치 질문을 하고 싶은 것처럼 보였다. (a question, wanted, ask, she, to) [10점]

→ She looked ______________________________

before we left.

Guide
- 적절한 의미의 부사절 접속사를 선택하여 문장을 완성한다.
- 접속사 뒤에는 〈주어+동사〉로 이루어진 완전한 문장이 와야 한다.

09 as well 역시, 또한

UNIT 73-80 OVERALL TEST

정답 및 해설 p.69

점수 / 100

알맞은 접속사 고르기 다음 문장의 네모 안에서 어법상 알맞은 것을 고르시오. [각 3점] 수능 직결

01 The noise outside at night is so loud [as / that] I cannot relax in my house. - 수능응용

02 [Seeing / So] that he's been sick all week, he's unlikely to come to the party.

03 The Greeks figured out mathematics long [before / ago] calculators were available. - 모의응용

04 Clouds are formed [when / until] moist air is carried upward by warm air currents during the day. - 모의응용 *moist 습한 *air current 기류

05 Strong smells are often added to natural gas [so that / in case] it can be detected when leaking. *leak (가스 등이) 누출되다; 새다

06 [Although / Unless] you are free to use the information provided, you must cite our website as the source. *cite 언급하다; 인용하다

07 [As / Whereas] feet stop growing in length by age twenty, most feet gradually widen with age. - 모의응용

08 Learning a new language can improve the power of the brain, [just as / though] exercise builds muscles. - 모의

09 You must rely on words to explain yourself [since / lest] you can't use gestures or facial expressions online.

10 A firm handshake indicates a strong personality [while / by the time] a weak handshake is taken as a lack of courage.

11 [Until / Once] people understand that depression is a disease of the brain, they become more open to treatment. - EBS응용

12 A pendulum always takes the same amount of time to swing [whether / since] the swing is narrow or wide. - 모의응용 *pendulum (시계의) 추

13 Altruism is willingness to do what brings advantages to others, [as / even if] it results in disadvantage for yourself. *altruism 이타주의

14 The sand hills are located near the ocean, [so / whereas] you can enjoy sandboarding and the ocean view at the same time. - 모의응용

03 figure out ~을 이해하다; 알아내다 mathematics 수학 calculator 계산기 04 upward(s) 위쪽으로(↔ downward(s) 아래쪽으로) 05 detect 감지하다; 발견하다 06 source (자료의) 출처; 원천, 근원 07 length 길이 gradually 점차, 서서히 widen 넓어지다 10 firm 힘찬, 확고한(↔ weak 약한) indicate 나타내다, 시사하다 11 depression 우울증 treatment 치료 12 swing 흔들리다; 흔들 13 willingness to-v 기꺼이 v하는 마음 result in ~을 야기하다 14 be located 위치해 있다

접속사 vs. 전치사 **다음 문장의 네모 안에서 어법상 알맞은 것을 고르시오.** [각 3점] 수능 직결

15 They searched everywhere in town [while / during] they were looking for their missing son.

16 There were huge advances in aviation technology [while / during] the Second World War. *aviation 항공

17 [Because / Because of] the sun's huge influence on the earth, many early cultures saw the sun as a God.

18 It's no use going back to yesterday, [because / because of] I was a different person then. - *Alice in Wonderland* 中

19 Giraffes have the highest blood pressure among mammals, [although / despite] their heart rate is about the same as that of humans. *heart rate 심박동수

20 Having tolerance means giving every person the same consideration, [although / despite] one's opinions, background, and appearance. - 모의응용

Guide ✔ 접속사 뒤에는 절이 오고, 전치사(구) 뒤에는 명사(구)가 온다.

배열 영작 **다음 우리말과 일치하도록 〈보기〉에서 알맞은 것을 고른 후, 괄호 안에 주어진 어구와 함께 순서대로 배열하시오.** [각 4점] 내신 직결

〈보기〉 so that for fear that so ~ that ... in case

21 나는 내가 줄을 서서 기다려야 하는 경우에 대비해서 종종 책을 가지고 여행한다. (wait, have to, in line, I)

→ I often travel with a book, ____________________.

22 우리는 새 식물들을 위한 공간이 있게 하려고 식탁을 옮겼다. (the new plants, would, for, there, room, be)

→ We moved the table ____________________.

23 태양 에너지 산업이 아주 잘 되어서 우리는 공급 과잉을 다루는 난제에 직면하고 있다.
(we, challenges, are, well, facing)

→ The solar industry is doing ____________________ in managing excess supply.

24 그들은 사람들의 건강을 해치지 않도록 그 화학 제품을 금지했다. (people's health, should, it, harm)

→ They banned the chemical ____________________.

Guide ✔ '목적' 또는 '결과' 중 어떤 내용이 와야 하는지 판단하여 알맞은 접속사를 선택한다.

접속사 의미 파악 **다음 중 밑줄 친 접속사의 의미가 다른 하나를 고른 후, 그 문장을 해석하시오.** [각 6점] **내신 직결**

25 ⓐ The electricity suddenly went off while I was watching a TV show.
ⓑ My final report consists of fifty pages while his has only twenty.
ⓒ While there is a chance to change the situation, we must act.
→

26 ⓐ Cameron and I have been friends since we were at school together.
ⓑ We are unable to access the file since it is password protected.
ⓒ Do not feed the animals in the zoo since the wrong food can make them sick.
→

27 ⓐ If you can give your child only one gift, let it be enthusiasm. - Bruce Barton ((美 광고인))
ⓑ If you have courage to begin, you have the courage to finish.
ⓒ I couldn't find the station, so I asked someone if they could direct me.
*direct (길을) 알려 주다; 지도하다
→

고난도 **28** ⓐ As it experiences such little rain, Antarctica is considered a desert.
ⓑ Ashley's voice shook a lot as she introduced herself in front of the new classmates.
ⓒ Calling your pants "blue jeans" seems redundant as practically all denim is blue.
- 모의응용
*redundant 불필요한; 잉여의
→

Guide 접속사 while, since, if, as는 여러 의미로 해석이 가능하므로 문맥에 따라 적절히 판단한다.

15 missing 실종된, 잃어버린 **17** see A as B A를 B로 여기다[간주하다] **18** no use v-ing v하는 것은 소용없다 **19** mammal 포유류 **20** tolerance 관용 consideration 배려; 고려, 고찰 appearance 겉모습; 출현 **22** room 공간; 방 **23** solar 태양열을 이용한; 태양의 industry 산업 excess 과잉; 초과한 supply 공급 (↔ demand 수요) **24** harm 해치다 ban 금(지)하다 chemical 화학 제품[약품] **25** electricity 전기 consist of A A로 구성되다 **26** access O O에 접근(하다) feed 먹이를 주다 **27** enthusiasm 열정 **28** Antarctica 남극(의)(↔ Arctic 북극(의)) practically 사실상, 거의; 실제로

PART

주요 구문

CHAPTER

14

전명구를 동반하는 동사구문

UNIT 81

동사 A from B

정답 및 해설 p.71

점수 /100

조건 영작 **다음 우리말과 일치하도록 괄호 안의 어구를 활용하여 영작하시오. (필요하면 어형 변화 및 단어 하나 추가가능)** [각 12점]

내신 직결

01 공원 관리자들은 등산객들이 잔디에 주차하지 못하게 했다. (park, hikers)

→ The park officials discouraged ______________________ on the grass.

02 반복된 실패는 그녀가 몇 번이고 다시 시도하는 것을 막지 못했다. (try, her)

→ Repeated failure didn't stop ______________________ over and over again.

03 소방관들은 나무에 물을 살포함으로써 불이 번지지 못하게 했다. (spread, the fire)

→ Firefighters prevented ______________________ by spraying the trees.

04 부모들은 종종 자신의 아이들이 나쁜 선택을 하지 못하게 한다. (poor choices, their children, make)

→ Parents often keep ______________________.

- 모의응용

해석하기 **다음 문장을 밑줄 친 부분에 유의하여 알맞게 해석하시오.** [각 13점]

05 She couldn't distinguish stories in novels from reality.

→

06 There are many different ways to separate gold from sand and dirt.

→

07 As a complete beginner, he doesn't know a piano from a keyboard.

→

08 No one can tell Adam from his brother because they are identical twins.

*identical twin 일란성 쌍둥이

→

Guide 〈동사 A from B〉 구문에서 from은 '방지, 금지' 혹은 '구별, 분리'의 의미를 갖는다.

01 hiker 등산객 official 관리자; 공무원; 공식적인 **02** repeated 반복된 failure 실패(↔ success 성공); 실패자 **03** spread 번지다; 펼치다; 퍼지다 spray (물을) 살포하다 **04** make a choice 선택하다 **05** reality 현실, 진실 **06** dirt 흙; 먼지 **07** complete 완전한, 전부의; 완료하다

동사 A for B

정답 및 해설 p.71

점수 / 100

빈칸 완성 **다음 우리말과 일치하도록 괄호 안에 주어진 어구를 빈칸에 알맞게 배열하시오.** [각 10점] 내신 직결

01 나는 손님 앞에서의 그들의 무례한 행동 때문에 내 아이들을 꾸짖었다. (behavior, their, kids, rude, my)

→ I scolded ______________ for ______________ in front of my guest.

02 사람들은 우리의 비슷한 생김새 때문에 종종 나와 내 친구를 자매로 여긴다. (my, me, friend, sisters, and)

→ People often take ______________ for ______________ because of our similar appearance.

03 기자는 그 중 범죄자들에 대한 그들의 가벼운 처벌 때문에 법원을 비판했다.
(light, punishment, the courts, their)

→ The reporter criticized ______________ for ______________ of the serious offenders.

고난도 **04** 여러분은 나쁜 습관을 좋은 습관으로 바꿔야 합니다. (a bad habit, a good habit)

→ You should substitute ______________ for ______________.

고난도 **05** 환경 운동가들은 수질 오염을 현지 공장들의 탓으로 돌렸다. (local, the water pollution, factories)

→ Environmentalists blamed ______________ for ______________.

Guide ✔ 〈A for B〉 구문에서 B는 '이유' 또는 '대체되는 것'이다.

알맞은 단어 고르기 **다음 문장의 네모 안에서 문맥상 알맞은 것을 고르시오.** [각 10점] 수능 직결

06 Jake [thanked / criticized] the politician for his inappropriate remark.

07 His father [scolded / took] him for upsetting his mother by complaining.

08 Since she was wearing a school uniform, he took Sally [for / with] a student.

09 Jim [thanked / criticized] his teacher for her thoughtful advice about the future.

10 When making fried rice, you can [take / substitute] butter for oil to add more flavor.

Guide ✔ 〈전치사+명사〉구를 동반하는 동사의 의미와 함께 쓰이는 전치사를 연계하여 알아두자.

02 similar 비슷한, 유사한 03 punishment 처벌, 형벌 court 법원, 법정 offender 범죄자 *cf.* offend 기분 상하게 하다 05 environmentalist 환경 운동가 pollution 오염 06 politician 정치인 inappropriate 부적절한, 부적합한(↔ appropriate 적절한) remark 발언(하다), 언급(하다) 07 upset 속상하게 만들다; 속상한 complain 불평하다 09 thoughtful 사려 깊은 10 flavor 풍미, 향미

UNIT 83

동사 A as B

정답 및 해설 p.72

점수 / 100

내용 완성 다음 문장이 자연스러운 의미가 되도록 〈보기〉에서 알맞은 것을 골라 그 기호를 쓰시오. [각 9점] 내신 직결

〈보기〉
ⓐ as an important part of social interaction
ⓑ as a vital part of their work
ⓒ as the country's national symbol
ⓓ as a very sensible person
ⓔ as harmless fun or as an educational tool

01 Some Asian cultures view silence ____________. - 모의응용

02 Kevin has always thought of himself ____________.

03 Many people look upon video games ____________.

04 Medical professionals regard research ____________.

05 The majority of Australians see kangaroos ____________.

Guide ✔ 'A를 B로 여기다[간주하다]'로 해석되는 〈동사 A as B〉 구문은 A=B의 의미관계이다.

배열 영작 다음 우리말과 일치하도록 괄호 안에 주어진 어구를 순서대로 배열하시오. [각 11점] 내신 직결

06 나는 진심으로 모든 자원봉사자를 영웅으로 여긴다. (upon, as, look, all, heroes, volunteers)

→ I ________________________________ in a sincere way.

07 우리는 그를 실패자로 여기지 않고, 오히려 승리자로 여긴다. (as, think, a failure, him, of, don't)

→ We ________________________________, but rather a champion.

08 한국인들은 김치를 건강을 지켜주는 특성을 가진 슈퍼푸드로 여긴다. (regard, a superfood, as, kimchi)

→ Koreans ________________________ with health-protecting properties.

*superfood 슈퍼푸드 ((영양소를 많이 가지고 있는 웰빙식품))

고난도 **09** 당신을 모르는 개는 당신을 자신의 집의 침입자로 여길지도 모른다.

(to, see, as, you, might, its house, an intruder)

→ A dog that doesn't know you ________________________________.

고난도 **10** 오래전에, 한국인들은 호랑이를 수호 동물들 중 하나로 여겼다.

(one, the guardian animals, viewed, as, of, tigers)

→ A long time ago, Koreans ________________________________.

Guide ✔ think of[look upon, regard, view, see] A as B: A를 B로 여기다[간주하다]

01~05 interaction 상호 작용 vital 필수적인 national 국가적인 symbol 상징 sensible 분별[양식] 있는 harmless 무해한(↔ harmful 유해한) educational 교육적인 silence 침묵, 고요 professional 전문가 majority 대다수, 대부분(↔ minority 소수) **06** sincere 진실한, 진정한 **07** champion 승리자 **08** property ((주로 복수형)) 특성, 속성; 재산 **09** intruder 침입자 *cf.* intrude (자기 마음대로) 들이닥치다 **10** guardian 수호자

UNIT 84 동사 A of B

정답 및 해설 p.72

점수 / 100

알맞은 단어 고르기 다음 문장의 네모 안에서 문맥상 알맞은 것을 고르시오. [각 9점] 수능 직결

01 Street sweepers have [cured / cleared] the road of fallen leaves. *street sweeper 거리 미화원

02 We will [accuse / notify] you of any delays with your order within 24 hours.

03 A newly developed treatment [cured / assured] a six-year-old girl of her disease.

04 They [informed / accused] residents of alternative parking places during the festival.

05 He prescribed medication that would [relieve / convince] her of her symptoms in a short time.

Guide ✔ 〈동사 A of B〉 구문에서 문맥상 알맞은 동사를 고른다.

해석 완성하기 밑줄 친 부분에 유의하여 다음 문장의 해석을 완성하시오. [각 11점]

06 Never deprive someone of hope; it might be all they have. - H. Jackson Brown Jr. ((美 작가))

→ ____________________. 그것은 그들이 가진 전부일지도 모른다.

07 The curry on the table reminded Ashley of her recent trip to India.

→ 테이블 위에 있는 카레는 ____________________.

고난도 08 The serious accident robbed her of the opportunity to go abroad to study.

→ 그 심각한 사고는 ____________________.

고난도 09 With no evidence, a lady accused him of stealing money out of her purse.

→ 증거도 없이, 한 여성이 ____________________.

고난도 10 The captain of the team assured his teammates of their ability to win the game.

→ 그 팀의 주장은 ____________________.

Guide ✔ 〈동사 A of B〉 구문의 동사 의미에 맞게 해석을 완성한다.

02 delay 지연(하다), 연기(하다) 03 treatment 치료(법); 대우 04 resident 주민; 거주하는 alternative 대체 가능한, 대안이 되는 05 prescribe 처방하다 symptom 증상 in a short time 단시간에 07 recent 최근의 08 opportunity 기회 go abroad 외국에 가다 09 evidence 증거 10 teammate 팀 동료 ability 능력

UNIT 85

동사 A to B

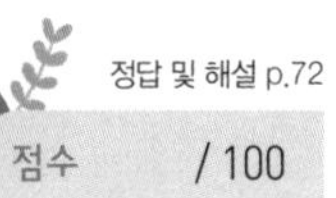
정답 및 해설 p.72

점수 / 100

빈칸 완성&문장 해석 **다음 괄호 안에 주어진 어구를 넣어 문장을 완성한 후, 문장 전체를 해석하시오.** [각 11점] 내신 직결

01 (heart disease, his death)

→ The doctor ascribed ______________________ to ______________________.

→

02 (a discount coupon, my online order)

→ I applied ____________________ to ____________________ to save 20 dollars.

→

03 (her success, her family's sincere support)

→ Sharon attributes ______________________ to ______________________.

*sincere 진심 어린

→

04 (a few jokes, a boring speech)

→ Adding ______________________ to ______________________ will make it more enjoyable.

→

05 (an aquarium, his students)

→ The teacher took ______________________ to ______________________ to help them learn about marine life.

*marine life 해양 생물

→

Guide 〈동사 A to B〉 구문에서 A와 B의 위치를 혼동하지 않도록 주의한다.

어법 오류 찾기 **다음 밑줄 친 부분이 어법상 또는 의미상 옳으면 ○, 틀리면 ×로 표시하고 바르게 고치시오.** [각 15점] 수능 직결

06 The company <u>owed its growth to outstanding marketing strategies</u>.

고난도 **07** Most children would probably prefer watching TV <u>to read books</u>.

고난도 **08** With no surprise, the famous athlete <u>led victory to his team</u>.

Guide 〈동사 A to B〉 구문에서 A, B의 형태 및 위치에 유의한다.

04 speech 연설 enjoyable 재미있는, 즐길 수 있는 **05** aquarium 수족관 **06** outstanding 뛰어난, 두드러진 strategy 전략 **07** probably 아마도 **08** athlete (운동)선수

UNIT 86 동사 A with B

정답 및 해설 p.73

점수 / 100

빈칸 완성 **다음 우리말과 일치하도록 괄호 안에 주어진 어구를 빈칸에 알맞게 배열하시오.** [각 10점] 내신 직결

01 그 밴드는 축제에서 관중들에게 자신들의 가장 좋은 음악을 제공했다. (their, music, the audience, best)

→ The band provided ________________ with ________________ at the festival.

02 그 공공 기업은 도시 주민들에게 사용 가능한 물을 제공한다. (usable, the city, water, residents)

→ The public enterprise supplies ________________ with ________________.

03 그 교육 과정은 청년들에게 말하기 능력을 갖추어 줄 것이다. (the youths, skills, speaking)

→ The training session will equip ________________ with ________________.

04 졸업식에서, 교장 선생님이 내게 꽃과 졸업장을 주셨다. (me, and, flowers, a diploma)

→ At the graduation ceremony, the principal presented ________________ with ________________________.

고난도 **05** 그 시는 지역 도서관에 시민들로부터 기부 받은 책들을 제공했다.
(citizens, from, donated books, its, the local library)

→ The city furnished ________________ with ________________________.

Guide ✔ 〈동사 A with B〉 구문에서 with는 '공급' 또는 '비교 대상, 혼동, 원인, 내용물' 등의 의미를 나타낸다.

내용 완성 **다음 문장이 자연스러운 의미가 되도록 〈보기〉에서 알맞은 것을 골라 그 기호를 쓰시오.** [각 10점] 내신 직결

〈보기〉
ⓐ with physical hunger
ⓑ with using people's donations
ⓒ with the online price
ⓓ to stealing someone's car
ⓔ with warm water

06 The consumer compared the offline price ____________.

07 My mother filled the bathtub ____________ to give our cat a bath.

08 Some lonely people confuse emotional hunger ____________.

09 The article charged him ____________ for his own purposes.

10 The recent public ads compare downloading movies illegally ____________.

*public ads 공익광고

Guide ✔ 〈동사 A 전치사 B〉 구문에서 각 동사가 동반하는 전치사와 A, B의 형태에 유의한다.

01 audience 관중, 청중 02 usable 사용 가능한 public 공공의 enterprise 기업 04 diploma 졸업장 graduation ceremony 졸업식 principal 교장 선생님 05 citizen 시민 donated 기부된 *cf.* donation 기부(금) local 지역[현지]의 06~10 physical 신체의 hunger 굶주림; 갈망 bathtub 욕조 give O a bath O를 목욕시키다 emotional 정서적인 article 기사, 글 illegally 불법적으로

알맞은 전치사 쓰기 **다음 문장의 빈칸에 어법상 알맞은 전치사를 쓰시오.** [01~10 7점, 11~13 10점] 내신 직결

01 Use an ice pack to relieve your skin __________ the discomfort of a sunburn.

02 Many people often confuse the spelling of Austria __________ that of Australia.

03 The wedding ring will remind me __________ my wedding day whenever I wear it.

04 Matthew blamed his old skates __________ the mistake that he made on the ice rink.

05 My mom scolded my brother __________ his carelessness when he broke her favorite vase.

06 Everyone grows at their own pace, so you shouldn't compare yourself __________ anyone else.

07 Life at university can lead you __________ a golden age of experiences you've never had before.

08 Many parents want to stop their kids __________ watching the violent content of a TV program. - 모의응용

09 I prefer studying in a group __________ studying alone because of the chance to share knowledge.

10 Many doctors and scientists are developing new methods of distinguishing cancer cells __________ normal tissue. *tissue (세포들로 이뤄진) 조직

고난도 11 Newspapers should provide readers __________ the facts and always speak the truth.

고난도 12 Mandy speaks English so well that everyone took her __________ a native speaker.

고난도 13 For safety reasons, guests are recommended to substitute candles __________ LED candle lights.

Guide ✔ 우선 동사에 주목하고 A, B에 해당하는 것들을 살펴서 알맞은 전치사를 판단해야 한다.

01 ice pack (찜질용) 아이스 팩, 얼음주머니 discomfort 가벼운 통증, 불편; 불편하게 하다 sunburn 햇볕으로 입은 화상 05 carelessness 부주의, 경솔 07 golden age 황금기, 전성기 08 violent 폭력적인, 난폭한 content 내용; 목차 10 cell 세포 normal 정상적인; 표준의 13 recommend O to-v O가 v할 것을 권장하다

CHAPTER

15

비교구문

UNIT 87

원급 구문 I

정답 및 해설 p.74

점수 / 100

원급 구문 해석하기 **다음 문장을 원급 구문에 유의하여 알맞게 해석하시오.** [각 10점]

01 I have grown my hair as long as my mother's.

→

02 I want renting a house to be as easy as ordering food.

→

03 Yoga can be as effective as physical therapy at reducing back pain. *physical therapy 물리치료

→

Guide 〈A as 원급 as B〉: A는 B만큼 ~한[하게]

어법 오류 찾기 **다음 밑줄 친 부분이 어법상 옳으면 ○, 틀리면 ×로 표시하고 바르게 고치시오.** [각 10점] 수능 직결

04 Watching the comedy show, she laughed as loudly as my little sister <u>was</u>.

05 In the past, people considered ice as <u>preciously</u> as gemstones. *gemstone 보석

06 Deep sea habitats are as varied as <u>those</u> on land.

Guide
- 〈A as ~ as B〉에서 as 사이에 들어갈 것이 형용사인지 부사인지는 as를 뗀 문장 구조를 보고 판단한다.
- 두 번째 as 뒤의 동사가 어떤 것을 대신하는지 확인한다.
- 비교 대상 A, B는 문법적으로나 의미적으로 서로 대등해야 한다.

알맞은 어법 고르기 **다음 문장의 네모 안에서 어법상 알맞은 것을 고르시오.** [각 10점] 수능 직결

07 Barbara's suggestion was as creative as [me / mine].

08 The needs of local people are just as important as [that / those] of tourists.

09 Learning English online is as good as [learning / to learn] English face-to-face.

10 Walking quickly can lower your risk of heart-related conditions as much as running [can / is].

Guide
- 비교 대상 A, B는 문법적으로나 의미적으로 서로 대등해야 한다.
- 두 번째 as 뒤의 동사가 어떤 것을 대신하는지 확인한다.

02 order 주문(하다); 명령(하다); 순서; 질서 **03** effective 효과적인 reduce 줄이다; 낮추다 **05** consider O C O를 C로 여기다 preciously 귀중하게; 까다롭게 *cf.* precious 귀중한 **06** deep sea 심해(深海) habitat 서식지 varied 다양한; 다채로운 **07** suggestion 제안 creative 창의적인 **08** local 현지[지역]의 **09** face-to-face 대면하여, 마주보고; 마주보는 **10** lower 낮추다 risk 위험 *cf.* risky 위험한 -related ~와 관련된 condition (만성) 질환; (건강) 상태

UNIT 88

원급 구문 Ⅱ

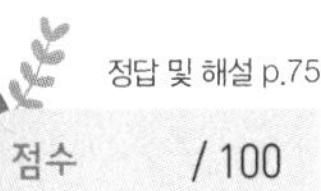

정답 및 해설 p.75

점수 / 100

어법 오류 찾기 **다음 밑줄 친 부분이 어법상 옳으면 ○, 틀리면 ×로 표시하고 바르게 고치시오.** [각 10점] 수능 직결

01 Happiness is not so much in having as in sharing.

02 Watermelon prices are half as high as they were last year.

03 A hyena's heart is twice as large as those of a similar-sized mammal.

04 We expect as much as 6,000 people to come to watch the soccer match.

05 New drivers seem to have twice as many accidents as experienced drivers are.

06 Reciting makes you recall the material as accurately as possible during the exam.

고난도 **07** Many Internet users nowadays utilize social media to publish content rather than broadcasting personal details.

Guide
- 비교 대상 A, B는 문법적으로나 의미적으로 대등해야 한다.
- 원급이 형용사인지 부사인지는 as를 뗀 문장 구조를 보고 판단한다.
- 두 번째 as 뒤의 동사가 어떤 것을 대신하는지 확인한다.

배열 영작 **다음 우리말과 일치하도록 〈보기〉에서 알맞은 원급 구문을 고른 후, 괄호 안의 어구와 함께 순서대로 배열하시오.** [각 10점] 내신 직결

〈보기〉 A not as ~ as B as ~ as possible not so much A as B

고난도 **08** 오래 살기보다는 오히려 잘 살기를 바라라. (to, long, live, well, to, live)

→ Wish ______________________________.

- Benjamin Franklin

고난도 **09** 보고서를 작성할 때, 당신의 문체는 내용만큼 중요하지는 않다.

(the content, is, writing style, important, your)

→ When writing a report, ______________________________.

고난도 **10** 브레인스토밍의 목표는 문제를 해결하기 위해 가능한 한 아이디어를 많이 만들어 내는 것이다.

(ideas, generate, to, many)

→ The goal of brainstorming is ______________________________ to solve a problem.

Guide 우리말에 맞는 구문을 고른 후, 비교 대상과 원급의 문법적 형태에 주의한다.

03 mammal 포유동물 05 experienced 숙련된, 경험이 있는 06 recite 암송하다 recall 기억해 내다 material 자료; 재료; 물질의 accurately 정확하게 07 utilize 활용[이용]하다(= make use of) publish 발행하다 content 콘텐츠, 내용 broadcast(-broadcast(ed)-broadcast(ed)) 알리다; 방송하다 09 writing style 문체 10 generate 만들어 내다, 발생시키다

UNIT 89

비교급 구문 I

정답 및 해설 p.75

점수 / 100

비교급 구문 해석하기 \ 다음 문장을 비교급 구문에 유의하여 알맞게 해석하시오. [각 10점]

01 The brain detects happiness more quickly than sadness. *detect 감지하다; 발견하다

→

02 You can make more friends with your ears than with your mouth.

→

03 Fueling a car with electricity is cheaper than fueling one with gasoline.

*fuel 연료(를 공급하다) **gasoline 휘발유

→

04 Water power can often be much more reliable than solar or wind power.

*reliable 신뢰할 수 있는

→

05 The people in your life should always be more important than the work you do.

- C.S. Woolley ((英 작가))

→

Guide 〈A 비교급 than B〉: A는 B보다 더 ~한[하게]

어법 오류 찾기 \ 다음 밑줄 친 부분이 어법상 옳으면 ○, 틀리면 ×로 표시하고 바르게 고치시오. [각 10점] 수능 직결

06 My house is farther from the subway station than you.

07 Diseases of mind can be more dangerous than that of the body.

08 It is better to light a candle than to curse the darkness. - Eleanor Roosevelt ((美 32대 대통령 부인))

09 These new batteries last much longer than the ordinary batteries do.

10 Researchers say watching TV while eating unhealthy snacks is very more harmful than sitting all day long at work.

Guide
- 비교 대상 A, B는 문법적으로나 의미적으로 대등해야 한다.
- than 뒤의 동사가 어떤 것을 대신하는지 확인한다.
- 비교급 앞에 붙어 차이가 크고 작음을 표현하는 수식어들을 알아두자.

03 electricity 전기 solar 태양열을 이용한; 태양의 **06** far(-farther-farthest) ((거리)) 먼; 멀리 *cf.* far(-further-furthest) ((정도)) 훨씬; ~까지 **07** disease 질병 **08** curse 저주(하다) **09** last 오래가다; 지속하다 ordinary 일반적인; 보통의

비교급 구문 Ⅱ

정답 및 해설 p.76

점수 / 100

부분 영작 **다음 우리말과 일치하도록 괄호 안의 어구를 활용하여 영작하시오. (필요하면 어형 변화 및 단어 추가 가능)** [각 11점] 내신 직결

01 이 국립공원은 맨해튼에 있는 공원보다 대략 다섯 배 더 크다. (big)

→ This national park is roughly _________ _________ _________ _________ the park in Manhattan.

*national park 국립공원

02 경제 상황이 과거에 그랬던 것보다 덜 유망하다. (favorable)

→ Economic conditions are _________ _________ _________ they have been in the past.

03 요즘에는, 사생활 보호가 점점 더 많이 필요해지고 있다. (necessary, much)

→ These days, privacy protection is becoming _________ _________ _________ _________.

04 겨울에는, 실내 운동이 실외 활동들보다 더 좋을 수 있다. (preferable)

→ In winter, indoor exercise can be _________ _________ outdoor activities.

고난도 **05** 소문이 터무니없으면 없을수록, 그것은 더욱 빨리 퍼진다. (outrageous, fast)

→ _________ _________ _________ a rumor is, _________ _________ it travels.

- 모의응용

Guide 비교급 구문에는 다양한 표현들이 존재하므로 그 형태와 의미를 잘 알아두어 문장 해석과 영작문 시 적용할 수 있어야 한다.

어법 오류 판단하기 **다음 중 어법상 틀린 문장을 3개 찾아 바르게 고치시오. (한 단어만 고칠 것)** [45점] 내신 직결

ⓐ Music of the present is often considered inferior than that of the past.
ⓑ The stars are 250,000 times hotter than the hottest summer day. - 모의응용
ⓒ The more salty food we eat, the much water we will want soon after.
ⓓ Medical science is bringing us closer and close to curing cancer.

고난도 **06**

기호	틀린 표현	고친 표현

Guide 관용표현을 포함한 비교급 구문의 다양한 형태를 정확하게 알아두자.

01 roughly 대략; 거칠게 02 favorable 유망한; 호의적인 03 privacy 사생활 protection 보호 *cf.* protect 보호하다 04 indoor 실내의(↔ outdoor 실외의)
05 outrageous 터무니없는 rumor 소문 06 present 현재(의); 출석한; 존재하는; 주다 medical science 의학 cure 치료하다; 치료(법)

UNIT 91

혼동하기 쉬운 비교급 구문 I

정답 및 해설 p.76

점수 / 100

비교의미 파악 **다음 밑줄 친 (A), (B)의 관계로 알맞은 것을 〈보기〉에서 골라 그 기호를 쓰고, 문장 전체를 해석하시오.** [각 25점]

〈보기〉 ⓐ (A) = (B) ⓑ (A) ≧ (B) ⓒ (A) ≦ (B)

01 Nonacademic subjects (A) such as art are no less important than academic ones (B).

→

*nonacademic 비학문적인

02 Getting enough sleep (A) is not less necessary for your health than exercising regularly (B).

→

03 Some nutritionists insist vegan diets (A) are no more effective than other diets (B) for weight loss.

*nutritionist 영양사 **vegan diet 채식

→

고난도 **04** When speaking English, trying to reduce mistakes (A) is not more critical than trying to convey the idea clearly (B).

→

Guide 비교급 앞의 not은 문장의 동사를 부정하고, no는 비교 자체를 강하게 부정하여 〈A=B〉를 의미한다.

02 regularly 정기적으로, 규칙적으로 03 insist (that) ~라고 주장하다 weight loss 체중 감량 04 critical 중요한; 비판하는; 위태로운 convey 전달하다; 운반하다

UNIT 92

혼동하기 쉬운 비교급 구문 Ⅱ

정답 및 해설 p.77

점수 / 100

의미 판단 **다음 각 문장을 a, b에 따라 답하시오.** [각 20점]

a. 우리말과 일치하도록 네모 안에서 알맞은 것을 고르시오.
b. a와 같은 뜻이 되도록 〈보기〉에서 알맞은 표현을 골라 문장을 완성하시오.

〈보기〉 at most　at least　as little as　as many as

01 너는 적어도 출발 한 시간 전에 탑승 수속을 밟아야 한다.

a. You need to check in [not less / no less] than an hour before departure.
b. You need to check in ________________ an hour before departure.

02 학생들이 그 시험을 끝내는 데 겨우 20분이 주어진다.

a. The students are given [no less / no more] than 20 minutes to finish the test.
b. The students are given ________________ 20 minutes to finish the test.

03 기껏해야 차로 10분 떨어진 거리에 하이킹할 산책로가 있다.

a. There are trails to hike [not less / not more] than ten minutes' drive away.
b. There are trails to hike ________________ ten minutes' drive away.

04 유행성 감기는 그 지역에서 100명이나 죽음에 이르게 했다.

a. The influenza resulted in [no less / no more] than 100 deaths in the region.
b. The influenza resulted in ________________ 100 deaths in the region.

*influenza 유행성 감기

Guide ✔ more[less] than 앞에 not이나 no가 올 경우, not보다 no가 정도의 차이를 더 강하게 부정한다.

배열 영작 **다음 우리말과 일치하도록 〈보기〉에서 알맞은 비교급 구문을 고른 후, 괄호 안의 어구와 함께 순서대로 배열하시오.** [각 10점]

내신 직결

〈보기〉 not less than ~　no more than ~

고난도 **05** 그의 첫 콘서트에는 겨우 30명이 있었다. (there, 30 people, were)

→ ________________________________ at his first concert.

고난도 **06** 그 책을 일주일 안에 끝내기 위해서, 너는 하루에 적어도 80페이지를 읽어야 한다.
(should, 80 pages, read, you)

→ To finish the book within a week, ________________________________
________________________ a day.

Guide ✔ 혼동하기 쉬운 비교급 구문의 의미를 구별해서 사용할 수 있어야 한다.

01 check in 탑승[투숙] 수속을 밟다　departure 출발(↔ arrival 도착)　**03** trail 산책로　**04** result in ~을 야기하다　region 지역

UNIT 93

최상급 구문

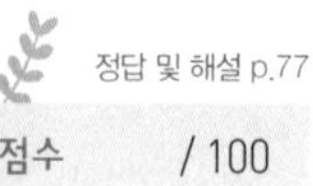

정답 및 해설 p.77

점수 / 100

최상급 구문 해석하기 **다음 문장을 최상급 구문에 유의하여 알맞게 해석하시오.** [각 5점]

01 She is the most generous person I've ever seen. - 모의응용

→

02 Your knee is the most complex joint in your body. *joint 관절

→

03 Health is the most important thing of all things.

→

04 It was the best novel that I have ever read.

→

Guide
- the+최상급+ (가장 …한[하게])
  - in+단수명사 (~에서)
  - of+복수명사 (~들 중에서)
  - (that)+have ever p.p. (지금까지 ~한 것 중에)

알맞은 어법 고르기 **다음 문장의 네모 안에서 어법상 알맞은 것을 고르시오.** [각 5점] 수능 직결

05 Nothing is [more / the most] uncertain than the favor of the crowd.

06 She was considered one of the most influential [scientist / scientists] in the country.

07 Walking is [very the most / the very most] popular way to enjoy the countryside.

08 My grandfather likes the Beatles [more / the most] than any other band in the world.

Guide 최상급을 의미하는 다양한 표현과 최상급을 포함하는 여러 구문들도 알아두자.

영작 판단 **다음 우리말을 영어로 옮긴 문장에서 적절하지 않은 표현을 찾아 밑줄 긋고 바르게 고치시오.** [각 8점] 내신 직결

09 손 세정제는 손을 씻을 수 없을 때 두 번째로 가장 좋은 선택사항이다.

→ Hand sanitizer is the second better option when you can't wash your hands.

10 INFJ는 가장 흔하지 않은 MBTI 유형인데, 그것은 미국 인구의 1.5퍼센트에서만 나타난다.

→ INFJ is the less common MBTI type, which occurs in only 1.5% of the population in the US.

*MBTI 마이어스-브릭스 유형 지표 ((16개로 나뉘는 성격 유형 검사))

Guide 최상급이 포함되는 구문의 형태와 의미에 유의하여 문장을 확인한다.

문장 전환 다음 문장의 의미가 서로 일치하도록 괄호 안의 어구를 활용하여 빈칸을 완성하시오. [각 10점] 내신 직결

11 Nothing is as painful as losing a loved one in life.

→ No other thing is ______________________ losing a loved one in life. (as)

→ Losing a loved one is ______________________________________ in life. (than, anything else)

12 No other thing is so important as safety when people are working at heights.

→ Nothing is __________________________________ when people are working at heights. (more)

→ Safety is __________________________________ when people are working at heights. (most)

고난도 **13** The latest movie in the series was the most exciting of all the movies in the series.

→ No other movie in the series was ____________________________ the latest movie. (as)

→ The latest movie was ________________________________ any other movie in the series. (than)

Guide 최상급의 의미를 나타내는 원급, 비교급 표현을 잘 익혀두자.

조건 영작 다음 우리말과 일치하도록 괄호 안의 어구를 활용하여 영작하시오. (필요하면 어형 변화 가능) [각 7점] 내신 직결

14 이 어둑한 골목은 이 지역에서 밤에 혼자 걷기에 가장 안전하지 않은 장소이다. (safe, the, little, place)

→ This dark alley is ______________________________ to walk alone at night in this area.

15 가장 심각한 질병들 중 하나는 누구에게도 아무 것도 아닌 존재가 되는 것이다.

(great, be, one, disease, the, of)

→ ____ to be nobody to anybody.

- Mother Teresa

Guide 최상급이 쓰이는 다양한 구문의 형태를 알아두자.

01 generous 너그러운, 관대한 02 complex 복잡한 05 uncertain 불확실한(↔ certain 확실한) favo(u)r 지지, 찬성; 호의 crowd 군중; 집단 06 influential 영향력 있는 07 countryside 시골 지역, 지방 09 hand sanitizer 손 세정제 *cf.* sanitize 살균하다, 위생적으로 하다 10 common 흔한; 공통의 occur 나타나다, 발생하다 population 인구 11 painful 고통스러운 12 at heights 높은 곳에서 13 latest 최신의 14 alley 골목

UNIT 87-93 OVERALL TEST

점수 / 100

표 이해하기 다음 표를 보고 괄호 안의 어구를 활용하여 문장을 완성하시오. (필요하면 어형 변화 및 단어 추가 가능) 내신 직결

	Laptop A	Laptop B	Laptop C
Weight	1.19 kg	1.20 kg	2.0 kg
Price	$1,300	$1,250	$2,600
Battery life	22 hours	21 hours	20 hours
Storage capacity	256 GB	512 GB	1 TB

*GB 기가바이트(약 10억 바이트) **TB 테라바이트(약 1조 바이트)

01 No other laptop is (light, than) ____________ the Laptop A. [12점]

고난도 02 Laptop A costs only (much, as, half) ____________ Laptop C. [13점]

고난도 03 Laptop B has (second, long) ____________ battery life among the three laptops. [13점]

04 The storage capacity of Laptop C is even (great) ____________ that of the other laptops combined. [12점]

	US	Australia	South Korea
Population	328 million	25 million	51 million
Life expectancy	79	83	83
GDP per capita	$65,000	$55,000	$32,000
Birth rate per woman	1.77	1.82	1.10

*GDP per capita 1인당 국내 총생산

고난도 05 The population of the US is almost (big, than, thirteen) ____________ ____________ that of Australia. [13점]

06 South Korea's life expectancy is (high, as) ____________ that of Australia. [12점]

고난도 07 GDP per capita in the US is about (large, as, twice) ____________ that of South Korea. [13점]

08 The birth rate in South Korea is (low) ____________ among the three countries. [12점]

Guide 비교되는 대상과 정도를 파악하고 원급, 비교급, 최상급 구문을 적절히 사용하여 문장을 완성한다.

04 storage 저장 *cf.* store 저장하다 capacity 용량; 수용 능력 combine 합치다 06 life expectancy 기대 수명 08 birth rate 출산율, 출생률

CHAPTER

1 6

특수구문

UNIT 94

도치구문

정답 및 해설 p.78

점수 / 100

도치구문 파악하기 다음 문장에서 도치된 주어와 동사(조동사 포함)에 각각 밑줄 긋고 문장 전체를 해석하시오. [각 5점]

01 Under no circumstances may zoo visitors feed the animals.

→

02 Little did he think that her business would become successful.

→

03 Around the corner was the bus stop where Chad left his umbrella.

→

04 More surprising is the fact that most of the diseases are preventable.

→

05 Equally significant to the tax increase are the rising costs in health services.

→

*tax increase 세금 인상 **health service 공공 의료 서비스

Guide • 〈no, not, never 등의 부정어를 포함하는 어구+(조)동사+주어〉
• 〈방향·장소 부사(구)/보어+동사+주어〉 (단, 주어가 대명사인 경우는 도치가 일어나지 않는다.)

도치구문 쓰기 다음 문장을 주어진 어구로 시작하는 도치구문으로 바꿔 쓰시오. [각 5점] 내신 직결

06 Our joy was immense when we heard that he would get better after the surgery.

→ Immense ________________ when we heard that he would get better after the surgery.

07 She not only directed the movie, but she also played a minor role in it.

→ Not only ________________, but she also played a minor role in it.

08 I have never seen a more spectacular dance performance in my life.

→ Never ________________ in my life.

09 A photo of my grandmother in her youth was above the shelf.

→ Above the shelf ________________.

10 I could hardly hear her voice over the loud music from the speaker.

→ Hardly ________________ over the loud music from the speaker.

Guide 문장 앞으로 이동해서 강조되는 어구(부정어(구), 장소·방향 부사구, 보어) 뒤에 주어와 동사를 〈(조)동사+주어〉의 어순으로 둔다.

04 preventable 예방[방지]할 수 있는 05 significant 중요한; 상당한 06 immense 엄청난(= enormous) get better (몸이) 좋아지다, 회복되어 가다 surgery 수술
07 direct 감독하다; 지시하다 play a minor role 단역을 맡다 *cf.* minor 작은, 사소한; 미성년자 08 spectacular 굉장한; 화려한, 눈부신

알맞은 어법 고르기 **다음 문장의 네모 안에서 어법상 알맞은 것을 고르시오.** [각 4점] 수능 직결

11 Tom is good at organizing things, so [is / does] his older brother.

12 Through continuous struggles [comes / come] a better version of yourself.

13 Happy [is / are] the majority of the college students about the tuition drop.

14 The program was not beneficial to the students nor [was / were] it very interesting.

15 Environmentalists say there [is / are] a connection between pollution and the death of trees.

*environmentalist 환경 운동가

Guide 도치구문에서는 주어와 동사의 수일치와 적절한 (조)동사 사용에 주의해야 한다.

조건 영작 **다음 우리말과 일치하도록 괄호 안의 어구를 활용하여 영작하시오. (필요하면 어형 변화 가능)** [각 6점] 내신 직결

16 그녀와 잠시 동안 이야기를 나누고 나서야 비로소 나는 그녀가 영국인임을 알게 되었다.
(realize, was, do, British, I, she)
→ Not until I talked with her for a while ______________________.

17 오직 언어를 배우는 행위에 의해서만 아이는 한 인간이 된다. (do, a human being, the child, become)
→ Only by the act of learning language ______________________
______________________.

18 오늘 날씨가 매우 더워서 노인들은 실내에 머무를 것이 권고된다. (the weather, be)
→ So hot ______________________ today that the elderly are advised to stay inside.

19 나는 그 가수에 대해 들어본 일이 없고 내 친구들도 들어본 일이 없다. (have, my friends, nor)
→ I have never heard of the singer ______________________ any of her songs.

20 우리 할머니의 집 앞에는 그분의 아버지가 심으셨던 큰 나무들이 있었다.
(that, be, had planted, her father, giant trees)
→ In front of my grandmother's house ______________________
______________________.

Guide 도치구문의 어순에 유의하여 문장을 구성한다.

11 organize 정리하다; 조직하다 12 continuous 끊임없는 struggle 노력, 투쟁 13 majority of 다수의 tuition 수업료, 등록금 drop 하락; 방울; 떨어지다
14 beneficial 유익한, 이로운 15 pollution 오염, 공해 18 the elderly 노인들 be advised to-v v할 것이 권고되다

UNIT 95

강조구문

정답 및 해설 p.80

점수 / 100

강조구문 영작하기 **다음 문장을 밑줄 친 어구를 강조하는 구문으로 바꿔 쓰시오.** [각 6점] 내신 직결

01 My father first introduced the pleasure of cycling to me. *cycling 자전거 타기, 사이클링

→ It was ______________________________.

02 Helen has been looking for the album during the last few months.

→ It is ______________________________ during the last few months.

03 We receive the worthwhile things in life through giving.

→ It is ______________________________.

04 Brian ran into his old high school friend at the park yesterday.

→ It was ______________________________ yesterday.

고난도 **05** Einstein didn't show his mathematical talents until he was fourteen.

→ It was ______________________________

______________________________.

Guide ✔ 〈It is[was] A that ~〉에서 강조되는 어구의 자리에는 주어, 목적어, 부사(구, 절) 등이 올 수 있다.

강조구문 vs. 가주어-진주어 **다음 문장의 밑줄 친 부분이 강조되는 어구이면 ○, 그렇지 않으면 ×로 표시하시오.** [각 6점] 내신 직결

06 It is the moon that has the greatest effect on the tides. *tide 조수, 밀물과 썰물

07 It is really true that the best education comes from experience.

08 It is an astonishing fact that animals can sense upcoming danger by instinct.

09 It is your opinion that matters most in making a crucial decision about your future.

10 It is only when you have your own children that you realize the troubles of parenthood.

Guide ✔
- 'It is[was]'와 'that' 사이에 오는 어구의 형태에 주의한다.
- that이 이끄는 절의 구조가 완전한지를 판단한다.

01 pleasure 즐거움, 기쁨 03 worthwhile 가치[보람] 있는 04 run into (우연히) 마주치다(= bump into, encounter) 05 mathematical 수학적인, 수학의 talent (타고난) 재능 08 astonishing 놀라운, 믿기 힘든 sense 감지하다, 느끼다; 감각 upcoming 다가오는, 곧 있을 by instinct 본능적으로 09 crucial 중대한, 결정적인 10 parenthood 부모임, 어버이의 입장[신분]

강조어구 찾기&해석하기 **다음 문장에서 강조를 위해 쓰인 어구를 찾아 밑줄 긋고 문장 전체를 해석하시오.** [각 8점] 내신 직결

11 Even sugar itself may spoil a good dish. - Proverb

→

12 The polar bear is at the very top of the food chain. *food chain 먹이 사슬

→

13 How on earth did you get that huge bump on your forehead? *bump 혹

→

14 My philosophy teacher's answer did not satisfy my curiosity at all.

→

15 I do cherish the time that I spent with my friends in high school.

→

Guide ✔ 동사, 명사, 부정어, 의문문 등을 강조하는 어구가 쓰일 수 있다.

11 spoil 망치다; 버릇없게 키우다 dish 요리; 접시 14 philosophy 철학, 사상 curiosity 호기심 15 cherish 소중히 여기다

UNIT 96

생략구문

정답 및 해설 p.80

점수 / 100

생략 가능 어구 찾기 **다음 문장에서 생략이 가능한 어구를 모두 찾아 ( )로 표시하시오.** [각 4점]

01 You can call me whenever you hope to call me.

02 The hotel, though it was very old, was comfortable to stay at.

03 Uncertainty is not the enemy, whereas hesitation is the enemy.

04 I didn't mean to take a taxi, but I had to take a taxi as I missed the bus.

05 Due to the heavy snow last night, please take extra care while you are driving.

06 The man came out of the building and the man waited for a bus at the bus stop.

07 While the populations of large cities continue to rise, those in rural areas don't continue to rise.

08 When you are considering your career options, you may get help by talking to people in the field.

09 The antique furniture is made by expert carpenters in much the same way as it was made 200 years ago.

*carpenter 목공, 목수

고난도 10 She could have told him the truth if she had decided to tell him the truth, but she didn't tell him the truth.

Guide
- 앞에 나온 어구와 반복되는 어구 생략
- 부사절과 주절의 주어가 같을 때, 부사절의 〈S'+be〉 생략
- to-v구의 v(이하)가 반복되는 경우, 반복되는 to-v에서 to만 남긴다.

03 uncertainty 불확실성 enemy 적, 장애물 hesitation 망설임 04 mean to-v v할 셈이다 07 population 인구; (모든) 주민 rural 시골의, 지방의(↔ urban 도시의) 08 field 현장; 들판 09 antique 고풍스러운; 골동(품)의; 고대의

생략된 어구 파악하기 다음 문장에서 어구가 생략된 부분에 ∨ 표시하고 생략된 어구를 쓰시오. [각 6점]

11 He told me that he would come, but he didn't.

→

12 Although incomplete, his report was praised for its creative ideas.

→

13 If dissatisfied, you can return the item within five days of the purchase.

→

14 Seoul is the largest city in South Korea and the 18th largest city in Asia.

→

15 I didn't want to buy jeans online, but I had to as I had no time for shopping.

→

16 Some of the students show positive responses to the teacher's plan while others do not.

→

17 A sentence should contain no unnecessary words, and a paragraph no unnecessary sentences.

→

18 Passengers can claim compensation unless informed of the cancellation of the flight in advance.

→

19 People who are confident in cooking tend to enjoy a greater variety of foods than those who are not.

→

고난도 20 Some jazz musicians can't read music but often don't bother, and their art is much involved with improvisation. – 모의응용

*improvisation 즉흥연주

→

Guide ✔ 문맥을 통해 생략된 어구를 파악할 수 있다. 반복되는 어구나 부사절의 〈S'+be〉, to-v의 v(이하)는 생략이 가능하다.

12 incomplete 불완전한, 미완성의(↔ complete 완전한) 13 dissatisfied 불만족스러운(↔ satisfied 만족하는) 17 contain 포함하다; 억누르다 paragraph 단락, 절 18 claim 요구[요청]하다; 주장(하다) compensation 보상(금) inform 통지하다, 알리다 in advance 사전에, 미리 19 tend to-v v하는 경향이 있다 a great variety of 매우 다양한, ~의 온갖 종류 20 read music 악보를 읽다 bother 신경 쓰다; 성가시게 하다 involve 수반[포함]하다

UNIT 97

공통구문

정답 및 해설 p.82

점수 / 100

공통구문 찾기 **다음 두 문장에서 공통되는 어구를 모두 찾아 ( )로 표시하시오.** [각 8점]

01 A sting from a jellyfish can be very painful. Or, a sting from a jellyfish might even cause death.

*jellyfish 해파리

02 My friend and I planned to borrow bikes at the park. And my friend and I planned to ride bikes at the park.

03 The climate is changing because of global warming. And the arctic glaciers are gradually melting because of global warming.

04 Carbohydrates and protein are essential for our diet. And carbohydrates and protein must be a regular part of our diet.

*carbohydrate 탄수화물 **protein 단백질

05 I made a cake for my parents on their wedding anniversary. And my sister bought silk pajamas for my parents on their wedding anniversary.

Guide ✓ 접속사 and/but/or 등이 절과 절을 연결할 때 공통되는 부분을 생략할 수 있다.

어법 오류 찾기 **다음 밑줄 친 부분이 어법상 옳으면 ○, 틀리면 ×로 표시하고 바르게 고치시오.** [각 10점] 수능 직결

06 He is going to get into the bathtub and <u>soaking</u> for 30 minutes.

07 She thanked him for inviting her to his house and <u>making</u> her delicious food.

08 Creating objective standards and <u>to provide</u> constructive feedback will help students receive high-quality lessons.

Guide ✓ and/but/or등으로 연결되는 어구는 문법적으로 대등한 형태의 병렬구조를 이룬다.

해석하기 **다음 문장을 알맞게 해석하시오.** [각 15점]

09 This medicine will be given by a pharmacist and not be covered by insurance.

→

*pharmacist 약사

10 The boxer was famous not only for being a champion, but for having a positive attitude.

*boxer 권투 선수

→

01 sting 쏘임; 침; 쏘다 painful 고통스러운 03 climate 기후; 풍조, 분위기 arctic 북극의(↔ antarctic 남극의) glacier 빙하 gradually 서서히 melt 녹다; 녹이다 05 wedding anniversary 결혼기념일 06 bathtub 욕조 soak (몸을) 담그다; 담기다 08 objective 객관적인(↔ subjective 주관적인) standard 기준 constructive 건설적인 09 cover (보험으로) 보상[보장]하다; 덮다; 감추다 insurance 보험 10 attitude 태도

삽입구문

정답 및 해설 p.82

점수 / 100

삽입구문 파악&해석하기 **다음 문장에서 삽입된 부분을 ( )로 표시한 후, ( ) 부분을 뺀 나머지 문장을 해석하시오.** [각 10점]

01 She encouraged the teens to stick to what they believe is worth fighting for.

→

02 Most, if not all, people responded they have experienced loneliness in a crowd.

*loneliness 외로움, 고독

→

03 The movie *Amadeus* — a celebration of Mozart — swept eight Oscars.

*Oscar 오스카상 ((아카데미상))

→

04 The event is unlikely to have much, if any, impact on the gas prices in America.

→

05 My mom is trying to use recycled paper, whenever possible, to reduce waste.

*recycled paper 재생지

→

고난도 **06** People may give answers that they feel are more socially desirable than their true feelings. - 수능

→

07 The elites of Egyptian society, male and female alike, would use aromas to represent their status.

→

08 Most readers read articles because they are interested in, and know something about, the subject.

→

09 Scientists are developing home robots which they say may soon be used for household chores.

*household chores 집안일

→

고난도 **10** If you find yourself trapped by a fire, stay low to the ground and, if possible, cover your nose and mouth with a wet cloth.

*trapped 갇힌

→

Guide 삽입어구를 ( )로 묶으면 문장 구조를 더 쉽게 파악할 수 있다.

01 stick to A A를 고수하다[지키다] worth v-ing v할 가치가 있는 **03** celebration 찬양; 기념, 축하 sweep(-swept-swept) 휩쓸다 **04** unlikely to-v v할 것 같지 않은 have an impact on ~에 영향을 주다 **06** desirable 바람직한 **07** elite 엘리트 (계층) alike 둘 다, 똑같이, 마찬가지로 aroma 향기 represent 나타내다; 상징하다 status 신분, 자격 **08** article 기사, 글 subject 주제; 과목

동격구문

정답 및 해설 p.83

점수 / 100

동격구문 파악하기 **다음 문장에서 서로 동격을 이루는 어구를 찾아 각각 밑줄 그으시오.** [각 5점]

01 She is majoring in geology, or the science of the earth's crust. *earth's crust 지각(地殼)

02 Some people disagree with the idea of exposing three-year-olds to computers.

03 Temporocentrism is the belief that your times are the best of all possible times. - 수능
*temporocentrism 자기 시대 중심주의

04 A detective raised considerable doubt whether the suspect was telling the truth.

05 A human being has a natural desire to have more of a good thing than he needs.
-Mark Twain ((美 소설가))

06 There seems to be a possibility that the Korean national archery team will go to the finals. *archery 양궁, 활쏘기

07 The retail store, the one which sells electronics and groceries, recently went out of business. *go out of business 폐업하다

08 There is strong research evidence that children perform better in mathematics if music is incorporated in it. - 모의

09 Children practice the language without being conscious of the knowledge that they are learning a complex code.

10 Genes, the basic parts of cells which are passed down from parents to children, may have something to do with human behavior.

Guide 명사에 대한 구체적인 설명을 명사구[절] 형태로 덧붙이는 것을 동격구문이라 한다.

01 geology 지질학 science 학문; 과학 **04** detective 형사; 탐정 considerable 상당한 doubt 의문; 의심하다 suspect 용의자; 수상히 여기다 **05** natural 타고난, 선천적인 **07** retail store 소매(상)점 electronics 전자 제품 **08** incorporate 포함하다; 통합하다 **09** conscious 자각[의식]하는 code 부호, 암호 **10** pass down from A to B A로부터 B로 전하다 have something to do with ~와 관계가 있다

동격구문 구별하기 **다음 문장의 밑줄 친 두 부분이 서로 동격을 이루면 ○, 그렇지 않으면 ×로 표시하시오.** [각 5점]

11 Yawning, I personally think, is more contagious than friendliness.

12 My memories from the town of Longview still remain in my mind.

13 Some species use alarm calls to share information about potential predators. - 모의

14 Along both sides of the street stand many fancy clothing stores and restaurants.

15 The fact that my mother burned a new pot while watching a TV drama made her very upset.

16 The ancient Greeks believed that pearls were the hardened tears of joy from Aphrodite, the goddess of love.

*Aphrodite 아프로디테 ((그리스 신화 속 사랑·미의 여신))

17 To be environmentally friendly, Kate uses cloth shopping bags or paper bags instead of plastic bags.

*plastic bag 비닐봉지

18 The restaurant that a lot of people have been praising online actually gave me poor service.

19 Interacting with animals may help release oxytocin, a brain chemical that promotes a positive mood.

*oxytocin 옥시토신

20 By paying closer attention to other people's unspoken behaviors, you will improve your own ability to communicate nonverbally.

Guide 형태만으로 판단하지 말고 해석을 통해 동격구문인지 아닌지를 파악해야 한다.

11 yawn 하품(하다) contagious 전염성의 friendliness 친절; 우정 13 potential 잠재적인, 가능성 있는 predator 포식자 14 fancy 값비싼, 고급의 16 pearl 진주 harden 굳(히)다; 단호해지다 17 environmentally friendly 환경 친화적인, 환경을 해치지 않는 18 praise 칭찬하다(= compliment) 19 interact with ~와 상호작용하다 release 분비하다; 풀어 주다 chemical 화학물질; 화학적인 promote 촉진하다; 승진시키다 mood 기분; 분위기 20 pay close attention to ~에 세심한 주의를 기울이다 nonverbally 비언어적으로

UNIT 100

부정구문

정답 및 해설 p.84

점수 / 100

알맞은 어구 고르기 주어진 문장과 같은 뜻이 되도록 네모 안에서 알맞은 것을 고르시오. [각 6점] 내신 직결

01 Few people are well informed about all political issues.

→ [Almost / Not] everyone is not well informed about all political issues.

02 My mom's advice has never failed to give me light and strength.

→ My mom's advice has [never / always] given me light and strength.

03 Due to their corruption, I voted for neither of the main candidates.

→ Due to their corruption, I [voted / didn't vote] for either of the main candidates.

04 A typhoon never comes without causing serious damage to farmers.

→ Whenever a typhoon comes, it [sometimes / always] causes serious damage to farmers.

05 None of the witnesses accepted to testify in the trial because they were afraid.

*testify 증언하다

→ [Some / All] of the witnesses refused to testify in the trial because they were afraid.

06 Because appearances are deceptive, things may be different from how they appear.

→ Because appearances are deceptive, things are [never / not always] as they appear.

07 Hardly is any discovery possible without making use of knowledge gained by others. - 모의

→ [No / Some] discovery is possible without making use of knowledge gained by others.

Guide ✔ 모두 부정, 일부 부정, 부정+부정 중 어떤 부정구문이 쓰였는지 파악한다.

알맞은 어구 고르기 **다음 문장의 네모 안에서 어법상 알맞은 것을 고르시오.** [각 6점] 내신 직결

08 Everything / Nothing will be gained by just waiting to turn one's dreams into reality.

09 I cannot imagine my life with / without books, as reading has always been such a huge pleasure.

10 Nobody can enter the building if / unless they are checked by the security officer at the entrance.

11 None / All of us could read the menu written in Italian, so we asked for an English menu.

Guide 앞뒤 주어진 문맥을 통해 알맞은 부정 표현이 오도록 해야 한다.

조건 영작 **다음 우리말과 일치하도록 〈보기〉에서 알맞은 어구를 고른 후, 괄호 안의 어구를 활용하여 영작하시오. (필요하면 어형 변화 가능)**

〈보기〉 not every　　not necessarily　　not impossible　　never A without B

12 나는 큰 선물이 반드시 가장 좋은 선물은 아니라는 것을 알고 있다. (the nicest gifts, be, the big gifts) [8점]

→ I know that ______________________________. - 모의응용

13 모든 사람이 은수저를 입에 물고 태어나는 것은 아니다. (be, with, born, man, a silver spoon) [8점]

→ ______________________________ in his mouth. - Proverb

14 그는 가족의 격려 없이 절대 난관들을 극복할 수 없었을 것이다.

(could, encouragement, difficulties, have overcome) [8점]

→ He ______________________________ from his family.

고난도 15 그들은 그들의 프로젝트가 가능하지만 완료하려면 시간이 많이 걸린다는 것을 깨달았다.

(but, time-consuming, be, their project) [10점]

→ They realized that ______________________________ to complete.

Guide 우리말을 통해 부정하는 것을 파악하고, 알맞은 어구를 선택하여 부정구문을 완성한다.

01 well informed 잘 아는(↔ ill-informed 잘 모르는) political 정치적인; 정당의 03 corruption 부정부패 vote for ~에 투표하다 candidate 후보자 04 typhoon 태풍 05 witness 목격자; 목격하다 trial 재판; 시험 06 appearance (겉)모습; 출현 deceptive 믿을 수 없는, 현혹하는(= misleading) 07 make use of ~을 이용[활용]하다 08 turn A into B A를 B로 바꾸다 10 security officer 경비원 entrance (출)입구 14 encouragement 격려 15 time-consuming (많은) 시간이 걸리는

UNIT 101

주어를 부사로 해석해야 하는 구문

정답 및 해설 p.85

점수 /100

알맞은 어구 고르기 **주어진 문장과 같은 뜻이 되도록 네모 안에서 알맞은 것을 고르시오.** [각 8점] 내신 직결

01 Computer illiteracy has never caused him any trouble.

→ [As / Even though] he is a computer illiterate, he hasn't had any trouble.

*computer illiteracy 컴맹, 컴퓨터를 사용할 줄 모름 **computer illiterate 컴맹인 사람

02 This book helped me acquire more knowledge of Korean history.

→ [Thanks to / In spite of] this book, I acquired more knowledge of Korean history.

03 Headaches sometimes prevent me from going to sleep.

→ [Due to / Despite] headaches, I sometimes cannot go to sleep.

04 Putting dry tea bags in smelly shoes will absorb the odor.

→ [Although / If] you put dry tea bags in smelly shoes, they will absorb the odor.

05 The use of social media enables people to be more digitally connected.

→ [When / Even if] people use social media, they are able to be more digitally connected.

Guide ✔ 문맥상 적절한 부사구[절]을 만드는 전치사나 접속사를 고른다.

문장 전환 **다음 두 문장이 같은 의미가 되도록 빈칸을 완성하시오.** [각 12점] 내신 직결

06 They put off their picnic plans for the day because of the heavy rain.

→ ________ ________ ________ forced them to put off their picnic plans for the day.

07 After an hour's flight over the Andes, we arrived at the airport in Peru.

→ ________ ________ ________ ________ ________ ________ took us to the airport in Peru.

08 Once you have courage, any difficulties and obstacles disappear.

→ ________ makes any difficulties and obstacles disappear.

09 If you take a visit to an art gallery, you will be able to see a lot of wonderful paintings.

→ ________ ________ ________ ________ ________ ________ will enable you to see a lot of wonderful paintings.

고난도 **10** You will use the left side of your brain while processing a song's lyrics.

→ ________ ________ ________ ________ requires you to use the left side of your brain.

Guide 문맥에 따라 적절한 무생물 어구를 주어 자리에 쓴다.

02 acquire 얻다, 배우다; 획득하다 03 prevent O from v-ing O가 v하는 것을 막다 04 absorb 흡수하다 odor 악취; 냄새 06 put off 미루다, 연기하다(= delay) 08 obstacle 장애물 09 art gallery 미술관 10 process 처리하다; 과정 lyrics (노래) 가사

MEMO

MEMO

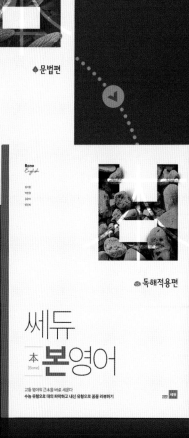

1 구문

판매 1위 '천일문' 콘텐츠를 활용하여 정확하고 다양한 구문 학습

끊어읽기 | 해석하기 | 문장 구조 분석 | 해설·해석 제공 | 단어 스크램블링 | 영작하기

2 문법·서술형

쎄듀의 모든 문법 문항을 활용하여 내신까지 해결하는 정교한 문법 유형 제공

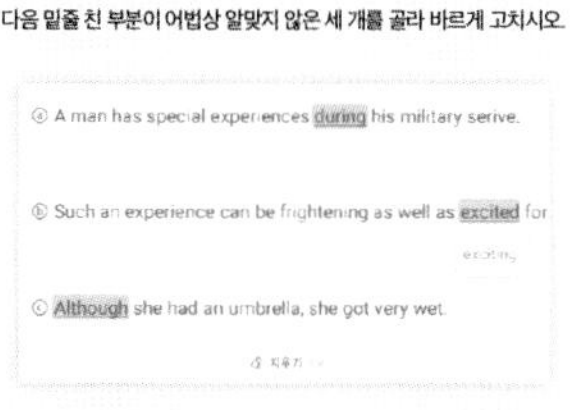

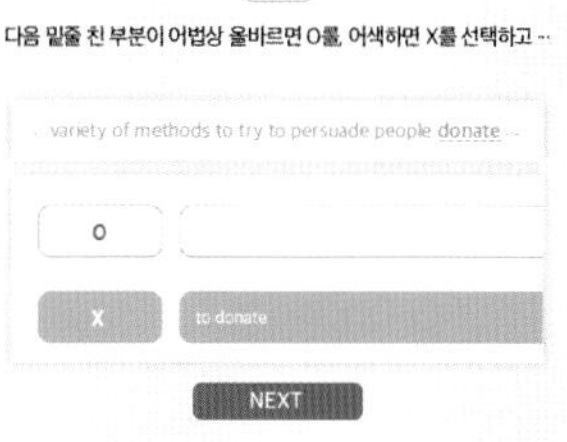

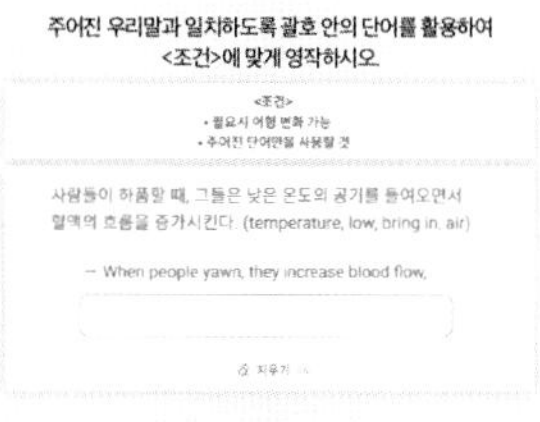

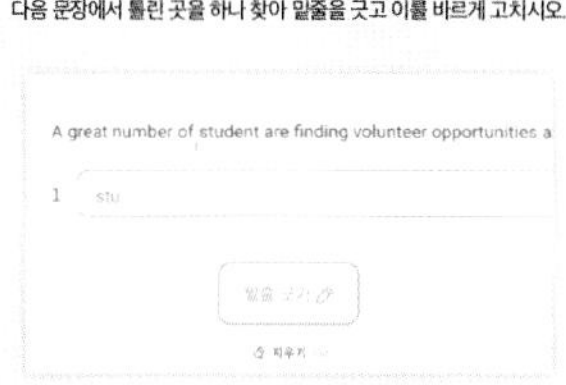

객관식과 주관식의 결합 | 문법 포인트별 학습 | 보기를 활용한 집합 문항 | 내신대비 서술형 | 어법+서술형 문제

3 어휘

초·중·고·공무원까지 방대한 어휘량을 제공하며 오프라인 TEST 인쇄도 가능

영단어 카드 학습 | 단어 ↔ 뜻 유형 | 예문 활용 유형 | 단어 매칭 게임

4 선생님 보유 문항 이용

Online Test | OMR Test

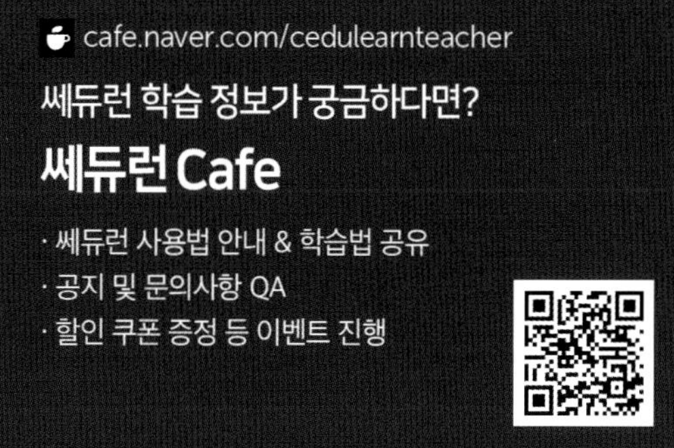

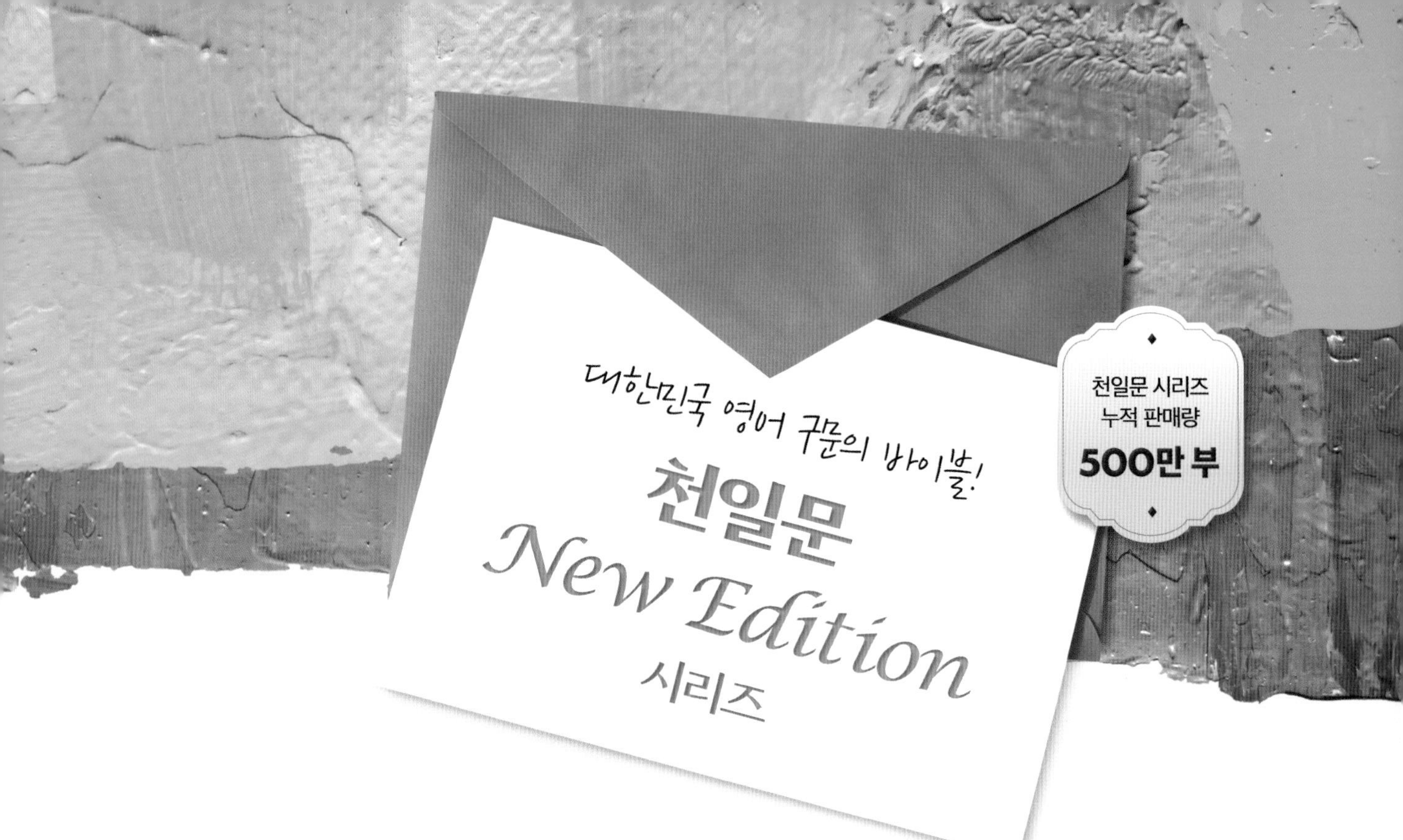

대한민국 영어 구문의 바이블!
천일문
New Edition
시리즈
천일문 시리즈
누적 판매량
500만 부

개정에 도움을 준 선생님들께서 마음을 담아, 추천사를 남겨주셨습니다.

전에도 이미 완벽했었지만, 거기에서 더 고민하여 선정한 문장의 선택과 배치는 가장 효율적인 학습환경을 제공합니다. 양질의 문장을 얼마나 많이 접해봤는지는 영어 학습에서 가장 중요한 요소 중 하나이며, 그 문장들을 찾아다니며 시간을 낭비할 필요 없이 천일문 한 권으로 해결하시기 바랍니다.

김명열 | 대치명인학원

굳이 개정하지 않아도 좋은 교재이지만 늘 노력하는 쎄듀의 모습답게 더 알찬 내용을 담았네요. 아이들에게 십여 년이 넘는 시간 동안 영어를 가르치면서도 영어의 본질은 무시한 채 어법에만 치우친 수업을 하던 제게 천일문은 새로운 이정표가 되어주었습니다. 빨라진 시대의 흐름에 따라가지 못하는 한국의 영어교육에 조금이라도 이 책이 도움이 될 것 같아 기대감이 큽니다.

김지나 | 킴스영어

독해는 되지만 글에서 의미하는 바를 찾지 못하고 결국 내용을 어림짐작하여 '감'으로 풀게 되는 학생들에게는 더더욱 필요한 능력이 문해력입니다. '감'으로 푸는 영어가 아닌 '문해력'에 기초하여 문제를 풀기 위한 첫 번째 단계는 정확한 문장 구조분석과 정확한 해석입니다. 많은 학생들이 천일문 시리즈를 통해 1등급 성취의 열쇠를 손에 넣을 수 있기를 바랍니다.

박고은 | 스테듀입시학원

책의 가장 큰 장점은 수험생을 위해 단계별로 정리가 되어 있다는 점입니다. 고3으로 갈수록 추상적인 문장이 많아지며 읽고 문장을 바로 이해하는 능력을 키우는 것이 중요한데, '천일문 완성'의 경우 특히 추상적 문장을 많이 포함하고 있어, 문장을 읽으면서 해당 문장이 무슨 내용을 나타내는지, 포함한 글이 어떤 내용으로 전개될 것인지 유추하면서 읽는다면 수험생들에게 큰 도움이 되리라 생각합니다.

이민지 | 세종 마스터 영어학원

수능 및 모의평가에서 자주 출제되는 핵심 구문들을 챕터별로 정리할 수 있어서 체계적입니다. 이 교재는 막연한 영어 구문 학습을 구체화해 배치해두었기 때문에, 학습자 입장에서는 등장할 가능성이 큰 문형들을 범주화하여 학습할 수 있습니다. 저 또한 학생 때 천일문 교재로 공부했지만 지금 다시 봐도 감동은 여전합니다.

안상현 | 수원시 권선구

천일문 교재가 처음 출간되었을 때 이 책으로 영어 구문 수업을 하는 것은 교사로서 모험이었습니다. 선생님 설명이 필요 없을 정도로 완벽한 교재였기 때문입니다. 영원히 현재진행형인 천일문 교재로 영어 읽는 법을 제대로 반복 학습한다면 모든 학생들은 영어가 주력 과목이 될 수 있을 겁니다.

조시후 | SI어학원

1001 SENTENCES
BASIC

Traing Book

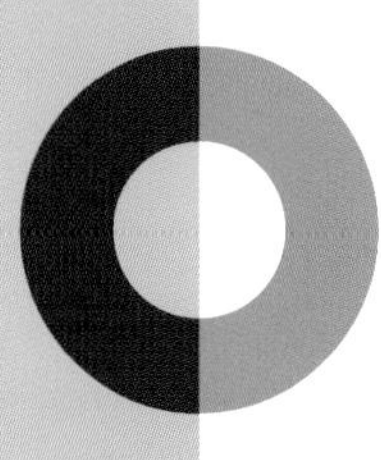

천일문 기본 문제집
|정답 및 해설|

쎄듀 | 쎄듀런

Training Book

천일문 기본 문제집

|정답 및 해설|

PART 1 문장의 구성

CHAPTER 01 동사와 문장의 기본 구조

UNIT 01 SV

01 The K-pop stars appeared together on the stage.
S V

→ **그 케이팝 스타들이 등장했다** | 그 케이팝 스타들이 함께 무대에 등장했다.

02 A full moon will rise in the eastern sky around midnight.
S V

→ **보름달이 뜰 것이다** | 자정쯤 동쪽 하늘에 보름달이 뜰 것이다.

03 Finally, the plane took off on time despite the heavy rain.
S V

→ **그 비행기는 이륙했다** | 마침내, 그 비행기는 폭우에도 불구하고 정시에 이륙했다.

감점	채점 기준
-2.5	S, V 표시가 하나 틀린 경우
-5	해석이 틀린 경우

04 ⓑ | 햄샌드위치는(S) / 간식으로(M) / 충분할 것이다(V).

05 ⓑ | 경험은(S) / 수술을 집도하는 데(M) / 매우(M) / 중요하다(V).

06 ⓐ | 크리스는(S) / 영어로(M) / 10까지(M) / 셀 수 있다(V).

07 ⓒ | 범죄는(S) / 이익이 되지 않는다(V). 그것(=범죄)은 이득보다 문제를 더 유발한다.

08 ⓐ | 신용카드로(M) / 지불하시겠어요(V)? / 아니면 현금으로(M) / 지불하시겠어요(V)?

09 ⓒ | 기침약과 같은 물약은(S) / 보통(M) / 매우 빠르게(M) / 효과가 있다(V).

10 ⓑ | 1층에 있는 복사기는(S) / 오늘 아침에(M) / 작동되지 않았다(V).

UNIT 02 SVA

01 They stayed in their hotel because of bad weather.
S V A

→ **그들은 호텔에 계속 있었다[머물렀다]** | 그들은 나쁜 날씨 때문에 호텔에 계속 있었다[머물렀다].

02 My older sister will live in another country from next month.
S V A

→ **우리 언니는 다른 나라에 살 것이다** | 나의 언니는 다음 달부터 다른 나라에 살 것이다.

03 Last summer, we were in Rome with a package tour.
S V A

→ **우리는 로마에 있었다** | 지난여름, 우리는 패키지여행으로 로마에 있었다.

04 At lunchtime, I went to the school library with my friend.
S V A

→ **나는 학교 도서관에 갔다** | 점심시간에, 나는 내 친구와 학교 도서관에 갔다.

05 Deposits of oil lie under the ground of Alaska.
S V A

→ **석유 매장층이 알래스카의 땅 아래에 있다** | 석유 매장층이 알래스카의 땅 아래에 있다.

감점	채점 기준
-2	S, V, A 표시가 하나 틀린 경우
-6	해석이 틀린 경우

06 **every night, 매일 밤** | 야간열차가(S) / 일요일을 제외하고(M) / 매일 밤(M) / 운행한다(V).

해설 The overnight train runs every night except Sundays.
S V M M

이 문장에서 run은 '(버스 등이 정기적으로) 운행하다'라는 뜻의 자동사로 쓰였다.

07 **every year, 매년** | 수백만 명의 아이들이(S) / 매년(M) / 기아로(M) / 죽는다(V).

해설 Millions of children die of starvation every year.
S V M M

08 **last month, 지난달에** | 제임스의 영어 성적은(S) / 지난달에(M) / 떨어졌다(V).

해설 James's English grades fell last month.
S V M

09 **a few weeks, 몇 주간** | 덥고 습한 날씨는(S) / 몇 주간(M) / 계속되었다(V).

해설 The hot and humid weather lasted a few weeks.
S V M

10 **that way, 저쪽으로** | A: 이 근처에 약국이 어디 있는지 제게 알려주실 수 있을까요? B: 그냥(M) / 뒤로 돌아서(V_1) / 저쪽으로(M_2) / 두 블록(M_2) / 걸어가세요(V_2).

해설 Just turn around [and] walk that way for two blocks.
M V_1 V_2 M_2 M_2

배점	채점 기준
4	밑줄을 바르게 그은 경우
4	해석을 바르게 한 경우

UNIT 03 SVC

01 Bananas can keep fresh for two weeks at room temperature.
(S: Bananas / V: can keep / C: fresh)

→ **바나나는 신선한 상태를 유지할 수 있다** | 바나나는 상온에서 2주 동안 신선한 상태를 유지할 수 있다.

02 He will remain my favorite game character forever.
(S: He / V: will remain / C: my favorite game character)

→ **그는 내가 가장 좋아하는 게임 캐릭터로 남아 있을 것이다** | 그는 영원히 내가 가장 좋아하는 게임 캐릭터로 남아 있을 것이다.

03 This hand cream smells like orange to me.
(S: This hand cream / V: smells / C: like orange)

→ **이 핸드크림은 오렌지 같은 냄새가 난다** | 이 핸드크림은 나에게 오렌지 같은 냄새가 난다.

해설 감각동사가 보어로 명사를 쓸 때는 〈like+명사〉 형태의 〈전치사+명사〉구를 취한다.

감점	채점 기준
-3	S, V, C 표시가 하나 틀린 경우
-5	해석이 틀린 경우

04 **X, silent** | 그 개는 잠시 동안 조용하게 있었다.

해설 주어인 The dog를 보충 설명하는 보어 자리이므로 형용사 silent가 와야 한다. 우리말로는 부사처럼 '~하게, ~으로' 등과 같이 해석되더라도 보어 자리에 부사는 올 수 없다.

05 O | 학생들은 무대 위에서 아주 사랑스럽게 보였다.

해설 lovely는 〈명사+ly〉 형태의 형용사로 주어인 The students를 보충 설명하는 보어로 적절히 쓰였다. -ly로 끝나는 형용사로는 friendly 친절한, costly 값비싼, lonely 외로운, manly 남자다운, deadly 치명적인 등이 있다.

06 **X, sad** | 졸업식 날에, 몇몇 학생들은 슬퍼 보였다.

해설 주어 some students를 보충 설명하는 보어의 자리이므로 형용사 sad가 와야 한다. 보어 자리에 부사는 올 수 없다.

07 O | 약간의 연습으로 그 일은 곧 수월해질 것이다.

해설 주어인 The work를 보충 설명하는 보어 자리에 형용사 easy가 적절히 쓰였다. come easy는 '수월해지다'의 의미이다.

08 O | 그녀의 여행 가방은 몇 벌의 옷이 안에 들어 있는 채로 침대 위에 열려 있었다.

해설 주어인 Her suitcase의 상태를 보충 설명하는 보어 자리에 형용사 open이 적절히 쓰였다.

09 O | 이번 방학을 위한 네 계획은 내게 전적으로 좋게 들린다.

해설 동사 sounds의 보어로 쓰인 형용사 good을 수식하는 부사 absolutely는 어법상 적절하다.

10 **X, awake** | 우리 가족은 새해를 기념하기 위해 밤새 깨어있었다.

해설 주어인 My family를 보충 설명하는 보어 자리이므로 동사 또는 명사로 쓰이는 wake가 아닌 형용사 awake가 와야 한다. awake는 서술적 용법의 형용사로 보어 자리에 쓰이며 명사를 수식할 수 없다. (awake *boy* (×))

11 **X, cold** | 예기치 않은 비가 온 후에 날씨가 갑자기 추워졌다.

해설 주어인 The weather를 보충 설명하는 보어 자리이므로 형용사 cold가 와야 한다. 보어 자리에 부사는 올 수 없다.

12 O | 발표 전, 나의 손바닥은 긴장으로 땀이 나서 축축해졌다.

해설 주어인 my palms의 상태를 보충 설명하는 보어 자리에 형용사 sweaty가 적절히 쓰였다.

감점	채점 기준
-3	×는 올바르게 표시했지만, 틀린 부분을 바르게 고치지 못한 경우

UNIT 04 SVO/SVOA

01 **VO, 고유한 성격을 갖는다** | 태어나면서부터, 각각의 아기는 고유한 성격을 갖는다.

02 **VC, 인기 있는 방법이 되었다** | 요가는 스트레스 완화의 인기 있는 방법이 되었다.

03 **VO, 아픈 딸을 보살폈다** | 안나는 밤새 아픈 딸을 보살폈다.

04 **VO, 회의를 미뤘다** | 그는 갑작스러운 질병 때문에 회의를 미뤘다.

05 **VC, 미스터리로 남아 있다** | 그 바이러스의 기원은 여전히 미스터리로 남아 있다.

06 **VO, 서로 맞섰다** | 후보자들은 TV 토론회 동안 서로 맞섰다.

배점	채점 기준
6	체크를 바르게 한 경우
6	해석을 바르게 한 경우

07 **Don't put all your eggs in one basket.**

08 **The man laid his weapon on the ground**

UNIT 01-04 OVERALL TEST

01 **ⓐ SV(A), ⓑ SVC** | ⓐ 당신은 우체국에 버스를 타고 갈 수 있습니다. ⓑ 장시간 운전으로 내 눈은 피로해졌다.

해설 ⓐ You can get to the post office by bus.
(S: You / V: can get / A: to the post office / M: by bus)

ⓑ My eyes got tired from long hours (of driving).
(S: My eyes / V: got / C: tired / M: from long hours (of driving))

02 ⓐ SVC, ⓑ SV(A) | ⓐ 결국에는 우리 둘 다를 위해 모든 일이 잘될 것이다. ⓑ 그는 오늘 오후에 나를 보러 집에 올 것이다.

해설 ⓐ Everything(S) will come(V) right(C) for both of us(M) in the end(M).

ⓑ He(S) will come(V) home(A) to see me(M) this afternoon(M).

03 ⓐ SV(A), ⓑ SVC | ⓐ 그 식물의 잎은 해를 향해 방향을 돌렸다. ⓑ 그녀는 사나워 보이는 개를 보고 창백해졌다.

해설 ⓐ The plant's leaves(S) turned(V) toward the sun(A).

ⓑ She(S) turned(V) pale(C) at the sight (of a fierce-looking dog)(M).

04 ⓐ SVC, ⓑ SV(A) | ⓐ 다행히, 내 발목 부상은 심각해 보이지 않는다. ⓑ 화려한 색의 벌레가 제이미의 자리 위에 나타났다.

해설 ⓐ Fortunately,(M) my ankle injury(S) doesn't appear(V) serious(C).

ⓑ A brightly colored bug(S) appeared(V) over Jamie's seat(M).

05 ⓐ SVC, ⓑ SV(A) | ⓐ 대중들은 오늘 발표에 대해 여전히 회의적이었다. ⓑ 약간의 과자 부스러기가 아직 바닥에 남아 있다.

해설 ⓐ The public(S) remained(V) skeptical(C) of today's announcement(M).

ⓑ Some cookie crumbs(S) still(M) remain(V) on the ground(A).

감점	채점 기준
-4	✔ 표시가 하나 틀린 경우

06 My classmates seemed friendly

해설 SVC문형의 문장으로 주어인 My classmates를 보충 설명하는 보어 자리에 형용사 friendly가 와야 한다. friendly는 〈명사+ly〉 형태의 형용사이다. 또한, 우리말이 과거이므로 동사의 과거형을 쓴다.

07 The old castle stood empty

해설 SVC문형의 문장으로 주어인 The old castle을 보충 설명하는 보어 자리에 형용사 empty가 와야 한다. 또한, 우리말이 과거이므로 동사의 과거형을 쓴다.

08 House prices rose rapidly[rapidly rose]

해설 과거부사 last year가 왔으므로 과거시제 동사인 rose를 써야 한다. SV문형의 문장이므로 형용사인 rapid는 동사(rose)를 수식하는 부사 rapidly로 바꿔 써야 한다.

09 ice cream tastes like happiness

해설 SVC문형에서 감각동사의 보어로 명사를 쓸 때 〈like+명사〉 형태의 〈전치사+명사〉구가 온다. 주어진 어구 중에 like가 있으므로 형용사 happy는 명사 happiness로 바꿔 써야 한다.

배점	채점 기준
3	어순은 올바르나 어형 변형이 틀린 경우

10 ⓐ 크게 줄었다, ⓑ 일자리 제안을 거절했다 | ⓐ 수년간, 시골의 인구가 크게 줄었다. ⓑ 메리는 경쟁사로부터 일자리 제안을 정중히 거절했다.

해설 ⓐ Over the years,(M) the population (in the countryside)(S) declined(V) a lot(M).

ⓑ Mary(S) declined(V) the job offer (from the rival company)(O) politely(M).

11 ⓐ 바닥에 떨어졌다, ⓑ 우리의 기대에 미치지 못했다 | ⓐ 내 새 노트북이 바닥에 떨어졌다. ⓑ 그의 최근 영화는 우리의 기대에 미치지 못했다.

해설 ⓐ My new laptop(S) fell(V) on the floor(M).

ⓑ His latest movie(S) fell(V) short (of our expectations)(C).

12 ⓐ 교과서를 돌려주었다, ⓑ 자신의 집으로 돌아왔다 | ⓐ 내 학급 친구가 지난주 화요일에 교과서를 돌려주었다. ⓑ 해리는 오랜 휴가 후에 도시에 있는 자신의 집으로 돌아왔다.

해설 ⓐ My classmate(S) returned(V) the textbook(O) last Tuesday(M).

ⓑ Harry(S) returned(V) to his house (in the city)(A) after a long vacation(M).

13 ⓐ 너무 배가 고파진다, ⓑ 전화를 받았다, ⓒ 집에 오지 못하셨다 | ⓐ 하루의 이 시간쯤에, 나는 너무 배가 고파진다. ⓑ 나는 한밤중에 폴에게서 전화를 받았다. ⓒ 우리 아버지는 자정까지 회사에서 집에 오지 못하셨다. (→ 우리 아버지는 자정이 되어서야 회사에서 집에 오셨다.)

해설 ⓐ About this time of day,(M) I(S) get(V) very hungry(C).

ⓑ I(S) got(V) a phone call(O) from Paul(M) in the middle of the night(M).

ⓒ My father(S) didn't get(V) home(A) from work(M) until midnight(M).

14 ⓐ 어학 강좌들을 운영한다, ⓑ 15분마다 운행한다, ⓒ 말랐다 | ⓐ 그 대학은 국제 교환학생들을 위한 어학 강좌들을 운영한다. ⓑ 공항 리무진 버스는 서울역에서 15분마다 운행한다. ⓒ 우리는 물이 필요하지만, 그 우물은 가뭄 동안 말랐다.

해설 ⓐ The college(S) runs(V) language courses (for international exchange students)(O).

ⓑ The Airport Limousine(S) runs(V) every 15 minutes(M) from the Seoul Station(M).

ⓒ We(S_1) need(V_1) water(O_1), [but] the well(S_2) ran(V_2) dry(C_2) during the drought(M_2).

UNIT 05 SVOO

01 Last night, my cousin lent(V) me(IO) her new iPad(DO).

→ **나에게 자신의 새 아이패드를 빌려줬다** | 어젯밤, 내 사촌은 나에게 자신의 새 아이패드를 빌려줬다.

02 He got(V) his mother(IO) some ice(DO) out of the freezer.

→ **자신의 어머니께 얼음을 가져다드렸다** | 그는 냉동고에서 어머니께 얼음을 가져다드렸다.

03 He showed(V) her(IO) his driver's license(DO) to prove his identity.

→ **그녀에게 자신의 운전면허증을 보여주었다** | 그는 자신의 신분을 증명하기 위해 그녀에게 자신의 운전면허증을 보여주었다.

04 Your language habits tell(V) others(IO) your personality and values(DO).

→ **다른 사람들에게 당신의 성격과 가치관을 말해준다** | 당신의 언어 습관은 다른 사람들에게 당신의 성격과 가치관을 말해준다.

05 My mom promised(V) me(IO) toy bows and arrows(DO) as a birthday present.

→ **내게 장난감 활과 화살을 약속하셨다** | 엄마는 내게 생일 선물로 장난감 활과 화살을 약속하셨다.

06 The man chose(V) his girlfriend(IO) the diamond ring(DO).

→ **자신의 여자 친구에게 다이아몬드 반지를 골라주었다** | 그 남자는 자신의 여자 친구에게 다이아몬드 반지를 골라주었다.

07 The famous influencer offered(V) her followers(IO) useful tips for cooking(DO).

→ **자신의 팔로워들에게 유용한 요리 팁을 제공했다** | 그 유명한 인플루언서는 자신의 팔로워들에게 유용한 요리 팁을 제공했다.

08 One of my friends on Jeju Island sends(V) me(IO) a box of tangerines(DO) each year.

→ **나에게 귤 한 상자를 보내준다** | 제주도에 있는 내 친구 중 한 명은 매년 나에게 귤 한 상자를 보내준다.

09 The student handed(V) the homeroom teacher(IO) a sheet of paper(DO).

→ **담임 선생님께 종이 한 장을 건넸다** | 그 학생은 담임 선생님께 종이 한 장을 건넸다.

10 My grandmother cooks(V) my family(IO) special dishes(DO) on New Year's Day.

→ **우리 가족에게 특별한 음식을 요리해 주신다** | 할머니께서는 새해 첫날에 우리 가족에게 특별한 음식을 요리해 주신다.

감점	채점 기준
-1	V, IO, DO 표시가 하나 틀린 경우
-1	해석이 틀린 경우

11 **O** | 나는 네게 행운과 성공을 기원한다.

해설 wish는 SVOO문형으로 쓸 수 있다.

12 **the passport∨the passenger, for** | 승무원은 그 승객에게 여권을 찾아주었다.

해설 find는 SVOO문형 또는 전치사 for를 간접목적어 앞에 사용하여 SVO문형으로 쓸 수 있다.

(= The cabin crew found the passenger the passport.)

13 **O** | 그는 우리에게 자신의 가장 친한 친구와의 다툼에 대해 아무것도 말해주지 않았다.

해설 tell은 SVOO문형 또는 전치사 to를 간접목적어 앞에 사용하여 SVO문형으로 쓸 수 있다.

(= He told nothing about the quarrel with his best friend to us.)

14 **O** | 기술자들은 그 소녀에게 바이올린을 연주할 수 있는 로봇 팔을 만들어 주었다.

해설 make는 SVOO문형 또는 전치사 for를 간접목적어 앞에 사용하여 SVO문형으로 쓸 수 있다.

(= Engineers made a robotic arm to play the violin for the girl.)

15 **a taxi∨me, for** | 집에 안전하게 도착하도록, 그 친절한 노부인은 내게 택시를 불러주셨다.

해설 call은 SVOO문형 또는 전치사 for를 간접목적어 앞에 사용하여 SVO문형으로 쓸 수 있다.

(= ~, the friendly old lady called me a taxi.)

16 **table manners∨their children, to** | 많은 부모들이 자녀들에게 어린 나이부터 식탁 예절을 가르친다.

해설 teach는 SVOO문형 또는 전치사 to를 간접목적어 앞에 사용하여 SVO문형으로 쓸 수 있다.

(= Many parents teach their children table manners ~.)

감점	채점 기준
-3	∨는 올바르게 표시했지만, 알맞은 전치사를 쓰지 못한 경우

17 **You can pay the cashier the money**

해설 SVOO문형으로 pay 다음에 간접목적어 the cashier와 직접목적어 the money를 순서대로 쓴다.

18 **ordered her daughter some books**

해설 SVOO문형으로 ordered 다음에 간접목적어 her daughter와 직접목적어 some books를 순서대로 쓴다.

19 **Globalization gives us a chance**

해설 SVOO문형으로 gives 다음에 간접목적어 us와 직접목적어 a chance를 순서대로 쓴다. a chance 뒤의 to learn about other societies는 a chance를 수식하는 형용사적 용법으로 쓰인 to부정사구이다. ≪ UNIT 51

20 Collaborative efforts bring teachers and students great success.

해설 SVOO문형으로 bring 다음에 간접목적어 teachers and students와 직접목적어 great success를 쓴다.

UNIT 06 SVOC

01 They call their puppy a cute name.
V O C

→ **자신들의 강아지를 귀여운 이름으로 부른다** | 그들은 자신들의 강아지를 귀여운 이름으로 부른다.

02 The police declared him a suspect of fraud.
V O C

→ **그를 사기 용의자로 공표했다** | 경찰은 그를 사기 용의자로 공표했다.

03 The novelist left her second novel incomplete due to a slump.
V O C

→ **자신의 두 번째 소설을 미완성인 채로 두었다** | 그 소설가는 슬럼프로 인해 자신의 두 번째 소설을 미완성인 채로 두었다.

04 A lot of homework keeps the students busy, even on weekends.
V O C

→ **학생들을 바쁘게 한다** | 많은 양의 숙제는 심지어 주말에도 학생들을 바쁘게 한다.

05 Many critics found the movie terrible in spite of its huge success.
V O C

→ **그 영화가 형편없다는 것을 알게 되었다** | 많은 평론가들이 그것(=그 영화)의 큰 성공에도 불구하고 그 영화가 형편없다는 것을 알게 되었다.

06 My husband and I finally named our newborn baby Angela.
V O C

→ **우리의 갓 태어난 아기에게 안젤라라는 이름을 지어줬다** | 나와 남편은 우리의 갓 태어난 아기에게 마침내 안젤라라는 이름을 지어줬다.

07 His friends don't believe him capable of cheating in exams.
V O C

→ **그가 시험에서 부정행위를 할 수 있다고 생각하지 않는다** | 그의 친구들은 그가 시험에서 부정행위를 할 수 있다고 생각하지 않는다.

08 The president appointed her the Korean ambassador to the UN.
V O C

→ **그녀를 유엔 한국 대사로 임명했다** | 대통령은 그녀를 유엔 한국 대사로 임명했다.

09 The interviewers think the last interviewee suitable for the job.
V O C

→ **마지막 면접자가 그 업무에 적합하다고 생각한다** | 면접관들은 마지막 면접자가 그 업무에 적합하다고 생각한다.

10 The minister pronounced the groom and bride husband and wife.
V O C

→ **신랑과 신부를 남편과 아내로 선언했다** | 목사가 신랑과 신부를 남편과 아내로 선언했다.

감점	채점 기준
-1	V, O, C 표시가 하나 틀린 경우
-2	해석이 틀린 경우

11 **SVOO** | 참가자들은 그에게 좋은 점수를 주었다.

해설 참가자들은(S) / 그에게(IO) / 좋은 점수를(DO) / 주었다(V).

12 **SVOC** | 그 팀은 그 스타 선수를 새로운 주장으로 만들었다.

해설 그 팀은(S) / 그 스타 선수를(O) / 새로운 주장으로(C) / 만들었다(V). (O=C)

13 **SVOC** | 그들은 그를 그 대회의 우승자로 지명했다.

해설 그들은(S) / 그를(O) / 그 대회의 우승자로(C) / 지명했다(V). (O=C)

14 **SVOO** | 거리에서, 낯선 사람이 내게 팸플릿을 건네주었다.

해설 거리에서(M), / 낯선 사람이(S) / 내게(IO) / 팸플릿을(DO) / 건네주었다(V).

15 **SVOO** | 우리 이모는 내게 졸업 선물로 꽃 한 다발을 보내주셨다.

해설 우리 이모는(S) / 내게(IO) / 졸업 선물로(M) / 꽃 한 다발을(DO) / 보내주셨다(V).

16 **SVOC** | 미국 시민들은 조 바이든을 미국의 46대 대통령으로 선출했다.

해설 미국 시민들은(S) / 조 바이든을(O) / 미국의 46대 대통령으로(C) / 선출했다(V). (O=C)

17 **made the customers sick for a week**

해설 목적어 the customers를 보충 설명하는 보어로 형용사 sick을 쓴다. 우리말 문장이 과거이므로 과거시제 동사 made를 써야 한다.

18 **feel white rice and sugar unhealthy**

해설 목적어 white rice and sugar를 보충 설명하는 보어로 형용사 unhealthy를 쓴다.

19 **consider *Chuseok* one of the most important holidays**

해설 목적어(*Chuseok*)와 목적격보어(one of the most important holidays)가 의미적으로 동격을 이룬다. 〈one of the 복수명사〉는 '~ 중 하나'라는 뜻이다.

20 **call Descartes the founder of modern mathematics**

해설 목적어(Descartes)와 목적격보어(the founder of modern mathematics)가 의미적으로 동격을 이룬다.

배점	채점 기준
3	어순은 올바르나 어형 변형이 틀린 경우

UNIT 07 주의해야 할 동사와 문형

01 X, suits | 너의 새 헤어스타일이 네게 잘 어울린다.
해설 suit(~에게 어울리다)은 타동사이므로 목적어를 취할 때 전치사 with 등이 필요하지 않다. 목적어가 '~을[를]'로 해석되지 않는다고 해서 뒤에 바로 목적어가 올 수 없다고 혼동하지 않도록 한다.

02 O | 가이드가 있는 여행 그룹에 속한 열두 명의 사람들이 런던에 도착했다.
해설 reach(~에 도착하다)는 타동사이므로 뒤에 바로 목적어를 취할 수 있다.

03 X, attend | 몇몇 학생들이 학급 회의에 참석하지 않았다.
해설 attend(~에 참석하다)는 타동사이므로 목적어를 취할 때 전치사 at 등이 필요하지 않다.

04 O | 내 갓 태어난 조카는 그녀의 어머니보다 그녀의 아버지와 더 닮았다.
해설 resemble(~와 닮다)은 타동사이므로 뒤에 바로 목적어를 취할 수 있다.

05 O | 몇몇 교사들이 다가오는 현장학습 일정에 대해 토론했다.
해설 discuss(~에 대해 토론하다)는 타동사이므로 뒤에 바로 목적어를 취할 수 있다.

06 X, entered | 도시에서 온 학생 자원봉사자들은 노숙자들을 위한 쉼터에 들어갔다.
해설 enter(~에 들어가다)는 타동사이므로 목적어를 취할 때 전치사 into 등이 필요하지 않다.

07 X, married | 앤은 어린 시절 친구와 해변 근처의 작은 교회에서 결혼했다.
해설 marry(~와 결혼하다)는 타동사이므로 목적어를 취할 때 전치사 with 등이 필요하지 않다.

08 O | 아폴로 11호의 우주비행사들이 제일 처음으로 달에 접근했다.
해설 approach(~에 접근하다)는 타동사이므로 뒤에 바로 목적어를 취할 수 있다.

감점	채점 기준
-3	×는 올바르게 표시했지만, 틀린 부분을 바르게 고치지 못한 경우

09 laid | 그는 탁자 위에 신문을 내려놓았다.
해설 동사 뒤에 목적어 the newspaper가 있으므로 '~을 놓다'라는 의미인 타동사 lay(-laid-laid)의 과거형인 laid가 알맞다. lied는 '거짓말하다'라는 의미인 자동사 lie(-lied-lied)의 과거형이다.

10 lays | 뻐꾸기는 다른 새의 둥지에 자신의 알을 낳는다.
해설 문맥상 '(알을) 낳다'라는 의미의 동사가 와야 하므로 타동사 lay(-laid-laid)가 알맞다. lie는 '눕다; 놓여있다(lie-lay-lain)' 또는 '거짓말하다(lie-lied-lied)'의 의미이다.

11 rose | 작년에, 대기 오염으로 인해 마스크의 가격이 올랐다.
해설 동사 뒤에 목적어가 없으므로 '오르다'라는 의미인 자동사 rise(-rose-risen)의 과거형인 rose가 알맞다. raised는 '~을 들다; 올리다; 기르다'라는 의미인 타동사 raise(-raised-raised)의 과거형이다.

12 lies | 리오그란데강은 멕시코와 미국 국경에 있다.
해설 동사 뒤에 목적어가 없고 '강이 ~에 있다'라는 의미가 자연스러우므로 lies가 알맞다. lay(~을 놓다)는 타동사로 뒤에 바로 목적어를 필요로 한다. (lie-lay-lain '~에 있다' / lay-laid-laid '~을 놓다')

13 lying | 부모님께 오후 시간을 공부하며 보냈다고 말할 때 그녀는 거짓말을 하고 있었다.
해설 문맥상 '거짓말하다'라는 의미의 동사가 와야 하므로 자동사 lie(-lied-lied)의 현재분사형 lying이 알맞다. laying은 '(알을) 낳다; ~을 놓다'라는 의미인 타동사 lay(-laid-laid)의 현재분사형이다.

14 introduced his guest to his family
해설 introduce는 SVOO문형을 만들 수 없으며 전치사 to를 사용하여 SVO문형으로 써야 한다. 또한, 우리말이 과거이므로 동사의 과거형을 쓴다.

15 explained the poem to the students
해설 explain은 SVOO문형을 만들 수 없으며 전치사 to를 사용하여 SVO문형으로 써야 한다. 또한, 우리말이 과거이므로 동사의 과거형을 쓴다.

16 raised her hand and answered the question
해설 타동사인 raise(~을 들다)와 answer(~에 답하다)는 뒤에 바로 목적어를 취할 수 있다. 또한, 우리말이 과거이므로 동사의 과거형을 쓴다.

배점	채점 기준
4	어순과 추가한 단어는 올바르나 어형 변형이 틀린 경우

UNIT 01-07 OVERALL TEST

01 X, the tuna can | 배가 고픈 고양이 한 마리가 참치캔에 다가갔다.
해설 동사 approach는 타동사이므로 목적어를 취할 때 전치사 to 등이 필요하지 않다.

02 X, moldy[like mold] | 여름에, 그 지하실 창고는 곰팡이 냄새가 난다.
해설 주어인 the basement storage의 상태를 보충 설명하는 보어 자리로, 감각동사 smells 뒤에는 명사 mold가 아닌 형용사 moldy 또는 〈전치사+명사〉구인 like mold가 와야 한다. 'smell mold'는 '곰팡이 냄새를 맡다'의 의미이다.

03 O | 배심원은 그 남자가 절도죄를 범했다고 생각했다.
해설 목적어인 the man을 보충 설명하는 목적격보어로 형용사 guilty(유죄의)는 적절하다.

04 O | 그 국립 미술관은 관광 명소가 되었다.
해설 주어인 The national gallery를 보충 설명하는 보어 자리에 명사 a tourist attraction이 적절히 쓰였다. 주어와 보어가 의미적으로 동격을 이루고 있다.

05 ×, **short** | 대부분의 학생들은 작문 시험에서 시간이 부족했다.

해설 여기서 run은 '~이 되다'의 의미로, ran의 보어 자리에는 형용사 short가 와야 한다.

06 ×, **loose** | 오래된 동화책에서 한 페이지가 느슨해졌다.

해설 주어인 A single page의 상태를 보충 설명하는 보어 자리이므로 형용사 loose(느슨한)가 와야 한다. 부사는 보어 자리에 올 수 없다.

07 ○ | 이 교장 선생님은 새 규칙들을 교사들에게 제안하셨다.

해설 동사 suggest는 자칫 SVOO문형 동사로 착각할 수 있으나 SVO문형으로만 쓰인다. 〈SVO+to+명사〉의 어순이 적절히 쓰였다.

08 ○ | 그의 뛰어난 실적 때문에, 야구팬들은 그를 전설이라 부른다.

해설 SVOC문형으로 목적어인 him의 목적격보어로 명사구 a legend가 왔다. 목적격보어 자리에는 (대)명사, 형용사, 〈전치사+명사〉구 등이 올 수 있다.

감점	채점 기준
-2	×는 올바르게 표시했지만, 틀린 부분을 바르게 고치지 못한 경우

09 **ⓐ ③, 사실을 말했다 / ⓑ ④, 우리에게 인생에 대해 많은 것을 알려줄 수 있다** | ⓐ 그는 법정에서 판사에게 오직 사실만을 말했다. ⓑ 속담은 우리에게 인생에 대해 많은 것을 알려줄 수 있다.

해설 ⓐ He only told the truth to the judge in the court.
S M V O M M

ⓑ Proverbs can tell us many things (about life).
S V IO DO

10 **ⓐ ⑤, 그 오래된 사진을 비밀로 두었다 / ⓑ ③, 그 그림을 가지고 있었다 / ⓒ ②, 조용히 해야 한다** | ⓐ 몇 년이 지나고서도, 제이크는 그 오래된 사진을 여전히 비밀로 두었다. ⓑ 우리 가족은 50년 넘게 그 그림을 가지고 있었다. ⓒ 방문객들은 모두를 위해 도서관에서 조용히 해야 한다.

해설 ⓐ After years, Jake still kept the old picture a secret.
M S M V O C

ⓑ Our family kept the drawing for more than 50 years.
S V O M

ⓒ Visitors must keep quiet in the library for the sake (of everyone).
S V C M M

11 **ⓐ ①, 성장했다 / ⓑ ③, 자신만의 과일과 채소를 재배한다 / ⓒ ②, 야생 상태가 되었다** | ⓐ 그 대기업은 소규모 사업에서 성장했다. ⓑ 어떤 사람들은 집에서 자신만의 과일과 채소를 재배한다. ⓒ 정원의 식물들은 지난 몇 달 동안 야생 상태가 되었다.

해설 ⓐ The big company grew from a small business.
S V M

ⓑ Some people grow their own fruits and vegetables at home.
S V O M

ⓒ The plants (in the garden) grew wild during the last few months.
S V C M

12 **ⓐ ①, 희망할 수 없다 / ⓑ ④, 그녀에게 건강과 행복을 기원한다 / ⓒ ③, 안전한 여행을 바란다** | ⓐ 우리는 우리가 알지 못하는 것을 희망할 수 없다. ⓑ 나는 그녀에게 새로운 학교생활에서의 건강과 행복을 기원한다. ⓒ 나는 우리 부모님께 안전한 여행을 바란다.

해설 ⓐ We cannot wish for what we don't know.
S V M

ⓑ I wish her health and happiness (in her new school life).
S V IO DO

ⓒ I wish a safe journey to my parents.
S V O M

13 **ⓐ ②, 외로움을 느낀다 / ⓑ ③, 엄마의 따뜻한 숨결을 느낄 수 있었다 / ⓒ ⑤, 그의 이야기를 믿을 수 없다고 생각했다** | ⓐ 어떤 사람들은 심지어 군중 속에서도 종종 외로움을 느낀다. ⓑ 나는 내 뺨에 닿는 엄마의 따뜻한 숨결을 느낄 수 있었다. ⓒ 그의 거듭되는 거짓말 때문에 그들은 그의 이야기를 믿을 수 없다고 생각했다.

해설 ⓐ Some people often feel lonely, even in a crowd.
S M V C M

ⓑ I could feel my mom's warm breath on my cheek.
S V O M

ⓒ They felt his story unreliable due to his constant lies.
S V O C M

14 **ⓐ ③, 내 잃어버린 개를 찾았다 / ⓑ ④, 내게 양말 한 켤레를 찾아 주셨다 / ⓒ ⑤, 그 정보가 유용함을 알게 되었다** | ⓐ 다행히도, 나는 공원에서 내 잃어버린 개를 찾았다. ⓑ 엄마가 지저분한 방에서 내게 양말 한 켤레를 찾아 주셨다. ⓒ 그들은 그 정보가 앞으로의 분석에 유용함을 알게 되었다.

해설 ⓐ Thankfully, I found my lost dog at the park.
M S V O M

ⓑ My mom found me a pair of socks in the messy room.
S V IO DO M

ⓒ They found the information useful in future analysis.
S V O C M

15 **ⓐ ③, 송편을 만든다 / ⓑ ④, 내 남동생과 나에게 종이배를 만들어 주셨다 / ⓒ ⑤, 우리를 더 민첩하고 활동적으로 만든다** | ⓐ 추석에, 한국인들은 가족과 함께 송편을 만든다. ⓑ 아버지께서 내 남동생과 나에게 종이배를 만들어 주셨다. ⓒ 적당한 운동은 우리를 더 민첩하고 활동적으로 만든다.

해설 ⓐ On *Chuseok*, Koreans make *Songpyeon* with their family.
M S V O M

ⓑ My father made my younger brother and me paper boats.
S V IO DO

ⓒ Moderate exercise makes us more alert and energetic.
S V O C

16 **ⓐ ③, 큰 재산을 남겼다 / ⓑ ①, 떠난다 / ⓒ ⑤, 두 명의 근로자가 사망하게 했다 / ⓓ ④, 피자 한 조각을 남겨놓았다** | ⓐ 헬렌은 유언으로 아들에게 큰 재산을 남겼다. ⓑ 그 기차는 오후 한 시 정각에 브라이턴으로 떠난다. ⓒ 폭발은 두 명의 근로자가 사망하게 했다. ⓓ 언니는 점심으로 내게 피자 한 조각을 남겨놓았다.

해설 ⓐ Helen left a great fortune to her son in her will.
S V O M M

ⓑ The train leaves for Brighton at 1 p.m. sharp.
S V M M M

ⓒ An explosion left two workers dead.
S V O C

ⓓ My older sister left me a slice of pizza for lunch.
S V IO DO M

배점	채점 기준
2	문장 구조를 바르게 선택한 경우
1	해석을 바르게 한 경우

CHAPTER 02 주어의 이해

UNIT 08 명사구 주어

01 To swim in the sea, **바다에서 수영하는 것은** | 바다에서 수영하는 것은 수영 초보자들에게 위험할지도 모른다.

02 Sharing your feelings with others, **당신의 감정을 다른 사람들과 공유하는 것은** | 당신의 감정을 다른 사람들과 공유하는 것은 그들이 당신을 더 잘 이해하도록 돕는다.

03 Not to use proper grammar and punctuation, **적절한 문법과 구두점을 사용하지 않는 것은** | 적절한 문법과 구두점을 사용하지 않는 것은 사람들에게 당신에 대한 나쁜 인상을 준다.

04 Never changing your password, **당신의 비밀번호를 절대[한 번도] 바꾸지 않는 것은** | 당신의 비밀번호를 절대[한 번도] 바꾸지 않는 것은 당신의 컴퓨터를 바이러스에 감염될 위험에 빠뜨린다.

배점	채점 기준
6	밑줄을 바르게 그은 경우
6	해석을 바르게 한 경우

05 **wasn't** | 내 프레젠테이션을 위한 알맞은 단어를 선택하는 것은 쉽지 않았다.

해설 to부정사구(To choose ~ presentations)가 주어이므로 단수동사 wasn't가 와야 한다.

06 **helps** | 동물을 돌보는 것은 사람들이 인내심과 책임감을 기르는 것을 돕는다.

해설 동명사구(Taking ~ animals)가 주어이므로 단수동사 helps가 와야 한다.

07 **가파른 언덕을 오르는 것은, 필요로 한다, Climbing[To climb] steep hills requires a slow pace**

해설 주어 자리에는 명사가 와야 하므로 climb를 명사구 Climbing 또는 To climb으로 바꿔 쓴다. 우리말이 현재이고 명사구는 단수 취급하므로 동사로는 현재형 단수동사 requires가 적절하다.

08 **충분한 비타민 D를 섭취하지 않는 것은, 유발할지도 모른다, Not taking[to take] enough vitamin D may cause diseases.**

해설 동명사의 부정형은 not[never] v-ing, to부정사의 부정형은 not[never] to-v이다.

배점	채점 기준
7	밑줄을 바르게 그은 경우
7	어순과 추가한 단어는 올바르나 어형 변형이 틀린 경우

UNIT 09 명사절 주어 I

01 **언제 그 가족이 러시아에서 여기로 왔는지는, When the family came here from Russia is not clear.**

02 **왜 그녀가 그렇게 종잡을 수 없게 행동하는지는, Why she behaves so unpredictably is**

03 **어디로 우리가 소풍하러 가는지는, Where we go for a picnic will be decided**

04 **다음에 나오는 진술들이 옳은지 아닌지가, Whether the following statements are true or false matters most.**

05 **어떻게 그가 혼자서 작곡하는 법을 배웠는지는, How he learned to compose music by himself is uncertain.**

06 **그가 영어를 유창하게 말하지 못한다는 것은, That he can't speak English fluently makes him upset.**

감점	채점 기준
-5	밑줄을 잘못 그은 경우
-5	〈보기〉에서 적절한 것을 고르지 못한 경우

UNIT 10 명사절 주어 Ⅱ

[01~05] 〈보기〉 누가 내게 그 선물을 주었는지는 // 제임스가 알려주었다.

01 Which day you like the most // is my first question.
(you: S, like: V)
| 네가 어느 요일을 가장 좋아하는지가 // 내 첫 번째 질문이다.

02 What future we are going to have // relies on our efforts.
(we: S, are going to have: V)
| 우리가 무슨 미래를 갖게 될지는 // 우리의 노력에 달려 있다.

03 Whose name he picked from the jar // was not disclosed.
(he: S, picked: V)
| 그가 누구의 이름을 단지에서 뽑았는지는 // 공개되지 않았다.

04 What caused the fire last night // has not been identified yet.
(What: S, caused: V)
| 무엇이 어젯밤 화재를 일으켰는지는 // 아직 밝혀지지 않았다.

05 Which you choose among the different activities // is based on your preference.
(you: S, choose: V)
| 다양한 활동 중에서 당신이 어느 것을 선택하는지는 // 당신의 선호도에 근거한다.

감점	채점 기준
-3	S, V 표시가 하나 틀린 경우

06 누가 그 정보를 그 기자에게 주었는지는, Who gave the information to the reporter is confidential.

07 그녀가 어느 차를 살 수 있는지는, Which car she can buy depends on her budget.

08 그 공포 영화에서 무엇이 갑자기 나타날지는, What would suddenly appear in the horror movie was unpredictable.

09 당신이 무슨 색을 선호하는지가, what color you prefer can represent your personality

10 누구의 그림이 일 년간 전시될 것인지는, Whose painting will be on display for a year will be decided

11 어느 쪽이 더 나은 결과를 초래할지는, Which leads to a better result would emerge

12 그들이 누구를 CEO로 임명할지는, Whom they will appoint as CEO will be announced

배점	채점 기준
5	밑줄을 바르게 그은 경우
5	문장을 바르게 완성한 경우

UNIT 09-10 OVERALL TEST

01 **How** | 어떻게 우주가 시작되었는지는 명확하게 설명될 수 없다.
해설 완전한 절을 이끌며 문맥상 '어떻게 S'가 V'하는지는'으로 해석되므로 의문부사 How가 알맞다.

02 **What** | 무엇이 궁극적으로 투탕카멘을 죽였는지는 여전히 논쟁의 원천이다.
해설 뒤에 주어가 없는 불완전한 절이 이어지고 문맥상 '무엇이 V'하는지는'으로 해석되므로 의문대명사 What이 알맞다.

03 **Whose** | 누구의 사업이 새로운 정책에 가장 많은 영향을 받았는지는 아직 모른다.
해설 뒤의 명사 business를 수식하는 형용사 역할을 하므로 Whose가 알맞다.

04 **is** | 백열전구가 가장 위대한 미국의 발명품들 중 하나라는 것은 부인할 수 없다.
해설 접속사 That이 이끄는 절(That ~ inventions)이 주어이므로 단수동사 is가 와야 한다.

05 **Who** | 그날 밤 누가 그에게 메시지를 보냈는지는 그에게 상당한 관심사였다.
해설 주어가 없는 불완전한 절을 이끌며 문맥상 '누가 V'하는지는'으로 해석되므로 의문대명사 Who가 알맞다.

06 **depends** | 컵이 반이나 비었는지 반이나 찼는지는 당신의 관점에 달려있다.
해설 접속사 Whether가 이끄는 절(Whether ~ full)이 주어이므로 단수동사 depends가 와야 한다.

07 **Which** | 어느 팀이 결승에 진출할지는 오늘 밤 경기에서 결정될 것이다.
해설 뒤의 명사 team을 수식하는 형용사 역할을 하므로 Which가 알맞다.

08 **Why** | 왜 아이들을 보호하기 위한 법이 효력이 없는지는 명확해져야 한다.
해설 완전한 절을 이끌며 문맥상 '왜 S'가 V'하는지는'으로 해석되므로 의문부사 Why가 알맞다.

UNIT 11 가주어 it

01 **difficult to find a solution for this problem** | 이 문제에 대한 해결책을 찾는 것은 어렵다.

02 **true that failure can be a great learning tool for success** | 실패가 성공을 위한 훌륭한 학습 도구가 될 수 있다는 것은 사실이다.

03 **not certain whether Joe will be able to join us for lunch** | 조가 우리와 점심을 함께 할 수 있을지는 확실하지 않다.

04 a mystery why we fall in love with somebody | 왜 우리가 누군가와 사랑에 빠지는지는 미스터리이다.

05 is important to write about both sides of an issue

06 can't be easily judged whether tourism is harmful or beneficial

07 is a big problem that I don't have any money

08 is no use worrying about past events

해설 〈It is no use v-ing: v해도 소용없다〉

09 is unclear how nonviolent punishment works in schools

10 ⓓ

해설 괄호 이하에 주어가 없는 불완전한 절이 오고 '누가'로 해석되므로 의문대명사 who가 적절하다.

11 ⓔ

해설 괄호 뒤에 명사(food)를 수식하며 '어떤'으로 해석되므로 의문형용사 which가 적절하다.

12 ⓒ

해설 괄호 이하에 완전한 절이 오고 'S'가 V'인지(아닌지)'로 해석되므로 접속사 whether가 적절하다.

13 ⓐ

해설 괄호 뒤에 동사원형(have)이 오고 'v하는 것은'으로 해석되므로 to가 적절하다.

14 ⓕ

해설 괄호 이하에 완전한 절이 오고 '왜 S'가 V'하는지'로 해석되므로 의문부사 why가 적절하다.

15 ⓑ

해설 괄호 이하에 완전한 절이 오고 'S'가 V'한 것은'으로 해석되므로 접속사 that이 적절하다.

UNIT 12 to부정사의 의미상의 주어

01 for adolescents | 청소년들이 자신의 적성을 찾는 것은 중요하다.

02 of her | 모든 돈을 아무 계획도 없이 써버리다니 그녀는 어리석었다.

03 of him | 작은 우리에 동물들을 두다니 그는 잔인하다.

04 for you | 이 오디션은 당신이 놀라운 재능을 보여줄 기회이다.

05 of | 제한 속도를 초과하여 운전하다니 그는 부주의하다.

해설 형용사 careless가 사람의 행동(to drive 이하)에 대한 비난을 나타내므로 의미상의 주어는 〈of A〉의 형태가 알맞다.

06 for | 사람들이 19세 미만의 누구에게라도 주류를 판매하는 것은 불법이다.

07 for | 당신이 지원서를 마감 일자 전에 제출하는 것이 바람직하다.

08 of | 사람들의 외모만 보고 평가하지 않다니 너는 현명했다.

해설 형용사 sensible이 사람의 행동(to judge 이하)에 대한 칭찬을 나타내므로 주어는 〈of A〉의 형태가 알맞다.

09 is important for the speaker to memorize his script

10 is considerate of you not to want to trouble others

배점	채점 기준
6	어순은 올바르나 추가한 단어가 틀린 경우

UNIT 13 동명사의 의미상의 주어

01 his | 로렌은 그가 자신에게 다시 거짓말하려고 한 것에 화가 났다.

02 my sister | 나는 여동생이 내 허락 없이 내 옷을 입는 것을 좋아하지 않는다.

03 her | 린다의 오빠는 그녀가 시험에서 좋은 성적을 거둘 것을 확신했다.

04 my | 제가 라디오 소리를 줄여도 괜찮으실까요?

05 his players | 그 코치는 자기 선수들이 시합 중에 실수하는 것을 창피해하지 않았다.

06 The photographers | 그 사진작가들은 사진을 찍을 좋은 장소를 찾는 중이었다.

해설 굵게 표시된 to take를 행하는 동작의 주체는 문장의 주어인 The photographers이다. for 뒤의 a good place를 의미상의 주어로 혼동하지 않도록 주의한다.

07 One customer | 한 고객이 자신의 음식에 있는 머리카락에 대해 계속해서 항의했다.

해설 굵게 표시된 complaining을 행하는 동작의 주체는 문장의 주어인 One customer이다. 동명사의 의미상의 주어와 문장의 주어가 일치할 경우 동명사 앞에 의미상의 주어를 별도로 나타내지 않는다.

08 X | 나쁜 감정은 친구들 그리고 가족과 공유하는 것이 권장된다.

해설 의미상의 주어는 일반인이므로 별도로 나타내지 않았다.

09 the future | 몇몇 환경 전문가들은 미래에 더 심한 대기 오염이 있을 것이라 예상한다.

해설 굵게 표시된 to have 이하의 상태에 있는 주체는 문장의 목적어인 the future이다.

10 The mother bird's | 어미 새의 주된 관심사는 새끼들에게 먹이를 제공하는 것이다.

해설 주어 앞의 소유격 The mother bird's가 providing의 의미상의 주어이다.

11 X | 강한 사회적 연대를 갖는 것은 스트레스가 많은 시간들을 견디도

록 도울지도 모른다.

해설 의미상의 주어는 일반인이므로 별도로 나타내지 않았다.

12 His | 경제학 학위를 받은 다음 해외에서 일한다는 그의 계획은 성공적이었다.

해설 수식 받는 명사의 소유격 His가 굵게 표시된 to get과 to work의 의미상의 주어이다.

UNIT 14 it을 주어로 하는 구문

01 ⓓ, **일요일이다** | 11월의 가장 마지막 날인 일요일이다.

02 ⓔ, **어떻게 되어가고 있나요** | 당신의 주간 중국어 수업들은 어떻게 되어가고 있나요?

03 ⓒ, **바깥은 어둑하다** | 하늘의 구름들 때문에 바깥은 어둑하다.

04 ⓐ, **오늘 아침은 춥다** | 우리 머리 위에 태양이 떠 있음에도 불구하고 오늘 아침은 춥다.

05 ⓑ, **2킬로미터이다** | 시청에서 도서관까지는 2킬로미터이다.

배점	채점 기준
7	기호를 바르게 쓴 경우
7	해석을 바르게 한 경우

06 **It takes about two hours from here**

07 **It happened that he was not in the office**

해설 〈It happens that ~: 우연히[공교롭게도] ~하다〉 구문이다. 우리말이 과거이므로 과거형 happened로 바꿔 쓴다.

08 **It seems that just drinking water makes her gain weight.**

해설 〈It seems[appears] that ~: ~인 것 같다, ~인 듯하다〉

배점	채점 기준
5	어순은 올바르나 어형 변형이 틀린 경우

CHAPTER 03 목적어의 이해

UNIT 15 to부정사/동명사 목적어 I

01 **playing soccer on a rainy day, 비 오는 날에 축구를 하는 것을** | 사라는(S) / 비 오는 날에 축구를 하는 것을(O) / 즐기지 않는다(V).

해설 enjoy는 v-ing를 목적어로 취하는 동사로 'v하는 것을 즐기다'로 해석한다.

02 **to harvest corn, 옥수수를 수확할 것을** | 몇몇 사람들은(S) / 밭에(M) / 벼를(O_1) / 심고 나서(V_1) / 옥수수를 수확할 것을(O_2) / 기대한다(V_2).

해설 expect는 to-v를 목적어로 취하는 동사로 'v할 것을 기대하다'로 해석한다.

03 **going to the markets late, 시장에 늦게 가는 것을** | 가장 좋은 거래를 하기 위해(M) / 우리는(S) / 시장에 늦게 갈 것을(O) / 추천한다(V).

해설 recommend는 v-ing를 목적어로 취하는 동사로 'v할 것을 추천하다'로 해석한다. 뒤에 있는 to get the best deals는 '목적'을 나타내는 부사구로 쓰였다. ⇒ UNIT 54

04 **going out for lunch, to have Chinese food, 점심을 먹으러 나가는 것을, 중국 음식을 먹기를** | 나는(S_1) / 점심을 먹으러 나가는 것을(O_1) / 꺼리지 않지만(V_1). // 나는(S_2) / 중국 음식을 먹기를(O_2) / 원하지는 않는다(V_2).

해설 mind는 v-ing를 목적어로 취하는 동사로 'v하는 것을 꺼리다'로 해석한다. want는 to-v를 목적어로 취하는 동사로 'v할 것을 원하다'로 해석한다.

배점	채점 기준
3	밑줄을 바르게 그은 경우
3	해석을 바르게 한 경우

05 **breaking** | 닐은(S) / 이웃의 창문을 깬 것을(O) / 부인한다(V).

06 **worrying** | 너는(S) / 네가 통제할 수 없는 것에 대해 걱정하는 것을(O) / 그만두는 것이 좋을 것이다(V).

07 **to leave** | 그녀는(S) / 더 나은 취업 기회를 좇기 위해(M) / 자신의 나라를 떠날 것을(O) / 결심했다(V).

08 **writing** | 너는(S) / 마감 시간을 맞추기 위해(M) / 에세이를 작성하는 것을(O) / 한 시간 안에(M) / 마쳐야 한다(V).

09 **to stay** | 나는(S) / 강원도 여행 동안(M) / 내 친구의 집에 머물(O) / 계획이다(V).

10 **to go** | 나는(S) / 언젠가(M) / 유럽으로(M) / 한 달간의 여행을 가기를(O) / 희망한다(V).

11 **to respect** | 우리는(S) / 논쟁 후에(M) / 서로의 의견을 존중할 것을(O) / 합의했다(V).

12 **taking** | 그 운동선수는(S) / 대회 전에(M) / 금지된 물질을 복용한 것을(O) / 인정했다(V).

13 **to pay** | 그녀는(S) / 다음 달 임대료를 지불할(O) / 여유가 없다(V).

해설 afford는 to-v를 목적어로 취하는 동사로 'v할 여유[형편]가 되다'라는 뜻이다.

14 **asking** | 나는(S) / 결국(M) / 그가 생각을 바꾸도록 요청하는 것을(O) / 포기했다(V).

해설 give up은 v-ing를 목적어로 취하는 동사로 'v하는 것을 포기하다'라는 뜻이다.

15 **going** | 날씨가 나빠서(M) / 우리는(S) / 소풍 갈 것을(O) / 미뤘다(V).

해설 put off는 v-ing를 목적어로 취하는 동사로 'v할 것을 미루다[연기하다]'라는 뜻이다.

16 **to cry** | 그 소녀는(S) / 부모로부터 관심을 받기 위해(M) / 우는(O) / 척했다(V).

해설 pretend는 to-v를 목적어로 취하는 동사로 'v하는 척하다'라는 뜻이다. to get 이하는 '목적'을 의미하는 부사구로 쓰였다.

17 **to discriminate** | 우리는(S) / 사실과 의견을 구별하는 것을(O) / 배워야 한다(V).

해설 learn은 to-v를 목적어로 취하는 동사로 'v하는 것을 배우다'라는 뜻이다.

18 **to change** | 나는(S) / 물리학에서 법학으로(M) / 내 전공을 바꾸지 않기로(O) / 결심했다(V).

해설 determine은 to-v를 목적어로 취하는 동사로 'v하기로 결심하다'라는 뜻이다. to-v의 부정형은 〈not[never] to-v〉이다.

19 **singing** | 나와 내 친구는(S) / 오디션을 위해(M) / 노래하는 것을(O) / 연습했다(V).

해설 practice는 v-ing를 목적어로 취하는 동사로 'v하는 것을 연습하다'라는 뜻이다.

20 **investing** | 그는(S) / 높은 위험 때문에(M) / 주식에 자신의 돈을 투자할 것을(O) / 고려하지 않고 있다(V).

해설 consider는 v-ing를 목적어로 취하는 동사로 'v할 것을 고려하다'라는 뜻이다.

21 **failed to convince consumers**

해설 fail은 to-v를 목적어로 취하므로 to를 추가해 to convince로 써야 한다. 또한 우리말 해석이 '못했다'로 과거이므로 동사의 과거형 failed를 쓰는 것이 적절하다.

22 **how to use energy more effectively**

해설 '어떻게 v할지를'을 나타내기 위해 〈의문사(how)+to-v〉 형태의 명사구를 동사의 목적어로 쓴다.

23 **should avoid spending too much money**

해설 〈조동사(should)+동사원형(avoid)〉을 먼저 쓰고 avoid는 v-ing를 목적어로 취하므로 spend를 spending으로 바꿔 쓴다.

24 **managed to get front row tickets to the concert**

해설 manage는 to-v를 목적어로 취하므로 to를 추가해 to get으로 써야 한다. 또한 우리말 해석이 '간신히 구했다'로 과거이므로 동사의 과거형 managed를 쓰는 것이 적절하다.

배점	채점 기준
4	어순과 추가한 단어는 올바르나 어형 변형이 틀린 경우

UNIT 16 to부정사/동명사 목적어 Ⅱ

01 **O** | 은퇴 후에(M), / 샘은(S) / 강연자로(M) / 일하는 것을(O) / 계속했다(V).

해설 continue는 to-v와 v-ing를 모두 목적어로 취할 수 있고, 어느 것이 목적어로 와도 의미 차이가 없다.

02 **O** | 제이콥은(S) / 다양한 옷을 입은 자기 개의 사진을 찍는 것을(O) / 좋아한다(V).

해설 like는 to-v와 v-ing를 모두 목적어로 취할 수 있고, 어느 것이 목적어로 와도 의미 차이가 없다.

03 **X, behaving** | 지금(M) / 나는(S) / 어렸을 때 이기적으로 행동한 것을(O) / 깊이(M) / 후회한다(V).

해설 문맥상 '(과거에) v한 것을 후회하다'가 적절하므로 동사 regret의 목적어로 behaving이 와야 한다.

04 **O** | 운전하기 전에 안전벨트를 하는 것을(O) / 항상(M) / 기억하라(V).

해설 문맥상 '(앞으로) v할 것을 기억하다'가 적절하므로 동사 remember의 목적어로 to put on이 바르게 쓰였다.

05 **O** | 그는(S) / 감기 때문에(M) / 쉰 목소리로 말하기(O) / 시작했다(V).

해설 start는 to-v와 v-ing를 모두 목적어로 취할 수 있고, 어느 것이 목적어로 와도 의미 차이가 없다.

06 **X, watching** | 그는(S) / 작년에(M) / 바르셀로나에서 축구 경기를 본 것을(O) / 절대 잊을 수 없다(V).

해설 문맥상 '(과거에) v한 것을 잊어버리다'가 적절하므로 동사 forget의 목적어로 watching이 와야 한다.

07 **X, to inform** | 저희는(S) / 당신의 신청서가 거부되었음을 알려드리게 되어(O) / 유감입니다(V).

해설 문맥상 '(앞으로) v하게 되어 유감이다'가 되는 것이 적절하므로 동사 regret의 목적어로 to inform이 와야 한다.

08 **O** | 그는(S) / 비릿한 냄새 때문에(M) / 굴과 조개를 먹는 것을(O) / 싫어하곤 했다(V).

해설 hate는 to-v와 v-ing 모두 목적어로 취할 수 있는 동사이고, 어느 것이 목적어로 와도 의미 차이가 없다.

09 **X, talking** | 그들은(S) / 진정하기 위해(M) / 그 문제에 대해 말하는 것을(O) / 일시적으로(M) / 멈췄다(V).

해설 stop은 목적어로 v-ing만 취하므로 talking이 와야 한다. stop to-v는 'v하기 위해 멈추다'라는 뜻으로 이때 to-v는 '목적'을 나타내는

부사적 용법으로 쓰인 것이다. ≪UNIT 54

10 O | CCTV를 사용하여(M), / 경찰은(S) / 범인의 움직임을 추적하려고(O) / 노력했다(V).

해설 문맥상 'v하려고 노력하다[애쓰다]'가 적절하므로 동사 try의 목적어로 to trace가 바르게 쓰였다.

감점	채점 기준
-3	×는 올바르게 표시했지만, 틀린 부분을 바르게 고치지 못한 경우

11 **to buy** | 우유가 다 떨어져서 나는 집에 가는 길에 우유를 사야 한다. → 나는 집에 가는 길에 우유를 살 것을 기억해야 한다.

해설 remember to-v가 '(앞으로) v할 것을 기억하다'라는 뜻이므로 to buy를 써야 한다.

12 **sending** | 나는 우체국에서 내 여동생에게 소포를 보냈고 그것을 기억했다. → 나는 우체국에서 내 여동생에게 소포를 보낸 것을 기억했다.

해설 remember v-ing가 '(과거에) v한 것을 기억하다'란 뜻이므로 sending을 써야 한다.

13 **to meet** | 그는 오늘 아침에 카페에서 나를 만나기로 되어 있었지만, 그는 그것을 잊어버렸다. → 그는 오늘 아침에 카페에서 나를 만날 것을 잊어버렸다.

해설 forget to-v가 '(앞으로) v할 것을 잊어버리다'라는 뜻이므로 to meet을 써야 한다.

14 **taking** | 알렉스는 자신의 수면 문제를 해결하기 위해 자러 가기 전에 따뜻한 물로 목욕을 했다. → 알렉스는 자신의 수면 문제를 해결하기 위해 자러 가기 전에 시험 삼아 따뜻한 물로 목욕을 한번 해봤다.

해설 try v-ing가 '시험 삼아[그냥] 한번 v해 보다'라는 뜻이므로 taking을 써야 한다.

15 **not[never] to eat** | 그녀는 흰 밀가루의 건강에 부정적인 측면에 대한 기사를 읽어서 그것을 먹지 않으려고 노력했다. → 흰 밀가루가 자신의 건강을 해칠 수 있기 때문에 그녀는 그것을 먹지 않으려고 노력했다.

해설 try to-v는 'v하려고 노력하다[애쓰다]'라는 뜻이다. 먹지 않으려고 노력한다는 내용이 되어야 하므로 to-v의 부정형인 not[never] to eat을 써야 한다.

UNIT 17 명사절 목적어

01 **When inviting people over for dinner, ask(V) whether anyone is a vegetarian.(O)**
| 저녁 식사에 사람들을 초대할 때(A), / (손님 중) 채식주의자인 사람이 있는지를(O) / 물어보아라(V).

02 **Can you explain(V) why this model is more expensive than the others?(O)**
| 당신은(S) / 왜 이 모델이 다른 것들보다 더 비싼지를(O) / 설명해 주실 수 있나요(V)?

03 **Having a positive attitude means(V) that you focus on the good things.(O)**
| 긍정적인 태도를 취하는 것은(S) / 당신이 좋은 것들에 중점을 둔다는 것을(O) / 의미한다(V).

04 **You can find out(V) where your nearest clinic is(O) by searching the Internet.**
| 인터넷을 검색함으로써(M) / 여러분은 여러분에게 가장 가까운 의원이 어디 있는지를(O) / 찾을 수 있습니다(V).

05 **The airport staff informed(V) me(IO) when the last flight had landed at the airport.(DO)**
| 공항 직원이(S) / 언제 마지막 항공기가 공항에 착륙했는지를(DO) / 나에게(IO) / 알려줬다(V).

감점	채점 기준
-2	O 표시가 하나 틀린 경우 (단, IO, DO 표시는 각 -1점)

06 **자신이 무엇을 사야 하는지를, 목적어** | 똑똑한 소비자들은(S) / 자신이 무엇을 사야 하는지를(O) / 매우 잘(M) / 알고 있다(V).

해설 동사 know의 목적어로 쓰인 의문대명사 what이 이끄는 명사절에서 what은 동사 buy의 목적어를 대신하고 있다.

07 **희생자가 누구인지를, 보어** | 경찰은(S) / 아직도(M) / 희생자가 누구인지를(O) / 알아내지 못했다(V).

해설 동사 have not been able to figure out의 목적어로 쓰인 의문대명사 who가 이끄는 명사절에서 who는 동사 is의 보어를 대신하고 있다.

08 **어느 것이 콜만 씨의 외투인지를, 주어** | 그 종업원은(S) / 어느 것이 콜만 씨의 외투인지를(O) / 기억할 수 없었다(V).

해설 동사 couldn't remember의 목적어로 쓰인 의문대명사 which가 이끄는 명사절에서 which는 주어를 대신하고 있다.

09 **누구의 이름이 대기자 명단에 있는지를, 명사 수식** | 감독은(S) / 누구의 이름이 대기자 명단에 있는지를(O) / 말하지 않았다(V).

해설 동사 didn't say의 목적어로 쓰인 의문사 whose가 이끄는 명사절에서 whose는 뒤의 명사 names를 수식하고 있다.

배점	채점 기준
2	해석을 바르게 한 경우
3	✔를 바르게 표시한 경우

10 **ⓐ that, ⓑ what** | ⓐ 나는(S) / 네가 혼자만의 시간이 필요하다는 것을(O) / 진정으로(M) / 이해한다(V). ⓑ 나는(S) / 네가 무엇을 말하고자 하는지를(O) / 진정으로(M) / 이해한다(V).

해설 ⓐ 접속사 that이 이끄는 명사절이 동사 understand의 목적어로 쓰였다. 뒤에 완전한 구조의 문장이 왔으므로 접속사 that이 적절하다.

ⓑ 의문대명사 what이 이끄는 명사절이 동사 understand의 목적어로 쓰였다. what 뒤에는 to say의 목적어가 빠져있는 불완전한 구조의 문장이 왔다.

11 ⓐ what, ⓑ that | ⓐ 무엇이 그 가수를 대만에서 그렇게 유명하게 만드는지(O) / 당신은(S) / 아시나요(V)? ⓑ 그녀가 대만에서 새 직장을 얻은 것을(O) / 당신은(S) / 아시나요(V)?

해설 ⓐ 의문대명사 what이 이끄는 명사절이 동사 know의 목적어로 쓰였다. what 뒤에는 주어가 빠져있는 불완전한 구조의 문장이 왔다.

ⓑ 접속사 that이 이끄는 명사절이 동사 know의 목적어로 쓰였다. 뒤에 완전한 구조의 문장이 왔으므로 접속사 that이 적절하다.

12 ⓐ when, ⓑ which | ⓐ 당신은(S) / 다음 버스가 서울로 언제 떠나는지(DO) / 제게(IO) / 말씀해주실 수 있나요(V)? ⓑ 당신은(S) / 서울역에 가기 위해 어느 지하철 노선을 타야 하는지(DO) / 제게(IO) / 말씀해주실 수 있나요(V)?

해설 ⓐ 의문부사 when이 이끄는 명사절이 동사 tell의 직접목적어로 쓰였다. when 뒤에는 완전한 구조의 문장이 왔다.

ⓑ 의문사 which가 이끄는 명사절이 동사 tell의 직접목적어로 쓰였다. which가 뒤의 명사 subway line을 수식하는 형용사로 쓰였다.

13 ⓐ who, ⓑ how | ⓐ 한 노부인이(S) / 식당에서(M) / 내게(IO) / 매니저가 누구인지(DO) / 물었다(V). ⓑ 한 노부인이(S) / 내게(IO) / 어떻게 자신의 손주에게 영상 통화를 걸 수 있는지(DO) / 물었다(V).

해설 ⓐ 의문대명사 who가 이끄는 명사절이 동사 asked의 직접목적어로 쓰였다. who 뒤에는 보어가 빠져있는 불완전한 구조의 문장이 왔다.

ⓑ 의문부사 how가 이끄는 명사절이 동사 asked의 직접목적어로 쓰였다. how 뒤에는 완전한 구조의 문장이 왔다.

14 ⓐ what, ⓑ that | ⓐ 성장의 시작은(S) // 당신이(S′) 자신의 약점이 무엇인지를(O′) 알 때(V′) // 일어난다(V). ⓑ 성장의 시작은(S) // 당신이(S′) 우리 모두가 약점이 있다는 것을(O′) 알 때(V′) // 일어난다(V).

해설 ⓐ when이 이끄는 부사절 안에서 의문대명사 what이 이끄는 명사절이 동사 learn의 목적어로 쓰였다. 명사절에는 보어가 빠져있는 불완전한 구조의 문장이 왔다.

ⓑ when이 이끄는 부사절 안에서 접속사 that이 이끄는 명사절이 동사 learn의 목적어로 쓰였다. 뒤에 완전한 구조의 문장이 왔으므로 접속사 that이 적절하다.

15 that good habits lead to success

해설 동사 tell의 직접목적어로 접속사 that이 이끄는 명사절이 왔다. 동사에 따라서 〈SVO+that ~〉의 구조를 취하는 경우가 있는데 대표적인 동사로 tell, persuade, remind, inform, convince 등이 있다.

16 why we like someone

해설 〈why+S′+V′ ~〉: 왜 S′가 V′하는지를

17 how I could make up with my friend

해설 〈how+S′+V′ ~〉: 어떻게 S′가 V′하는지를

18 which color will be popular

해설 의문사 which가 뒤의 명사 color를 수식하는 형용사로 쓰였으며 '어떤[어느] 색'으로 해석한다.

19 who was present at the meeting

해설 명사절에서 의문대명사 who가 주어 대신 사용되었으며 문장의 동사(reminded)가 과거이므로 목적어절의 be동사도 과거형인 was로 써야 한다.

20 whether you enjoy doing something

해설 동사 don't know의 목적어로 접속사 whether가 이끄는 명사절이 왔다. 동사 enjoy는 v-ing를 목적어로 취하므로 do를 doing으로 변형해 써야 한다. ≪ UNIT 15

배점	채점 기준
3	〈보기〉에서 알맞은 것을 고르고 괄호 안의 어구와 함께 바르게 배열했으나 어형 변형이 틀린 경우

UNIT 18 재귀대명사 목적어

01 myself | 나는 양파를 다지다가 실수로 베였다.

해설 주어인 I와 동사 cut의 목적어가 같은 대상을 가리키므로 재귀대명사 myself가 적절하다.

02 itself | 그 노트북 컴퓨터는 업그레이드가 완료되면 스스로를 끌 것이다[스스로 꺼질 것이다].

해설 주어인 The laptop과 동사 will switch off의 목적어가 같은 대상을 가리키므로 재귀대명사 itself가 적절하다.

03 me | 너의 격려가 나를 미래에 대해 자신 있게 만들었다.

해설 주어인 Your encouragement와 동사 made의 목적어가 같지 않으므로 목적격 대명사 me가 적절하다.

04 her | 켈리의 학급 친구들은 그녀(켈리)의 착한 천성 때문에 그녀를 천사라고 부른다.

해설 주어인 Kelly's classmates와 동사 call의 목적어가 같지 않으므로 Kelly를 대신하는 목적격 대명사 her가 적절하다.

05 him | 동아리 멤버들은 그를 댄스 동아리의 회장으로 지명했다.

해설 주어인 The club members와 동사 appointed의 목적어가 같지 않으므로 목적격 대명사 him이 적절하다.

06 herself | 그녀는 자신을 변장하고 싶었기 때문에 핼러윈 의상을 입었다.

해설 because절에서 주어인 she와 준동사 to disguise의 목적어가 같은 대상을 가리키므로 재귀대명사 herself가 적절하다.

07 yourselves | 여러분이 단지 여러분 자신이 아니라 학교 전체를 대표한다는 것을 명심해주세요.

해설 that절의 주어인 you와 동사 are not representing의 목적어가 같은 대상을 가리키므로 재귀대명사 yourselves가 적절하다. 여기서는 you가 '여러분'이라는 복수를 의미하므로 재귀대명사도 yourself의 복수형인 yourselves가 왔다.

08 **behave yourself** | 당신은 어른들 앞에서 항상 예의 바르게 행동해야 한다.

해설 behave oneself는 '예의 바르게 행동하다'라는 의미의 관용표현이다. 주어가 You이고, 조동사 should가 앞에 있으므로 behave yourself로 써야 한다.

09 **applied herself to** | 그녀는 자신의 연구에 전념했고 머지않아 큰 성공을 거두었다.

해설 apply oneself to는 '~에 전념하다'라는 의미의 관용표현이다. 주어가 She이고, 동사의 과거형 achieved와 and로 병렬 연결되어 있으므로 과거형인 applied herself to로 써야 한다.

10 **helped ourselves to** | 지난주에 우리는 학교 축제에서 무료 음료를 마음껏 마셨다.

해설 help oneself (to)는 '(~을) 마음껏 먹다'는 의미의 관용표현이다. 주어가 We이고, 과거 부사구 last week(지난주)에서 시제가 과거임을 알 수 있으므로 과거형인 helped ourselves to로 써야 한다.

11 **come to myself** | 나는 제정신이 들어 내가 우리 가족에게 했던 잘못들을 깨닫기 시작했다.

해설 come to oneself는 '제정신이 들다'라는 의미의 관용표현이다. 주어가 I이고, 동사 began의 목적어로 쓰인 to-v자리이므로 come to myself로 써야 한다.

12 **making himself at home** | 케빈은 머무는 어디에서든지 편히 지내는 데 많은 어려움을 겪지 않는다.

해설 make oneself at home은 '(스스럼없이) 편히 지내다'라는 의미의 관용표현이다. 〈have difficulty (in) v-ing〉에서 생략된 전치사 in의 목적어 자리이므로 making himself at home으로 써야 한다.

UNIT 19 전치사의 목적어

01 **X, revealing** | 많은 사람들이 온라인 계정에 개인 정보를 드러내는 것에 반대한다.

해설 〈object to v-ing〉는 'v하는 것에 반대하다'라는 의미의 관용표현으로 이때의 to는 전치사이므로 목적어로 (대)명사와 동명사 모두 가능한데, 뒤에 목적어(personal information)가 바로 이어지므로 v-ing형태인 revealing이 와야 한다.

02 **O** | 사막은 통념과 다르게 얼어붙을 듯이 추울 수 있다.

해설 〈contrary to ~〉는 '~에 반해서'라는 뜻의 구전치사이다.

03 **X, using** | 우리 할머니는 삽과 같은 원예 도구를 사용하는 것에 익숙하시다.

해설 〈be used to v-ing〉는 'v하는 것에 익숙하다'라는 의미의 관용표현으로 이때의 to는 전치사이므로 목적어로 동사가 올 경우 v-ing형태인 using이 와야 한다.

04 **O** | 군인으로서, 그녀는 항상 모든 것을 규칙에 따라 한다.

해설 according to는 '~에 따라, ~에 따르면 '란 뜻의 구전치사이다.

05 **O** | 퍼시는 한식을 요리하는 것에 관한 한 내가 아는 최고이다.

해설 〈when it coms to v-ing〉는 'v하는 것에 관한 한'이란 뜻으로 이때의 to는 전치사이므로 목적어로 (대)명사와 동명사 모두 가능한데, 뒤에 목적어(Korean food)가 바로 이어지므로 v-ing형태인 cooking이 와야 한다.

06 **X, getting** | 그 후보자는 자신의 메시지를 온 유권자들에게 전하는 데 어려움을 겪고 있다.

해설 〈have difficulty[a hard time, trouble, problem] (in) v-ing〉는 'v하는 데 어려움을 겪다'라는 의미의 관용표현이므로 get을 getting으로 바꿔 쓴다. 여기에서 전치사 in은 생략 가능하다.

07 **X, except that** | 나는 너무 미안하다는 것 외에는 헬렌에게 할 어떤 말도 생각할 수 없었다.

해설 뒤에 I was so sorry라는 절이 왔으므로 전치사 for를 접속사 that으로 바꿔 써야 한다. in that(~라는 점에서)과 except that(~라는 것 외에는)을 제외하고 전치사의 목적어로 that절은 원칙적으로 올 수 없다.

08 **X, in place of** | 달콤한 살사 소스를 만들 때 토마토를 대신해서 복숭아를 사용해도 된다.

해설 '~을 대신해서'란 뜻의 구전치사는 in place of이다.

감점	채점 기준
-4	×는 올바르게 표시했지만, 틀린 부분을 바르게 고치지 못한 경우

09 **increase the risk of developing skin cancer**

해설 전치사 of 뒤에 v-ing 형태의 developing이 와야 한다. 전치사 뒤에 (대)명사와 동명사가 모두 쓰일 수 있으나 뒤에 목적어가 있다면 동명사를 써야 한다.

10 **am looking forward to seeing my childhood friends**

해설 〈look forward to v-ing〉는 'v하기를 고대하다'라는 의미의 관용 표현으로 이 문장에서는 be동사와 함께 진행형으로 사용되었다.

11 **in that it serves as the main source of information**

해설 〈in that ~〉은 '~라는 점에서'라는 의미.

12 **is crucial in keeping our community clean**

해설 전치사 in의 목적어가 our community를 목적어로 취하므로 keep은 keeping으로 바꿔 쓴다. 여기서 전치사의 목적어구는 〈keep+O+C: O가 C인 상태를 유지하다〉의 구조로 쓰였다.

배점	채점 기준
5	어순은 올바르나 어형 변형이 틀린 경우

UNIT 20 가목적어 it

01 **that she firmly rejected their proposal** | 그녀는 자신이 그들의 제안을 단호히 거절한다는 것을 나에게 분명히 했다.

02 **that they would inherit his wealth** | 그의 친척들은 자신들이 그의 재산을 상속받을 것을 당연하게 여겼다.

해설 〈take it for granted (that) ~〉은 '~을 당연하게 여기다'라는 의미의 관용표현이다.

03 to protect endangered animals from extinction | 많은 사람은 멸종으로부터 멸종 위기 동물들을 보호하는 것이 중요하다고 생각한다.

04 to spend lots of money on space exploration | 몇몇 사람들은 우주 탐사에 많은 돈을 쓰는 것이 가치 있다고 생각하지 않는다.

05 make it a rule to visit my grandparents

해설 it은 가목적어, to visit ~ a month가 진목적어이다.

06 found it hard to leave the city

해설 it은 가목적어, to leave ~ his youth가 진목적어이다. where he had spent his youth는 선행사 the city를 수식하는 관계부사절이다. ≪UNIT 66

07 believe it important to eat a nutritious breakfast

해설 it은 가목적어, to eat ~ breakfast가 진목적어이다.

08 considers it a great honor to receive the award

해설 it은 가목적어, to receive ~ time이 진목적어이다.

CHAPTER  04 보어의 이해

UNIT 21 다양한 주격보어

01 The woman, to disappear without any explanation | 그 여자는 어떠한 설명도 없이 사라진 것 같았다.

해설 seem은 주격보어로 to-v를 취할 수 있으며, 〈seem to-v〉는 'v인 것 같다'로 해석한다.

02 His motive for working so hard, that he needs money | 그가 그렇게 열심히 일하게 된 동기는 돈이 필요하다는 것이다.

해설 접속사 that이 이끄는 명사절이 주격보어로 쓰였다.

03 The problem, who will tie the bell around the cat's neck | 문제는 누가 그 고양이의 목에 방울을 달 것인가이다.

해설 의문사 who가 이끄는 명사절이 주격보어로 쓰였다.

04 Harry's job, to teach English to adult students | 십 년 동안, 해리의 직업은 성인 학생들에게 영어를 가르치는 것이었다.

해설 to-v가 이끄는 명사구가 주격보어로 쓰였다.

05 My first question, whether parents spend enough time with their kids | 내 첫 번째 질문은 부모가 자녀들과 충분한 시간을 보내는지이다.

해설 접속사 whether가 이끄는 명사절이 주격보어로 쓰였다.

06 my biggest gain, learning how to study better | 여름학교에서, 내가 가장 크게 얻은 것은 공부를 더 잘하는 방법을 배운 것이었다.

해설 v-ing(동명사)가 이끄는 명사구가 주격보어로 쓰였다.

배점	채점 기준
5	주어에 바르게 밑줄을 그은 경우
5	보어에 바르게 밑줄을 그은 경우

07 turned out to be true

해설 〈turn out[prove] to-v〉: v로 판명되다

08 putting[to put] someone else's needs

해설 주격보어로는 to부정사/동명사가 모두 가능하다.

09 The difference is how we use it

해설 의문부사가 이끄는 명사절의 어순은 〈의문부사+S'+V'〉이다.

10 The door remained locked

해설 주격보어로 쓰인 분사는 주어의 동작이나 상태를 보충 설명한다. 문이 '잠긴' 수동의 의미이므로 과거분사 locked로 바꿔 쓰는 것이 적절하고, 우리말 시제가 과거이므로 동사도 과거형(remained)으로 바꿔 쓴다.

배점	채점 기준
5	어순과 추가한 단어는 올바르나 어형 변형이 틀린 경우

UNIT 22 to부정사 목적격보어

[01~08] 〈보기〉 그녀는 시험을 끝내기 위해[위한] 더 많은 시간을 원했다. / 그는 내가 그의 책을 돌려주기를 원했다.

01 ✔ **You should ask your teacher to help you., 선생님께서 너를 도와주시도록 요청하다, 적기 위해 내 이름을 물었다** | 너는 선생님께서 너를 도와주시도록 요청해야 한다. / 그는 서식에 그것(=내 이름)을 적기 위해 내 이름을 물었다.

해설 두 번째 문장의 to write ~ form은 '목적'을 나타내는 부사적 용법으로 쓰인 to부정사구.

02 ✔ **The prosecutor finally got him to confess his guilt., 앉을 새로운 의자를 샀다, 그가 죄를 자백하도록 했다** | 그녀는 자신의 사무실에서 앉을 새로운 의자를 샀다. / 그 검사는 마침내 그가 죄를 자백하도록 했다.

해설 첫 번째 문장의 to sit on ~ office는 앞에 나온 명사 a new chair를 수식하는 형용사적 용법으로 쓰인 to부정사구.

03 ✔ Her experience led her to consider writing a book., 그녀가 책을 쓸 것을 고려하도록 이끌었다, 논의하기 위해[논의하는] 세미나를 이끈다 | 그녀의 경험은 그녀가 책을 쓸 것을 고려하도록 이끌었다. / 그는 우리의 문제를 논의하기 위해[논의하는] 세미나를 이끌 것이다.

해설 두 번째 문장의 to discuss our issues는 '목적'을 나타내는 부사적 용법으로 쓰인 to부정사구 또는 앞에 나온 명사 the seminar를 수식하는 형용사적 용법으로 쓰인 to부정사구로 해석될 수 있다.

04 ✔ The policeman ordered the criminals to drop their weapons., 그녀와 나눠 먹을[먹기 위해] 큰 치즈피자를 시켰다, 범인들이 무기를 내려놓도록 명령했다 | 나는 그녀와 나눠 먹을[먹기 위해] 큰 치즈피자를 시켰다. / 그 경찰관은 범인들이 무기를 내려놓도록 명령했다.

해설 첫 번째 문장의 to share with her는 앞에 나온 명사 a large cheese pizza를 수식하는 형용사적 용법으로 쓰인 to부정사구 또는 '목적'을 나타내는 부사적 용법으로 쓰인 to부정사구로 해석될 수 있다.

05 ✔ Success on any major scale requires you to accept responsibility., 계속 플레이하기 위해서 업데이트가 필요하다, 당신이 책임을 질 것을 요구한다 | 그 게임은 계속 플레이하기 위해서 업데이트가 필요하다. / 어떤 큰 규모에서의 성공이든 당신이 책임을 질 것을 요구한다.

해설 첫 번째 문장의 to continue playing은 '목적'을 나타내는 부사적 용법으로 쓰인 to부정사구.

06 ✔ The experts told us to drink plenty of water in hot weather., 우리가 충분한 물을 마시라고 말했다, 돈을 모으기 위해 거짓말을 했다 | 전문가들은 더운 날씨에 우리가 충분한 물을 마시라고 말했다. / 그는 세계 일주 여행을 위한 돈을 모으기 위해 거짓말을 했다.

해설 두 번째 문장의 to save ~ trip은 '목적'을 나타내는 부사적 용법으로 쓰인 to부정사구.

07 ✔ Many VR games allow players to feel sensations of motion and touch., 보호하기 위해 흡연을 허락하지 않는다, 게임을 하는 사람들이 감각을 느끼도록 한다 | 몇몇 녹음실은 장비를 보호하기 위해 흡연을 허락하지 않는다. / 많은 가상현실 게임들은 게임을 하는 사람들이 움직임과 촉각의 감각을 느끼도록 한다.

해설 첫 번째 문장의 to protect the equipment는 '목적'을 나타내는 부사적 용법으로 쓰인 to부정사구.

08 ✔ The college encourages freshmen to read various books., 신입생들이 다양한 책을 읽도록 권장한다, 경제를 활성화하기 위해[경제를 활성화할] 투자를 장려했다 | 그 대학은 신입생들이 다양한 책을 읽도록 권장한다. / 정부는 경제를 활성화하기 위해[경제를 활성화할] 투자를 장려했다.

해설 두 번째 문장의 to boost the economy는 '목적'을 나타내는 부사적 용법으로 쓰인 to부정사구 또는 앞에 있는 명사 investment를 수식하는 형용사적 용법으로 쓰인 to부정사구로 해석될 수 있다.

감점	채점 기준
-4.5	✔를 틀리게 표시한 경우
-4	해석이 하나 틀린 경우

UNIT 23 원형부정사(v) 목적격보어

01 noticed, try | 그 남자는(S) / 고양이가(O) / 파리를 잡으려 하는 것을(C) / 알아챘다(V).

해설 지각동사 notice는 목적격보어로 원형부정사를 취하므로 try가 오는 것이 적절하다. 지각동사의 목적격보어로 v-ing도 올 수 있지만, 'to-v 또는 v(원형부정사)의 형태로 쓸 것'이라는 조건에 주의하자.

02 felt, stop | 공연 직전에(M), / 나는(S) / 내 심장이(O) / 잠시(M) / 멈추는 것을(C) / 느꼈다(V).

해설 지각동사 feel의 목적격보어로 원형부정사 stop이 오는 것이 적절하다.

03 were listening to, sing | 그 아이들은(S) / 그가(O) / 귀여운 가사의 노래를 부르는 것을(C) / 듣는 중이었다(V).

해설 지각동사 listen to의 목적격보어로 원형부정사 sing이 오는 것이 적절하다.

04 didn't expect, to become | 우리는(S) / 그가(O) / 성공한 작가가 되리라(C) / 기대하지 않았다(V).

해설 동사 expect의 목적격보어로 to-v 형태의 to become이 오는 것이 적절하다.

05 heard, open | 지난밤(M), / 로빈은(S) / 누군가가(O) / 문을 여는 것을(C) / 들었다(V).

해설 지각동사 hear의 목적격보어로 원형부정사 open이 오는 것이 적절하다.

06 enable, to make | 우리 얼굴의 근육들은(S) / 우리가(O) / 얼굴 표정들을 지을(C) / 수 있게 해준다(V).

해설 동사 enable의 목적격보어로 to-v 형태의 to make가 오는 것이 적절하다.

07 reminded, to buy | 남동생은(S) / 내가(O) / 가게에서 우유를 더 사도록(C) / 상기시켰다(V).

해설 동사 remind의 목적격보어로 to-v 형태의 to buy가 오는 것이 적절하다.

08 will make, go away | 이 뜨거운 차는(S) / 당신의 통증과 열이(O) / 사라지게(C) / 만들 것이다(V).

해설 사역동사 make의 목적격보어로 원형부정사 go away가 오는 것이 적절하다.

09 observed, run | 존은(S) / 개가(O) / 공을 향해 재빠르게 달려가는 것을(C) / 목격했다(V).

해설 지각동사 observe의 목적격보어로 원형부정사 run이 오는 것이 적절하다.

10 persuades, to donate | 그 광고는(S) / 사람들이(O) / 가난한 사람들에게 돈을 기부하도록(C) / 설득한다(V).

해설 동사 persuade의 목적격보어로 to-v 형태의 to donate가 오는 것이 적절하다.

11 didn't let, make | 릴리는(S) / 자신의 아이들이(O) / 식당에서(M) / 시끄럽게 떠들지(C) / 않도록 했다(V).

해설 사역동사 let의 목적격보어로 원형부정사 make가 오는 것이 적절하다.

12 **is watching, drive away** | 그는(S) / 버스 정류장에서(M) / 버스들이(O) / 떠나는 것을(C) / 보고 있다(V).

해설 지각동사 watch의 목적격보어로 원형부정사 drive away가 오는 것이 적절하다.

13 **forces, to drink** | 엄마는(S) / 매일 아침(M) / 우리가(O) / 그린스무디를 마시도록(C) / 하신다(V).

해설 동사 force의 목적격보어로 to-v 형태의 to eat이 오는 것이 적절하다.

14 **saw, begin** | 창문을 통해(M), / 그녀는(S) / 마당에(M) / 빗방울들이(O) / 떨어지기 시작하는 것을(C) / 보았다(V).

해설 지각동사 see의 목적격보어로 원형부정사 begin이 오는 것이 적절하다.

15 **had, replace** | 그녀는(S) / 여행 전에(M) / 남동생이(O) / 바람 빠진 타이어를 교체하도록(C) / 했다(V).

해설 사역동사 have의 목적격보어로 원형부정사가 replace가 오는 것이 적절하다.

16 **can cause, to repeat** | 과거를 잊는 것은(S) / 당신이(O) / 몇 번이고 같은 실수를 반복하게(C) / 할 수 있다(V). (→ 과거에 한 실수를 되돌아보지 않고 잊어버리면 똑같은 실수를 되풀이하게 된다.)

해설 동사 cause의 목적격보어로 to-v 형태의 to repeat이 오는 것이 적절하다. 주어 자리에 v-ing(동명사)가 이끄는 명사구(Forgetting the past)가 왔다. ≫ UNIT 08

17 **looked at, dance** | 그의 어머니는(S) / 그가(O) / 무대 위에서 춤추는 것을(C) / 얼굴에 미소를 띤 채로(M) / 보셨다(V).

해설 지각동사 look at의 목적격보어로 원형부정사 dance가 오는 것이 적절하다.

18 **helps, (to) reach** | 우리 사회는(S) / 학습 장애를 가진 사람들이(O) / 그들의 잠재력을 최대한 발휘하도록(C) / 돕는다(V).

해설 동사 help의 목적격보어로 원형부정사 reach 혹은 to-v 형태의 to reach가 오는 것이 적절하다.

배점	채점 기준
2.5	밑줄을 바르게 그은 경우(18번은 3점)
3	빈칸을 바르게 완성한 경우(18번은 3.5점)

UNIT 24 현재분사(v-ing) 목적격보어

01 **could smell, burn, burning** | 나는(S) / 가스레인지에서(M) / 무언가가(O) / 타(고 있)는(C) / 냄새를 맡을 수 있었다(V).

해설 지각동사 smell의 목적격보어로 원형부정사 burn 또는 현재분사 burning이 오는 것이 적절하다.

02 **overheard, talk, talking** | 톰은(S) / 한 무리의 반 친구들이(O) / 자신에 대해 이야기하(고 있)는 것을(C) / 우연히 들었다(V).

해설 지각동사 overhear의 목적격보어로 원형부정사 talk 또는 현재분사 talking이 오는 것이 적절하다.

03 **warned, to stay** | 경찰은(S) / 그들이(O) / 안전을 위해 실내에 머물도록(C) / 경고했다(V).

해설 동사 warn의 목적격보어로 to-v 형태의 to stay가 오는 것이 적절하다.

04 **felt, shake, shaking** | 갑자기(M), / 우리는(S) / 땅이(O) / 약 30초 동안(M) / 흔들리(고 있)는 것을(C) / 느꼈다(V).

해설 지각동사 feel의 목적격보어로 원형부정사 shake 또는 현재분사 shaking이 오는 것이 적절하다.

05 **saw, ripen, ripening** | 계절이 변함에 따라(M), / 나는(S) / 들판에서(M) / 농작물이(O) / 익어가(고 있)는 것을(C) / 보았다(V).

해설 지각동사 see는 목적격보어로 원형부정사 ripen 또는 현재분사 ripening이 오는 것이 적절하다.

06 **urged, to have** | 반의 모든 학생들은(S) / 알렉산드라가(O) / 스스로에 대해 자신감을 가지도록(C) / 격려했다(V).

해설 동사 urge의 목적격보어로 to-v형태의 to have가 오는 것이 적절하다.

07 **keeps, working** | 당신이 먹는 음식은(S) / 당신의 면역 체계가(O) / 계속 적절히 작동하도록(C) / 한다(V).

해설 동사 keep의 목적격보어로 현재분사 working이 오는 것이 적절하다. you eat은 목적격 관계대명사 that[which]이 생략된 채로 The food를 수식하는 관계대명사절. ≪ UNIT 67

08 **noticed, rise, rising** | 제이크는(S) / 그 건물의 지붕으로부터(M) / 연기가(O) / 피어오르(고 있)는 것을(C) / 알아차렸다(V).

해설 지각동사 notice의 목적격보어로 원형부정사 rise 또는 현재분사 rising이 오는 것이 적절하다.

09 **watched, peel, peeling** | 동물원에서(M), / 우리는(S) / 원숭이가(O) / 바나나 껍질을 벗기(고 있)는 것을(C) / 보았다(V).

해설 지각동사 watch는 목적격보어로 원형부정사 peel 또는 현재분사 peeling이 오는 것이 적절하다.

10 **permitted, to see** | 보름달은(S) / 내가(O) / 밤에 더 멀리 볼(C) / 수 있게 했다(V).

해설 동사 permit의 목적격보어로 to-v 형태의 to see가 오는 것이 적절하다.

11 **found, watching** | 나는(S) / 종종(M) / 어머니께서(O) / 거실에서(M) / TV를 보고 계시는 것을(C) / 발견했다(V).

해설 동사 find의 목적격보어로 현재분사 watching이 올 수 있다.

12 **caught, looking at** | 헬레나는(S) / 길모퉁이에서(M) / 낯선 사람이(O) / 자신을 쳐다보고 있는 것을(C) / 알아차렸다(V).

해설 동사 catch의 목적격보어로 현재분사 looking at이 오는 것이 적절하다.

13 **might hear, call, calling** | 더운 여름에(M), / 당신은(S) / 바다가(O) / 당신을 부르(고 있)는 것이(C) / 들릴지도 모른다(V).

해설 지각동사 hear의 목적격보어로 원형부정사 call 또는 현재분사 calling이 적절하다.

14 **wish, to get** | 그녀의 부모님께서는(S) / 부상에서 회복할 수 있도록(M) / 그녀가(O) / 충분한 수면을 취하기를(C) / 바라신다(V).

해설 동사 wish의 목적격보어로 to-v 형태의 to get이 오는 것이 적절하다.

15 **can observe, participate, participating** | 공개 수업에서(M), / 부모는(S) / 그들의 자녀가(O) / 다양한 교육 활동에 참여하(고 있)는 것을(C) / 볼 수 있다(V).

해설 지각동사 observe의 목적격보어로 원형부정사 participate 또는 현재분사 participating이 오는 것이 적절하다.

16 **compelled, to give up** | 그녀의 병은(S) / 그녀가(O) / 대학에 가는 자신의 꿈을 포기하도록(C) / 만들었다(V).

해설 동사 compel의 목적격보어로 to-v 형태의 to give up이 오는 것이 적절하다.

17 **got, to work, working** | 윈도우를 재설치한 이후에(M) / 나는(S) / 노트북 컴퓨터가(O) / 다시 작동되(기 시작하)도록(C) / 했다(V).

해설 동사 get의 목적격보어 자리에는 to-v 또는 현재분사가 모두 올 수 있다. 목적격보어로 현재분사가 올 경우 의미상 to-v에 비해 동작이 계속 진행 중이거나 아직 끝나지 않았음을 강조한다.

18 **had, run, running** | 누군가가(S) / 파이프가 동파되는 것을 막기 위해(M) / 몇 시간 동안(M) / 물이(O) / (계속) 흐르(고 있)도록(C) / 했다(V).

해설 사역동사 have의 목적격보어 자리에는 원형부정사 또는 현재분사가 모두 올 수 있다. 목적격보어로 현재분사가 올 경우 의미상 원형부정사에 비해 동작이 계속 진행 중이거나 아직 끝나지 않았음을 강조한다.

배점	채점 기준
2	밑줄을 바르게 그은 경우(17~18번은 2.5점)
3.5	네모 안에서 알맞은 것을 모두 고른 경우

UNIT 25 과거분사(p.p.) 목적격보어

01 **cleaned** | 나는(S) / 내 남동생의 방이(O) / 청소 된 것을(C) / 본 일이 전혀 없다(V).

해설 지각동사 see의 목적어(my brother's room)와 목적격보어가 수동 관계이므로 목적격보어로 과거분사 cleaned가 적절하다.

02 **informed** | 우리는(S) / 그 프로젝트의 진행 상황에 대해(M) / 당신이(O) / 계속해서 알도록(C) / 할 것이다(V).

해설 동사 keep의 목적어(you)와 목적격보어가 수동 관계이므로 목적격보어로 과거분사 informed가 적절하다.

03 **sitting** | 그는(S) / 친구가(O) / 자신의 바로 옆에 있는 테이블에 앉아 있는 것을(C) / 알아챘다(V).

해설 지각동사 notice의 목적어(his friend)와 목적격보어가 능동 관계이므로 목적격보어로 현재분사 sitting이 오는 것이 적절하다.

04 **organized** | 매 수업 전에(M), / 나는(S) / 내 책상 위의 모든 것이(O) / 정돈되도록(C) / 한다(V).

해설 동사 get의 목적어(everything on my desk)와 목적격보어가 수동 관계이므로 목적격보어로 과거분사 organized가 오는 것이 적절하다.

05 **be eaten** | 우리는(S) / 종종(M) / 약간의 과일을(O_1) / 나무에(M_1) / 남겨두었다(V_1) / 그리고 / 그것이(O_2) / 새들에 의해(M_2) / 먹히도록(C_2) / 했다(V_2).

해설 사역동사 let의 목적어(it=some fruit)와 목적격보어가 수동 관계이므로 목적격보어로 〈be+p.p.〉 형태의 be eaten이 오는 것이 적절하다.

06 **carried** | 그녀는(S) / 간호사들에 의해(M) / 자신이(O) / 황급히 병원으로 옮겨지는 것을(C) / 느꼈다(V).

해설 지각동사 feel의 목적어(herself)와 목적격보어가 수동 관계이므로 과거분사 carried가 적절하다.

07 **lifted** | 기분 좋게(M), / 루카스는(S) / 많은 풍선들이(O) / 하늘 위로(M) / 떠올려지는 것을(C) / 보았다(V).

해설 지각동사 observe의 목적어(lots of balloons)와 목적격보어가 수동 관계이므로 목적격보어로 과거분사 lifted가 오는 것이 적절하다.

08 **parked** | 아침에(M), / 우리는(S) / 우리 집 바로 밖에(M) / 차 한 대가(O) / 주차된 것을(C) / 발견했다(V).

해설 동사 find의 목적어(a car)와 목적격보어가 수동 관계이므로 목적격보어로 과거분사 parked가 오는 것이 적절하다.

09 **repeated** | 아리아나는(S) / 잠결에(M) / 자신의 이름이(O) / 여러 번 크게 반복되는 것을(C) / 들었다(V).

해설 지각동사 hear의 목적어(her name)와 목적격보어가 수동 관계이므로 목적격보어로 과거분사 repeated가 오는 것이 적절하다.

10 **watching** | 나는(S) / 선글라스를 낀 한 여성이(O) / 나를 큰 관심을 가지고 지켜보는 것을(C) / 보았다(V).

해설 지각동사 look at의 목적어(a woman with sunglasses)와 목적격보어가 능동 관계이므로 목적격보어로 현재분사 watching이 오는 것이 적절하다.

11 **finished** | 우리 선생님께서는(S) / 이번 주 말까지(M) / 이 과제가(O) / 끝마쳐지기를(C) / 원하신다(V).

해설 동사 want의 목적어(this assignment)와 목적격보어가 수동 관계이므로 목적격보어로 과거분사 finished가 오는 것이 적절하다.

12 **shown** | 카밀라는(S) / 선수권 대회의 결승전이(O) / 중계되는 것을(C) / TV로(M) / 보았다(V).

해설 지각동사 watch의 목적어(the final of the championship)와 목적격보어가 수동 관계이므로 목적격보어로 과거분사 shown이 적절하다.

13 **understood** | 유창하지 않더라도 // 길버트는(S) / 한국어로(M) / 자신이(O) / 이해되도록(C) / 할 수 있다(V).

해설 사역동사 make의 목적어(himself)와 목적격보어가 수동 관계이므로 목적격보어로 과거분사 understood가 오는 것이 적절하다.

14 **criticize** | 우리는 모두(S) / 강연자가(O) / 새로운 경제 정책을 비판하는 것을(C) / 들었다(V).

해설 지각동사 listen to의 목적어(the speaker)와 목적격보어가 능동 관계이므로 목적격보어로 원형부정사 criticize가 적절하다.

15 **damaged** | 장시간 햇빛을 받는 것은(S) / 여름에(M) / 당신의 머리카락이(O) / 손상되게(C) / 할 수 있다(V).

해설 동사 leave의 목적어(your hair)와 목적격보어가 수동 관계이므로 목적격보어로 과거분사 damaged가 적절하다. 주어 자리에 v-ing(동명사)가 이끄는 명사구(Being ~ long time)가 왔다.

≪ UNIT 08

UNIT 26 have+목적어+p.p.

01 **ⓒ, 5분이 남은 상태였다** | 그 두 축구팀은 경기 종료 전 5분이 남은 상태였다.

02 **ⓑ, 그들의 차가 손상되었다** | 많은 사람이 지난해 폭풍우에 의해 차가 손상되었다.

03 **ⓐ, 에어컨이 설치되도록 할 것이다** | 나는 여름이 오기 전에 내 방에 에어컨이 설치되도록 할 것이다.

04 **ⓑ, 지붕이 뜯겨 나갔다** | 빌딩과 집은 토네이도에 의해 지붕이 뜯겨 나갔다.

05 **ⓐ, 모든 전자기기들이 치워지도록 했다** | 그 시험 감독관은 시험 동안 모든 전자기기들이 치워지도록(모든 전자기기들을 치우도록) 했다.

배점	채점 기준
6	기호를 바르게 쓴 경우
6	해석을 바르게 한 경우

06 **had eggs thrown**

07 **should have your project completed**

08 **you should have your body examined**

배점	채점 기준
7	어순은 올바르나 어형 변형이 틀린 경우

UNIT 22-26 OVERALL TEST

01 **caused, to rise** | 흉작은 감자 가격이 급격히 오르게 했다.

해설 cause는 목적어와 목적격보어가 능동 관계일 때 to-v를 목적격보어로 취한다.

02 **made, look** | 그녀의 검은색 정장과 흰 블라우스는 그녀가 우아해 보이게 만들었다.

해설 사역동사 make는 목적어와 목적격보어가 능동 관계일 때 원형부정사를 목적격보어로 취한다.

03 **heard, open** | 나는 조용한 교실에서 누군가가 쿠키 한 팩을 뜯는 것을 들었다.

해설 지각동사 hear는 목적어와 목적격보어가 능동 관계일 때 원형부정사 또는 현재분사를 목적격보어로 취한다.

04 **want, to get** | 많은 부모들은 자녀들이 좋은 시험 점수를 얻기를 바란다.

해설 want는 목적어와 목적격보어가 능동 관계일 때 to-v를 목적격보어로 취한다.

05 **listened to, play** | 나는 아버지가 방에서 전기 기타를 연주하시는 것을 들었다.

해설 지각동사 listen to의 목적어와 목적격보어가 능동 관계일 때 목적격보어로 원형부정사 또는 현재분사가 온다.

06 **persuaded, to help** | 그는 자원봉사자들이 그가 길을 치우는 것을 돕도록 설득했다.

해설 persuade는 목적어와 목적격보어가 능동 관계일 때 to-v를 목적격보어로 취한다. to-v의 help는 원형부정사 clean을 목적격보어로 취하고 있다.

07 **will let, know** | 그 의사는 당신이 건강검진 결과를 알게 해줄 것이다.

해설 사역동사 let은 목적어와 목적격보어가 능동 관계일 때 원형부정사를 목적격보어로 취한다.

08 **permits, to receive** | 그 시(市)는 공무원들이 비싼 선물을 받는 것을 절대 허용하지 않는다.

해설 permit은 목적어와 목적격보어가 능동 관계일 때 to-v를 목적격보어로 취한다.

09 **asked, to answer** | 리포터는 그 선수가 다음 계획에 관한 질문들에 답하도록 요청했다.

해설 ask는 목적어와 목적격보어가 능동 관계일 때 to-v를 목적격보어로 취한다.

10 **wishes, to adopt** | 그는 사람들이 개를 가게에서 구입하기보다는 유기견들을 입양하기를 바란다.

해설 wish는 목적어와 목적격보어가 능동 관계일 때 to-v를 목적격보어로 취한다.

11 **made, laugh** | 할아버지께서는 우리 모두가 식사 내내 웃도록 만드셨다.

해설 사역동사 make는 목적어와 목적격보어가 능동 관계일 때 원형부정사를 목적격보어로 취한다.

12 **got, to cut** | 내 개인 트레이너는 내가 식단에서 설탕과 소금을 빼도록 했다. 단, 동작이 계속 진행 중이거나 끝나지 않았음을 강조하고 싶을 때는 현재분사를 목적격보어로 취할 수 있다.

해설 get은 목적어와 목적격보어가 능동 관계일 때 to-v를 목적격보어로 취한다.

13 **can lead, to make** | 시간 부족은 우리가 완전히 틀린 판단을 하도록 이끌 수 있다.

해설 lead는 목적어와 목적격보어가 능동 관계일 때 to-v를 목적격보어로 취한다.

14 observed, twinkle | 우리는 언덕 위에서 하늘의 모든 별이 반짝반짝 빛나는 것을 보았다.

해설 지각동사 observe는 목적어와 목적격보어가 능동 관계일 때 원형부정사 또는 현재분사를 목적격보어로 취한다.

15 have, wait | 내 개는 내가 그것이 먹이를 기다리도록 할 때 항상 나를 쳐다본다.

해설 사역동사 have는 목적어와 목적격보어가 능동 관계일 때 원형부정사를 목적격보어로 취한다.

16 lets, know | 우리 뇌는 우리의 소화를 통제함으로써 우리가 배고플 때를 알도록 한다.

해설 사역동사 let은 목적어와 목적격보어가 능동 관계일 때 목적격보어로 원형부정사를 취한다.

17 saw, stand | 나는 친구들이 나를 응원하기 위해 서 있는 것을 보았지만, 아무것도 들을 수 없었다.

해설 지각동사 see는 목적어와 목적격보어가 능동 관계일 때 원형부정사 또는 현재분사를 목적격보어로 취한다.

18 hear, come | 부모님께서는 내가 현관으로 들어오는 것을 들으실 때까지 주무시지 않는다.

해설 지각동사 hear는 목적어와 목적격보어가 능동 관계일 때 원형부정사 또는 현재분사를 목적격보어로 취한다.

19 helps, to understand | 공상과학 영화는 학생들이 우주의 원리를 이해하는 것을 돕는다.

해설 help는 목적어와 목적격보어가 능동 관계일 때 원형부정사 또는 to-v를 목적격보어로 취한다.

20 felt, crawl | 내가 나무 밑에 앉아있을 때, 나는 다리 위로 무언가 기어오르는 것을 느꼈다.

해설 지각동사 feel은 목적어와 목적격보어가 능동 관계일 때 원형부정사 또는 현재분사를 목적격보어로 취한다.

배점	채점 기준
2	밑줄을 바르게 그은 경우
2	네모 안에서 알맞은 것을 고른 경우

21 ×, move[moving] | 마이클과 나는 구름이 천천히 움직이(고 있)는 것을 관찰하고 있었다.

해설 observed의 목적어(the clouds)와 목적격보어(move)는 능동 관계이므로 목적격보어로 move 또는 moving이 와야 한다.

22 ×, called | 찰스는 수업 도중에 뒤에서 자신의 이름이 불리는 것을 듣지 못했다.

해설 didn't notice의 목적어(his name)와 목적격보어(call)가 수동 관계이므로 목적격보어로 call이 아닌 called가 와야 한다.

23 ×, displayed | 제이콥은 미술관에 자신의 그림들과 조각들이 전시되기를 원했다.

해설 wanted의 목적어(his paintings and sculptures)와 목적격보어(display)가 수동 관계이므로 목적격보어로 display가 아닌 displayed가 와야 한다.

24 O | 사고를 예방하기 위해, 그 공무원들은 도로가 수리되도록 했다.

해설 had의 목적어(the road)와 목적격보어(repair)가 수동 관계이므로 목적격보어로 과거분사(p.p.) 형태인 repaired가 알맞게 쓰였다.

25 ×, complain[complaining] | 나는 보통 내 친구들이 자신들의 귀찮은 자매나 형제들에 대해 불평하는 것을 듣는다.

해설 hear의 목적어(my friends)와 목적격보어(complain)가 능동 관계이므로 목적격보어로 complain 또는 complaining이 와야 한다.

감점	채점 기준
-2	×는 올바르게 표시했지만, 틀린 부분을 바르게 고치지 못한 경우

PART 2 서술어의 이해

CHAPTER 05 동사의 시제

UNIT 27 현재시제의 다양한 의미

01 ⓐ | 그녀는 이번 금요일 발표에 대해 조금 걱정스러워 보인다.

02 ⓑ | 아만다는 자신의 불안을 줄이기 위해 매일 일기를 쓴다.

해설 〈in order to-v〉: v하기 위해 ⋞ UNIT 54

03 ⓒ | 소리는 공기 중에서 대략 초속 340미터의 속도로 이동한다.

04 ⓓ | 겨울 방학은 내일 시작해서 30일 동안 계속될 것이다.

05 ⓑ | 매디슨 가 24번지에 있는 그 한식당은 항상 오후 9시에 닫는다.

06 ⓒ | 물은 섭씨 0도에서 얼고 섭씨 100도에서 끓는다.

07 ⓐ | 내 남동생은 꼭 우리 아버지처럼 음악가가 되기를 원한다.

08 ⓓ | 마라톤 준비의 일환으로 다음 일요일에 교통 통제가 있을 것이다.

09 **명사절** | 당신이 우리 약속에 관한 제 이메일을 받았는지 궁금합니다.

해설 if가 동사 wonder의 목적어 역할을 하는 명사절을 이끌고 있으며, 'S'가 V'인지(아닌지)'라는 의미이다. ⋞ UNIT 17

10 **부사절** | 만약 무료 상담에 관심이 있으시다면 이 번호로 저희에게 연락주세요.

해설 if가 조건을 나타내는 부사절을 이끌고 있으며, '만약 ~라면'이라는 의미이다. ⋞ UNIT 76

11 **명사절** | 사람은 언제 죽게 될지 모르므로, 우리는 우리 삶을 최대한 활용해야 한다.

해설 when이 동사 don't know의 목적어 역할을 하는 명사절을 이끌고 있으며, '언제 S'가 V'하는지'라는 의미이다. ⋞ UNIT 17

12 **부사절** | 프로젝트가 끝날 기미가 보이지 않을 때 팀원들이 계속해서 동기가 부여되게 하는 것은 중요하다.

해설 when이 시간을 나타내는 부사절을 이끌고 있으며, '~할 때'라는 의미이다. ⋞ UNIT 73

13 **X, retires** | 그녀는 일단 은퇴하면 자신의 경험을 다른 사람들을 돕는 데 쓸 것이다.

해설 Once가 시간을 나타내는 부사절을 이끌고 있으므로 미래표현 will retire는 현재시제인 retires가 되어야 한다.

14 **O** | 여러분은 가입하자마자 모든 무료 전자책에 대한 즉각적인 이용권을 얻게 됩니다.

해설 As soon as가 시간을 나타내는 부사절을 이끌고 있으므로 현재시제 sign up이 미래를 대신해 적절히 쓰였다. ⋞ UNIT 74

15 **O** | 그녀에게 언제 짐을 가지러 돌아올지 물어봐 주세요.

해설 when이 동사 ask의 직접목적어 역할을 하는 명사절을 이끌고 있으므로 미래 표현 will come back이 적절히 쓰였다.

16 **X, rains** | 내일 비가 온다면 우리는 한강으로 가는 소풍을 연기할 것이다.

해설 if가 조건을 나타내는 부사절을 이끌고 있으므로 현재시제가 미래를 대신한다. 따라서 미래 표현 will rain은 현재시제인 rains가 되어야 한다.

17 **O** | 많은 사람들은 자신이 진정한 사랑을 찾아 결혼하게 될지를 궁금해한다.

해설 if가 동사 wonder의 목적어 역할을 하는 명사절을 이끌고 있으므로 미래 표현 will find가 적절히 쓰였다. 참고로 get married도 조동사 will에 연결된다.

18 **X, begins** | 시험이 시작된 이후에 여러분은 어떤 전자기기도 사용할 수 없을 것입니다.

해설 after가 시간을 나타내는 부사절을 이끌고 있으므로 미래 표현 will begin은 현재시제인 begins가 되어야 한다.

19 **O** | 패트리샤가 네게 회장님이 회의에 참석하실지를 알려줄 것이다.

해설 whether가 동사 know의 목적어 역할을 하는 명사절을 이끌고 있으므로 미래 표현 will attend가 적절히 쓰였다.

20 **X, is** | 바게트를 만들기 위해, 당신은 빵이 황금빛이 될 때까지 구워야 한다.

해설 until이 시간을 나타내는 부사절을 이끌고 있으므로 미래표현 will be는 현재시제인 is가 되어야 한다.

21 **X, cancel** | 당신이 10일 전에 미리 취소하신다면 저희 센터는 전액 환불을 해 드릴 것입니다.

해설 if가 조건을 나타내는 부사절을 이끌고 있으므로 미래 표현 will cancel은 현재시제 cancel이 되어야 한다.

22 **O** | 일꾼들은 학교 보수공사를 여름방학이 끝날 때까지는 완료할 것이다.

해설 by the time이 시간을 나타내는 부사절을 이끌고 있으므로 현재시제 ends가 적절히 쓰였다.

감점	채점 기준
-2	×는 올바르게 표시했지만, 틀린 부분을 바르게 고치지 못한 경우

23 **absorb CO_2 and release oxygen**

해설 주절의 시제가 과거시제라도 종속절의 내용이 진리, 언제나 사실인 것이면 종속절의 시제는 현재시제로 나타낸다.

24 **visits the dentist every six months**

해설 현재의 반복적인 행동은 현재시제로 나타낸다. 주어가 She이므로 동사는 3인칭 단수형인 visits로 써야 한다.

25 **holds its music festival for music lovers of all ages**

해설 가까운 미래의 확정된 일을 표현할 때는 현재시제가 미래를 대신해서 쓰일 수 있다. 주어가 The city이므로 동사는 3인칭 단수형인 holds로 써야 한다.

배점	채점 기준
2	어순은 올바르나 어형 변형이 틀린 경우

UNIT 28 미래를 나타내는 표현

01 **미래** | 리처드는 약 30분 후에 운전면허 시험을 본다.

해설 가까운 미래의 확정된 일을 표현할 때는 현재시제가 미래를 대신해서 쓰인다.

02 **현재** | 빌은 이집트의 고대사를 공부하는 데 관심이 있다.

해설 이집트 고대사에 관심이 있다는 빌의 현재의 상태를 나타낸다.

03 **미래** | 그 회사는 곧 새로운 노트북 컴퓨터를 발표하려 한다.

해설 〈be going to-v〉는 'v하려고 한다'는 의미의 미래 표현이다.

04 **미래** | 도서관의 옥상은 방문객들을 위한 작은 정원이 될 것이다.

해설 〈be to-v〉는 '공식적인 예정'이나 '계획'을 나타내는 미래 표현이다.

05 **미래** | 유모차가 있는 한 여성이 막 엘리베이터에 타려는 참이다.

해설 〈be about to-v〉는 '막 v하려는 참이다'는 의미의 미래 표현이다.

06 **미래** | 내가 장을 보러 나간 동안 내 남동생이 집을 청소할 것이다.

해설 while이 이끄는 시간을 나타내는 부사절에서 현재시제가 미래를 대신한다.

07 **미래** | 그 금메달리스트는 TV쇼에 출연하기로 되어 있다.

해설 〈be due to-v〉는 'v하기로 되어 있다'는 의미의 미래 표현이다.

08 **현재** | 나는 일 때문에 가족과 함께할 시간이 많이 없다.

해설 가족과 함께할 시간이 많이 없다는 나의 현재의 상태를 나타낸다.

09 **현재** | 아기가 자고 있어요. 초인종을 누르거나 문을 두드리지 마세요.

해설 현재진행형은 현재 진행되고 있는 일이나 가까운 미래에 확정된 '계획'을 표현할 때 모두 사용 가능한데, 여기서는 현재 진행되고 있는 일을 나타낸다.

10 **미래** | 현대 미술 국제 전시회가 이번 토요일에 열릴 것이다.

해설 가까운 미래의 확정된 '계획'이나 '일정'을 표현할 때는 현재진행형으로 미래를 나타낼 수 있다.

UNIT 29 현재완료형/현재완료 진행형

01 for, since, how long ~?

02 ever, once, before, never

03 already, just, yet

감점	채점 기준
-1	부사 하나를 잘못 쓴 경우

04 **for twenty years now, have been** | 그들은 결혼한 지 이제 20년이 되었다.

해설 〈for+기간〉은 과거와 현재완료에 모두 쓸 수 있지만, now가 현재에도 결혼한 상태임을 나타내고 있으므로 현재완료형을 쓰는 것이 적절하다.

05 **in 1998, opened** | 스미스 부부는 1998년에 식당을 열었다.

해설 명백한 과거를 나타내는 〈in+특정 과거 연도〉가 쓰였으므로 과거시제를 쓰는 것이 적절하다.

06 **before, have met** | 우리는 전에 만난 일이 없는 것 같군요. 제 이름은 키스입니다.

해설 부사 before가 쓰여 문맥상 '경험'을 나타내는 현재완료형을 쓰는 것이 적절하다.

07 **when she was young, appeared** | 내 여동생은 어렸을 때 영화에 출연했다.

해설 when이 이끄는 시간을 나타내는 부사절이 명백한 과거를 나타내므로 과거시제를 쓰는 것이 적절하다.

08 **since we were eight years old, have known** | 우리는 여덟 살 때부터 서로 알고 지내왔다.

해설 since가 이끄는 시간을 나타내는 절이 쓰였으므로 특정 과거 시점부터 현재까지 계속된 상태를 나타내는 현재완료형을 쓰는 것이 적절하다.

09 **yesterday, went** | 내 남동생은 어제 호주로 배낭여행을 갔다.

해설 명백한 과거를 나타내는 부사 yesterday가 쓰였으므로 과거시제를 쓰는 것이 적절하다.

10 **once, never, has seen** | 수잔은 그 가수를 TV에서 한 번 본 일은 있지만, 직접 본 일은 한 번도 없다.

해설 부사 once와 never가 쓰여 '경험'을 나타내고 있으므로 현재완료형을 쓰는 것이 적절하다.

11 **two years ago, visited** | 저스틴은 삼촌 장례식에 참석하기 위해 2년 전 밴쿠버에 방문했다.

해설 부사구 two years ago가 명백한 과거를 나타내고 있으므로 과거시제를 쓰는 것이 적절하다.

12 **so far, have written** | 아이들은 산타클로스에게 지금까지 세 통의 편지를 썼다.

해설 부사구 so far(지금까지)가 과거부터 현재까지의 시간을 연결하고 있으므로 현재완료형을 쓰는 것이 적절하다.

배점	채점 기준
2	동사를 알맞은 형태로 바꿔 쓴 경우
2	밑줄을 바르게 그은 경우

13 **X** | 나는 파리를 여러 번 여행했다. 나는 유럽에 가본 일이 한 번도 없다.

해설 현재완료 have traveled가 쓰여 파리를 여러 번 여행한 '경험'을 나타내는 문장과 유럽에 가본 일이 한 번도 없다는 문장은 어울리지 않는다.

14 O | 나는 작년에 처음으로 파리를 여행했다. 나는 에펠탑을 보게 되어 신이 났다.

해설 과거시제 traveled가 쓰여 작년에 파리를 처음 여행했다는 과거 사실이 에펠탑을 보게 되어 신이 났다는 내용과 잘 연결된다.

15 X | 우리 아버지는 새해 전날에 집을 청소하셨다. 가서 아버지를 도와드리자.

해설 과거시제 cleaned는 지금은 이미 청소가 끝났음을 의미한다. 따라서 '가서 도와드리자'는 문장과는 문맥이 자연스럽지 않다.

16 X | 우리 아버지는 아침부터 차고를 청소하고 계신다. 그는 지금 거실에서 쉬고 계신다.

해설 현재완료 진행형 has been cleaning이 쓰여 동작이 현재까지 계속 진행됨을 좀 더 강조한다. 지금도 청소가 계속됨을 나타내므로 거실에서 쉬고 계신다는 문장과는 문맥이 자연스럽지 않다.

17 O | 줄리는 여름 동안 고모와 함께 지내려고 제주도에 갔다. 나는 그녀가 아직 거기에 있는지 모르겠다.

해설 과거시제 went가 쓰였으므로 과거의 특정 시기에 제주도에 갔다는 것을 의미할 뿐 현재의 상황은 포함하지 않는다.

18 X | 줄리는 여름 동안 고모와 함께 지내려고 제주도에 가 있다. 그녀는 지금 여기 서울에 있다.

해설 현재완료 has gone이 쓰였으므로 제주도에 갔다는 단순 과거가 아닌 현재에도 그곳에 있다는 것을 의미한다. 따라서 줄리가 지금 서울에 있다는 문장과는 문맥이 자연스럽지 않다.

19 O | 카일은 학교에 영어사전을 가져오는 것을 깜박했다. 그는 지금 영어 과제에 있는 몇몇 단어를 이해하는 데 어려움이 있다.

해설 현재완료 has forgotten이 쓰여 현재에도 영어사전이 없다는 것을 의미하므로 지금 영어 단어를 이해하는 데 어려움이 있다는 문장과 잘 연결된다.

20 O | 카일은 어제 학교에 영어사전을 가져가는 것을 깜박했다. 그래서 그는 친구에게 그것(=영어사전)을 빌렸다.

해설 과거시제 forgot과 borrowed가 쓰여 과거 한 시점의 상황을 설명하므로 문맥이 자연스럽다.

21 ⓑ | 당신은 유명 인사들을 대면한 일이 있나요?

해설 ever(언젠가)가 함께 쓰여 '경험'을 나타낸다. ever, never, once, before 등의 부사는 '경험'을 나타내는 현재완료와 함께 자주 쓰인다.

22 ⓒ | 저는 이미 당신에게 이메일로 지원서를 보냈습니다.

해설 already(이미)가 함께 쓰여 지원서를 보낸 것을 '완료'했음을 의미한다. already, just, now, recently, just 등의 부사는 '완료'를 나타내는 현재완료와 함께 자주 쓰인다.

23 ⓐ | 한 저예산 영화가 4주 연속으로 흥행 1위를 차지해 왔다.

해설 〈for+기간(~동안)〉이 함께 쓰여 그 동안 흥행이 '계속'되어온 것을 나타낸다.

24 ⓑ | 쿠바에서 온 내 이웃 아이들은 한 번도 눈을 본 일이 없다.

해설 never(한 번도 ~않다)가 함께 쓰여 눈을 본 일이 한 번도 없다는 '경험'을 나타낸다.

25 ⓓ | 우리 어머니가 내 어린 시절 장난감들을 버리셔서, 나는 그것들을 더 이상 가지고 있지 않다.

해설 장난감을 버린 '결과'가 현재에도 영향을 미치고 있음을 의미한다.

26 ⓒ | 내 사촌 중 하나가 최근에 서울에 있는 고등학교를 졸업했다.

해설 recently(최근에)가 함께 쓰여 졸업이 '완료'되었음을 의미한다.

27 ⓑ | 우리 할머니는 아주 건강하셔서 전에 입원한 일이 한 번도 없으시다.

해설 never(한 번도 ~않다)와 before(전에)가 함께 쓰여 할머니께서 입원해 본 일이 없으시다는 '경험'을 나타낸다.

28 ⓒ | 그녀는 혼자서 방을 페인트칠하는 것을 막 끝냈다. 이제 방이 아늑해 보인다.

해설 just(막, 방금)가 함께 쓰여 페인트칠을 방금 '완료'했음을 의미한다.

29 ⓓ | 몇몇 사람들이 홍수로 자신들의 집을 잃었다. 그들은 지금 보호 시설에서 지내고 있다.

해설 사람들이 홍수로 집을 잃은 '결과'가 현재에도 영향을 미치고 있음을 의미한다.

30 ⓐ | 사진술은 만물에 대한 우리의 이해에 있어 늘 중요한 역할을 해왔다.

해설 always(늘)가 함께 쓰여 과거부터 지금까지 중요한 역할이 '계속'되어온 것을 나타낸다.

UNIT 30 과거완료형/미래완료형

01 **한 번도 오페라를 본 일이 없었다, 경험** | 그녀는 어젯밤 전까지 한 번도 오페라를 본 일이 없었다.

해설 과거의 특정한 때(before last night)를 기준으로 그때까지 한 번도 오페라를 본 일이 없었다(never)는 '경험'을 나타내는 과거완료가 쓰였다.

02 **너의 노트북 컴퓨터를 수리하는 것을 끝내게 될 것이다, 완료** | 나는 네가 월요일에 도착할 때쯤 너의 노트북 컴퓨터를 수리하는 것을 끝내게 될 것이다.

해설 미래의 특정한 때(by the time ~ on Monday)를 기준으로 그 시점까지의 동작이나 상태의 '완료'를 나타내는 미래완료가 쓰였다.

03 **내 지갑을 잃어버렸다, 결과** | 나는 내 지갑을 잃어버렸기 때문에 그때 돈이 하나도 없었다.

해설 과거에 지갑을 잃어버린 것의 결과가 과거의 특정한 시점(at the time)까지 영향을 미쳐 돈이 없었다는 의미이므로 '결과'를 나타내는 과거완료가 쓰였다.

04 **이미 바다에 가라앉아 있었다, 완료** | 구조대가 도착했을 때, 그 비행기는 이미 바다에 가라앉아 있었다.

해설 구조대가 도착했던 과거의 그 시점에 비행기가 이미 바다에 가라앉아 있었다는 상태의 '완료'를 나타내는 과거완료가 쓰였다.

05 **6년간 죽 진행한 것이 된다, 계속** | 목성으로의 탐사 임무는 내년이면 6년간 죽 진행한 것이 된다.

해설 미래의 특정한 때(by next year)를 기준으로 그 시점까지 동작이나 상태가 '계속'됨을 나타내는 미래완료가 쓰였다.

배점	채점 기준
4	해석을 바르게 한 경우
4	의미를 바르게 고른 경우

06 **had gone** | 어제 늦게 내가 집에 갔을 때 어머니는 주무시고 계셨다.

해설 내가 집에 간 과거의 그 시점에 어머니는 이미 주무시고 계셨으므로 '완료'를 나타내는 과거완료를 써야 한다.

07 **had confirmed** | 자료에는 과학자들이 산호초의 죽음을 확인했다고 쓰여 있었다.

해설 과학자들이 산호초의 죽음을 확인한 것은 자료로 쓰이기 전의 일이므로 과거완료(대과거)를 써야 한다.

08 **will have taken** | 강도들은 경찰들이 여기에 도착할 때쯤이면 모든 돈을 가져가 버리게 될 것이다.

해설 미래의 특정한 때(by the time ~ here)를 기준으로 그 시점까지의 강도들이 돈을 가져가 버리게 될 것이라는 동작의 '완료'를 나타내는 미래완료를 써야 한다.

09 **will have had** | 다음 달 말이면, 나는 내 차를 20년 동안 죽 보유한 게 된다.

해설 미래의 특정한 때(At the end of next month)를 기준으로 그 시점까지 자신의 차를 보유한 것이 '계속'됨을 나타내는 미래완료를 써야 한다.

10 **had known** | 우리 조부모님이 결혼하셨을 때 15년 동안 죽 서로 알고 계셨다.

해설 조부모님이 결혼하신 과거의 그 시점 이전부터 15년 동안 죽 알고 있었다는 '계속'을 나타내는 과거완료를 써야 한다.

11 **will have worked** | 디에고 박사는 내일 그의 근무를 마칠 때면 24시간 연속으로 죽 일한 게 된다.

해설 미래의 특정한 때(when ~ tomorrow)를 기준으로 그 시점까지 디에고 박사가 일하는 것이 '계속'됨을 나타내는 미래완료를 써야 한다.

12 **we had lived there for over ten years**

해설 과거의 특정한 때(My family ~ the house)를 기준으로 우리가 그 집에 10년 넘게 죽 살았다는 의미를 나타내므로 '계속'을 나타내는 과거완료를 써야 한다.

13 **will have finished writing her novel**

해설 미래의 특정한 때(by the time ~ the publisher)를 기준으로 그 시점까지 소설 집필을 끝내게 될 것이라는 동작의 '완료'를 나타내는 미래완료를 써야 한다. finish는 목적어로 동명사(v-ing)를 취하므로 write는 writing으로 써야 한다. ≪ UNIT 15

배점	채점 기준
5	어순은 올바르나 어형 변형이 틀린 경우

UNIT 31 to부정사/동명사의 완료형

01 **to donate** | 그는 사후에 자신의 장기를 기증하기로 결정했다.

해설 decide는 to부정사를 목적어로 취하는 동사이다. ≪ UNIT 15 to부정사의 내용(would donate)이 문장의 동사(decided)보다 아직 일어나지 않은 앞으로의 일을 의미하므로 기본형(to-v)을 써야 한다.

02 **to have discovered** | 연구원들은 사막에서 사적지를 발견했다고 주장한다.

해설 claim은 to-v를 목적어로 취하는 동사이다. 문장의 동사(claim)보다 사적지를 발견한(discovered) 것이 더 앞선 것이므로 완료형(to have p.p.)을 써야 한다.

03 **Having lived** | 영국에서 여러 해를 지냈다는 사실이 나로 하여금 햇빛을 갈망하도록 만들었다.

해설 문장의 동사(has made)보다 영국에서 지냈던(lived) 것이 앞선 것이므로 주어 자리에는 완료형(to have p.p.)을 써야 한다. 주어 자리에 쓰이는 명사구는 to부정사와 동명사 모두 가능한데, 빈칸이 두 개이므로 having p.p.로 쓰는 것이 알맞다.

04 **her wining** | 나는 그녀가 올해의 신인상을 수상할 것을 확신한다.

해설 전치사 of의 목적어 자리이고, 뒤에 딸린 어구(Rookie ~ Award)가 있으므로 동명사를 써야 한다. 그녀가 상을 수상하는(will win) 것은 문장의 동사(am)보다 이후의 일이므로 기본형(v-ing)을 쓰고 그 앞에 동명사의 의미상의 주어인 her를 추가한다. ≪ UNIT 13

05 **denied having received funding**

해설 deny는 동명사를 목적어로 취하는 동사이다. 우리말 시제가 과거이므로 문장의 동사는 denied로 바꿔 쓰고, 자금을 받은 것은 그것을 부인했다는 문장의 동사보다 더 앞선 것이므로 완료형인 having p.p.로 써야 한다.

06 **seems to have forgotten the deadline**

해설 우리말 시제가 현재이고 주어가 3인칭 단수이므로 seems를 쓰고, 문장의 동사보다 보고서 기한을 잊어버린 것이 시간상 더 앞선 것이므로 완료형인 to have p.p.를 써야 한다. 이 문장에서 to부정사구(to have ~ the report)는 동사 seems의 보어 역할을 한다. ≪ UNIT 21

07 **was accused of having violated copyright laws**

해설 우리말 시제가 과거이고 주어가 3인칭 단수이므로 was accused of로 쓴다. 전치사 of의 목적어 자리에는 동명사를 써야 하며, 저작권법을 위반한 것이 고발당했다는 문장의 동사보다 시간상 더 앞선 것이므로 완료형인 having p.p.로 쓴다.

08 **the only thing to have disappeared**

해설 지하철에서 지갑이 사라졌던 것이 문장의 동사보다 시간 상 더 앞선 것이므로 완료형 to have p.p.를 써야 한다. 여기에서 완료형인 to부정사구는 명사 the only thing을 수식하는 형용사적 용법으로 쓰였다. ≪ UNIT 51

배점	채점 기준
8	어순은 올바르나 어형 변형이 틀린 경우

동사에 의미를 더하는 조동사

UNIT 32 능력(Ability)/허가(Permission)

01 **ⓑ, 제출해도 된다** | 너는 다음 주 월요일에 추천서를 제출해도 된다.

해설 여기서 may는 '허가'를 뜻하는 표현이다.

02 **ⓐ, 암기할 수 있다** | 그레이스는 새로운 단어를 나보다 더 잘 그리고 더 빠르게 암기할 수 있다.

해설 여기서 can은 '능력'을 뜻하는 표현이다.

03 **ⓑ, 복사하거나 편집할 수 없다** | 사용자들은 이 웹사이트의 어떤 자료도 복사하거나 편집할 수 없습니다.

해설 여기서 cannot은 '금지'를 뜻하는 표현이다.

04 **ⓐ, 이길 수 없었다** | 우리가 어렸을 때 나는 테니스에서 형을 이길 수 없었다.

해설 여기서 could not은 과거의 '능력'을 뜻하는 표현이다. (could not = wasn't able to)

05 **ⓐ, 살아남을 수 있다** | 낙타는 사막의 열기와 같은 극한의 환경에서 살아남을 수 있다.

해설 여기서 can은 '능력'을 뜻하는 표현이다.

06 **ⓐ, 측정할 수 있었다** | 고대 인류는 지구, 달, 태양의 움직임으로 년, 월, 일을 측정할 수 있었다.

해설 여기서 could는 과거의 '능력'을 뜻하는 표현이다. (could = were able to)

배점	채점 기준
6	기호를 바르게 쓴 경우
6	해석을 바르게 한 경우

07 **cannot** | 우리는 한꺼번에 모든 것을 가질 수 없기 때문에 어쩔 수 없이 선택하게 된다.

해설 여기서 cannot은 '능력'을 뜻하는 표현이다.

08 **can't** | 전자기기는 이륙 도중에 사용될 수 없습니다. 그것들을 끄거나 비행기 모드로 전환해 주십시오.

해설 여기서 can't는 '금지'를 뜻하는 표현이다.

UNIT 33 충고(Advisability)/의무(Necessity)

01

기호	어색한 표현	고친 표현
ⓐ	shouldn't	should
ⓒ	need	need not / doesn't need[have] to

| ⓐ A: 우리 여기에 앉는 게 어때? / B: 글쎄, 그 자리들은 노인분들을 위해 남겨두지 말아야(→ 남겨둬야) 해.

ⓑ A: 나는 어제 이 바지들을 샀는데, 그것들이 너무 꽉 껴. / B: 네가 그것들을 교환하고 싶다면 영수증을 가지고 가야 해.

ⓒ A: 그는 내일 영어 말하기 시험이 있지 않니? / B: 그는 영어를 유창하게 말하기 때문에 시험을 준비할 필요가 있어(→ 준비할 필요가 없어).

ⓓ A: 너는 케빈이 왜 밴드 연습에 아직 오지 않은지 알고 있니? / B: 모르겠어. 그의 휴대폰으로 한번 전화해봐.

해설 ⓐ A가 앉자고 제안했을 때, B는 그 자리는 노인분들을 위해 남겨두어야 한다며 거절하는 내용이 오는 것이 자연스럽다. 따라서 B의 shouldn't를 should로 바꾸는 것이 문맥상 적절하다.

ⓒ A가 그가 내일 영어 말하기 시험이 있는지에 대해 물었을 때, B는 그가 영어를 유창하게 말하기 때문에 시험을 준비할 필요가 없다는 내용이 오는 것이 자연스럽다. 따라서 B의 need를 need not 또는 doesn't need[have] to로 바꾸는 것이 문맥상 적절하다.

감점	채점 기준
-15	기호와 어색한 표현을 하나 찾지 못한 경우
-15	어색한 표현을 바르게 고치지 못한 경우

02 **어떠한 사진도 찍어서는 안 된다** | 박물관 방문객들은 금지된 구역에서는 어떠한 사진도 찍어서는 안 된다.

해설 강한 금지의 의미를 나타내는 must not은 '~해서는 안 된다'로 해석한다.

03 **수업 중에 네 스마트폰을 사용하지 않는 게 좋을 것이다** | 너는 수업 중에 네 스마트폰을 사용하지 않는 게 좋을 것이다. 그렇지 않으면 그것은 빼앗길 것이다.

해설 had better의 부정형인 had better not은 '~하지 않는 것이 좋을 것이다'로 해석한다.

04 **오늘 그들의 과제를 제출할 필요가 없다** | 학생들은 오늘 그들의 과제를 제출할 필요가 없다. 마감 기한은 내일이다.

해설 don't need to는 '~할 필요가 없다'로 해석하며, don't have to, need not으로 바꿔 쓸 수도 있다.

UNIT 34 현재나 미래에 대한 가능성/추측

01 **can't** | 내가 어떤 증거도 보지 못했기 때문에 그 소문이 사실일 리가 없다.

해설 어떤 증거도 보지 못했으므로 소문이 사실일 리가 없다는 강한 확신을 나타내는 can't가 적절하다.

02 **may not** | 매일이 좋지 않을지도 모르지만, 좋은 어떤 일은 매일 있다.

해설 but을 전후로 상반되는 내용이 나와야 하므로 문맥상 현재나 미래에 대한 부정적인 가능성/추측을 나타내는 may not이 적절하다.

03 **might** | 당신이 큰 프로젝트를 맡는다면 매우 부담을 느낄지도 모른다.

해설 문맥상 '~일지도 모른다'라는 의미로 현재나 미래에 대한 불확실한 추측을 나타내는 might가 적절하다. might는 may보다 추측의 정도가 약할 뿐, '과거'로 해석하지 않도록 주의하자.

04 **will** | 그 태풍은 폭우와 강한 바람을 동반할 것이므로, 주의가 필요하다.

해설 문맥상 '~일 것이다'라는 의미로 미래에 대한 긍정적인 가능성/추측을 나타내는 will이 적절하다.

05 **can** | 태양의 자외선은 피부에 부정적인 영향을 초래할 수도 있으므로, 자외선 차단제를 발라라.

해설 문맥상 '~일 수도 있다'라는 의미로 현재나 미래의 일에 대한 가능성/추측을 나타내는 can이 적절하다.

06 **must** | 조는 노래를 잘하는 것임에 틀림없다. 그는 2년 연속으로 노래 경연 대회에서 우승했다.

해설 문맥상 확신의 정도가 강하므로 '~임에 틀림없다'의 뜻을 가진 must가 적절하다.

07 **may** | 경찰은 그들의 비슷한 행동 때문에 두 범인 사이에 연관성이 있을지도 모른다고 의심한다.

해설 문맥상 '~일지도 모른다'라는 의미로 현재의 불확실한 추측을 나타내는 may가 적절하다.

08 **could** | 의사들은 너무 많은 스트레스는 뇌에 손상을 일으켜서 우울증을 초래할지도 모른다고 경고했다.

해설 문맥상 '~일지도 모른다'라는 의미로 현재나 미래의 일에 대한 가능성/추측을 나타내는 could가 적절하다. could는 과거형 조동사이지만 현재나 미래의 일에 대한 가능성/추측의 뜻을 나타낼 수도 있으며 '과거'로 해석하지 않도록 주의하자.

09 **must** | 지하철은 교통 체증에 대한 해결책임에 틀림없다. 그것은 러시아워 동안 확실히 시간을 아껴준다.

해설 문맥상 '~임에 틀림없다'라는 의미로 현재나 미래에 대한 강한 확신을 나타내는 must가 적절하다.

10 **should** | 그 문제를 푸는 더 쉬운 방법이 있을 것이다. 제시카는 우리가 그랬던(풀었던) 것보다 더 빨리 그것을 풀었다.

해설 should는 대부분 '의무'를 나타내지만 '가능성/추측'도 가능하므로 문맥을 잘 살펴야 한다. 여기서 should는 '~일 것이다'라는 가능성/추측의 의미로 쓰였다.

UNIT 35 과거에 대한 가능성/추측/후회

01 **그 영화를 봤을지도 모른다** | 나는 그 영화를 봤을지도 모른다. 몇몇 장면이 내게 익숙하다.

해설 〈may have p.p.〉: ~했을지도 모른다

02 **실망감을 느꼈음이 틀림없다** | 대니는 그 경기에서 졌을 때 실망감을 느꼈음이 틀림없다.

해설 〈must have p.p.〉: ~했음이 틀림없다

03 **쓰지 말았어야 했는데 (썼다)** | 내 여동생은 기념품들을 사는 데 너무 많은 돈을 쓰지 말았어야 했는데 (썼다).

해설 〈shouldn't have p.p.〉: ~하지 말았어야 했는데 (했다)

04 **집중했을 리가 없다** | 학생들은 교장 선생님의 연설에 집중했을 리가 없다. 그것은 그저 너무 지루했다.

해설 〈can't have p.p.〉: ~했을 리가 없다

05 **반납했어야 했는데 (하지 않았다)** | 다이애나는 그 책을 도서관에 반납했어야 했는데 (하지 않았다). 이제 그녀는 연체료를 내야 한다.

해설 〈ought to have p.p.〉: ~했어야 했는데 (하지 않았다)

---

06 **O** | 너는 어제 공원에서 나를 봤을 리가 없다. 나는 하루 종일 집에 있었다.

해설 문맥상 '~했을 리가 없다'는 의미의 〈can't have p.p.〉가 알맞게 쓰였다.

07 **X, should[ought to] have checked** | 그 가게는 닫혀있다. 우리는 집을 떠나기 전에 먼저 확인을 해야 한다(→ 했어야 했는데 (하지 않았다)).

해설 문맥상 과거의 일에 대한 후회/유감을 뜻하는 〈should[ought to] have p.p.: ~했어야 했는데 (하지 않았다)〉가 와야 한다.

08 **O** | 내 서류 가방은 분실물 보관소에 있었다. 어쩌면 누군가가 그것을 휴게실에서 발견했을지도 모른다.

해설 문맥상 과거의 일에 대한 약한 추측을 나타내는 '어쩌면 ~했을지도 모른다'는 의미의 〈might have p.p.〉가 알맞게 쓰였다.

09 **O** | 나는 컴퓨터에서 그 파일을 찾을 수 없다. 내가 그것을 잘못된 곳에 저장했음에 틀림없다.

해설 문맥상 과거 사실에 대한 단정적인 추측을 나타내는 '~했음이 틀림없다'는 의미의 〈must have p.p.〉가 알맞게 쓰였다.

10 **X, can't[cannot] have grown** | 연구자들은 화성에서 생명체가 잘 자랐을 수도 있다고(→ 자랐을 리가 없다고) 말한다. 그곳에 생명의 흔적이 없었다.

해설 문맥상 '~했을 리가 없다'는 의미의 〈can't[cannot] have p.p.〉가 와야 한다.

감점	채점 기준
-5	X는 올바르게 표시했지만, 틀린 부분을 바르게 고치지 못한 경우

UNIT 32-35 OVERALL TEST

01 **must** | 그는 너무 오랫동안 열심히 일했다. 그는 매우 피곤했음이 틀림없다.

해설 문맥상 '~했음이 틀림없다'라는 과거 사실에 대한 단정적인 추측을 나타내므로 〈must have p.p.〉가 적절하다. 〈can't[cannot] have p.p.〉는 '~했을 리가 없다'라는 의미로 〈must have p.p.〉와 정반대의 뜻을 가진다.

02 may | 가전제품의 부적절한 사용은 화재를 야기할지도 모른다.

해설 문맥상 '~일지도 모른다'라는 약한 가능성을 나타내므로 may가 적절하다. cannot은 능력 및 현재나 미래에 대한 부정적인 가능성/추측을 나타낸다.

03 can | 삶은 롤러코스터를 타는 것과 같을 수 있다. (삶에는) 오르내림이 있다.

해설 문맥상 '~일 수도 있다'라는 의미로 현재나 미래에 대한 긍정적인 가능성/추측을 나타내므로 can이 적절하다. might not은 현재나 미래에 대한 부정적인 가능성/추측을 나타낸다.

04 must | 그녀는 매 식사 후에 이 약을 반드시 복용해야 한다. 그렇지 않으면 그것은 효과가 없을 것이다.

해설 문맥상 '(반드시) ~해야 한다'라는 의무를 나타내므로 must가 적절하다. need not는 '~할 필요가 없다'라는 불필요를 나타낸다.

05 ⓒ | ⓒ 어떠한 건물도 튼튼한 토대 없이는 서 있을 수 없다.

ⓐ 이곳에서 어떤 안전모도 착용하지 않는 것은 위험할지도 모른다.

ⓑ 걱정과 분노는 당신의 혈압을 높일 수도 있다.

해설 ⓐ, ⓑ는 현재나 미래에 대한 가능성/추측을, ⓒ는 능력을 의미한다.

06 ⓑ | ⓑ 아이들은 다가오는 여름 캠프에 대해 들떠 있음에 틀림없다.

ⓐ 운전 필기시험을 통과하기 위해서는 적어도 60점을 받아야 한다.

ⓒ 입장권을 예매하기 위해서는 박물관 웹사이트에서 회원으로 가입해야 합니다.

해설 ⓐ, ⓒ는 의무를, ⓑ는 현재나 미래에 대한 강한 추측을 의미한다.

07 need not[doesn't need to] cook dinner

08 should have made a reservation

배점	채점 기준
7	어순과 추가한 단어는 올바르나 어형 변형이 틀린 경우

UNIT 36 should의 특별한 쓰임

01 X, (should) be | 린다는 자신의 이름이 참가자 명단에서 제외되어야 한다고 요구했다.

해설 동사 demanded 뒤에 오는 that절 내용이 '~해야 한다'는 당위성을 의미하므로 that절에는 ⟨(should+)동사원형⟩의 형태인 (should) be가 와야 한다.

02 O | 어린이들은 자신들의 미래에 대해 성급한 결정을 내리지 않는 것이 바람직하다.

해설 desirable은 당위성(~해야 한다)을 나타내는 that절과 자주 함께 쓰이는 형용사 중 하나로, that절에는 동사원형 형태인 not make가 적절하게 쓰였다. not 앞에는 should가 생략되어 있다.

03 X, was | 불행하게도, 수의사로부터의 검사 결과는 그녀의 개가 아프다는 것을 암시했다.

해설 suggest가 '제안하다'의 의미가 아니라 '시사하다, 암시하다'의 의미일 경우, that절에 ⟨(should+)동사원형⟩을 쓰지 않고 주어의 인칭과 수 그리고 시제에 일치시킨다. her dog가 3인칭 단수 주어이고, 주절의 시제가 과거이므로 be를 was로 고치는 것이 적절하다.

04 O | 우리 옛 선생님께서 아직도 우리 이름을 모두 기억하신다니 놀랍다.

해설 놀라움을 나타내는 형용사 뒤에 오는 that절에서 ⟨should+동사원형⟩이 쓰여 '~하다니'를 의미한다. 참고로 should를 쓰지 않고 동사의 적절한 시제를 쓸 수도 있다. (still remembers (○))

감점	채점 기준
-6	X는 올바르게 표시했지만, 틀린 부분을 바르게 고치지 못한 경우

05

기호	틀린 표현	고친 표현
ⓒ	should not commit	had not committed
ⓓ	abandoned	(should) abandon

| ⓐ 그 법안은 모든 노동자가 네 시간마다 10분의 휴식을 가져야 한다고 요구한다.

ⓑ 단지 소수의 사람들만이 그 행사에 참여하다니 유감이다.

ⓒ 그 용의자는 자신이 전에 어떠한 범죄도 저지른 일이 없다고 주장했다.

ⓓ 선장은 선원들이 즉시 배를 버려야 한다고 명령했다.

ⓔ 내가 그에게 권고하는 바는 그가 다른 곳에서 직업을 찾아야 한다는 것이다.

해설 ⓒ 동사 insisted 뒤에 오는 that절의 내용이 당위성이 아닌 사실 그대로를 나타내고, 문맥상 주절의 시제(과거) 이전의 '경험'을 나타내므로 과거완료형인 had not committed가 와야 한다.

ⓓ 동사 commanded 뒤에 오는 that절의 내용이 '~해야 한다'라는 당위성을 나타내므로 (should) abandon이 와야 하며 이때 should는 생략 가능하다.

감점	채점 기준
-6	기호와 틀린 표현을 하나 찾지 못한 경우
-6	틀린 표현을 바르게 고치지 못한 경우

06 he saw the man

해설 우리말 해석상 that절의 내용이 사실 그대로를 나타내고 있으므로 that절의 동사는 주어의 인칭과 수 그리고 시제에 일치시킨다.

07 Connor (should) take charge of the presentation

해설 우리말 해석상 that절의 내용이 '~해야 한다'라는 당위성을 나타내므로 ⟨(should+) 동사원형⟩의 형태를 써야 한다.

배점	채점 기준
7	어순과 추가한 단어는 올바르나 어형 변형이 틀린 경우

UNIT 37 자주 보이는 조동사 표현

01 ⓐ | 길을 건널 때 아무리 주의를 기울여도 지나치지 않다.
ⓐ 길을 건널 때 세심한 주의를 기울여야 한다.
ⓑ 길을 건널 때 많은 주의를 기울이지 않을지도 모른다.
해설 ⟨cannot ~ too ...⟩는 '아무리 ~해도 지나치지 않다'를 의미한다.

02 ⓑ | 내가 어렸을 때, 우리 아버지는 역사상 위대한 인물들에 관한 이야기들을 내게 읽어주시곤 했다.
ⓐ 우리 아버지는 역사상 위대한 인물들에 대한 이야기들을 내게 읽어주시는 것에 익숙하셨다.
ⓑ 우리 아버지는 역사상 위대한 인물들에 관한 이야기들을 내게 읽어주시곤 했다.
해설 would와 used to는 모두 '~하곤 했다'라는 과거의 습관을 의미한다. ⟨be used to v-ing⟩는 'v하는 것에 익숙하다'라는 의미이다.

03 **used to dream**

04 **cannot help learning**

05 **would rather focus on long-term growth than**

06 **would like to place an order**

07 **may as well take a subway**

08 **may well be one of the most beautiful islands**

배점	채점 기준
7	⟨보기⟩에서 적절한 표현을 고르고 어순은 올바르나 어형 변형이 틀린 경우

CHAPTER  07 동사의 태

UNIT 38 3문형/4문형의 수동태

01 **was stolen** | 지난밤 집 앞에서 우리 차가 도난당했다.
해설 차가 '도난당한' 것이므로 주어(Our car)와 동사(steal)는 수동 관계이다. 동사의 수는 단수인 주어(Our car)에 일치시키고, 과거를 나타내는 last night이라는 부사구가 있으므로 과거시제를 사용한다.

02 **are held** | 한국에서 대통령 선거는 5년마다 열린다.
해설 대통령 선거가 '열리는' 것이므로 주어(Presidential elections)와 동사(hold)는 수동 관계이다. 동사의 수는 복수인 주어(Presidential elections)에 일치시키고, every five years라는 부사구를 통해 정기적으로 반복되는 일임을 알 수 있으므로 현재시제를 사용한다. ≪ UNIT 27

03 **was offered** | 그 배우는 일주일 전에 영화감독에게서 주요한 역할을 제안 받았다.
해설 배우가 '제안 받은' 것이므로 주어(The actor)와 동사(offer)는 수동 관계이다. 동사의 수는 단수인 주어(The actor)에 일치시키고, 과거를 나타내는 a week ago라는 부사구가 있으므로 과거시제를 사용한다. 동사 뒤의 a major role은 능동태 문장의 직접목적어로 수동태 문장에서 그 자리에 그대로 남아 있다.

04 **was left** | 줄리아는 할아버지에 의해 유언으로 포도원을 물려받았다.
해설 줄리아에게 포도원이 '남겨지는' 것이므로 주어(Julia)와 동사(leave)는 수동 관계이다. 동사의 수는 단수인 주어(Julia)에 일치시킨다. 동사 뒤의 a vineyard는 능동태 문장의 직접목적어로 수동태 문장에서 그 자리에 그대로 남아 있다.

05 **bought** | 2019년에 브라운 씨는 비싸지 않은 가격에 이층집을 구입했다.
해설 브라운 씨가 이층집을 '구입한' 것이므로 주어(Mr. Brown)와 동사(buy)는 능동 관계이다. 과거를 나타내는 in 2019라는 부사구가 있으므로 과거시제를 사용한다. 동사 뒤의 a two-story house는 능동태 문장의 직접목적어로 수동태 문장에서 그 자리에 그대로 남아 있다.

06 **were wounded** | 어제, 서른 명이 넘는 사람들이 폭격으로 부상당했다.
해설 서른 명이 넘는 사람들이 '부상당한' 것이므로 주어(over thirty people)와 동사(wound)는 수동 관계이다. 동사의 수는 복수인 주어(over thirty people)에 일치시키고, 과거를 나타내는 Yesterday라는 부사가 있으므로 과거시제를 사용한다.

07 **was blocked** | 내가 거기에 도착했을 때, 도로는 떨어진 돌들로 막혀 있었다.
해설 도로가 '막힌' 것이므로 주어(the road)와 동사(block)는 수동 관계이다. 동사의 수는 단수인 주어(the road)에 일치시키고, 부사절의 동사 arrived를 고려했을 때 문맥상 과거의 일을 나타내고 있으므로 과거시제를 사용한다.

08 **is served** | 아침은 매일 오전 7시부터 오전 10시까지 제공된다.
해설 아침이 '제공되는' 것이므로 주어(Breakfast)와 동사(serve)는 수동 관계이다. 동사의 수는 단수인 주어(Breakfast)에 일치시키고, on all days(매일)라는 부사구를 통해 정기적으로 반복되는 일임을 알 수 있으므로 현재시제를 사용한다.

09 **saved** | 오늘 아침 심한 폭풍우 속에서 해군이 다섯 명의 어부를 구조했다.
해설 해군이 다섯 명의 어부를 '구조한' 것이므로 주어(The navy)와 동사(save)는 능동 관계이다. 부사구 this morning과 함께 오늘 아침에 있었던 일에 관해 서술하고 있으므로 과거시제를 사용한다.

10 **were built** | 피라미드들은 고대 이집트인들에 의해 거의 5천 년 전에 지어졌다.

해설 피라미드들이 '지어지는' 것이므로 주어(The pyramids)와 동사(build)는 수동 관계이다. 동사의 수는 복수인 주어(The pyramids)에 일치시키고, 과거를 나타내는 nearly 5,000 years ago라는 부사구가 있으므로 과거시제를 사용한다.

11 **is produced** | 실크는 누에에 의해 만들어지고 만드는 데에 많은 노동을 필요로 한다.

해설 실크가 '만들어지는' 것이므로 주어(Silk)와 동사(produce)는 수동 관계이다. 동사의 수는 단수인 주어(Silk)에 일치시키고, 일반적인 사실을 나타내므로 현재시제를 사용한다. 접속사 and 뒤에 나온 동사(requires)가 능동이라고 해서 빈칸에도 능동형을 쓰지 않도록 주의하자.

12 **was painted** | 〈모나리자〉는 르네상스 시대 동안 레오나르도 다 빈치에 의해 그려졌다.

해설 〈모나리자〉가 '그려지는' 것이므로 주어(The *Mona Lisa*)와 동사(paint)는 수동 관계이다. 동사의 수는 단수인 주어(The *Mona Lisa*)에 일치시키고, 과거(르네상스 시대)의 일이므로 과거시제로 쓴다.

13 **drives** | 영국에서, 모든 사람은 자신의 차를 도로의 왼쪽에서 운전한다.

해설 모든 사람이 자신의 차를 '운전하는' 것이므로 주어(everyone)와 동사(drive)는 능동 관계이다. 동사의 수는 단수인 주어(everyone)에 일치시키고, 일반적인 사실을 나타내는 문장이므로 현재시제를 사용한다.

14 **were shown** | 생일파티에서 아이들은 그 광대에 의해 동물 풍선이 보여졌다. (→ 생일파티에서 그 광대가 아이들에게 동물 풍선을 보여주었다.)

해설 동물 풍선이 아이들에게 '보여진' 것이므로 주어(The children)와 동사(show)는 수동 관계이다. 동사의 수는 복수인 주어(The children)에 일치시키고, 과거시제를 사용한다. 동사 뒤의 the balloon animals는 능동태 문장의 직접목적어로 수동태 문장에서 그 자리에 그대로 남아 있다.

15 **are born, is prescribed** | 신생아들은 낮은 수치의 비타민 K를 가지고 태어나므로, 그것은 부모의 동의하에 의사에 의해 처방된다.

해설 첫 번째 빈칸에는 신생아들이 '태어나는' 것이므로 주어(Newborn babies)와 동사(bear)는 수동 관계이다. 동사의 수는 복수인 주어(Newborn babies)에 일치시키고, 일반적인 사실을 나타내는 문장이므로 현재시제를 사용한다. 두 번째 빈칸에는 그것(=vitamin K)이 '처방되는' 것이므로 주어(it)와 동사(prescribe)는 수동 관계이다. 동사의 수는 단수인 주어(it)에 일치시키고, 역시 일반적인 사실을 나타내는 문장이므로 현재시제를 사용한다.

---

16 **was given** | 그 사서에 의해 엉뚱한 도서관 카드가 나에게 주어졌다.

해설 엉뚱한 도서관 카드가 '주어지는' 것이므로 주어와 동사는 수동 관계이다. SVOO문형의 수동태 문장으로, 능동태 문장의 직접목적어(The wrong library card)가 주어로 가고 간접목적어(me) 앞에 전치사(to)가 쓰였다.

17 **was taught** | 조지는 여덟 살 때 말을 타는 법을 배웠다.

해설 조지가 말을 타는 법을 배웠다는 것은 '가르침을 받았다'는 의미이므로 주어와 동사는 수동 관계이다. 동사 뒤의 how to ride a horse는 능동태 문장의 직접목적어로 수동태 문장에서 그 자리에 그대로 남아 있다.

18 **asked** | 존은 내게 우리 가족이 학교 축제에 올 것인지를 물었다.

해설 존이 우리 가족이 학교 축제에 올 것인지를 내게 '물은' 것이므로 주어와 동사는 능동 관계이다.

19 **were rejected** | 많은 베스트셀러 소설들은 출판 전에 여러 번 거절당했다.

해설 소설들이 출간을 '거절당한' 것이므로 주어와 동사는 수동 관계이다.

20 **reproduced** | 인쇄기가 이용 가능하지 않던 때에, 사람들은 손으로 지도를 모사했다. (→ 인쇄기가 발명되기 전에는 사람들이 직접 지도를 그렸다.)

해설 사람들이 지도를 '모사한' 것이므로 주어와 동사는 능동 관계이다.

21 **are judged** | 직업의 세계에서, 사람들은 두 가지 기준, 즉 그들의 전문 기술과 개인적인 특성에 의해 판단된다.

해설 사람들이 두 가지 기준으로 '판단되는' 것이므로 주어와 동사는 수동 관계이다.

---

22 **Several corruption cases were revealed by a reporter**

해설 SVO문형의 수동태 문장이다. 동사의 수는 복수인 주어(Several corruption cases)에 일치시켜 were revealed로 써야 하며, by 뒤에는 행위자인 a reporter가 와야 한다. (← A reporter revealed several corruption cases in the newspaper.)

23 **every winner was given an olive wreath**

해설 SVOO문형의 수동태 문장이다. 동사의 수는 단수인 주어(every winner)에 일치시켜 was given으로 써야 하며, 직접목적어인 an olive wreath가 그 뒤에 온다. (← In the 2004 Olympics in Athens, the committee gave every winner an olive wreath along with their medal.)

24 **Parents were informed that the school was closing**

해설 SVOO문형의 수동태 문장이고, 직접목적어로 that이 이끄는 명사절이 사용되었다. 동사의 수는 복수인 주어(Parents)에 일치시켜 were informed로 써야 하며, 직접목적어인 명사절(that the school ~ snow)이 뒤에 와야 한다. by 뒤에는 행위자인 teachers가 왔다. (← Teachers informed parents that the school was closing because of heavy snow.)

배점	채점 기준
3	어순은 올바르나 어형 변형이 틀린 경우

UNIT 39 5문형의 수동태

01 **are kept fresh** | 냉장고는 과일과 채소를 신선하게 보관한다. → 과일과 채소는 냉장고로 신선하게 보관된다.

해설 SVOC문형이 수동태로 바뀌면 O는 주어로 나가고 C는 그 자리에 그대로 남는다.

02 **are asked to wash their hands** | 병원은 방문객들이 도착하자마자 손을 씻을 것을 요청한다. → 방문객들은 병원에 의해 도착하자마자 손을 씻을 것을 요청받는다.

03 **is thought a master of magic tricks** | 그녀의 학급 친구들은 앤이 마술 묘기의 달인이라고 생각한다. → 앤은 그녀의 학급 친구들에 의해 마술 묘기의 달인이라고 생각된다.

04 **was heard crying** | 그들은 덤불 근처에서 야생 동물이 울고 있는 것을 들었다. → 그들에 의해 덤불 근처에서 야생 동물이 울고 있는 것이 들렸다.

05 **was left unlocked** | 우리 엄마는 주말 내내 문을 잠그지 않은 채로 두셨지만, 아무것도 도둑맞지 않았다. → 우리 엄마에 의해 주말 내내 문이 잠기지 않은 채로 있었지만, 아무것도 도둑맞지 않았다.

06 **are not allowed to talk** | 그 선생님은 시험 동안 학생들이 말하는 것을 허락하지 않으신다. → 학생들은 그 선생님에 의해 시험 동안 말하는 것이 허락되지 않는다.

해설 원형부정사를 목적격보어로 취하는 동사 let의 경우 수동태를 쓸 때 〈be allowed to-v〉로 쓴다.

07 **was seen to crawl** | 저녁 식사 후에, 빅토리아는 자신의 고양이가 소파 밑으로 기어가는 것을 보았다. → 저녁 식사 후에, 빅토리아에 의해 고양이가 소파 밑으로 기어가는 것이 보였다.

해설 지각동사의 목적격보어로 원형부정사가 올 경우 수동태 문장에서 to-v로 바꿔 쓴다.

---

08 **is called** | 암컷 닭은 암탉이라 불리고, 그 반대는 수탉이(라 불린)다.

해설 암컷 닭이 암탉으로 '불리는' 것이므로 주어와 동사는 수동 관계이다. 동사 뒤의 a hen은 능동태 문장의 목적격보어로 수동태 문장에서 그 자리에 그대로 남아 있다.

09 **found** | 경찰은 실종된 아이가 살아 있는 것을 호수 옆에서 발견했다.

해설 경찰이 아이를 '발견하는' 것이므로 주어와 동사는 능동 관계이다. by the lake는 〈by+행위자〉가 아니라 '~ 옆에'를 의미하는 by가 쓰인 〈전치사+명사〉구이다.

10 **were advised** | 통근자들은 교통 체증을 피하기 위해 일찍 나서도록 권고되었다.

해설 통근자들이 일찍 나서도록 '권고 받는' 것이므로 주어와 동사는 수동 관계이다. 동사 뒤의 to leave early는 능동태 문장의 목적격보어로 수동태 문장에서 그 자리에 그대로 남아 있다. to avoid traffic jams는 '목적'을 나타내는 부사적 용법의 to부정사구이다. ≪ UNIT 54

11 **appointed** | 교장 선생님은 파커 씨를 학교 상담사로 임명하셨다.

해설 교장 선생님이 파커 씨를 상담사로 '임명하는' 것이므로 주어와 동사는 능동 관계이다.

12 **are made** | 그 전시회들은 전 세계의 재능 있는 예술가들에 의해 가능해지게 되었다.

해설 전시회들이 '가능해지게 되는' 것이므로 주어와 동사는 수동 관계이다. 동사 뒤의 possible은 능동태 문장의 목적격보어로 수동태 문장에서는 그 자리에 그대로 남아 있다.

---

13 **is considered a major factor**

해설 SVOC문형의 수동태 문장은 O(Speeding)가 주어로 나가고 C(a major factor)는 그 자리에 그대로 남는다. (← They consider speeding a major factor in car accidents.)

14 **is rarely heard to bark loudly**

해설 SVOC문형에서 O(Our neighbor's dog)가 주어로 나가고 C 자리에 있던 원형부정사 bark는 to bark가 된다. (← We rarely hear our neighbor's dog bark loudly.) 빈도부사(rarely)의 위치는 be동사 뒤, 조동사 뒤, 일반 동사 앞이다.

배점	채점 기준
3	어순은 올바르나 어형 변형이 틀린 경우

---

15 **with** | 정원을 지나는 길은 작은 회색 돌들로 덮여 있다.

해설 〈be covered with〉: ~으로 덮여 있다

16 **in** | 나는 셜록 홈스에 관심이 있어서, 영국으로 여행가기로 결심했다.

해설 〈be interested in〉: ~에 관심[흥미]이 있다

17 **with** | 그는 자신이 가진 것에 절대 만족하지 않으며 항상 다른 사람들을 시기한다.

해설 〈be satisfied with〉: ~에 만족하다

18 **at** | 그녀는 어둠 속에서 그의 갑작스러운 등장에 놀랐다.

해설 〈be surprised at〉: ~에 놀라다

19 **in** | 내가 어렸을 때 우리 할아버지는 건축업에 종사하셨다.

해설 〈be engaged in〉: ~에 종사하다

20 **with** | 그 집은 파티가 열리는 동안 감미로운 클래식 음악 소리로 가득 찼다.

해설 〈be filled with〉: ~로 가득 차다

21 **for** | 넬슨 만델라는 인종적 편견에 반대하는 그의 오랜 투쟁으로 유명하다.

해설 〈be known for〉: ~으로 유명하다

22 **to** | 미국 남부에서의 토네이도의 위험성은 모두에게 잘 알려져 있다.

해설 〈be known to〉: ~에게 알려져 있다

UNIT 40 조동사/시제와 결합된 수동태

01 **is being bought** | 구매하는 중이다 / 구매되는 중이다

02 **will cut** | 자를 것이다 / 잘릴 것이다

03 **was being thrown** | 던지고 있었다 / 던져지고 있었다

04 **had found** | 찾았다 / 찾아졌다

05 **can be forbidden** | 금지할 수 있다 / 금지될 수 있다

06 **will have notified** | 통지할 것이다 / 통지될 것이다

07 **경찰관들에 의해 수사되고 있다** | 그 범죄는 경찰관들에 의해 수사되고 있다.

해설 ← Police officers are investigating the crime.

08 **그 경기장에서 열리게 될 것이다** | 야구 경기는 예정대로 그 경기장에서 열리게 될 것이다.

해설 ← They will hold the baseball game at the stadium as scheduled.

09 **큰 파도에 의해 흔들리고 있었다** | 우리가 부두에 도착했을 때, 우리 배가 큰 파도에 의해 흔들리고 있었다.

해설 ← ~, the huge waves were tossing our boat.

10 **동등한 기회와 존중을 부여받아야 한다** | 사회의 모든 사람은 동등한 기회와 존중을 부여받아야 한다.

해설 ← Society should provide everyone in society with equal opportunity and respect.

11 **천만 명이 넘는 사람들에 의해 관람 되었다** | 그 영화는 개봉 이후로 천만 명이 넘는 사람들에 의해 관람 되었다.

해설 ← Over ten million people have viewed the movie since its release.

12 **하수에 오염되어 있을지도 모른다** | 홍수 동안에는, 홍수로 불어난 물이 하수에 오염되어 있을지도 모르므로 그것에 닿는 것을 피하라.

해설 ← ~ since sewage may contaminate it(=the floodwater).

13 **X, is being repaired** | 엘리베이터가 현재 수리되는 중이므로 사용하실 수 없습니다.

해설 엘리베이터가 현재 '수리되는 중'이므로 현재진행형 수동태인 〈be being p.p.〉를 써야 한다. 〈be being p.p.〉는 진행시제인 〈be v-ing〉와 수동태 〈be p.p.〉를 결합한 것이다.

14 **O** | 말의 의미는 목소리의 톤에 의해 변화될 수 있다.

해설 말의 의미가 '변화되는' 것이므로 조동사 can을 사용한 수동태 〈조동사+be p.p.〉가 적절히 쓰였다.

15 **X, will be announced** | 그 대회의 우승자가 다음 달에 발표될 것이다.

해설 우승자가 '발표되는' 것이므로 주어와 동사는 수동 관계이며, 미래의 부사구 next month가 있으므로 미래시제 수동태인 〈will be p.p.〉를 써야 한다.

16 **O** | 한국 알파벳인 한글은 1446년에 세종대왕에 의해 창제되었다.

해설 한글은 '창제된' 것이므로 주어와 동사는 수동 관계이며, 과거의 부사구 in 1446이 있으므로 과거시제 수동태가 적절히 쓰였다. Hangul과 the Korean alphabet은 동격 관계이다. ≪UNIT 99

17 **X, have joined** | 지금까지 수천 명의 사람들이 그 환경 캠페인에 참여해 왔다.

해설 사람들이 환경 캠페인에 '참여하는' 것이므로 주어와 동사는 능동 관계이다. so far 부사구를 통해 과거와 현재를 연결해주는 현재완료를 써야 함을 알 수 있다.

18 **O** | 여러분이 기기를 사용하고 있지 않을 때 전기 코드는 뽑혀 있어야 합니다.

해설 전기 코드가 '뽑혀져 있어야' 하는 것이므로 조동사 should를 사용한 수동태인 〈조동사+be p.p.〉가 적절히 쓰였다.

19 **X, is being constructed** | 새로운 아파트 단지가 오래된 신발 공장 부지에 지금 건설되는 중이다.

해설 새로운 아파트 단지가 '건설되는 중'이므로 현재진행형 수동태인 〈be being p.p.〉를 써야 한다.

20 **X, have been planted** | 멸종 위기에 처한 새들에게 서식지를 제공하기 위해 오래전부터 나무들이 심어져 왔다.

해설 나무가 '심어지는' 것이므로 주어와 동사는 수동 관계이며, 부사절 since long before가 있으므로 과거와 현재를 연결해주는 현재완료 수동태인 〈have been p.p.〉를 써야 한다.

감점	채점 기준
-2	×는 올바르게 표시했지만, 틀린 부분을 바르게 고치지 못한 경우

[21~22]

A: 안젤라 마켓입니다. 어떻게 도와드릴까요?

B: 안녕하세요. ⓐ 제 주문이 언제 배달될 것인지 알고 싶습니다.

A: 고객님의 주문 번호를 알 수 있을까요?

B: W862FR입니다.

A: ⓑ 고객님의 주문은 지금 포장되는 중입니다. 배송이 진행 중이면 고객님께 메시지가 보내질 것입니다.

B: 알겠습니다. 감사합니다.

21 **will be delivered**

해설 주문이 '배달되는' 것이므로 주어와 동사는 수동 관계이며, 미래의 일에 대해 언급하고 있으므로 〈will be p.p.〉를 써야 한다.

22 **is being packed**

해설 주문이 현재 '포장되는 중'이라고 했으므로 현재진행 수동태인 〈be being p.p.〉를 써야 하고, 주어가 단수(Your order)이므로 단수 동사 is를 쓴다.

UNIT 41 형태에 유의해야 할 수동태

01 **is spoken well of** | 그의 모든 반 친구들은 좋은 성격 때문에 그를 칭찬한다. → 그는 좋은 성격 때문에 자신의 모든 반 친구들에게 칭찬받는다.

해설 speak well of는 '~을 칭찬하다'라는 뜻의 구동사로 수동태에서도 한 덩어리로 움직인다.

02 **was run over** | 캐리는 파티에서 운전해서 돌아오는 중에 나뭇가지

하나를 쳤다. → 캐리가 파티에서 운전해서 돌아오는 중에 나뭇가지 하나가 그녀에 의해 치였다.

해설 run over는 '(차가) ~을 치다'라는 뜻의 구동사이다.

03 **have been taken care of** | 자원봉사자들은 작년부터 그 보호 시설에 있는 어르신들을 보살펴왔다. → 그 보호 시설에 있는 어르신들은 작년부터 자원봉사자들에 의해 보살펴져 왔다.

해설 take care of는 '~을 돌보다'라는 뜻의 구동사이다.

04 **X, was looked forward to** | 그렉이 은퇴할 수 있는 날은 그에 의해 기대되었다.

해설 look forward to는 '~을 기대하다'라는 뜻의 구동사로 look forward와 to는 한 덩어리로 같이 써야 한다. (← Greg looked forward to the day when he could retire.)

05 **O** | 특히 교통이 혼잡한 도로에서, 불법주차는 제거되어야 한다.

해설 do away with는 '~을 제거하다'라는 뜻의 구동사로 수동태에서도 한 덩어리로 움직인다. (← We must do away with illegal parking, especially on high-traffic roads.)

06 **O** | 고혈압은 증상이 없기 때문에 '침묵의 살인자'로 불린다.

해설 refer to A as B는 'A를 B라고 부르다'라는 뜻의 구동사로 수동태에서도 한 덩어리로 움직인다. (← People refer to high blood pressure as "the silent killer" because there are no symptoms.)

07 **X, was laughed at by** | 그 정치인의 행동은 한 코미디언에 의해 그의 최근 방송에서 비웃음을 당했다.

해설 laugh at은 '~을 비웃다'라는 뜻의 구동사로 수동태로 쓰이면 be laughed at이 되어야 한다. (← A comedian laughed at the politician's behavior in his latest show.)

감점	채점 기준
-5	×는 올바르게 표시했지만, 틀린 부분을 바르게 고치지 못한 경우

08 **is said that the British have an unique sense of humor, are said to have an unique sense of humor** | 사람들은 영국인들이 독특한 유머 감각을 가지고 있다고 말한다. → 영국인들은 독특한 유머 감각을 가지고 있다고 말해진다.

해설 〈People say that+S'+V' ~〉처럼 목적어가 that절인 경우 가주어 it을 이용한 〈It is said that+S'+V' ~〉 혹은 that절의 주어를 주절의 주어로 한 〈S'+be said to-v ~〉의 두 가지 형태로 수동태를 나타낼 수 있는데, 이때 〈by+행위자〉는 주로 생략한다. 〈the+형용사〉는 '~한 사람들'을 의미하므로 복수 동사를 쓴다.

09 **is believed that small opportunities are the beginning, are believed to be the beginning** | 사람들은 작은 기회들이 큰 업적의 시작이라고 여긴다. → 작은 기회들은 큰 업적의 시작으로 여겨진다.

배점	채점 기준
7.5	한 문장만 바르게 완성한 경우

UNIT 42 명령문/의문문 수동태

01 ⓐ | 마감 기한까지 프로젝트를 완성하라. → 프로젝트가 마감 기한까지 완성되게 하라.

해설 긍정명령문의 수동태는 〈let+O+be p.p.〉 형태로 나타낸다. 명령문의 수동태는 매우 딱딱한 문어 표현으로 실제 회화에서는 잘 사용하지 않는다.

02 ⓑ | 네가 어렸을 때 누가 너를 길러주셨니? → 네가 어렸을 때 너는 누구에 의해 길러졌니?

해설 의문사가 있는 의문문의 수동태는 〈의문대명사(S)+be+p.p.〉 형태로 나타낼 수 있다. 〈by+행위자〉에서 행위자는 문두의 의문사 Who이므로 by만 남아 있다.

03 ⓑ, ⓓ | 아버지가 일하시는 동안 그를 방해하지 마라. → 아버지가 일하시는 동안 방해받지 않도록 하라.

해설 부정명령문의 수동태는 〈Let+O+not be p.p.〉 혹은 〈Don't let+O+be p.p.〉 형태로 나타낼 수 있다.

04 **Was the Korean national football team given** | 한국 축구 국가대표팀은 팬들에 의해 따뜻한 환영을 받았다. → 한국 축구 국가대표팀은 팬들에 의해 따뜻한 환영을 받았나요?

해설 의문사가 없는 의문문 수동태는 〈be동사+S+p.p. ~?〉 형태로 나타낼 수 있다.

05 **Can feathers of the birds be used** | 새들의 깃털은 그것들의 짝을 유혹하는 데 사용될 수 있다. → 새들의 깃털이 그것들의 짝을 유혹하는 데 사용될 수 있나요?

해설 의문사가 없는 의문문 중 조동사가 있는 수동태는 〈조동사+S+be p.p. ~?〉 형태로 나타낼 수 있다.

06 **X, taken** | 아스피린이 심장마비의 위험을 줄이기 위해서도 복용되나요?

해설 아스피린이 '복용되는' 것이고, 의문사가 없는 의문문의 수동태는 〈be동사+S+p.p. ~?〉이므로 taking은 taken이 되어야 한다. (← Aspirin is also taken to reduce the risk of heart attacks.)

07 **O** | 오늘 아침에 그녀에 의해 오븐에서 무엇이 요리되었나요?

해설 무엇인가가 '요리되는' 것이므로 의문사가 있는 의문문의 수동태 〈의문대명사(S)+be+p.p.〉가 적절히 쓰였다.

08 **X, be touched** | 박물관에서 전시물이 만져지지 않게 하세요.

해설 부정명령문의 수동태는 〈Don't let+O+be p.p.〉 혹은 〈Let+O+not be p.p.〉 형태로 나타낼 수 있다. (← Don't touch the exhibits at the museum.)

감점	채점 기준
-6	×는 올바르게 표시했지만, 틀린 부분을 바르게 고치지 못한 경우

UNIT 43 to부정사/동명사의 수동형

01 **was discovered, to have been discovered** | 아랍인 상인이 치즈를 발견했다고 알려져 있다. → 치즈는 아랍인 상인에 의해서 발견되었다고 알려져 있다.

해설 치즈가 '발견되는' 것이므로 cheese와 discover는 수동 관계이고, 문장의 동사(is known)보다 상인들이 치즈를 발견한(discovered) 시점이 앞서므로 첫 번째 빈칸에는 과거시제 수동태인 was discovered가, 두 번째 빈칸에는 to부정사의 완료 수동형인 to have been discovered가 적절하다.

02 **was parked, to be parked** | 초보운전자가 그 차를 주차한 것 같았다. → 그 차는 초보운전자에 의해 주차된 것 같았다.

해설 차는 '주차되는' 것이므로 the car와 park는 수동 관계이고 문장의 동사(appeared)는 that절의 동사(parked)와 시점이 과거로 같으므로 첫 번째 빈칸에는 과거시제 수동태인 was parked가, 두 번째 빈칸에는 to부정사의 수동형인 to be parked가 적절하다.

03 **had been stolen, to have been stolen** | 누군가가 지하철에서 내 지갑을 훔친 것이 밝혀졌다. → 내 지갑은 누군가에 의해 지하철에서 도난당한 것으로 밝혀졌다.

해설 지갑이 '도난당하는' 것이므로 my wallet과 steal은 수동 관계이고, 문장의 동사(turned out)보다 누군가가 지갑을 훔친(had stolen) 시점이 앞서므로 첫 번째 빈칸에는 과거완료 수동태인 had been stolen이, 두 번째 빈칸에는 to부정사의 완료 수동형인 to have been stolen이 적절하다.

배점	채점 기준
5	한 문장만 바르게 완성한 경우

04 **O** | 아무도 자신이 뒤에서 언급되는 것을 좋아하지 않는다.

해설 like는 v-ing와 to-v를 모두 목적어로 취할 수 있는 동사이다. ⇐ UNIT 16 동명사의 의미상의 주어 Nobody가 '언급되는' 대상이므로 수동형인 ⟨being p.p.⟩ 혹은 ⟨to be p.p.⟩를 쓸 수 있다.

05 **X, having been involved** | 그들은 지난달의 절도에 연루되었던 것을 부인한다.

해설 deny는 목적어로 v-ing를 취하는 동사이다. ⇐ UNIT 15 동명사의 의미상의 주어인 They가 절도에 '연루되는' 것이므로 수동형을 써야 하며 지난달 절도에 '연루된' 것은 '부인하는' 시점보다 앞선 일이므로 동명사의 완료 수동형(having been p.p.)을 써야 한다.

06 **O** | 모든 사람은 사회적 지위에 상관없이 존중받을 자격이 있다.

해설 deserve는 목적어로 to-v를 취하는 동사이다. to부정사의 의미상의 주어인 Everyone이 '존중받는' 것이므로 to부정사의 수동형(to be p.p.)이 적절히 쓰였다.

07 **O** | 이 중고 자전거는 전에 한 번 고장 났던 것으로 보인다.

해설 to부정사의 의미상의 주어인 This second-hand bicycle이 '고장 나는' 것이므로 수동형이 적절하며, '고장 났던' 것은 그렇게 '보이는' 시점보다 앞선 일이므로 to부정사의 완료 수동형(to have been p.p.)을 써야 한다. 참고로 break는 자동사/타동사로 모두 쓰인다.

08 **X, to be told** | 우리 딸은 꽤 좋은 기억력을 갖고 있어서 두 번 들을 필요가 없다.

해설 need는 to-v를 목적어로 취하는 동사이다. to부정사의 의미상의 주어인 she가 '말해질(→ 들을)' 필요가 없는 것이므로 부정사의 수동형(to be p.p.)을 써야 한다.

09 **X, having been scolded** | 그는 지난주에 선생님께 꾸중 들었던 것을 부끄러워한다.

해설 전치사의 목적어 자리이므로 to부정사가 아닌 동명사를 쓴다. ⇐ UNIT 19 동명사의 의미상의 주어인 He가 '꾸중 들은' 대상이므로 수동형으로 써야 하는데, 그가 '꾸중 들었던' 것은 '부끄러워하는' 시점보다 앞선 일이므로 동명사의 완료 수동형(having been p.p.)을 써야 한다.

10 **O** | 우등 졸업생으로 언급되었던 것은 에이미를 자랑스럽게 한다.

해설 주어로 쓰인 동명사의 의미상의 주어인 Amy가 '언급된' 것이므로 수동형이 적절하며, 에이미가 우등 졸업생으로 '언급된' 것은 우등 졸업생으로 언급되었던 것에 대해 '자랑스러워하는' 시점보다 앞서므로 동명사의 완료 수동형(having been p.p.)이 적절히 쓰였다.

11 **O** | 나는 영화가 시작하기 전에 광고를 보도록 강요받는 것을 싫어한다.

해설 hate는 v-ing와 to-v를 모두 목적어로 취할 수 있는 동사이다. to부정사의 의미상의 주어 I가 '강요받는' 대상이므로 수동형인 ⟨to be p.p.⟩ 혹은 ⟨being p.p.⟩를 쓸 수 있다.

12 **X, to be chosen** | 제니의 학급 친구들은 그녀가 학교 수영 팀으로 선발되기를 기대한다.

해설 expect는 목적격보어로 to부정사를 취한다. ⇐ UNIT 22 to부정사의 의미상의 주어인 her가 '선발되는' 것이므로 부정사의 수동형(to be p.p.)을 써야 한다.

13 **O** | 그 정치인은 항상 논란이 많은 사안에 대한 토론에 말려드는 것을 피한다.

해설 avoid는 v-ing를 목적어로 취하는 동사이다. 동명사의 의미상의 주어인 The politician이 토론에 '말려드는' 것이므로 동명사의 수동형(being p.p.)이 적절히 쓰였다.

14 **X, having been given** | 그 고객은 어제 형편없는 서비스를 받은 것에 대해 항의하고 있다.

해설 전치사의 목적어 자리이므로 to부정사가 아닌 동명사를 쓴다. 동명사의 의미상의 주어인 The customer가 서비스를 '받은' 것이므로 수동형이 적절하며, 형편없는 서비스를 '받았던' 것은 '항의하는' 시점보다 앞선 일이므로 동명사의 완료 수동형(having been p.p.)을 써야 한다.

감점	채점 기준
-3	X는 올바르게 표시했지만, 틀린 부분을 바르게 고치지 못한 경우

UNIT 44 if+가정법 과거

01 **would[could, might] be, didn't have** | 나는 장난기 많은 여동생이 있기 때문에 이 시골에서 지루하지 않다. → 만약 장난기 많은 여동생이 없다면, 나는 이 시골에서 지루할 텐데.

해설 장난기 많은 여동생이 '없다면'과 같이 현재 사실과 반대로 가정하고 있으므로 가정법 과거를 사용한다. 따라서 have는 과거시제 부정 표현인 didn't have로 나타내고, am not은 조동사 would[could, might]를 사용해 긍정 표현인 would[could, might] be로 나타낸다.

02 **didn't have, couldn't rent** | 엠마는 충분한 돈을 가지고 있기 때문에, 그녀는 좋은 방을 빌릴 수 있다. → 만약 엠마가 충분한 돈을 가지고 있지 않다면, 그녀는 좋은 방을 빌릴 수 없을 텐데.

해설 엠마가 충분한 돈을 '가지고 있지 않다면'과 같이 현재 사실과 반대로 가정하고 있으므로 가정법 과거를 사용한다. 따라서 has는 과거시제 부정 표현인 didn't have로 나타내고, can rent는 조동사 could를 사용해 부정 표현인 couldn't rent로 나타낸다.

03 **didn't deny, would[could, might] learn** | 사람들은 자신들의 실수를 부인하여서, 그들은 그것들로부터 많이 배우지 못한다. → 만약 사람들이 자신들의 실수를 부인하지 않는다면, 그것들로부터 많은 것을 배울 텐데.

해설 사람들이 실수를 '부인하지 않는다면'과 같이 현재 사실과 반대로 가정하고 있으므로 가정법 과거를 사용한다. 따라서 deny는 과거시제 부정 표현인 didn't deny로 나타내고, don't learn은 조동사 would[could, might]를 사용해 긍정 표현인 would[could, might] learn으로 나타낸다.

04 **paid, would[could, might] get** | 루시는 수업에 주의를 기울이지 않아서 더 나은 결과를 얻지 못한다. → 만약 루시가 수업에 주의를 기울인다면, 그녀는 더 나은 결과를 얻을 텐데.

해설 루시가 수업에 주의를 '기울인다면'과 같이 현재 사실과 반대로 가정하고 있으므로 가정법 과거를 사용한다. 따라서 doesn't pay는 과거시제 긍정 표현인 paid로 나타내고, doesn't get은 조동사 would[could, might]를 사용해 긍정 표현인 would[could, might] get으로 나타낸다.

05 **knew, could send** | 나는 그녀의 이메일 주소를 모르기 때문에, 그녀에게 감사 이메일을 보낼 수 없다. → 만약 내가 그녀의 이메일 주소를 안다면, 그녀에게 감사 이메일을 보낼 수 있을 텐데.

해설 내가 그녀의 이메일 주소를 '안다면'과 같이 현재 사실과 반대로 가정하고 있으므로 가정법 과거를 사용한다. 따라서 don't know는 과거시제 긍정 표현인 knew로 나타내고, can't send는 조동사 could를 사용해 긍정 표현인 could send로 나타낸다.

06 **would[could, might] enjoy, were** | 내 남동생은 외향적인 사람이 아니기 때문에 낯선 사람들과 시간을 보내는 것을 즐기지 않는다. → 만약 내 남동생이 외향적인 사람이라면 낯선 사람들과 시간을 보내는 것을 즐길 텐데.

해설 남동생이 '외향적인 사람이라면'과 같이 현재 사실과 반대로 가정하고 있으므로 가정법 과거를 사용한다. 따라서 isn't는 과거시제 긍정 표현인 were로 나타내고, doesn't enjoy는 조동사 would[could, might]를 사용해 긍정 표현인 would[could, might] enjoy로 나타낸다.

배점	채점 기준
3	빈칸 하나만 바르게 완성한 경우

07 **현재** | 만약 우리가 정원이 있다면, 거기에 우리 채소를 기를 텐데.

해설 밑줄 친 had는 과거형이긴 하나, 현재 사실과 반대로 가정·상상·소망하는 가정법 과거에 해당하므로 실제로는 현재를 가리킨다.

08 **현재** | 만약 내가 대통령이 된다면, 나는 우리 경제에 신경을 쓸 텐데.

해설 밑줄 친 became은 과거형이긴 하나, 현재 사실과 반대로 가정·상상·소망하는 가정법 과거에 해당하므로 실제로는 현재를 가리킨다.

09 **현재** | 만약 내가 그녀의 입장이라면, 나 또한 집을 떠나기로 결정할 텐데.

해설 밑줄 친 were는 과거형이긴 하나, 현재에 일어날 가능성이 매우 희박하거나 불가능한 일을 가정하고 있으므로 실제로는 현재를 가리킨다.

10 **과거** | 수업이 취소됐다면, 너는 왜 집에 일찍 오지 않았니?

해설 밑줄 친 was canceled는 직설법에 해당하므로 실제로도 과거를 가리킨다. 실제와 다른 상황을 가정하는 가정법과 달리 직설법은 실제 상황을 전제로 한다는 점에서 차이가 있다.

11 **현재** | 만약 당신이 행복을 찾는 것을 멈춘다면, 당신은 행복을 발견할지도 모른다.

해설 밑줄 친 stopped는 과거형이긴 하나, 현재 사실과 반대로 가정하는 가정법 과거에 해당하므로 실제로는 현재를 가리킨다.

12 **과거** | 만약 브렌다가 오늘 아침 학교에 오지 않았다면, 그녀는 아마도 아팠을 것이다.

해설 밑줄 친 didn't come은 직설법에 해당하므로 실제로도 과거를 가리킨다. 실제와 다른 상황을 가정하는 가정법과 달리 직설법은 실제 상황을 전제로 한다는 점에서 차이가 있다.

13 **O** | 만약 삶이 영화라면, 우리는 행복한 순간들을 다시 볼 수 있을 텐데.

해설 가정법 과거에서 if절에는 동사의 과거형이나 were가 와야 하므로 were가 적절히 쓰였다. 가정법 if절의 be동사는 were를 쓰는 것이 원칙이지만 구어체에서는 I나 3인칭 단수 주어일 때 was를 쓰기도 한다.

14 **X, would** | 만약 내가 그 경주에서 이긴다면, 모든 반 친구들과 선생님이 아주 기뻐할 텐데.

해설 가정법 과거에서 주절에는 〈조동사 과거형+동사원형〉이 와야 하므로 will이 아닌 would를 써야 한다.

15 ×, brought | 만약 네가 몇 미터 더 긴 사다리를 가져온다면, 우리는 나무 위의 과일에 닿을 수 있을 텐데.

해설 가정법 과거에서 If절에는 동사의 과거형이 와야 하므로 bring이 아닌 brought를 써야 한다.

16 O | 만약 내가 작가라면, 나는 내 여행 경험에 대한 소설을 쓸 텐데.

해설 가정법 과거에서 주절에는 〈조동사 과거형+동사원형〉이 와야 하므로 would write가 적절히 쓰였다.

17 ×, recycled | 만약 우리가 쓰레기를 재활용한다면, 우리는 제조업에 사용되는 에너지의 양을 줄일지도 모른다.

해설 가정법 과거에서 if절에는 동사의 과거형이 와야 하므로 recycle이 아닌 recycled를 써야 한다. 과거분사구 used in manufacturing은 명사구 the amount of energy를 뒤에서 수식하며 수동의 의미를 나타낸다. ⇐ UNIT 53

18 O | 만약 근로자들이 주 4일 근무할 수 있다면, 그들은 즐길 더 긴 주말을 가질 텐데.

해설 가정법 과거에서 If절에는 동사의 과거형이 와야 하므로 could work가 적절히 쓰였다.

감점	채점 기준
-3	×는 올바르게 표시했지만, 틀린 부분을 바르게 고치지 못한 경우

UNIT 45 if+should/were to

01 **혹시라도 다시 살 기회가 있다면** | 혹시라도 다시 살 기회가 있다면 당신의 현재 삶을 선택할 건가요?

해설 if절에 should를 써서 일어날 가능성이 희박한 일을 가정하고 있다. 이 경우 should 대신 were to로 바꿔 쓸 수 있다.

02 **만에 하나 큰 소행성이 지구를 강타한다면** | 만에 하나 큰 소행성이 지구를 강타한다면, 그것은 엄청난 파괴를 초래할 텐데.

해설 If절에 were to를 써서 일어날 가능성이 희박한 일을 가정하고 있다. 이 경우 were to 대신 should로 바꿔 쓸 수 있다.

03 should | 혹시라도 주문을 취소하고 싶으시면, 저희 고객 서비스로 연락해 주세요.

해설 were to와 달리 should 가정법은 주절에 명령문이 올 수 있다.

04 should, were to | 만에 하나 모든 수입이 중단된다면, 그 나라는 고작 열흘 치의 천연가스만을 가지고 있을 것이다.

해설 should와 were to 모두 가정법에 쓰이면 일어날 가능성을 좀 더 희박하게 본다는 느낌을 준다. 주절에 조동사의 과거형 would가 왔으므로 If절에는 should와 were to 모두 가능하다.

05 should, were to | 만에 하나 내가 길에서 신을 만난다면, 나는 내게 강한 의지를 달라고 신에게 요구할 텐데.

해설 should와 were to 모두 가정법에 쓰이면 일어날 가능성을 좀 더 희박하게 본다는 느낌을 준다. 주절에 조동사의 과거형 would가 왔으므로 If절에는 should와 were to 모두 가능하다.

06 should | 혹시라도 네가 내일 일찍 일어난다면, 나한테 모닝콜을 해 주겠니?

해설 were to와 달리 should 가정법은 주절에 조동사의 현재형이 올 수 있다.

UNIT 46 if+가정법 과거완료/혼합가정법

01 ⓑ | 만약 네가 이곳에 좀 더 일찍 왔더라면, 유명한 가수가 공연하는 것을 볼 수 있었을 텐데.

해설 과거 사실과 반대로 가정하는 if 가정법 과거완료 구문으로 이때 if절에는 had p.p.가 와야 한다.

02 ⓑ | 만약 그가 자신의 생각들을 명확하게 설명했더라면, 그들은 그것들을 그 자리에서 받아들였을 텐데.

해설 과거 사실과 반대로 가정하는 if 가정법 과거완료 구문으로 이때 주절에는 〈조동사의 과거형+have p.p.〉 형태가 와야 한다.

03 ⓐ | 만약 내가 안전 수칙들을 따랐더라면, 지금 병원에 있지 않을 텐데.

해설 if절과 주절이 가리키는 때가 서로 다른 혼합가정법 구문이 쓰였다. if절은 과거 사실과 반대로 가정하고 주절은 현재 사실과 반대로 가정하고 있으므로 if절의 동사는 had p.p.가, 주절의 동사는 〈조동사의 과거형+동사원형〉 형태가 와야 한다.

[04~08] 〈보기〉 만약 네가 시험을 잘 준비했더라면, 너는 그 문제들을 쉽게 풀 수 있었을 텐데.

04 **Dinosaurs went extinct.** | 만약 공룡들이 멸종되지 않았더라면 어떤 일이 일어났을까?

해설 공룡들이 멸종됐다는 과거 사실과 반대로 가정하고 있다.

05 **She couldn't win an Oscar.** | 만약 그녀가 그 여주인공 역할을 맡았더라면, 그녀는 오스카상을 받을 수 있었을 텐데.

해설 그녀가 그 여주인공 역할을 맡지 않아서 오스카상을 받을 수 없었다는 과거 사실과 반대로 가정하고 있다.

06 **It snowed heavily last night.** | 만약 어젯밤에 눈이 많이 내리지 않았더라면, 우리는 지금 야구를 할 수 있을 텐데.

해설 어젯밤에 눈이 많이 내렸다는 과거 사실과, 우리는 지금 야구를 할 수 없다는 현재 사실을 반대로 가정하고 있다.

07 **You couldn't buy the goods for half price.** | 만약 네가 그 가게를 그날 방문했더라면 그 상품을 반값에 살 수 있었을 텐데.

해설 그 가게를 그날 방문하지 않아서 그 상품을 반값에 살 수 없었다는 과거 사실과 반대로 가정하고 있다.

08 **Marie Curie discovered radium.** | 만약 마리 퀴리가 라듐을 발견하지 않았더라면, 오늘날 암 환자들은 방사선 치료를 받을 수 없을 텐데.

해설 마리 퀴리가 라듐을 발견했다는 과거 사실과, 오늘날 암 환자들이 방사선 치료를 받을 수 있다는 현재 사실을 반대로 가정하고 있다.

UNIT 44-46 OVERALL TEST

01 **had, could leave** | 리나의 동네는 교통 체계가 열악해서, 그녀는 자신의 차를 몰고 출근한다. 만약 리나의 동네가 더 나은 교통 체계를 가지고 있다면, 그녀는 차를 집에 두고 다닐 수 있을 텐데.

해설 리나가 사는 동네의 교통이 열악해 차를 집에 두고 다닐 수 없다는 현재 사실과 반대로 가정하는 가정법 과거가 알맞다.

02 **had arrived, could have survived** | 구급차가 너무 늦게 도착했기 때문에 샘은 교통사고로 사망했다. 만약 구급차가 더 일찍 도착했더라면, 그는 살 수 있었을 텐데.

해설 구급차가 더 일찍 도착하지 않아서 샘을 살리지 못했다는 과거 사실과 반대로 가정하는 가정법 과거완료가 알맞다.

배점	채점 기준
6	빈칸 하나만 바르게 완성한 경우

03 **현재, 만약 우리가 그것(=수프)에 좀 더 많은 소금을 더한다면** | 만약 우리가 그것(=수프)에 좀 더 많은 소금을 더한다면 수프의 맛이 더 좋아질 텐데.

해설 if 가정법 과거에 해당하므로 밑줄 친 부분은 실제로 현재를 가리킨다.

04 **과거, 만약 제임스가 다시 시도했더라면** | 만약 제임스가 다시 시도했더라면, 그는 아마도 성공했을 텐데.

해설 if 가정법 과거완료에 해당하므로 밑줄 친 부분은 실제로 과거를 가리킨다.

05 **과거, 만약 그가 자신의 잘못을 고백하지 않았더라면** | 만약 그가 자신의 잘못을 고백하지 않았더라면, 그는 여전히 죄책감을 느낄 수도 있을 텐데.

해설 if 혼합가정법에 해당하며, 밑줄 친 If절에는 가정법 과거완료가 사용되었으므로 실제로 과거를 가리킨다.

06 **현재, 만약 내가 무제한의 여가 시간이 있다면** | 만약 내가 무제한의 여가 시간이 있다면, 나는 이탈리아 전역을 돌아다닐 텐데.

해설 if 가정법 과거에 해당하므로 밑줄 친 부분은 실제로 현재를 가리킨다.

배점	채점 기준
6	시제를 바르게 고른 경우
6	해석을 바르게 한 경우

07 **I brought my family and friends**

08 **she had known there was a hole**

해설 there was a hole은 앞에 접속사 that이 생략된 명사절로 had known의 목적어 역할을 한다. ≪UNIT 17

배점	채점 기준
8	어순과 추가한 단어가 올바르나 어형 변화가 틀린 경우

UNIT 47 if 생략 도치구문

01 **Had he gone for a regular checkup, he had gone for a regular checkup** | 제이크는 5년간 건강 검진을 받지 않았다. 그는 최근에 암을 진단받았다. 만약 그가 정기 건강 검진을 하러 갔더라면, 그는 더 건강한 삶을 살았을 텐데.

해설 If가 생략되어 주어(he)와 조동사(had)가 도치된 가정법 과거완료 구문이다.

02 **Should your children feel dizzy, your children should feel dizzy** | 당신은 아이들이 아플 때 그들을 돌보는 방법을 알아야 한다. 혹시라도 당신의 아이들이 어지러워한다면, 그들을 침대에 눕히는 것이 도움이 될 것이다.

해설 If가 생략되어 주어(your children)와 조동사(should)가 도치된 형태이다.

03 **Should you run into Jane, you should run into Jane** | 제인과 연락할 수가 없습니다. 그녀는 자리에도 없고 전화도 받고 있지 않습니다. 혹시라도 제인과 마주치신다면, 그녀에게 회의가 연기됐다고 알려주시겠어요?

해설 If가 생략되어 주어(you)와 조동사(should)가 도치된 형태이며 정중한 요청을 나타낸다.

04 **Were a GPS chip attached to him, a GPS chip were attached to him** | 개 스파키가 행방불명되었고 스파키의 주인은 그의 행방을 알지 못한다. 만약 그에게 GPS 칩이 부착되어 있다면, 그의 주인은 그가 어디에 있는지 알 텐데.

해설 If가 생략되어 주어(a GPS chip)와 동사(were)가 도치된 가정법 과거 구문이다.

05 **had her family not supported her during that time, her family hadn't[had not] supported her during that time** | 샬럿은 10년의 무명 이후 세계적으로 유명한 예술가가 되었다. 만약 그녀의 가족이 그 시간 동안 그녀를 지원하지 않았더라면 그녀는 성공하지 못했을 텐데.

해설 if가 생략되어 주어(her family)와 조동사(had)가 도치된 가정법 과거완료 구문이다. 주절 다음에 if 생략 도치구문이 나오면 콤마가 없으므로 주의해야 한다.

배점	채점 기준
10	밑줄만 바르게 그은 경우

UNIT 48 S+wish+가정법

01 **I had reserved**

해설 〈S+wish+S′+had p.p.〉는 소망 시점보다 소망하는 내용의 시점이 더 먼저일 때 사용하며, '(그때) ~했다면 (지금) 좋을 텐데'라는 뜻이다. 따라서 동사 wish의 목적어인 명사절에는 had reserved가 오는 것이 적절하다. 〈조동사 과거형+have reserved〉의 형태도 가능하나 빈칸이 3개이므로 여기에는 쓸 수 없다.

02 **he could stay**

해설 〈S+wish+S′+조동사 과거형+동사원형〉은 소망 시점과 소망하는 내용의 시점이 일치할 때 사용하며, '(지금) ~하면 좋을 텐데'라는 뜻이다. 따라서 동사 wishes의 목적어인 명사절에는 could stay가 오는 것이 적절하다.

03 **did not make big trouble**

해설 〈S+wished+S′+동사의 과거형〉은 소망 시점과 소망하는 내용의 시점이 일치할 때 사용하며, '(과거) ~했다면 좋았을 텐데'라는 뜻이다. 따라서 동사 wished의 목적어인 명사절에는 did not make가 오는 것이 적절하다.

04 **I could express my opinion**

해설 〈S+wish+S′+조동사 과거형+동사원형〉은 소망 시점과 소망하는 내용의 시점이 일치할 때 사용하며, '(지금) ~하면 좋을 텐데'라는 뜻이다. 따라서 동사 wish의 목적어인 명사절에는 could express가 오는 것이 적절하다.

배점	채점 기준
6	어순은 올바르나 어형 변형이 틀린 경우

05 **could have done** | 나는 몇 주간의 고통 끝에 마침내 사랑니를 뽑았다. 내가 처음 아픔을 느꼈을 때 그것을 했다면 좋을 텐데.

해설 소망 시점(현재)보다 소망하는 내용의 시점이 더 먼저이므로 could have done이 와야 한다.

06 **had gone** | 나는 축구 경기장 대신에 영화관에 갔다. 안타깝게도, 내가 가장 좋아하는 선수가 축구 경기에 나왔다. 내가 (영화관) 대신 경기장에 갔다면 좋을 텐데.

해설 소망 시점(현재)보다 소망하는 내용의 시점이 더 먼저이므로 had gone이 와야 한다. 조동사가 주어졌다면 〈조동사 과거형+have gone〉의 형태도 가능하다.

07 **could see** | 잭은 그의 조부모님이 다른 나라로 이사를 가셨기 때문에 일 년간 그분들을 뵙지 못했다. 잭은 그분들을 곧 다시 뵐 수 있기를 바란다.

해설 소망 시점(현재)과 소망하는 내용의 시점이 동일하므로 could see가 와야 한다.

08 **had studied** | 케이티는 출장으로 스페인에 있었고, 스페인어로 의사소통을 하는 데 어려움을 겪고 있었다. 그녀가 학창 시절 더 열심히 스페인어를 공부했었다면 좋았을 텐데.

해설 소망 시점(과거)보다 소망하는 내용의 시점이 더 먼저이므로 had studied가 와야 한다. 조동사가 주어졌다면 〈조동사 과거형+have studied〉의 형태도 가능하다.

UNIT 49 as if+가정법

01 **as if he hadn't eaten a decent meal**

해설 〈S+동사 현재형+as if+S′+had p.p.〉는 주절보다 앞선 때의 사실이 아닌 내용이나 사실일 가능성이 희박한 일에 대한 가정 · 상상을 나타내며, '마치 ~였던 것처럼 V한다'는 뜻이다. 따라서 as if 절에는 hadn't eaten이 오는 것이 적절하다.

02 **we told[should tell] the whole truth about the case**

해설 〈It's (high/about) time (that)+S′+동사의 과거형/were [should+동사원형]〉은 '~해야 할 때다, ~할 시간이다'를 의미한다. 따라서 that절에는 told 또는 should tell이 오는 것이 적절하다.

03 **as if she had been a teacher for years**

해설 〈S+동사 과거형+as if+S′+had p.p.〉는 주절보다 종속절 내용의 시점이 더 먼저일 때 사용하며, '마치 ~였었던 것처럼 V했다'는 뜻이다. 따라서 as if 절에는 had been이 오는 것이 적절하다.

04 **as though he had never lied before**

해설 〈S+동사 과거형+as though+S′+had p.p.〉는 주절보다 종속절 내용의 시점이 더 먼저일 때 사용하며, '마치 ~였었던 것처럼 V했다'는 뜻이다. 따라서 as though 절에는 had never lied가 오는 것이 적절하다.

05 **as if she did not study hard for the tests**

해설 〈S+동사 현재형+as if+S′+동사의 과거형/were〉는 주절과 종속절 내용의 시점이 일치할 때 사용하며, '마치 ~인 것처럼 V한다'는 뜻이다. 따라서 as if 절에는 did not study가 오는 것이 적절하다.

06 **the unnecessary processes of the manufacturing system were removed[should be removed]**

해설 〈It's (high/about) time (that)+S′+동사의 과거형/were [should+동사원형]〉은 '~해야 할 때다, ~할 시간이다'를 의미한다. 따라서 that절에는 were removed[should be removed]가 오는 것이 적절하다.

배점	채점 기준
6	어순과 추가한 단어가 올바르나 어형 변형이 틀린 경우

07 **were** | 최근에, 루카스의 농구팀은 트로피를 수상했다. 그때부터, 루카스는 자신이 현재 세계에서 가장 뛰어난 농구선수인 것처럼 뽐낸다.

해설 주절과 동일한 때의 사실이 아닌 내용이나 사실일 가능성이 희박한 일에 대한 가정 · 상상을 나타내므로 were가 와야 한다.

08 **had** | 그녀는 마치 제이슨에게 할 말이 있는 것처럼 그를 빤히 쳐다봤다. 하지만 사실은 그녀는 단지 그의 턱에 묻은 빵 부스러기를 떼고 싶었던 것이었다.

해설 주절과 동일한 때의 사실이 아닌 내용이나 사실일 가능성이 희박한 일에 대한 가정 · 상상을 나타내므로 had가 와야 한다.

09 **had never left** | 은퇴한 코미디언은 자선 행사를 위해 공연 중이다. 그는 전혀 활동을 중단한 일이 없었던 것처럼 농담을 한다.

해설 주절보다 앞선 때의 사실이 아닌 내용이나 사실일 가능성이 희박한 일에 대한 가정 · 상상을 나타내므로 had never left로 써야 한다.

UNIT 50 가정법을 이끄는 표현

01 **won** | 만약 당신이 복권에 당첨된다면 돈을 어떻게 쓸 것인가요?

해설 〈provided[providing] (that)〉은 if 대신 조건의 의미를 나타내며, 이 문장에서는 〈조동사 과거형+동사원형〉이 있으므로 현재 사실과 반대되는 일을 가정하고 있음을 알 수 있다. 따라서 종속절에는 동사의 과거형인 won이 적절하다.

02 **have achieved** | 열정이 없었더라면, 우리는 그때 아무것도 이루지 못했을 것이다.

해설 without이 이끄는 부사구는 if 대신 조건의 의미를 나타내며, 과거를 나타내는 부사구 at that time이 있으므로 이 문장에서는 과거 사실과 반대되는 일을 가정하고 있음을 알 수 있다. 따라서 문장의 동사는 have achieved가 적절하다.

03 **were** | 수많은 혈액 기증자가 없다면 많은 사람들이 살아 있지 않을 것이다.

해설 주절에 쓰인 〈조동사 과거형+동사원형〉으로 현재 사실과 반대되는 일을 가정하는 가정법 과거 구문임을 알 수 있다. 따라서 종속절에는 be동사의 과거형인 were가 적절하다.

04 **would** | 에어컨이 없다면, 올해 여름 더위는 견딜 수 없을 것 이다.

해설 〈but for〉는 if 대신 조건을 나타내며, 여기서는 문맥상 현재 사실과 반대되는 일을 가정한다. 따라서 문장의 동사로는 조동사의 과거형인 would가 적절하다.

05 **had been** | 만약 날씨가 좋았더라면, 우리는 소풍을 갔을 텐데.

해설 〈suppose[supposing] (that)〉은 if 대신 조건의 의미를 나타내며, 주절에 쓰인 〈조동사 과거형+have p.p.〉에서 문맥상 과거 사실과 반대되는 일을 가정하고 있는 가정법 과거완료 구문임을 알 수 있다. 따라서 종속절에는 동사의 과거완료형인 had been이 적절하다.

06 **Were it not for** | 결단력이 없다면, 당신은 나쁜 습관을 버리지 못할 것이다.

해설 주절에 〈조동사 과거형+동사원형〉이 쓰여 현재 사실과 반대되는 일을 가정하므로 〈if it were not for ~〉 구문에서 if를 생략하고 주어(it)와 동사(were)를 도치한 형태인 Were it not for가 적절하다.

07 **wouldn't** | 올리비아는 그 가수의 열렬한 팬이다. 그렇지 않으면, 그녀는 그 콘서트 표를 위해 그렇게 많이 지불하지 않을 것이다.

해설 otherwise는 〈if ~ not〉의 의미를 포함하며(= If Olivia were not a big fan of the singer ~), 문맥상 현재 사실과 반대되는 일을 가정하고 있다. 따라서 문장의 동사로는 〈조동사 과거형+동사원형〉인 wouldn't pay가 적절하다.

08 **Had it not been for** | 영화가 상영되는 동안 자막이 없었더라면, 나는 그 영화의 줄거리를 이해하지 못했을 것이다.

해설 주절에 쓰인 〈조동사 과거형+have p.p.〉로 과거 사실과 반대되는 일을 가정하고 있는 가정법 과거완료 구문임을 알 수 있다. 따라서 〈if it had not been for ~〉 구문에서 if를 생략하고 주어(it)와 조동사(had)를 도치한 형태인 Had it not been for가 적절하다.

09 **were not for** | 고통이 없다면, 우리는 기쁨의 진가를 알아보지 못할 것이다.

해설 주절에 〈조동사 과거형+동사원형〉이 왔으므로 가정법 과거임을 알 수 있다. if 대신 조건의 의미를 나타내는 But for를 If it were not for로 바꿔 쓸 수 있다.

10 **had been** | 기술 지원이 있었다면, 학생들은 온라인 수업에 출석할 수 있었을 텐데.

해설 주절에 〈조동사 과거형+have p.p.〉가 왔으므로 가정법 과거완료임을 알 수 있다. 여기서 with는 '~이 있었다면'의 조건의 의미를 나타낸다. 따라서 종속절에는 〈had p.p.〉를 써야 한다.

11 **you watched** | 그 감독의 영화 중 아무거나 하나를 본다면, 너는 많은 사람들이 그를 천재라고 부르는 이유를 알게 될 텐데.

해설 조건의 뜻이 함축된 to부정사구(To watch ~ movies)가 가정의 의미를 포함한다. 주절에 〈조동사 과거형+동사원형〉이 왔으므로 가정법 과거임을 알 수 있다. 따라서 to부정사의 의미상의 주어 you와 watch를 〈S′+동사의 과거형〉의 형태로 쓴다.

12 **not been for** | 그의 아내의 지원이 없었더라면, 그는 훌륭한 선수가 될 수 없었을 텐데.

해설 주절에 〈조동사 과거형+have p.p.〉가 왔으므로 가정법 과거완료임을 알 수 있다. if 대신 조건의 의미를 나타내는 Without을 If it had not been for로 쓸 수 있으며, 여기서는 if를 생략하고 주어(it)와 조동사(Had)가 도치되었다.

13 **다른 상황이었다면, they had been in different circumstances**

해설 조건의 뜻이 함축된 부사구(In different circumstances)가 가정의 의미를 포함한다. 주절에 〈조동사 과거형+have p.p.〉가 쓰였으므로 가정법 과거완료로 나타낼 수 있다.

14 **주당 2,000달러의 제안이라면, $2,000 were offered per week**

해설 조건의 뜻이 함축된 주어(An offer of $2,000 per week)가 가정의 의미를 포함한다. 주절에 〈조동사 과거형+동사원형〉이 쓰였으므로 가정법 과거로 나타낼 수 있다.

15 **그 뮤지컬을 보러 간다면, you went to see the musical**

해설 조건을 나타내는 분사구문(Going ~ the musical)이 가정의 의미를 포함한다. 주절에 〈조동사 과거형+동사원형〉이 쓰였으므로 가정법 과거로 나타낼 수 있다.

16 **그녀와 이야기한다면, you talked with her**

해설 조건을 나타내는 분사구문(Talking with her)이 가정의 의미를 포함한다. 주절에 〈조동사 과거형+동사원형〉이 쓰였으므로 가정법 과거로 나타낼 수 있다. think와 she's 사이에는 접속사 that이 생략되어 있다.

17 **건전한 경쟁이 있다면, there were healthy competition**

해설 조건의 뜻이 함축된 부사구(With healthy competition)가 가정의 의미를 포함한다. 주절에 〈조동사 과거형+동사원형〉이 쓰였으므로 가정법 과거로 나타낼 수 있다.

18 **지난주에 예약을 했더라면, we had made a reservation last week**

해설 조건을 나타내는 분사구문(Having made ~ last week)이 가정의 의미를 포함한다. 주절에 〈조동사 과거형+have p.p.〉가 쓰였으므로 가정법 과거완료로 나타낼 수 있다.

배점	채점 기준
3	해석을 바르게 한 경우
4	if절로 바르게 바꿔 쓴 경우

PART 3 수식어구의 이해: 준동사 중심

CHAPTER 09 수식어구: to부정사, 분사

UNIT 51 to부정사의 형용사적 수식

01 (to play the drum), 그들은 드럼을 연주할 새로운 그룹 멤버를 찾는 중이다.

해설 수식 받는 명사구 a new group member는 to-v구의 의미상의 주어이다.

02 (to walk on the moon), 닐 암스트롱은 달 위를 걸은 최초의 사람이었다.

해설 수식 받는 명사구 the first person은 to-v구의 의미상의 주어이다.

03 (to read on the train), 나는 신문 가판대에서 기차에서 읽을 신문을 샀다.

해설 수식 받는 명사구 a newspaper는 to-v구의 의미상의 목적어이다. 뒤이어 나오는 〈전치사+명사〉구 at the newsstand는 문장의 동사(bought)를 수식한다.

04 (to apologize for his mistake), 그는 자신의 실수를 사과하려는 시도를 했으나, 그의 사과는 받아들여지지 않았다.

해설 수식 받는 명사구 an attempt의 의미를 to-v구가 한정해주고 있다.

05 (to share with friends), 학생들은 친구들과 나눠 먹을 약간의 음식을 가져올 것과 자외선 차단제를 바를 것을 요청받았다.

해설 수식 받는 명사구 some food는 to-v구의 의미상의 목적어이다. and 뒤의 wear sunscreen은 were asked to에 연결되므로 to-v 수식어구에 포함하지 않도록 유의한다.

배점	채점 기준
3	( )를 바르게 표시한 경우
3	해석을 바르게 한 경우

06 play with a friend, a friend to play with

해설 play는 자동사로 뒤에 목적어 a friend가 오려면 전치사 with가 필요하다. 〈자동사(play)+전치사(with)+명사(a friend)〉를 이용하여 〈명사+to-v〉 형태로 만들 경우 〈명사(a friend)+to-v(to play)+전치사(with)〉의 구조가 되며, 이때 반드시 전치사(with)를 써주어야 한다.

07 go to a school, a school to go to

해설 go는 자동사로 뒤에 목적어 a school이 오려면 전치사 to가 필요하다. 〈자동사(go)+전치사(to)+명사(a school)〉를 이용하여 〈명사+to-v〉 형태로 만들 경우 〈명사(a school)+to-v(to go)+전치사(to)〉의 구조가 되며, 이때 반드시 전치사(to)를 써주어야 한다.

08 attend the meeting, the meeting to attend

해설 attend는 타동사로 뒤에 전치사 없이 목적어 meeting이 바로 온다. 〈타동사(attend)+명사(the meeting)〉를 이용하여 〈명사+to-v〉 형태로 만들 경우 〈명사(the meeting)+to-v(to attend)〉의 구조가 된다.

09 answer a question, a question to answer

해설 answer는 타동사로 뒤에 전치사 없이 목적어 a question이 바로 온다. 〈타동사(answer)+명사(a question)〉를 이용하여 〈명사+to-v〉 형태로 만들 경우 〈명사(a question)+to-v(to answer)〉의 구조가 된다.

10 participate in a discussion, a discussion to participate in

해설 participate는 자동사로 뒤에 목적어 a discussion이 오려면 전치사 in이 필요하다. 〈자동사(participate)+전치사(in)+명사(a discussion)〉를 이용하여 〈명사+to-v〉 형태로 만들 경우 〈명사(a discussion)+to-v(to participate)+전치사(in)〉의 구조가 되며, 이때 반드시 전치사(in)를 써주어야 한다.

배점	채점 기준
3	네모 안에서 어구를 바르게 고른 경우
3	〈명사+to-v〉 형태로 바르게 바꿔 쓴 경우

11 X, to depend on | 당신이 도움을 필요로 할 때 의지할 사람이 있다는 것은 행운이다.

해설 수식 받는 명사구 a person이 to-v의 의미상의 목적어이다. 이때 depend는 자동사이므로 뒤에 목적어가 오려면 전치사 on이 필요하다. (← depend on a person) 여기서 It은 가주어이며, to have 이하가 진주어이다. ≪ UNIT 11

12 X, to spend | 쇼핑객들은 보통 소비할 한정된 양의 시간과 돈을 가지고 있다.

해설 수식 받는 명사구 a limited amount of time and money가 to-v의 의미상의 목적어이다. spend는 '~을 소비하다'라는 뜻의 타동사로 뒤에 목적어를 취하기 위해 전치사를 필요로 하지 않는다. (← spend a limited ~ money) 〈spend A on B: A를 B에 쓰다〉와 혼동하지 않도록 유의한다.

13 O | 실수는 부끄러워할 것이 아니다. 그것은 성장을 위한 토대이다.

해설 수식 받는 대명사 something이 to-v구의 의미상의 목적어이다. be ashamed of는 '~을 부끄러워하다'라는 뜻으로 전치사 of 뒤에 목적어가 온다. (← be ashamed of something)

14 O | CEO들은 다뤄야 할 많은 스트레스가 있지만, 그들은 또한 책임을 지는 것의 혜택도 갖는다.

해설 수식 받는 명사구 a lot of stress가 to-v구의 의미상의 목적어이다. deal with는 '~을 다루다, 처리하다'라는 뜻으로 전치사 with 뒤에 목적어가 온다. (← deal with a lot of stress)

15 **X, to live by** | 사회는 그 구성원들을 보호하기 위해 따르며 살 타당한 규칙이 있어야 한다.

해설 수식 받는 명사구 reasonable rules가 to-v의 의미상의 목적어이다. 이 문장에서의 live는 자동사이므로 '~에 따라 살다'라는 의미로 목적어를 이끌기 위해서는 전치사 by가 필요하다. (← live by reasonable rules) to protect 이하는 '목적'을 나타내는 부사적 용법의 to부정사구 ≪ UNIT 54

감점	채점 기준
-2	×는 올바르게 표시했지만, 틀린 부분을 바르게 고치지 못한 경우

16 **anything to be afraid of**

해설 수식 받는 대명사 anything이 to-v구의 의미상의 목적어이다. be afraid of는 '~을 두려워하다'라는 뜻이다.

17 **one of the best places to see autumn leaves**

해설 to-v구가 수식하는 명사구 one of the best places의 의미를 한정한다. 여기서 as는 '~로서'라는 뜻의 전치사로 쓰였다.

18 **a variety of public transportation to use**

해설 수식 받는 명사구 a variety of public transportation이 to-v의 의미상의 목적어이다.

UNIT 52 분사(v-ing/p.p.)의 형용사적 수식

01 **(exhibited in the art festival), 그녀는 그 예술제에 전시된 그림들과 조각품들을 정말로 즐겼다.**

해설 과거분사 exhibited가 〈전치사+명사〉구 in the art festival을 동반하여 명사구 the paintings and sculptures를 수식한다. 분사 뒤에 딸린 어구가 있으면 분사는 명사를 뒤에서 수식한다.

02 **(overwhelming), 지역 주민들은 공공 도서관을 여는 것에 대해 압도적인 지지를 했다.**

해설 현재분사 overwhelming이 딸린 어구 없이 단독으로 쓰여 명사 support를 앞에서 수식한다.

03 **(flowing through Seoul), 독일에서 온 관광객들은 서울을 통과해 흐르는 강을 감탄하며 바라보았다.**

해설 현재분사 flowing이 〈전치사+명사〉구 through Seoul을 동반하여 명사 the river를 뒤에서 수식한다.

04 **(born in the year of the ox), 한국에서, 소의 해에 태어난 사람들은 근면한 사람들로 여겨진다.**

해설 과거분사 born이 〈전치사+명사〉구 in the year of the ox를 동반하여 명사 people을 뒤에서 수식한다.

배점	채점 기준
3	( )를 바르게 표시한 경우
2	해석을 바르게 한 경우

05 **going** | 요즘, 휴가로 제주도에 가는 사람들이 많다.

해설 사람들이 제주도에 '가는' 것이므로 수식 받는 명사 people과 go는 능동 관계이다. 따라서 현재분사인 going으로 써야 한다.

06 **needed** | 이 비디오는 당신에게 코딩을 배우기 시작하는 데 필요한 정보를 준다.

해설 정보가 '필요로 되는' 것이므로 수식 받는 명사 information과 need는 수동 관계이다. 따라서 과거분사인 needed로 써야 한다.

07 **found** | DNA는 신체의 모든 세포 속에서 발견되는 유전자 물질이다.

해설 유전자 물질이 '발견되는' 것이므로 수식 받는 명사 the genetic material과 find는 수동 관계이다. 따라서 과거분사인 found로 써야 한다.

08 **growing** | 부모는 자라나는 자녀에게 각별한 보살핌과 관심을 줄 필요가 있다.

해설 아이가 '자라나는' 것이므로 수식 받는 명사 child와 grow는 능동 관계이다. 따라서 현재분사인 growing으로 써야 한다. 분사에 딸린 어구가 없으면 명사를 앞에서 수식한다.

09 **stolen** | 도난당한 보석이 경찰에 의해 용의자의 집에서 발견되었다.

해설 보석이 '도난당한' 것이므로 수식 받는 명사 jewels와 steal은 수동 관계이다. 따라서 과거분사인 stolen으로 써야 한다.

10 **consumed** | 개발도상국에서 소비되는 목재의 90퍼센트는 조리와 난방을 위해 사용된다.

해설 목재가 '소비되는' 것이므로 수식 받는 명사 Ninety percent of wood와 consume은 수동 관계이다. 따라서 과거분사인 consumed로 써야 한다. 분사에 딸린 어구가 없으면 명사를 앞에서 수식한다.

11 **living, known** | 북극에 사는 에스키모인들은 몽골족으로 알려진 집단과 비슷하다.

해설 에스키모인들이 북극에 '사는' 것이므로 수식 받는 명사 Eskimos와 live는 능동 관계이다. 따라서 현재분사인 living으로 써야 한다. 또한 몽골족으로 '알려진' 집단이므로 수식 받는 명사구 the group of people과 know는 수동 관계이다. 따라서 과거분사인 known으로 써야 한다.

12 **X, broken** | 깨진 유리 조각들을 맨손으로 집지 마라.

해설 Don't pick up이 문장에서 동사로 쓰였으므로 접속사 없이 또 다른 동사가 올 수 없다. 따라서 문맥상 break를 pieces를 수식하는 분사 형태로 고쳐 써야 하는데, break와 pieces는 수동 관계이므로 break를 과거분사인 broken으로 고친다.

13 **O** | 세미나에 참석하는 사람은 누구든지 사전에 등록해야 한다.

해설 should register가 문장의 동사이고 attending은 주어 Anyone을 수식하는 현재분사로 알맞게 사용되었다. 사람이 세미나에 '참석하는' 것이므로 attend와 명사 anyone은 능동 관계이다.

14 **X, written** | 너의 영어 실력을 향상시키기 위해 영어로 쓰인 잡지를 읽어라.

해설 명령문에서 생략된 주어는 you이고 동사는 Read이다. 따라서 write는 명사 magazines를 수식하는 분사형으로 고쳐 써야 하는데,

이때 둘은 수동 관계이므로 과거분사인 written으로 고친다.

15 **X, put** | 요리사는 수프를 만들기 위해 조금 전 끓는 물에 감자를 넣었다.

해설 주어 The cook에 상응하는 동사가 없으므로 putting을 문장의 동사가 될 수 있는 형태로 고쳐 써야 한다. 과거 부사구 a minute ago가 있으므로 과거형 put으로 고친다.

16 **O** | 그 회사는 작년에 화재로 파괴된 건물의 재건을 완료했다.

해설 destroyed는 명사 the building을 수식하는 과거분사로 알맞게 사용되었다. 주어인 The company의 동사는 completed이므로 destroyed를 문장의 동사로 혼동하지 않도록 유의한다.

17 **X, developed** | 이른 나이에 형성된 잘못된 식습관은 평생의 건강 문제로 이어진다.

해설 develop을 문장의 동사로 혼동하지 않도록 유의한다. lead to가 문장의 동사로 쓰였으므로 develop은 주어인 Poor eating habits를 수식하는 분사형으로 고쳐 써야 하는데, 이때 둘은 수동 관계이므로 과거분사인 developed로 고친다.

감점	채점 기준
-2	×는 올바르게 표시했지만, 틀린 부분을 바르게 고치지 못한 경우

18 **are** | 한국에서 만들어진 휴대전화는 다른 많은 나라들로 수출된다.

해설 made in Korea는 Cellular phones를 수식하는 분사구이므로 동사는 주어인 Cellular phones에 수를 일치시킨 복수형 are를 써야 한다.

19 **are** | 학교에서 모금된 기금은 매년 자선 단체에 전해진다.

해설 collected from the school은 Funds를 수식하는 분사구이므로 동사는 주어인 Funds에 수를 일치시킨 복수형 are를 써야 한다.

20 **become** | 인터넷에 공개된 소문은 그것의 신빙성과 상관없이 빠르게 '기정사실'이 된다.

해설 published on the Internet은 Rumors를 수식하는 분사구이므로 동사는 주어인 Rumors에 수를 일치시킨 복수형 become을 써야 한다.

21 **has** | 플라스틱 사용을 제한하는 정부 정책은 확실히 자리 잡게 되었다.

해설 restricting ~ plastics는 The government policy를 수식하는 분사구이므로 조동사는 주어인 The government policy에 수를 일치시킨 단수형 has를 써야 한다.

22 **The books displayed on the table**

해설 책들이 '진열된' 것이므로 The books와 display는 수동 관계이다. 따라서 display는 과거분사인 displayed로 바꿔 써야 한다. 또한 displayed 뒤에 딸린 어구(on the table)가 있으므로 수식어구는 The books 뒤에 위치시킨다.

23 **The dog sitting in front of the owner**

해설 그 개가 주인 앞에 '앉아 있는' 것이므로 The dog와 sit은 능동 관계이다. 따라서 현재분사인 sitting으로 바꿔 써야 한다. 또한 sitting 뒤에 딸린 어구(in front of the owner)가 있으므로 수식어구는 The dog 뒤에 위치시킨다.

배점	채점 기준
3	어순은 올바르나 어형 변형이 틀린 경우

UNIT 53 감정 분사(v-ing/p.p.)의 형용사적 수식

01 **(frustrating many of her students), 선생님은 자신의 많은 학생들을 좌절하게 한 수학 문제를 푸셨다.**

해설 수식 받는 명사(the math problem)가 학생들에게 좌절감을 '불러일으킨' 주체이므로 현재분사가 쓰였다.

02 **(satisfied with the product), 그 광고는 제품에 만족한 고객들의 후기를 보여주었다.**

해설 수식 받는 명사(customers)가 만족감을 '느끼는' 것이므로 과거분사가 쓰였다.

03 **(terrified by speaking in front of others), 다른 사람들 앞에서 말하는 것을 무서워하는 사람들은 그것의 공포를 죽음보다 더 높게 평가한다.**

해설 수식 받는 명사(People)가 무서운 감정을 '느끼는' 것이므로 과거분사가 쓰였다. 여기서 it은 앞에 나온 speaking in front of others를 지칭한다.

배점	채점 기준
3	( )를 바르게 표시한 경우
3	해석을 바르게 한 경우

04 **ⓐ embarrassing, ⓑ embarrassed** | ⓐ 그 리포터는 여배우에게 당혹스러운 질문들을 했다. ⓑ 조지는 재빨리 자신의 연애편지를 숨기며 당혹스러운 표정을 지었다.

해설 ⓐ 수식 받는 명사(questions)가 당혹감을 일으키는 주체이므로 현재분사가 알맞다.

ⓑ 표정(look)에서 당혹스러움이 느껴지는 것이므로 과거분사가 알맞다.

05 **ⓐ bored, ⓑ boring** | ⓐ 게임은 지루함을 느끼는 십 대들에게 약간의 즐거움을 제공할지도 모른다. ⓑ 그 감독은 상투적인 줄거리로 지루한 영화를 만든다.

해설 ⓐ 수식 받는 명사(teenagers)가 지루함을 느끼는 것이므로 과거분사가 알맞다.

ⓑ 수식 받는 명사(movies)가 지루한 감정을 일으키는 주체이므로 현재분사가 알맞다.

06 **ⓐ touching, ⓑ touched** | ⓐ 그는 우리에게 용서의 힘에 관한 감동적인 이야기를 들려줬다. ⓑ 그 뮤지션에게 그의 음악에 깊이 감동받은 한 여자가 다가왔다.

해설 ⓐ 수식 받는 명사(a story)가 감동을 느끼게 하는 것이므로 현재분사가 알맞다.

ⓑ 수식 받는 명사(a woman)가 감동을 느끼는 것이므로 과거분사가 알맞다.

07 ⓐ shocked, ⓑ Shocking | ⓐ 그 끔찍한 사고로 충격 받은 사람들은 트라우마를 겪었다. ⓑ 지진에 관한 충격적인 소식은 사람들이 생필품을 사재기하게 만들었다.

해설 ⓐ 수식 받는 명사(The people)가 충격을 받은 것이므로 과거분사가 알맞다.

ⓑ 수식 받는 명사(news about the earthquake)가 충격을 일으키는 것이므로 현재분사가 알맞다.

08 ⓐ disappointing, ⓑ disappointed | ⓐ 그 피아니스트는 컨디션이 좋지 않아서 실망스러운 연주를 했다. ⓑ 그 제조사는 제품에 실망한 어떠한 고객들에게든 환불해 줄 것을 약속했다.

해설 ⓐ 수식 받는 명사(a performance)가 실망감을 주는 것이므로 현재분사를 써야 한다.

ⓑ 수식 받는 명사(any customers)가 실망감을 느끼는 것이므로 과거분사를 써야 한다.

09 O | 그 책은 벌의 생애에 관한 아주 흥미로운 이야기를 제공한다.

해설 수식 받는 명사(a story)가 아주 흥미로운 감정을 일으키는 것이므로 현재분사가 적절히 쓰였다.

10 X, confusing | 체스는 초보자에게는 이해하기에 헷갈리는 게임일 수도 있다.

해설 수식 받는 명사(a game)가 초보자를 헷갈리게 하는 것이므로 현재분사로 바꿔 쓴다.

11 O | 사람들은 그 마술사의 놀라운 마술을 보기 위해 광장에 모였다.

해설 수식 받는 명사(tricks)가 놀라게 하는 것이므로 현재분사가 적절히 쓰였다.

12 X, exciting | 저희의 흥미진진한 캠프는 귀하의 자녀에게 새로운 활동들을 할 기회를 줄 것입니다.

해설 수식 받는 명사(Our camp)가 흥미를 일으키는 것이므로 현재분사로 바꿔 쓴다.

13 O | 배에 탄 즐거워하는 구경꾼들은 돌고래들이 크게 떼를 지어 헤엄치고 있는 것을 보았다.

해설 수식 받는 명사(spectators)가 즐거움을 느끼는 것이므로 과거분사가 적절히 쓰였다.

14 X, frightening | 내 어린 시절 가장 무서운 사건은 내가 개들에게 뒤쫓겼을 때였다.

해설 수식 받는 명사(the event)가 무서움을 일으키는 것이므로 현재분사로 바꿔 쓴다. 보어 자리에 온 when 이하는 선행사가 생략된 관계부사절이다. ⇐ UNIT 67

감점	채점 기준
-3	×는 올바르게 표시했지만, 틀린 부분을 바르게 고치지 못한 경우

15 includes a thrilling sky-diving experience

해설 수식 받는 명사(a sky-diving experience)가 신나는 감정을 일으키는 주체이므로 thrill을 현재분사형인 thrilling으로 바꿔 써야 한다. 동사 include는 단수 주어(The package tour)에 수일치하고, 우리말 해석에 맞춰 현재형인 includes로 바꿔 쓰는 것이 적절하다.

16 puzzled by the absence of her mother

해설 수식 받는 명사(A girl)가 당혹감을 느끼는 것이므로 puzzle을 과거분사형인 puzzled로 바꿔 써야 한다. puzzled가 〈전치사+명사〉구(by the absence of her mother)를 동반하고 있으므로 명사 뒤에 위치시킨다.

배점	채점 기준
4	어순은 올바르나 어형 변형이 틀린 경우

UNIT 54 to부정사의 부사적 수식 I

01 ⓒ, 자신의 어려움을 긍정적인 것으로 바꾸는 것을 보니 그는 매우 강인하다.

해설 to turn 앞에서 '강인하다'라는 판단을 하고 있으므로 to-v구는 '판단의 근거'를 나타낸다.

02 ⓑ, 나는 너의 결혼식에 초대 받아서 진심으로 기뻤다.

해설 to receive 앞의 delighted는 감정을 나타내므로 to-v구는 '감정의 원인'을 나타낸다.

03 ⓒ, 꿈을 이루기 위해 그렇게 오랜 세월 동안 열심히 일하는 것을 보니 그녀는 정말 끈기가 있다.

해설 to work hard 앞에서 '끈기가 있다'라고 판단을 하고 있으므로 to-v구는 '판단의 근거'를 나타낸다. 여기서 뒤에 이어지는 to achieve her dream은 '꿈을 이루기 위해'라는 '목적'을 나타낸다.

04 ⓑ, 그의 마지막 강연에서, 모든 학생들은 그의 성공담을 듣고 감동했다.

해설 to hear 앞의 touched는 감정을 나타내므로 to-v구는 '감정의 원인'을 나타낸다.

05 ⓐ, 박테리아와 바이러스를 제거하기 위해 당신은 비누로 손을 씻어야 한다.

해설 to get rid of ~ viruses는 '박테리아와 바이러스를 제거하기 위해'라는 '목적'을 나타내는 부사적 의미로 해석하는 것이 자연스럽다.

배점	채점 기준
4	기호를 바르게 쓴 경우
4	해석을 바르게 한 경우

06 to live | 인간은 조화롭게 살기 위해 자신들의 갈등을 통제할 필요가 있다.

해설 문장에서 동사 need가 이미 있으므로 준동사가 와야 한다. to live harmoniously는 '조화롭게 살기 위해'라는 의미로 '목적'을 나타내는 부사 역할을 하고 있다.

07 eliminate | 몇몇 사람들은 건강해지기 위해 자신들의 식단에서 특정 음식을 없앤다.

해설 문장에 동사가 없으므로 eliminate가 와야 한다. to be healthy는 '건강해지기 위해'라는 의미로 '목적'을 나타내는 부사 역할을 하고 있다.

08 to get | 안토니는 기말고사에서 더 좋은 성적을 받기 위해 아주 열심

히 공부한다.

해설 문장에 동사 studies가 이미 있으므로 준동사가 와야 한다. to get better grades는 '더 좋은 성적을 받기 위해'라는 의미로 '목적'을 나타내는 부사 역할을 하고 있다.

09 **become** | 대부분의 청바지는 시간이 지나면서 더 좋아 보이고 더 부드러워질 수도 있다.

해설 등위접속사 and로 조동사 may에 look과 병렬 연결된 동사 자리이므로 동사원형 become이 와야 한다.

10 **to use** | 당신은 수영장을 포함한 시설을 이용하기 위해 추가 비용을 지불하지 않아도 됩니다.

해설 문장에 동사 don't have to pay가 이미 있으므로 준동사가 와야 한다. to use는 '사용하기 위해'라는 의미로 '목적'을 나타내는 부사 역할을 하고 있다.

11 **so as not to confuse the readers**

해설 〈so as to-v〉의 부정형은 〈so as not[never] to-v〉이므로 to confuse 앞에 not을 쓴다. 〈so as to-v〉는 'v하기 위해서'라는 뜻으로 '목적'의 의미를 명확히 하거나 강조하기 위해서 사용하며 문두에는 쓰지 않는다.

12 **She is considerate to look after her grandmother**

해설 to-v구는 그녀가 사려 깊다고 판단하게 된 '근거'를 나타낸다. look after는 '~을 돌보다'라는 뜻의 구동사이다.

13 **Korean fans were thrilled to see her standing**

해설 한국 팬들이 기뻐한 것이므로 주어진 thrill을 과거분사 thrilled로 바꿔 써야 한다. 감정을 나타내는 thrilled의 '원인'을 나타내는 to-v구를 뒤에 위치시키는데, to-v구에서 see 다음에 목적어인 her가 오고 목적격보어로 standing이 오는 〈see+O+v-ing(C)〉의 구조가 쓰였다.

배점	채점 기준
5	어순은 올바르나 어형 변형이 틀린 경우

UNIT 55 to부정사의 부사적 수식 Ⅱ

01 **ⓐ, 결국 그것(금고)이 잠긴 것을 알게 되었을 뿐이었다** | 은행 강도들은 금고를 열려고 시도했으나, 결국 그것(금고)이 잠긴 것을 알게 되었을 뿐이었다.

해설 〈only to-v〉는 '(그러나 결국) v할 뿐인'이라는 뜻으로 '결과'를 나타낸다. 여기서 it은 the safe를 가리키며, to-v구에서 〈find+O+C〉의 구조가 쓰였다. 과거분사 locked는 '잠긴'이란 뜻으로 목적어 it의 상태를 나타낸다.

02 **ⓑ, 영화로 각색된다면** | 영화로 각색된다면, 이 소설은 훨씬 더 인기를 끌 것이다.

해설 to-v구가 'v하면'이라는 뜻으로 '조건'을 나타낸다.

03 **ⓐ, 가장 영향력 있는 유명 인사가 되었다** | 그녀는 무명 요리사에서 출세하여 가장 영향력 있는 유명 인사가 되었다.

해설 to-v구는 앞에 나온 행위에 대한 '결과'를 나타낸다.

04 **ⓑ, 그가 말하는 것을 들으면** | 그가 말하는 것을 들으면, 그의 강한 억양 때문에 그가 어디 출신인지 알게 될 수도 있다.

해설 to-v구가 'v하면'이라는 뜻으로 '조건'을 나타낸다. to-v구에서 〈hear+O+C〉의 구조가 쓰였다.

05 **ⓐ, 결코 다시는 사냥을 하지 못했다** | 죽은 어미를 옆에서 지켜보고 있는 새끼 사슴을 보았을 때, 그 사냥꾼은 자신의 총을 내려놓고, 결코 다시는 사냥을 하지 못했다.

해설 〈never to-v〉는 '(그리고 결코) v하지 못한'라는 뜻으로 '결과'를 나타낸다.

배점	채점 기준
3	기호를 바르게 쓴 경우
3	해석을 바르게 한 경우

06 **only to find it had expired**

해설 부사 only 뒤에 to-v가 오는 형태인 〈only to-v〉는 '(그러나 결국) v할 뿐인'의 뜻으로 '결과'를 나타낸다. find와 it 사이에 명사절을 이끄는 접속사 that이 생략되었으며, 쿠폰은 점원에게 보여주기 전에 이미 만료된 것이므로 대과거인 과거완료(had p.p.)로 나타낸다.

07 **To leave their child alone**

해설 to-v구가 '아이를 차에 혼자 두면'이라는 '조건'의 의미로 쓰였다. 여기서 to-v구는 〈leave+O+C〉의 구조이다.

08 **(to master in only a year), 겨우 일 년 만에 통달하기에 꽤 어려운** | 외국어는 겨우 일 년 만에 통달하기에 꽤 어렵다.

09 **(to wear for a long time), 장시간 쓰기에 편하지 않은** | 내 새 헤드폰은 장시간 쓰기에 편하지 않다.

10 **(to approach), 접근하기에 위험한** | 그 지역은 활화산 때문에 접근하기에 위험하다고 여겨진다.

배점	채점 기준
3	( )를 바르게 표시한 경우
4	해석을 바르게 한 경우

11 ⓒ | 바다거북의 지느러미발은 물속에서 속도를 높이기에 매우 도움이 된다.

해설 to increase ~ the water가 형용사 helpful을 뒤에서 수식하는 형태이다.

12 ⓐ | 그 마지막 문제는 일반 공식만으로 풀기에 상당히 복잡했다.

해설 to solve ~ formula가 형용사 complicated를 뒤에서 수식하는 형태이다.

13 ⓑ | 그 토론 수업의 학생들은 주제에 대해 자신들의 의견을 마음대로 교환했다.

해설 to exchange ~ the topic이 형용사 free를 뒤에서 수식하는

형태이다. 〈be free to-v: 마음대로 v하다〉

14 **The criminals were tough to chase**

해설 to chase가 형용사 tough를 뒤에서 수식하는 형태로 쓰는 것이 적절하다.

15 **is ideal to spend a holiday in**

해설 to spend a holiday in이 형용사 ideal을 뒤에서 수식하는 형태로 쓰는 것이 적절하다. '도시에서' 휴일을 보내는 것이므로 holiday 뒤에 전치사 in을 함께 써야 한다. (= It is ideal to spend a holiday in this city.)

UNIT 54-55 OVERALL TEST

01 **ⓓ, 따뜻한 마음을 지닌 사람이 되다** | 부모님께서는 내가 자라서 따뜻한 마음을 지닌 사람이 되기를 늘 바라셨다.

해설 주어의 의지와 무관한 동작을 나타내는 동사 grow up 뒤에 오는 to-v구는 앞에 나온 행위에 대한 '결과'를 나타낸다.

02 **ⓐ, 더 많은 정보를 접하기 위해** | 그들은 더 많은 정보를 접하기 위해 영어를 배우는 것이 필수적임을 알았다.

해설 to have ~ information은 '더 많은 정보를 접하기 위해'라는 의미로 '목적'을 나타낸다. 여기에서 it은 가목적어, to learn English는 진목적어이다. ≪UNIT 20

03 **ⓑ, 한 달 뒤에 스페인에 가게 되어서** | 엄청난 축구 팬으로서, 그는 한 달 뒤에 스페인에 가게 되어서 매우 신이 나 있음이 틀림없다.

해설 to-v 앞에 감정을 나타내는 thrilled가 있으므로 to go ~ a month는 '감정의 원인'을 나타낸다.

04 **ⓕ, 도시를 가로지르는 도보 여행에 가지고 다니기에** | 병에 든 생수는 도시를 가로지르는 도보 여행에 가지고 다니기에 편리하다.

해설 to have ~ through the city가 형용사 convenient를 뒤에서 수식하는 부사적 역할을 하고 있다.

05 **ⓓ, 그녀의 항공편이 연착된 것을 알았다** | 나는 공항에 도착해서 그녀의 항공편이 연착된 것을 알았다.

해설 to discover ~ delayed가 동사 arrived 뒤에 쓰여서 '도착해서 ~을 알게 되었다'라는 '결과'의 의미를 나타낸다.

06 **ⓒ, 떠돌고 있는 그 말도 안 되는 소문을 믿다니** | 떠돌고 있는 그 말도 안 되는 소문을 믿다니 그녀는 바보임이 틀림없다.

해설 to believe 앞에서 '그녀가 바보임이 틀림없다'고 판단을 하고 있으므로 to-v는 '판단의 근거'를 나타낸다. 여기서 going around는 명사구 the ridiculous rumor를 뒤에서 수식한다.

07 **ⓐ, 다른 이들을 방해하지 않기 위해** | 다른 이들을 방해하지 않기 위해, 나는 영화가 시작하기 전에 내 휴대전화를 껐다.

해설 Not to disturb others는 '다른 이들을 방해하지 않기 위해'라는 '목적'을 나타낸다.

08 **ⓔ, 겨울에 영국에 가면** | 겨울에 영국에 가면, 너는 크리스마스 마켓을 방문할 수 있을 것이다.

해설 To go to England in winter가 '겨울에 영국에 가면'이라는 '조건'의 의미를 나타낸다.

09 **ⓐ, 제작비용을 지불하기 위해** | 방송사는 제작비용을 지불하기 위해 광고를 이용한다.

해설 to pay for the production costs는 '제작비용을 지불하기 위해'라는 '목적'을 나타낸다.

10 **ⓑ, 동물들 사이에 협동이 발견된다는 것을 알게 되어** | 대부분 사람들이 동물들 사이에 협동이 발견된다는 것을 알고는 놀란다.

해설 to-v 앞에 감정을 나타내는 surprised가 있으므로 to see ~ animals는 '감정의 원인'을 나타낸다.

배점	채점 기준
5	기호를 바르게 쓴 경우
5	해석을 바르게 한 경우

UNIT 56 to부정사가 만드는 주요 구문

01 **너무 미끄러워서 사람들이 자전거를 탈 수 없다[사람들이 자전거를 타기에는 너무 미끄럽다, 사람들이 자전거를 탈 수 없을 만큼 미끄럽다]**

해설 〈too ~ (for A) to-v〉: 〈결과〉 너무 ~해서 (A가) v할 수 없는 / 〈정도〉 (A가) v하기에는 너무 ~한, (A가) v할 수 없을 만큼 ~한

02 **나를 다시 집으로 데려다줄 만큼 친절했다**

해설 〈so ~ as to-v〉: 〈정도〉 v할 만큼 ~한 / 〈결과〉 (매우) ~해서 v하는

03 **그녀가 그날의 첫 버스를 탈 수 있을 만큼**

해설 〈~ enough (for A) to-v〉: 〈정도〉 (A가) v할 (수 있을) 만큼 ~한 / 〈결과〉 (충분히) ~해서 (A가) v하는[v할 수 있는]

04 **well known enough to need** | 그 연설자는 소개가 필요 없을 만큼 아주[충분히] 잘 알려져 있었다.

해설 'v할 만큼 ~한'이라는 뜻의 '정도'를 나타내는 〈so ~ as to-v〉 구문은 〈~ enough (for A) to-v〉로 바꿔 쓸 수 있다.

05 **too forgetful to remember** | 나는 건망증이 너무 심해서 내 이메일 계정의 비밀번호를 기억하지 못했다.

해설 〈so ~ that+S'+can't[couldn't]+동사원형〉은 〈too ~ (for A) to-v〉 구문으로 바꿔 쓸 수 있다.

06 **so thoughtful as to consider** | 그 아이는 자신의 친구들이 무엇을 필요로 하는지 고려할 만큼 충분히[아주] 배려심이 있었다.

해설 〈~ enough (for A) to-v〉는 〈so ~ as to-v〉 구문으로 바꿔 쓸 수 있다.

07 **strong enough to compete with** | 그 나라의 경제는 인접 국가들과 겨룰 만큼 튼튼하다.

해설 'v할 만큼 ~한'이라는 뜻의 '정도'를 나타내는 〈so ~ as to-v〉

구문은 ⟨~ enough (for A) to-v⟩로 바꿔 쓸 수 있다.

08 **too tired to go sightseeing** | 다섯 시간의 비행 후에, 존은 너무 피곤해서 그날 관광을 할 수 없었다.

해설 ⟨so ~ that+S'+can't[couldn't]+동사원형⟩은 ⟨too ~ (for A) to-v⟩ 구문으로 바꿔 쓸 수 있다.

09 **×, to sing** | 캐시는 너무 긴장해서 관객들 앞에서 노래를 부를 수 없었다.

해설 '너무 ~해서 (A가) v할 수 없는'의 '결과'를 나타내는 ⟨too ~ (for A) to-v⟩ 구문이 쓰였으므로 sing은 to sing이 되어야 한다.

10 **×, wide enough** | 골목은 차량 두 대가 지나갈 만큼 넓다.

해설 ⟨~ enough (for A) to-v⟩에서 enough는 형용사 다음에 위치한다.

11 **○** | 그녀의 머리카락은 검은색이었지만, 부자연스러워 보일 만큼 어둡지는 않았다.

해설 'v할 만큼 ~한'이라는 뜻의 '정도'를 나타내는 ⟨so ~ as to-v⟩ 구문이 쓰였다.

감점	채점 기준
-2	×는 올바르게 표시했지만, 틀린 부분을 바르게 고치지 못한 경우

12 **too poor to buy a bus ticket**

해설 ⟨too ~ (for A) to-v⟩는 '너무 ~해서 (A가) v할 수 없는'의 의미로 '결과'를 나타낸다.

13 **strong enough to cause first-degree burns**

해설 ⟨~ enough (for A) to-v⟩는 '(A가) v할 만큼 (충분히) ~한'의 의미로 '정도'를 나타낸다.

14 **To tell the truth**

해설 to tell the truth: 진실을 말하자면 (= to be honest[frank] (with you))

15 **not to speak of English**

해설 not to speak of: ~은 말할 것도 없이 (= needless to say, not to mention, to say nothing of)

16 **so slow as to make me annoyed**

해설 ⟨so ~ as to-v⟩는 'v할 만큼 ~한'이라는 의미로 '정도'를 나타낸다. to-v구는 ⟨make+O+C⟩의 구조로 쓴다.

CHAPTER  10 분사구문

UNIT 57 분사구문의 의미

01 **a. If, b. 당신이 약속한 말을 또 어기면, c. Breaking your word again** | 당신이 약속한 말을 또 어기면, 당신은 다른 사람들의 신뢰를 잃을 것이다.

해설 문맥상 당신이 약속한 말을 또 어기면 다른 사람들로부터 신뢰를 잃으리라는 것이 자연스러우므로 접속사는 If가 적절하다. 부사절에서 접속사(If)를 없애고, 주절의 주어(you)와 같은 주어를 없앤 뒤 동사(break)를 v-ing형으로 바꿔 분사구문으로 나타낸다.

02 **a. After, b. 그가 연필을 집어 들고 나서, c. Picking up the pencil** | 연필을 집어 들고 나서, 그 화가는 빠르게 내 얼굴을 그리기 시작했다.

해설 문맥상 화가가 연필을 집어 들고 난 후 내 얼굴을 그리는 것이 자연스러우므로 접속사는 After가 적절하다. 부사절에서 접속사(After)를 없애고, 주절의 주어(the artist=he)와 같은 주어를 없앤 뒤 동사(picked up)를 v-ing로 바꿔 분사구문으로 나타낸다.

03 **a. When, b. 내가 박물관에 도착했을 때, c. Arriving at the museum** | 박물관에 도착했을 때, 나는 입구에 끝없는 줄을 보았다.

해설 문맥상 박물관에 도착했을 때 줄을 본 것이 자연스러우므로 접속사는 When이 적절하다. 부사절에서 접속사(When)를 없애고, 주절의 주어(I)와 같은 주어를 없앤 뒤 동사(arrived)를 v-ing로 바꿔 분사구문으로 나타낸다.

04 **a. As, b. 우리는 식당에서 식사를 하면서, c. Dining at the restaurant** | 식당에서 식사를 하면서, 우리는 뛰어난 음식에 대해 요리사를 칭찬했다.

해설 문맥상 식당에서 식사를 하면서 요리사의 뛰어난 음식에 대해 칭찬하는 것이 자연스러우므로 접속사는 As가 적절하다. 부사절에서 접속사(As)를 없애고, 주절의 주어(we)와 같은 주어를 없앤 뒤 동사(dined)를 v-ing로 바꿔 분사구문으로 나타낸다.

05 **a. and, b. 그리고 그녀는 즉각 그것을 사겠다고 제안했다, c. offering to buy it on the spot** | 메리는 그림을 한 번 보고 나서, 즉각 그것을 사겠다고 제안했다.

해설 문맥상 메리가 그림을 보고 나서 사겠다고 제안했다는 것이 자연스러우므로 접속사 and가 적절하다. 접속사(and)를 없애고, 주절의 주어(Mary=she)와 같은 주어를 없앤 뒤 동사(offered)를 v-ing로 바꿔 분사구문으로 나타낸다.

06 **a. After, b. 그는 심호흡을 하고서, c. Taking a deep breath** | 심호흡을 하고서, 그는 자신의 보드를 집어 들고 바다로 달려 들어갔다.

해설 문맥상 그가 심호흡을 하고 나서 보드를 집어 들고 바다로 달려가는 것이 자연스러우므로 접속사는 After가 적절하다. 부사절에서 접속사(After)를 없애고, 주절의 주어(he)와 같은 주어를 없앤 뒤 동사(took)를 v-ing로 바꿔 분사구문으로 나타낸다.

07 **a. Because, b. 그들은 어디로 가야 할지 몰랐기 때문에, c. Not knowing where to go** | 어디로 가야 할지 몰랐기 때문에, 그들은

초조하게 서성거릴 뿐이었다.

해설 문맥상 그들이 어디로 가야 할지 몰랐기 때문에 초조하게 서성거렸다는 것이 자연스러우므로 접속사 Because가 적절하다. 부사절에서 접속사(Because)를 없애고, 주절의 주어(they)와 같은 주어를 없앤 뒤 동사(didn't know)를 v-ing로 바꾼다. 이때 부정어 Not을 분사 앞에 붙여 분사구문으로 나타낸다.

08 a. and, b. **그리고 (그 결과) 그것들은 많은 난민들을 굶주림으로부터 구했다**, c. **saving lots of refugees from hunger** | 구호품이 적절한 시기에 배부되었고, 그리고 (그 결과) 그것들은 많은 난민들을 굶주림으로부터 구했다.

해설 문맥상 구호품이 적절한 시기에 배부되고, 그 결과로 많은 난민들을 구했다는 것이 자연스러우므로 접속사는 and가 적절하다. 접속사(and)를 없애고, 주절의 주어(Relief supplies=they)와 같은 주어를 없앤 뒤 동사(saved)를 v-ing로 바꿔 분사구문으로 나타낸다.

배점	채점 기준
1	네모 안에서 알맞은 접속사를 고른 경우
1	해석을 바르게 한 경우
2	분사구문을 바르게 쓴 경우

[09~15] 〈보기〉 피곤해서, 그는 책꽂이에 다시 책을 두었다.

09 **Telling a lie, 당신이 거짓말을 할 때[한다면]** | 거짓말을 할 때[한다면], 당신은 누군가가 진실을 알 권리를 빼앗는 것이다.

해설 문맥상 '시간' 또는 '조건'을 나타내는 분사구문으로 '~할 때/~한다면'이라는 의미의 접속사 when/if를 사용하여 When/If you tell a lie로 바꿔 쓸 수 있다. 분사구문은 문장에 따라 두 가지 이상의 의미로 해석될 수도 있다.

10 **Examining the burial grounds, 고고학자들이 그 묘지를 조사했을 때[조사하는 동안]** | 그 묘지를 조사했을 때[조사하는 동안], 고고학자들은 아주 오래된 그릇 몇 점을 찾아냈다.

해설 문맥상 '시간'을 나타내는 분사구문으로 '~할 때/~하는 동안'이라는 의미의 접속사 when/while을 사용하여 When/While archaeologists examined the burial grounds로 바꿔 쓸 수 있다.

11 **Having two cups of coffee, 나는 커피 두 잔을 마셔서** | 커피 두 잔을 마셔서, 나는 평소보다 공부에 더 잘 집중했다.

해설 문맥상 '원인'을 나타내는 분사구문으로 '~하므로'를 뜻하는 접속사 because[as, since]를 사용하여 Because[As, Since] I had ~ coffee로 바꿔 쓸 수 있다.

12 **avoiding the lip and eye areas, 당신은 입술과 눈 부위들을 피하면서** | 입술과 눈 부위들을 피하면서, 당신은 얼굴 전체에 이 크림을 고르게 발라야 한다.

해설 문맥상 '동시동작'을 나타내는 분사구문으로 '~하면서'라는 의미의 접속사 as를 사용하여 as you avoid ~ areas로 바꿔 쓸 수 있다.

13 **Ordering our product online, 여러분이 저희 제품을 온라인에서 구매하시면** | 저희 제품을 온라인에서 구매하시면, 여러분은 정가에서 20%의 할인을 받으실 수 있습니다.

해설 문맥상 '조건'을 나타내는 분사구문으로 '만약 ~라면'이라는 의미의 접속사 if를 사용하여 If you order ~ online으로 바꿔 쓸 수 있다.

14 **hearing the sound of a window breaking, 그는 창문이 깨지는 소리를 듣고[들었기 때문에]** | 한밤중에, 창문이 깨지는 소리를 듣고[들었기 때문에], 그는 갑자기 잠에서 깼다.

해설 문맥상 '시간/원인'을 나타내는 분사구문으로 '~하고 나서/~하기 때문에'라는 의미의 접속사 after/because[as, since]를 사용하여 after/because[as, since] he heard ~ breaking으로 바꿔 쓸 수 있다.

15 **producing large amounts of electricity, 나이아가라 폭포는 많은 양의 전기를 생산해서[생산하는데]** | 나이아가라 폭포는, 많은 양의 전기를 생산해서[생산하는데], 수력 전기의 공급원이다.

해설 분사구문은 문장의 앞, 뒤, 중간(주어와 동사 사이)에 모두 올 수 있다.

배점	채점 기준
1	밑줄을 바르게 그은 경우
2	해석을 바르게 한 경우

16 **ⓒ, Sitting at the cafe with my friends, I suddenly realized that I had left my laptop at home.** | 친구와 카페에 앉았을 때, 나는 노트북 컴퓨터를 집에 두고 왔다는 것을 갑자기 깨달았다.

17 **ⓑ, Parking my car in the parking lot, I bumped into another car.** | 주차장에 내 차를 주차하다가, 나는 다른 차와 부딪쳤다.

18 **ⓐ, Not knowing how to use the machine, I asked the staff for help.** | 그 기계를 사용하는 방법을 몰라서, 나는 직원에게 도움을 요청했다.

배점	채점 기준
1	기호를 바르게 쓴 경우
2	분사구문을 이용하여 문장을 바르게 완성한 경우

19 **When I heard of the accident** | 그 사고에 대해 들었을 때, 나는 조나단이 매우 걱정되었다.

해설 '시간'을 나타내는 분사구문이므로 접속사 when이 적절하다.

20 **Because I missed school yesterday** | 어제 학교를 쉬어서, 나는 오늘 강의를 이해할 수 없었다.

해설 '원인'을 나타내는 분사구문이므로 접속사 because가 적절하다.

21 **If you take a non-stop flight to your destination** | 네 목적지까지 직항을 타면, 너는 그곳에 더 빨리 도착할 것이다.

해설 '조건'을 나타내는 분사구문이므로 접속사 if가 적절하다.

22 **while they moved[were moving] upstream** | 수백 마리의 물고기가 상류로 이동하는 동안 태양으로부터 빛을 받고 있었다.

해설 '동시동작'을 나타내는 분사구문이므로 접속사 while이 적절하다.

23 **since it doesn't involve any violent scenes** | 그 영화는 어떠한 폭력적인 장면도 포함하지 않기 때문에 전 연령대가 즐길 수 있다.

해설 '이유'를 나타내는 분사구문이므로 접속사 since가 적절하다. 분사구문 앞에 not이 있으므로 부정문 형태로 쓰는 것에 유의한다.

24 **and she found pictures of her childhood** | 우리 어머니는 오래된 사진첩을 열어보시고, 자신의 어린 시절 사진들을 발견하셨다.

해설 '연속동작' 혹은 '결과'를 나타내는 분사구문이므로 접속사 and가 적절하다.

배점	채점 기준
1	알맞은 접속사를 고른 경우
2	접속사를 이용하여 문장을 바르게 완성한 경우

25 **Taking a short nap during the day**

26 **Beating the other competitors in the contest**

27 **causing about ten casualties**

28 **Walking the dog in the park**

배점	채점 기준
2	어순은 올바르나 동사의 어형 변형이 틀린 경우

UNIT 58 주의해야 할 분사구문의 형태

01 **is treated, can last, (Being) Treated with care** | 주의하여 다뤄지면, 그 도자기는 몇 세대에 걸쳐서 오래갈 수 있다.

해설 도자기(the pottery)가 주의하여 '다뤄지는' 것이므로 〈(being) p.p.〉로 써야 한다.

02 **appeared, is gaining, Having appeared in a famous movie** | 유명한 영화에 나왔기 때문에, 그 섬은 인기를 얻고 있다.

해설 부사절의 시제(과거)가 주절의 시제(현재)보다 앞서므로 〈Having p.p.〉로 쓴다.

03 **was, missed, (Being) Unable to finish work** | 정시에 근무를 마칠 수 없어서, 스미스 씨는 기차를 놓쳤다.

해설 부사절의 동사가 be동사이면 보통 Being 또는 Having been을 생략하고 〈명사/형용사 ~, S+V ...〉 형태의 분사구문으로 쓴다.

04 **hadn't prepared, failed, Not having prepared** | 시험을 열심히 준비하지 않아서, 제임스는 시험에 떨어졌다.

해설 부사절의 시제(과거완료)가 주절의 시제(과거)보다 앞서므로 〈having p.p.〉로 쓰고, 부정어 not은 분사 바로 앞에 둔다.

05 **had, was written, (being) written with caution** | 내 영어 에세이는 신중히 작성되었기 때문에 오류가 거의 없었다.

해설 나의 영어 에세이(My English essay)가 '작성되는' 것이므로 〈(being) p.p.〉로 써야 한다.

06 **had unpacked, found, Having unpacked the suitcase** | 여행 가방을 풀고 나서, 크리스틴은 자신의 지갑을 잃어버렸다는 것을 알게 되었다.

해설 부사절의 시제(과거완료)가 주절의 시제(과거)보다 앞서므로 〈Having p.p.〉 형태로 쓴다.

07 **had been asked, haven't decided, (Having been) Asked to join a musical club** | 뮤지컬 동아리에 가입할 것을 요청받았지만, 나는 아직 결정하지 못했다.

해설 부사절의 동사가 수동이며 시제가 주절의 시제보다 앞서므로 〈(Having been) p.p.〉로 써야 한다.

08 **was, trained, (Being) Certain about his career path** | 자신의 진로에 대해 확신했기 때문에, 론은 비행사가 되기 위해 훈련받았다.

해설 부사절의 동사가 be동사이면 보통 Being 또는 Having been을 생략하고 〈명사/형용사 ~, S+V ...〉 형태의 분사구문으로 쓴다.

09 **hadn't expected, wasn't, Not having expected to win the match** | 그 경기에서 이길 거라고 기대하지 않아서, 그는 그 패배에 실망하지 않았다.

해설 부사절의 시제(과거완료)가 주절의 시제(과거)보다 앞서므로 〈having p.p.〉로 쓰고, 부정어 not은 분사 앞에 위치시킨다.

10 **was, didn't lose, (Being) A professional figure skater** | 프로 피겨 스케이팅 선수이기 때문에, 그녀는 심지어 실수 후에도 균형을 잃지 않았다.

해설 부사절의 동사가 be동사이고 주격보어가 명사인 문장이 분사구문이 될 경우, being 또는 having been을 생략하여 〈명사 ~, S+V ...〉 형태로 쓸 수도 있다.

감점	채점 기준
-1	밑줄을 하나 잘못 그은 경우
-3	문장을 바르게 완성하지 못한 경우

[11~20] 〈보기〉 이 로봇청소기는 완전히 충전되면 40분 동안 작동될 수 있다.

11 **Having lived, 크리스는 전에 프랑스에 살았기 때문에** | 전에 프랑스에 살았기 때문에, 크리스는 프랑스어를 유창하게 말할 수 있다.

해설 문맥상, 분사구문이 주절보다 앞선 일이고, 크리스가 프랑스에 '사는' 능동 관계이므로 〈having p.p.〉 형태가 알맞다. 문맥상 '원인'의 분사구문에 해당한다.

12 **Caught, 우리 배가 허리케인에 갇혀서** | 허리케인에 갇혀서, 우리 배는 구조 신호를 보냈다.

해설 우리 배가 허리케인에 '갇힌' 것이므로 p.p.로 시작하는 분사구문이 알맞다. 부사절의 동사가 수동태일 때 Being 또는 Having been은 보통 생략해서 쓴다. 문맥상 '원인'의 분사구문에 해당한다.

13 **Having eaten, 나는 아침을 먹은 후** | 아침을 먹은 후, 나는 학교에 갈 준비를 했다.

해설 문맥상, 분사구문이 주절보다 앞선 일이고, 내가 아침을 '먹는' 능동 관계이므로 〈having p.p.〉 형태가 알맞다. 문맥상 '시간'의 분사구문에 해당한다.

14 **having seen, 나는 그 영화를 안 봤기 때문에** | 그 영화를 안 봤기 때문에, 나는 네가 그 영화의 결말을 내게 말하는 것을 원하지 않는다.

해설 문맥상, 분사구문이 주절보다 앞선 일이고, 내가 그 영화를 '보는' 능동 관계이므로 having p.p. 형태가 알맞다. 문맥상 '원인'의 분사구문에 해당한다.

15 **washed, 그 카디건이 적정한 온도에 세탁되면** | 적정한 온도에 세탁되면, 그 카디건은 줄어들지 않을 것이다.

해설 카디건이 '세탁되는' 것이므로 p.p. 형태인 washed가 알맞다. 부사절의 동사가 수동태일 때 being은 보통 생략해서 쓴다. 이때 의미를 명확히 하기 위해 접속사(If)를 생략하지 않고 남겨두었으며, '조건'의 분사구문에 해당한다.

16 **Covered, 슈퍼마켓으로 가는 길이 미끄러운 얼음으로 덮여 있어서** | 미끄러운 얼음으로 덮여 있어서, 슈퍼마켓으로 가는 길은 위험했다.

해설 길이 얼음으로 '덮여 있는' 것이므로 p.p.로 시작하는 분사구문이 알맞다. 부사절의 동사가 수동태일 때 Being은 보통 생략해서 쓴다. 문맥상 '원인'의 분사구문에 해당한다.

17 **having been treated, 그가 제대로 치료를 받지 못해서** | 제대로 치료를 받지 못해서, 그가 더 안 좋아진 듯했다.

해설 치료를 받지 못한 것이 더 앞선 일이고, 치료를 '받는' 것이므로 〈having been p.p.〉를 써야 하며, 이때 having been은 생략할 수 있다. 문맥상 '원인'의 분사구문에 해당한다.

18 **Asked, 벤은 면접에서 어려운 질문을 받고서[받았을 때]** | 면접에서 어려운 질문을 받고서[받았을 때], 벤은 긴장되기 시작했다.

해설 벤이 질문을 '받는' 것이므로 p.p.로 시작하는 분사구문이 알맞다. 부사절의 동사가 수동태일 때 Being은 보통 생략해서 쓴다. 문맥상 '시간'의 분사구문에 해당한다.

19 **Exhausted, 내 여동생은 자신의 춤 공연 후 기진맥진해서** | 자신의 춤 공연 후 기진맥진해서, 내 여동생은 소파 위에서 잠이 들었다.

해설 내 여동생이 '기진맥진해진' 것이므로 p.p.로 시작하는 분사구문이 알맞다. 부사절의 동사가 수동태일 때 Having been은 보통 생략해서 쓴다. 문맥상 '원인'의 분사구문에 해당한다.

20 **distressed, 청소년들이 괴로워할 때** | 괴로워할 때, 청소년들은 자신들만의 문제 해결 능력을 개발할 수 있다.

해설 청소년들이 괴로움을 '느끼는' 것이므로 p.p.로 시작하는 분사구문이 알맞다. 이때 의미를 명확히 하기 위해 접속사(When)를 생략하지 않고 남겨두었으며, '시간'의 분사구문에 해당한다.

배점	채점 기준
3	네모 안에서 알맞은 것을 고른 경우
2	해석을 바르게 한 경우

UNIT 59 주의해야 할 분사구문의 의미상의 주어

01 **We considering all things** | 우리가 모든 것들을 고려한다면, 이 모델이 최선의 선택이다.

해설 접속사(If)를 생략하고, 부사절의 주어(we)가 주절의 주어(this model)와 다르므로 부사절의 주어가 분사 앞에 남겨진 형태의 분사구문으로 전환한다.

02 **The recent economy fluctuating** | 최근 경기가 변동을 거듭하므로, 기업들은 살아남으려고 분투하고 있다.

해설 접속사(Since)를 생략하고, 부사절의 주어(the recent economy)가 주절의 주어(businesses)와 다르므로 부사절의 주어가 분사 앞에 남겨진 형태의 분사구문으로 전환한다.

03 **ringing, 전화가 울려서**

해설 부사절의 주어 The phone과 ring은 능동 관계이므로 v-ing 형태인 ringing이 알맞다. 부사절의 주어(The phone)와 주절의 주어(I)가 달라 부사절의 주어가 분사 앞에 남았다. 문맥상 '원인'을 나타내는 분사구문으로 '~하므로[이므로]'로 해석한다.

04 **broken, 우산이 부러져서**

해설 〈with+O′+v-ing/p.p.〉 구문에서 분사의 의미상의 주어 the umbrella와 break는 수동 관계이므로 p.p. 형태인 broken이 알맞다. 문맥상 'O′가 ~하여[되어]'로 해석한다.

05 **closed, 입을 다문 채로**

해설 〈with+O′+v-ing/p.p.〉 구문에서 분사의 의미상의 주어 your mouth와 close는 수동 관계이므로 p.p. 형태인 closed가 알맞다. with 분사구문에서 목적어 자리에 신체 부위가 오면 주로 과거분사를 사용한다. 문맥상 'O′가 ~한[된] 채로'로 해석한다.

06 **playing, 그의 룸메이트가 시끄러운 음악을 틀어서[연주해서]**

해설 〈with+O′+v-ing/p.p.〉 구문에서 분사의 의미상의 주어 his roommate와 play는 능동 관계이므로 v-ing 형태인 playing이 알맞다. 문맥상 'O′가 ~하여[되어]'로 해석한다.

07 **planted, 꽃이 나무 근처에 심어져 있어서**

해설 〈with+O′+v-ing/p.p.〉 구문에서 분사의 의미상의 주어 the flowers와 plant는 수동 관계이므로 p.p. 형태인 planted가 알맞다. 문맥상 'O′가 ~하여[되어]'로 해석한다.

08 **hidden, 자신의 코트에 총을 숨긴 채로[총이 코트에 숨겨진 채로]**

해설 〈with+O′+v-ing/p.p.〉 구문에서 분사의 의미상의 주어 the gun과 hide는 수동 관계이므로 p.p. 형태인 hidden이 알맞다. 문맥상 'O′가 ~한[된] 채로'로 해석한다.

09 **being, 교통량이 너무 많아서**

해설 〈접속사+there+be+S′, S+V ...〉 문장을 분사구문으로 만들 때, there와 부사절의 주어(S′)는 그대로 두고 be동사를 being으로 바꿔 쓴다. 문맥상 '원인'을 나타내는 분사구문으로 '~하므로[이므로]'로 해석한다.

10 **wrapped, 자신의 팔이 붕대에 단단히 감긴 채로**

해설 〈with+O′+v-ing/p.p.〉 구문에서 분사의 의미상의 주어 his arm과 wrap은 수동 관계이므로 p.p. 형태인 wrapped가 알맞다. 문맥상 'O′가 ~한[된] 채로'로 해석한다.

배점	채점 기준
4	네모 안에서 알맞은 것을 고른 경우
4	해석을 바르게 완성한 경우

11 **그의 외모로 판단하건대**

해설 judging by[from]: ~으로 판단하건대

12 **자동화에 관해 말하자면**

해설 talking[speaking] of: ~에 관해 말하자면

13 **솔직히 말해서**

해설 frankly speaking: 솔직히 말해서

14 **그녀의 이야기가 가능하다는 것을 인정한다 하더라도**

해설 granting (that): ~을 인정한다 하더라도

UNIT 57-59 OVERALL TEST

01 **가격이 약간 낮게 매겨져서**

해설 Being ~ lower는 문맥상 '원인'을 나타내는 분사구문으로 '~하므로[이므로]'로 해석한다.

02 **다른 동물들에 비교하면[비교할 때]**

해설 Compared ~ animals는 문맥상 '조건(~하면)' 또는 '시간(~할 때)'의 분사구문으로 해석할 수 있다.

03 **서점 주인의 아들이라서**

해설 (Being) The son ~ owner는 문맥상 '원인'을 나타내는 분사구문으로 '~하므로[이므로]'로 해석한다.

04 **창가에 앉으면**

해설 Being seated ~ window는 문맥상 '조건'을 나타내는 분사구문으로 '~하면'으로 해석한다.

05 **심한 복통이 있어서**

해설 Having ~ stomachache는 문맥상 '원인'을 나타내는 분사구문으로 '~하므로[이므로]'로 해석한다.

06 **대가족 안에서 자라서**

해설 Having ~ family는 문맥상 '원인'을 나타내는 분사구문으로 '~하므로[이므로]'로 해석한다.

07 **그 책의(책 시리즈의) 1권을 끝내고 난 뒤**

해설 Having finishing ~ book은 '시간(~하고 나서)'을 나타내는 분사구문으로 '~한 후'로 해석한다.

08 **노동자들이 더 낮은 비용으로 더 많이 생산하게 한다**

해설 allowing ~ cost는 '결과'를 나타내는 분사구문으로 '~하여 (그 결과) …하다'로 해석한다.

09 **우리 3학년 학급에서 '가장 똑똑한' 학생이었기 때문에**

해설 부사절의 동사가 be동사이고 주격보어가 명사인 문장이 분사구문이 될 경우 being 또는 having been이 생략되어 〈명사 ~, S+V ...〉 형태로 쓸 수 있다. 문맥상 '원인'을 나타내는 분사구문으로 '~하므로[이므로]'로 해석한다.

10 **수출에서의 투자에 활기를 얻어**

해설 Fueled ~ exports는 '원인'을 나타내는 분사구문으로 '~하므로[이므로]'로 해석한다.

11 **X, crossed** | 그는 팔짱을 낀 채로 탁자에 앉아 있었다.

해설 그의 팔이 '겹쳐지는' 것이므로 분사의 의미상의 주어 his arms와 cross는 수동 관계이다. 따라서 p.p. 형태인 crossed가 와야 한다.

12 **X, It snowing** | 눈이 심하게 와서, 교통 당국은 교통 정체를 경고하고 있다.

해설 부사절의 주어는 비인칭 주어 It으로 주절의 주어(the transport authority)와 다르므로 분사구문 앞에 밝혀줘야 한다.

13 **O** | 논의할 사안이 있어서, 그들은 월례 회의에 참석하는 것이 요구된다.

해설 〈접속사+there+be+S', S+V...〉 문장이 분사구문이 될 때, there와 주어(S')는 그대로 두고 be동사를 being으로 바꿔 쓴다.

14 **X, recognized** | 나의 업적으로 인정받았을 때, 나는 내 모든 노력들이 가치가 있었다고 생각했다.

해설 내가 '인정받는' 것이므로 분사구문의 의미상의 주어 I와 recognize는 수동 관계이다. 따라서 p.p. 형태인 recognized로 고쳐야 한다. 여기서는 의미를 명확히 하기 위해 부사절의 접속사 When을 생략하지 않고 남겨두었다.

15 **O** | 우리 항공사는 어떤 사고에도 관련되지 않았으므로 완벽한 안전 기록을 보유하고 있다.

해설 항공사가 사고에 '관련되지 않은' 것이므로 분사구문의 의미상의 주어 our airline과 involve는 수동 관계이며, 분사구문이 주절보다 앞서 일어난 일이므로 〈having been p.p.〉가 쓰였고, 부정어 not은 분사 앞에 적절하게 위치했다.

16 **O** | 구름의 움직임으로 판단하건대, 너는 오늘 학교에 우산을 가져갈 필요가 있을 것이다.

해설 judging from은 '~으로 판단하건대'라는 뜻의 관용표현으로 judging by로도 바꿔 쓸 수 있다.

17 **O** | 광대한 지역에 걸쳐 위치하여, 미국은 매우 다양한 기후를 가지고 있다.

해설 분사구문의 의미상의 주어 the United States와 locate는 수동 관계이므로 〈Being p.p.〉가 적절하며, 이때 Being은 생략 가능하다.

18 **X, addressing** | 엔지니어들이 과학의 실용적인 측면을 더 다룬다는 점에서, 엔지니어들과 과학자들은 약간 다르다.

해설 분사구문의 의미상의 주어 engineers와 address는 능동 관계이므로 v-ing 형태인 addressing이 와야 한다.

19 **O** | 우리의 경쟁 사회에서 자녀들의 미래를 걱정하며, 많은 부모들은 자녀들을 나가서 놀게 하는 대신에 그들에게 공부하라고 말한다.

해설 부모들이 걱정스러운 감정을 '느끼는' 것이므로 p.p. 형태인 concerned가 적절하다.

20 **X, choosing** | 관심이 없는 유능한 사람과 열정이 있는 덜 유능한 사람 사이에서 선택할 때, 나는 항상 능력보단 열정을 선택한다.

해설 분사구문의 의미상의 주어 I와 choose는 능동 관계이므로 v-ing 형태인 choosing이 와야 한다. 여기서는 의미를 명확히 하기 위해 부사절의 접속사 When을 생략하지 않고 남겨두었다.

감점	채점 기준
-2	×는 올바르게 표시했지만, 틀린 부분을 바르게 고치지 못한 경우

PART 4 문장의 확장

CHAPTER  11 등위절과 병렬구조

UNIT 60 등위접속사 and/but/or/for/nor/yet

01 **for** | 여름이 왔는데, 왜냐하면 장마철이 왔기 때문이다.

해설 앞서 말한 내용(여름이 옴)의 이유(장마철이 옴)를 추가적으로 제시하고 있으므로 알맞은 접속사는 for이다.

02 **or** | 그 오븐용 접시를 만지지 마라, 안 그러면 너는 화상을 입을 것이다.

해설 〈명령문+or S+V〉에서 or 뒤의 절은 '충고'나 '경고'의 의미로 '~하라, 안 그러면[안 그랬다간] S는 V할 것이다'라는 뜻이다.

03 **nor** | 나는 사퇴하도록 요구받은 일이 없었고, 나 또한 그럴(사퇴할) 생각도 없다.

해설 앞에 부정문이 왔으므로 '~도 또한 아니다'라는 뜻의 접속사 nor가 적절하다. nor이 절을 이끌어 〈nor+조동사+S ...〉의 도치구문으로 쓰였다.

04 **but** | 그 사건에는 아무런 증거가 없었으나, 경찰은 포기하지 않았다.

해설 증거가 없었는데도 경찰이 포기하지 않았다는 내용이므로 알맞은 접속사는 but이다.

05 **for** | 나는 그녀가 켈리를 안다고 생각하는데, 왜냐하면 그들이 같은 중학교에 다녔기 때문이다.

해설 앞서 말한 내용(그녀가 켈리를 안다고 생각)의 이유(그들이 같은 중학교에 다녔음)를 추가적으로 제시하고 있으므로 알맞은 접속사는 for이다.

06 **but** | 살아 있는 모든 언어는 변하지만, 변화의 속도는 시간이 지나면서 달라진다.

해설 모든 언어가 변하지만, 변화 속도는 서로 다르다는 내용이므로 알맞은 접속사는 but이다.

07 **nor** | 영화 평론가들은 그의 영화에 감명 받지 않았고, 관객들도 그러지(감명 받지) 않았다.

해설 앞에 부정문이 왔으므로 '~도 또한 아니다'라는 뜻의 접속사 nor가 적절하다. nor이 절을 이끌어 〈nor+be동사+S ...〉의 도치구문으로 쓰였다.

08 **and** | 듣는 법을 알라, 그러면 당신은 서투르게 말하는 사람들에게서조차 이득을 얻을 것이다.

해설 〈명령문+and S+V〉에서 and 뒤의 절은 '충고'나 '경고'의 의미로 '~하라, 그러면[그랬다간] S는 V할 것이다'라는 뜻이다.

09 **and** | 나는 신체 활동을 즐기며, 그것으로부터 얻은 성취감을 좋아한다.

해설 절과 절이 동일한 문맥으로 이어지고 있으므로 알맞은 접속사는 and이다. earned from it은 앞에 나온 명사구 the sense of achievement를 후치 수식한다. ≪ UNIT 52

10 **yet** | 많은 사람들이 당신의 삶에 오갈 것이지만, 진정한 친구들만이 당신의 마음에 발자국을 남길 것이다.

해설 많은 사람들이 오고 가지만 진정한 친구만이 마음에 남는다는 내용이므로 알맞은 접속사는 yet이다. 이때 접속사 yet은 접속사 but과 바꿔 쓸 수 있다.

11 **or no one else will respect you**

해설 〈명령문+or S+V〉에서 or 뒤의 절은 '충고'나 '경고'의 의미로 '~하라, 안 그러면[안 그랬다간] S는 V할 것이다'라는 뜻이다.

12 **nor could he understand what we said**

해설 부정의 의미를 지닌 nor가 문장의 앞에 오면서 〈nor+조동사+S+V〉의 순서로 도치가 일어났다. understand의 목적어로 관계대명사 what이 이끄는 명사절인 what we said가 와야 한다. ≪ UNIT 69

배점	채점 기준
5	〈보기〉에서 올바른 접속사를 골랐으나 어순이 틀린 경우

UNIT 61 병렬구조

01 **born in Mexico but raised in the United States** | 크리스틴은 멕시코에서 태어났지만 미국에서 자랐다.

해설 두 개의 과거분사구가 접속사 but으로 연결된 병렬구조이다. raised 앞에는 be동사 was가 생략되어 있다고 볼 수 있다.

02 **to stretch your limits and to fulfill your potential** | 당신의 한계를 뛰어넘고 잠재력을 발휘하는 데에는 용기가 필요하다.

해설 두 개의 to-v구가 접속사 and로 연결된 병렬구조이다. 참고로, to-v가 등위접속사로 연결되면 뒤에 오는 to는 생략될 수도 있다. 문맥상 It은 가리키는 내용이 없고 to stretch 이하의 진주어를 대신하는 가주어이다. ≪ UNIT 11

03 **exhausted but refreshed** | 산 정상까지의 긴 여정 후에, 우리는 기진맥진했지만 상쾌한 기분이 들었다.

해설 두 개의 과거분사가 접속사 but으로 연결된 병렬구조이다. refreshed 앞에는 동사 felt가 생략되어 있다고 볼 수 있다.

04 **what age you are, what you look like, or where you come from** | 당신이 몇 살인지, 어떻게 생겼는지, 또는 어디 출신인지는 중요하지 않다.

해설 의문사가 이끄는 세 개의 명사절이 콤마(,)와 접속사 or로 연결된 병렬구조이다. 문맥상 It은 가리키는 내용이 없고 what age 이하의 진주어를 대신하는 가주어이다. ≪ UNIT 11

05 **to receive your phone bill by e-mail** [or] **to have it sent to your home** | 당신은 전화 요금 청구서를 이메일로 받거나 그것이 당신의 집으로 발송되도록 선택할 수 있습니다.

해설 동사(can choose)의 목적어로 쓰인 두 개의 to-v구가 접속사 or로 연결된 병렬구조이다. 참고로, to-v가 등위접속사로 연결되면 뒤에 오는 to는 생략될 수도 있다. it은 앞에 나온 your phone bill을 가리키며 send와 수동 관계이므로 have의 목적격보어로 과거분사(sent)가 쓰였다. ≪ UNIT 26

06 **sadness**[,] **anger**[, or] **excitement** | 눈썹은 슬픔, 분노, 또는 흥분과 같은 감정들을 보여주기 때문에 비언어적인 의사소통의 주요 부분이다.

해설 전치사 like의 목적어로 쓰인 세 개의 명사가 콤마(,)와 접속사 or로 연결된 병렬구조이다. 여기서 as는 '이유'를 나타내는 접속사이다. ≪ UNIT 75

07 **to limiting change** [and] **to preserving the species** | 진화론적인 관점에서, 두려움은 변화를 제한하고 종족을 보존하는 데 기여해왔다.

해설 두 개의 〈전치사+명사〉구가 접속사 and로 연결된 병렬구조이다. contribute to는 '~에 기여하다'라는 뜻으로 여기에서 to는 전치사이므로 뒤에 v-ing(동명사)구가 왔다.

08 **when you compete against yourself**[, or] **when it challenges you to become your best** | 경쟁은 자신과 경쟁할 때, 또는 그것(경쟁)이 자신을 최고가 되도록 북돋을 때 건전하다.

해설 when이 이끄는 두 개의 부사절이 콤마(,)와 접속사 or로 연결된 병렬구조이다.

09 **to remove unwanted branches**[,] **improve the tree's structure** [and] **direct new growth** | 가지치기의 목적은 원치 않는 가지들을 제거하고, 나무의 구조를 개선하고, 새로운 성장을 이끄는 것이다.

해설 동사 is의 보어로 쓰인 세 개의 to-v구가 콤마(,)와 접속사 and로 연결된 병렬구조이다. improve와 direct 앞에는 to가 생략되어 있다. to-v가 등위접속사로 연결되면 뒤에 오는 to는 생략되는 경우가 많다.

10 **lack of water**[,] **high daytime temperatures** [and] **freezing conditions at night** | 물 부족, 높은 낮 기온 그리고 밤에 너무나 추운 환경이 있어서, 사막은 인간에게 위험할 수도 있다.

해설 전치사 With의 목적어로 쓰인 세 개의 명사구가 콤마(,)와 접속사 and로 연결된 병렬구조이다.

11 **feeding** | 허수아비는 새가 농작물들을 건드리거나 그것들을 먹는 것을 막는다.

해설 문맥상 전치사 from의 목적어로 쓰인 두 개의 동명사구가 접속사 or로 연결된 병렬구조로, disturbing과 대등한 형태인 feeding이 적절하다. feed가 오면 prevent와 병렬구조를 이뤄 '허수아비는 그것들을 먹는다'라는 어색한 의미가 된다. 〈prevent A from v-ing〉: A가 v하지 못하게 하다 ≪ UNIT 81

12 **adapted** | 문화적 특성은 수 세기에 걸쳐 변화되거나 조정되었다.

해설 문맥상 두 개의 과거분사가 접속사 or로 연결된 병렬구조로, transformed와 대등한 형태인 adapted가 적절하다.

13 **decrease** | 긍정적인 생각은 수명을 늘리고 심장병의 위험을 줄일 수 있다.

해설 조동사 can 뒤에 두 개의 동사구가 접속사 and로 연결된 병렬구조로, 동사원형 increase와 대등한 형태인 decrease가 적절하다. 접속사 뒤의 반복되는 조동사는 보통 생략한다.

14 **uses** | 인간의 뇌는 무게가 전체 체중의 50분의 1이지만 전체 에너지 수요의 5분의 1까지 사용한다.

해설 문맥상 두 개의 동사구가 접속사 but으로 연결된 병렬구조로, weighs와 대등한 형태인 단수동사 uses가 적절하다.

15 **to promote** | 몇몇 사람들은 교복이 차별을 막거나 안전을 도모하는 데 필요하다고 주장해 왔다.

해설 문맥상 두 개의 to-v구가 접속사 or로 연결된 병렬구조로, to prevent와 대등한 형태인 to promote가 적절하다. 과거분사 insisted와 병렬구조를 이루는 것으로 착각하지 않도록 주의한다.

16 **whiten** | 치약은 벽에서 크레용을 제거하거나 당신의 운동화를 표백하는 데 사용될 수 있다.

해설 문맥상 can be used 뒤에 오는 두 개의 to-v구가 접속사 or로 연결된 병렬구조로, to remove와 대등한 형태인 to whiten이 적절한데, to-v가 등위접속사로 연결되면 뒤에 오는 to는 생략될 수 있으므로 whiten이 알맞다. ≪ UNIT 96

17 **preserves** | 음악 저작권은 음악이 도용되는 것을 막고 신구 음악 모두를 보호한다.

해설 문맥상 두 개의 동사구가 접속사 and로 연결된 병렬구조로, protects와 대등한 형태인 단수동사 preserves가 적절하다. preserving이 오면 being stolen과 병렬 구조를 이뤄 '음악이 신구 음악을 보호하는 것을 막는다'라는 어색한 의미가 된다.

18 **cutting** | 충분한 물을 마시는 것은 신진대사를 높이고 식욕을 줄임으로써 체중을 줄일지도 모른다.

해설 문맥상 전치사 by의 목적어로 쓰인 두 개의 동명사구가 접속사 and로 연결된 병렬구조로, raising과 대등한 형태인 cutting이 적절하다.

19 **making** | 통역가는 언급되는 것을 기억해서 그 말을 간단하지만 정확하게 만드는 것에 뛰어나다.

해설 문맥상 전치사 at의 목적어로 쓰인 두 개의 동명사구가 접속사 and로 연결된 병렬구조로, remembering과 대등한 형태인 making이 적절하다. 접속사 앞의 said와 병렬구조가 아님에 주의한다.

20 **improves** | 몇몇 사람들은 관광이 더 많은 휴양지를 제공하고 공공시설의 질을 향상시킨다고 생각한다.

해설 문맥상 think의 목적어인 명사절 안에 tourism을 주어로 하는 두 개의 동사구가 접속사 and로 연결된 병렬구조로, provides와 대등한 형태인 단수동사 improves가 적절하다. improve가 오면 think와 병렬구조를 이뤄 '몇몇 사람들은 공공시설의 질을 향상시킨다'라는 어색한 의미가 된다.

21 **O** | 우리 아버지는 예의범절에 관해 매우 엄격하셨지만 항상 우리에게 상냥하셨다.

해설 문맥상 두 개의 형용사구가 접속사 but으로 연결된 병렬구조로, very strict와 대등한 형태인 friendly(친절한)가 적절히 쓰였다. friendly는 〈명사+ly〉 형태의 형용사이다.

22 **X, not (to) read** | 독자들은 그것(=기사)의 표제에 따라 기사를 읽을지 아니면 읽지 않을지를 결정한다.

해설 문맥상 동사 decide의 목적어로 쓰인 to-v가 접속사 or로 연결된 병렬구조로, to read와 대등한 형태인 not to read 또는 to가 생략된 not read로 써야 한다. to부정사의 부정형은 〈not[never] to-v〉이다.

23 **X, (to) follow** | 함께 게임을 하는 것은 아이들이 잘 어울리고 규칙을 따르는 것을 돕는다.

해설 문맥상 목적격보어로 쓰인 두 개의 to-v구가 접속사 and로 연결된 병렬구조로, to get과 대등한 형태인 (to) follow로 써야 한다. to-v가 등위접속사로 연결되면 뒤에 오는 to는 생략될 수 있다. helps와 병렬구조를 이루도록 follows로 고칠 경우 '함께 게임을 하는 것은 규칙을 따른다'라는 어색한 의미가 된다.

24 **O** | 비행하는 동안 귀에 통증이 있다면, 증상을 완화하기 위해 물을 마시거나 하품을 해야 한다.

해설 문맥상 동사 need의 목적어로 쓰인 두 개의 to-v구가 접속사 or로 연결된 병렬구조로, to drink와 대등한 형태인 (to) yawn이 적절히 쓰였다. to-v가 등위접속사로 연결되면 뒤에 오는 to는 생략될 수 있다.

25 **O** | 포옹하는 것은 기분을 좋게 해 주는 호르몬을 분비하고 혈압을 낮춤으로써 스트레스를 줄이는 것을 도울지도 모른다.

해설 문맥상 전치사 by의 목적어로 쓰인 두 개의 동명사구가 접속사 and로 연결된 병렬구조로, releasing과 대등한 형태인 lowering이 적절히 쓰였다.

26 **X, makes** | 문맥 단서는 모르는 단어나 어구 근처에 나와서 그것(모르는 단어나 어구)의 의미를 더 명확하게 만드는 하나의 정보이다.

해설 문맥상 that이 이끄는 관계사절에서 두 개의 동사구가 접속사 and로 연결된 병렬구조로, appears와 대등한 형태인 단수동사 makes가 적절하다. 전체 문장의 동사 are와 병렬구조를 이루는 것으로 착각하지 않도록 주의한다.

감점	채점 기준
-2	×는 올바르게 표시했지만, 틀린 부분을 바르게 고치지 못한 경우

27 **(was) denied** | 강을 깨끗하게 하기 위한 계획이 제안되었지만 자금 부족으로 거부되었다.

해설 문맥상 두 개의 동사구가 접속사 but으로 연결된 병렬구조로, was proposed와 대등한 형태인 (was) denied가 와야 한다. 반복되는 be동사는 생략 가능하다.

28 **bringing** | 너는 집에서 점심 식사를 만들어서 직장에 그것을 가져옴으로써 돈을 절약할 수 있다.

해설 문맥상 전치사 by의 목적어로 쓰인 두 개의 동명사구가 접속사 and로 연결된 병렬구조로, making과 대등한 형태인 bringing으로 써야 한다.

UNIT 62 both A and B 등

01 **either** | 존은 자신이 저축한 돈으로 카메라와 컴퓨터 둘 중 하나를 사기로 결정했다.

해설 〈either A or B〉: A와 B 둘 중 하나

02 **or** | 내 남동생과 달리, 아버지도 나도 드럼을 잘 치지 못한다.

해설 〈not either A or B〉: A도 B도 아닌

03 **but** | 나는 그 책 시리즈를 읽지 않았지만 대신 영화 시리즈를 봤다.

해설 〈not A but B〉: A가 아니라 B

04 **neither** | 자신을 건강하게 유지하기 위해, 그 유명 배우는 술을 마시지도 담배를 피우지도 않는다.

해설 〈neither A nor B〉: A도 B도 아닌

05 **but (also)** | 그 작가는 책을 집필했을 뿐만 아니라 그 안의 삽화도 그렸다.

해설 〈not only[just, merely, simply] A but (also) B〉: A뿐만 아니라 B도 (= B as well as A)

06

기호	틀린 표현	고친 표현
ⓑ	nor	and
ⓓ	stays	staying

| ⓐ 시력이 나쁘면 콘택트렌즈와 안경 둘 중 하나가 처방된다.

ⓑ 부모는 자녀가 친구들과 사이좋게 지내고 학교에서 좋은 성적도 받길 기대한다.

ⓒ 좋은 친구는 당신이 힘든 시기를 벗어나도록 도와줄 뿐만 아니라, 당신의 목표에 계속 집중해 있을 수 있도록 도와준다.

ⓓ 행복한 삶을 사는 것은 다른 사람의 사상을 받아들이는 것이 아닌 자신의 신념에 충실하는 것이다.

해설 ⓑ 문맥상 친구들과 사이좋게 지내고 좋은 성적 받는 것 모두를 기대하는 것이므로 〈both A and B〉를 써야 한다.

ⓓ 문맥상 동사 is의 보어로 쓰인 두 개의 동명사구가 〈not A but B〉로 연결된 것으로 B에 해당하는 stays를 accepting과 대등한 형태인 staying으로 고쳐 써야 한다. A에 해당하는 accepting을 accepts로 고치지 않도록 주의한다.

감점	채점 기준
-7	기호와 틀린 표현을 하나 찾지 못한 경우
-7	틀린 표현을 바르게 고치지 못한 경우

07 **neither done any homework nor brought any of her textbooks to class, 그녀는 어떤 숙제도 하지 않았고 수업에 어떤 교과서도 가져오지 않았다.**

해설 〈neither A nor B〉는 'A도 B도 아닌'이라는 뜻이다. A와 B에 해당하는 두 개의 과거분사구가 대등하게 연결되어 있다.

08 **take away waste matter as well as deliver important substances to our cells, 혈액은 중요한 성분들을 우리 세포로 운반하는 것뿐만 아니라 노폐물을 제거하는 것도 돕는다.**

해설 〈B as well as A〉는 'A뿐만 아니라 B도'라는 뜻으로 〈not only A but (also) B〉와 같다. A와 B에 해당하는 두 개의 원형부정사구가 대등하게 연결되어 있다. 참고로, 동사 help는 원형부정사를 목적어로 가질 수 있다. ≪ UNIT 23

09 **not only** **your relationships with others,** **but also** **your learning abilities, 당신의 성향은 다른 사람들과 당신의 관계뿐만 아니라 당신의 학습 능력에도 영향을 준다.**

해설 〈not only A but also B〉는 'A뿐만 아니라 B도'라는 뜻이다. A와 B에 해당하는 두 개의 명사구가 대등하게 연결되어 있다.

배점	채점 기준
3	밑줄을 바르게 그은 경우
3	해석을 바르게 한 경우

10 **Both my daughter and son work**

해설 〈both A and B〉가 주어로 올 경우 복수동사로 받는다.

11 **Either my brother or I have to stay**

해설 주어가 상관접속사로 연결된 경우 동사는 기본적으로 가까이 있는 주어에 수를 일치시킨다. 〈either A or B〉도 B에 수를 일치시키므로 I에 수일치시킨 have to가 와야 한다.

12 **Not only Jack but also his classmates don't know**

해설 〈not only A but also B〉는 동사 가까이에 있는 B에 수를 일치시키므로 his classmates에 수일치시킨 don't know가 와야 한다.

13 **the teacher as well as his students was excited**

해설 〈B as well as A〉는 동사 가까이 있는 A가 아니라 내용상 강조하고 있는 B에 수를 일치시킨다. 따라서 the teacher에 수일치시킨 단수동사가 와야 하는데 주어진 우리말이 과거를 나타내고 있으므로 was가 알맞다.

배점	채점 기준
3	어순은 올바르나 동사의 어형 변형이 틀린 경우

UNIT 63 one/another/the other가 만드는 표현

01 **a hair pin** | 나는 친구에게 머리핀과 빗을 빌렸는데 어쩌다가 전자(머리핀)를 잃어버렸다.

해설 the former(전자)는 앞서 언급된 a hair pin을 지칭한다.

02 **Vice** | 악덕과 미덕이 여러분 앞에 놓여 있습니다. 하나(악덕)는 불행으로 이어지고, 다른 하나(미덕)는 행복으로 이어집니다.

해설 의미상 미덕과 악덕 중 불행으로 이어지는 것은 악덕(Vice)임을 알 수 있다.

03 **the copy** | 하나(원본)가 다른 하나(복사본)보다 훨씬 더 선명하기 때문에 원본과 복사본은 쉽게 구별된다.

해설 의미상 원본과 복사본 중에 덜 선명한 것은 복사본(the copy)임을 알 수 있다.

04 **non-verbal message** | 언어적인 메시지와 비언어적인 메시지 사이에 불일치가 있을 때, 보통 후자(비언어적인 메시지)가 판단을 내리는 데 더 영향을 준다.

해설 the latter(후자)는 나중에 언급된 non-verbal message를 지칭한다.

05 ⓐ | 잉글랜드의 교사는 스코틀랜드에서 (가르치는 것이) 인정되지 않으며, 반대도 마찬가지이다.

ⓐ 스코틀랜드의 교사는 잉글랜드에서 가르치는 것이 허용되지 않는다.

ⓑ 스코틀랜드의 교사는 잉글랜드에서 가르치는 것이 허용된다.

06 ⓐ | 우리는 자신의 감정을 통제할 수 있어야 한다. 그 반대는 안 된다.

ⓐ 우리는 감정이 우리를 통제하게 해서는 안 된다.

ⓑ 우리는 자신의 감정을 통제할 수 있어서는 안 된다.

07 ⓑ | 빠른 경제 성장은 국가의 삶의 질을 개선시켰지만, 우리는 동전의 뒷면을 고려할 필요가 있다.

ⓐ 빠른 경제 성장에는 다가올 더 많은 이점이 있다.

ⓑ 빠른 경제 성장에는 부정적 결과 또한 있을지도 모른다.

CHAPTER

관계사절

UNIT 64 주격/소유격 관계대명사

01 **who, 그 식당은 이탈리아 요리를 전문으로 하는 요리사를 찾고 있다.**

해설 선행사(a chef)가 사람이고 관계대명사가 관계사절에서 주어 역할을 하므로 who가 알맞다.

02 **which, 보안상의 이유로, 당신의 것이 아닌 어떤 소포들도 받지 마라.**

해설 선행사(any packages)가 사람이 아니고 관계대명사가 관계사절에서 주어 역할을 하므로 which가 알맞다.

03 **whose, 헨리는 가장 잘 팔리는 제품이 브라우니인 빵집에 갔다.**

해설 선행사(a bakery)가 사람이 아니고 선행사(a bakery)와 관계대명사 뒤에 오는 명사(best-selling product)가 소유 관계이므로 whose가 알맞다.

배점	채점 기준
8	알맞은 관계대명사를 고른 경우
7	해석을 바르게 한 경우

04 **whose scales[the scales of which / of which the scales] are blue and purple** | ⓐ 우리는 물고기를 잡았다. + ⓑ 그것의 비늘은 파랗고 자줏빛이다. → 우리는 비늘이 파랗고 자줏빛인 물고기를 잡았다.

해설 선행사(a fish)와 관계대명사 뒤에 오는 명사(scales)가 소유 관계이므로 Its를 소유격 관계대명사 whose로 바꿔 써야 한다. 또한, 선행사 a fish가 사람이 아니기 때문에 whose 대신 of which를 사용하여 〈the+명사+of which〉 혹은 〈of which+the+명사〉의 형태로도 쓸 수 있다. (whose scales = the scales of which = of which the scales)

05 **who[that] are learning the basics of physics** | ⓐ 그 수업에는 학생들이 있다. + ⓑ 그들은 물리학의 기초를 배우고 있다. → 그 수업에는 물리학의 기초를 배우고 있는 학생들이 있다.

해설 선행사(students)가 사람이므로 They를 주격 관계대명사 who 또는 that으로 바꿔 써야 한다.

06 **which[that] is only present in around 1 in every 1,000 tigers** | ⓐ 백호는 희귀한 유전자를 가지고 있다. + ⓑ 그것은 1,000마리당 약 한 마리 정도에만 존재한다. → 백호는 1,000마리당 약 한 마리 정도에만 존재하는 희귀한 유전자를 가지고 있다.

해설 선행사(a rare gene)가 사람이 아니므로 It을 주격 관계대명사 which 또는 that으로 바꿔 써야 한다.

07 **whose contents[the contents of which / of which the contents] are not suitable for children** | ⓐ 이 프로그램은 인터넷 사이트들을 차단한다. + ⓑ 그것들의 콘텐츠가 어린이들에게 적합하지 않다. → 이 프로그램은 콘텐츠가 어린이들에게 적합하지 않은 인터넷 사이트들을 차단한다.

해설 선행사(Internet sites)와 관계대명사 뒤에 오는 명사(contents)가 소유 관계이므로 Their를 소유격 관계대명사 whose로 바꿔 써야 한다. 또한, 선행사 Internet sites가 사람이 아니기 때문에 whose 대신 of which를 사용하여 the contents of which 혹은 of which the contents의 형태로도 쓸 수 있다.

08 **who[that] don't get enough sleep** | ⓐ 아이들은 어린 나이에 과체중이 될 가능성이 더 높다. + ⓑ 그들은 잠을 충분히 자지 않는다. → 잠을 충분히 자지 않는 아이들은 어린 나이에 과체중이 될 가능성이 더 높다.

해설 선행사(Children)가 사람이므로 They를 주격 관계대명사 who 또는 that으로 바꿔 써야 한다.

UNIT 65 목적격 관계대명사

01 **which[that] they use to protect themselves**| ⓐ 식물들은 화학 물질들을 만들어 낸다. + ⓑ 그것들(식물들)은 자신들을 보호하기 위해 그것들(화학 물질들)을 사용한다. → 식물들은 자신들을 보호하기 위해 그것들이 사용하는 화학 물질들을 만들어 낸다.

해설 선행사(chemicals)가 사람이 아니므로 동사 use의 목적어 them을 목적격 관계대명사 which 또는 that으로 바꿔 써야 한다.

02 **which[that] they make using their secret recipe** | ⓐ 그 레스토랑은 특별한 피자를 제공한다. + ⓑ 그들이 비밀 조리법을 써서 그것(특별한 피자)을 만든다. → 그 레스토랑은 그들이 비밀 조리법을 써서 만드는 특별한 피자를 제공한다.

해설 선행사(special pizza)가 사람이 아니므로 동사 make의 목적어 it을 목적격 관계대명사 which 또는 that으로 바꿔 써야 한다.

03 **which[that] the police were trying to find** | ⓐ 앨리스는 결정적인 증거를 가지고 있었다. + ⓑ 경찰들이 그것(결정적인 증거)을 찾으려고 노력하고 있었다. → 앨리스는 경찰들이 찾으려고 노력하고 있던 결정적인 증거를 가지고 있었다.

해설 선행사(the critical evidence)가 사람이 아니므로 준동사 to find의 목적어 it을 목적격 관계대명사 which 또는 that으로 바꿔 써야 한다.

04 **which[that] children possess** | ⓐ 창의성은 그들의 성장 동안 죽 발달될 필요가 있다. + ⓑ 아이들이 그것(창의성)을 지니고 있다. → 아이들이 지닌 창의성은 그들의 성장 동안 죽 발달될 필요가 있다.

해설 선행사(The creativity)가 사람이 아니므로 동사 possess의 목적어 it을 목적격 관계대명사 which 또는 that으로 바꿔 써야 한다.

05 **who(m)[that] I had not talked to[to whom I had not talked] for years after graduation** | ⓐ 나는 옛 친구와 마주쳤다. + ⓑ 나는 졸업 이후 수년간 그와 이야기 나눠보지 않았다. → 나는 졸업 이후 수년간 이야기 나눠보지 않았던 옛 친구와 마주쳤다.

해설 선행사(my old friend)가 사람이므로 전치사 to의 목적어 him을 목적격 관계대명사 who(m) 또는 that으로 바꿔 써야 한다. 이때 전치사는 관계대명사 바로 앞이나 관계대명사절의 끝에 온다. 단, 전치사를 관계대명사 앞에 쓸 경우 관계대명사 that은 쓸 수 없다.(~ to that I had not talked (×))

06 **who(m)[that] she has been competing with[with whom she has been competing] since they were juniors** | ⓐ 그 운동선수는 자신의 경쟁자를 마침내 이겼다. + ⓑ 그녀는 그들이 주니어 선수였을 때부터 그녀(경쟁자)와 경쟁해왔다. → 그 운동선수는 그들이 주니어 선수였을 때부터 경쟁해온 자신의 경쟁자를 마침내 이겼다.

해설 선행사(her rival)가 사람이므로 전치사 with의 목적어 her를 목적격 관계대명사 who(m) 또는 that으로 바꿔 써야 한다. 이때 전치사는 관계대명사 바로 앞이나 관계대명사절의 끝에 온다. 단, 전치사를 관계대명사 앞에 쓸 경우 관계대명사 that은 쓸 수 없다.(~ with that she has been competing (×))

07 **~ a craftsman that I have known ● for many years.** | 나는 내가 오랜 세월 알아 온 장인에 의해 만들어진 책상을 구입했다.

해설 a craftsman을 선행사로 하는 목적격 관계대명사 that이 쓰였으며, 관계사절 내에서 동사 have known의 목적어 역할을 한다.

08 **~ the restaurant which I went to ● last night.** | 나는 내가 지난밤에 갔던 음식점을 추천한다. 그 음식점은 채소들로 가득 찬 훌륭한 전채요리가 있다.

해설 the restaurant을 선행사로 하는 목적격 관계대명사 which가 쓰였으며, 관계사절 내에서 전치사 to의 목적어 역할을 한다. 두 번째 문장의 which는 a great appetizer를 선행사로 하는 주격 관계대명사이다.

09 **~ a belief that you have had ● for your entire life.** | 강한 인상이 있는 새로운 경험은 당신의 인생 내내 지녀 온 신념을 바꿀 수도 있다.

해설 a belief를 선행사로 하는 목적격 관계대명사 that이 쓰였으며, 관계사절 내에서 동사 have had의 목적어 역할을 한다. 앞에 있는 which는 A new experience를 선행사로 하는 주격 관계대명사이다.

10 **~ the languages which our ancestors used to use ● in the past.** | 언어학자들은 오늘날 사용되는 언어와 우리 조상들이 과거에 사용하곤 했던 언어를 연구한다.

해설 and 뒤의 the languages를 선행사로 하는 목적격 관계대명사 which가 쓰였으며, 관계사절 내에서 동사 used to use의 목적어 역할을 한다. 앞에 나온 which는 첫 번째 the languages를 선행사로 하는 주격 관계대명사이다.

배점	채점 기준
5	밑줄을 바르게 그은 경우
5	●를 바르게 표시한 경우

UNIT 66 관계부사

01 **why** | 그녀가 어제 학교에 오지 않은 이유는 명확하지 않았다.

해설 이유를 나타내는 선행사 The reason 뒤에는 관계부사 why가 적절하다.

02 **where** | 그들이 사는 도시에는 많은 관광명소와 방문하기에 흥미로운 장소들이 있다.

해설 장소를 나타내는 선행사 The city 뒤에는 관계부사 where가 적절하다.

03 **how** | 전자 칠판은 교사들이 교실에서 자신들의 과목을 가르치는 방법을 바꾸었다.

해설 문맥상 방법을 나타내는 관계부사 how가 적절하다. 관계부사 how는 선행사와 같이 쓰일 수 없고 the way (that), the way in which로 대신할 수 있다.

04 **when** | 우리는 내가 처음 내 아기를 품에 안았던 순간의 사진을 찍었다.

해설 시간을 나타내는 선행사 the moment 뒤에는 관계부사 when이 적절하다.

05 **where** | 벼룩시장은 사람들이 중고품들을 사고팔 수 있는 곳이다.

해설 장소를 나타내는 선행사 a place 뒤에는 관계부사 where가 적절하다.

06 **The reason why we feel lonely**

07 **how they cooperate with others**

08 **the time when he first met my mother in college**

09 **how people communicate, shop, and work**

10 **an area where it is warm and sunny**

배점	채점 기준
3	〈보기〉에서 올바른 관계부사를 골랐으나 어순이 틀린 경우

11 **where** | 교량 디자인은 다리가 건설되는 지형의 종류에 달려 있다.

해설 네모 뒤에 〈S′+V′〉로 이루어진 완전한 문장이 왔으므로 관계부사 where가 알맞다. where가 이끄는 절은 장소를 나타내는 선행사 terrain을 수식한다.

12 **which** | 그녀는 끊임없이 쓰는 장난스러운 별명을 통해 그에게 자신의 사랑을 보여주었다.

해설 네모 뒤에 동사 used의 목적어가 없는 불완전한 문장이 왔으므로 the playful nickname을 선행사로 하는 목적격 관계대명사 which가 알맞다.

13 **why** | 내 주위의 사람들은 내가 모든 장애물들을 극복할 수 있던 유일한 이유이다.

해설 네모 뒤에 〈S′+V′+O′〉로 이루어진 완전한 문장이 왔으므로 관계부사 why가 알맞다. why가 이끄는 절은 이유를 나타내는 선행사 the only reason을 수식한다.

14 **whose** | 사람들은 폭풍우가 치는 동안 집이 침수되었던 가족을 도왔다.

해설 선행사(the family)와 네모 뒤의 명사(house)가 소유 관계이므로 소유격 관계대명사 whose가 알맞다. 〈whose+명사(house)〉를 없애면 주어가 없는 불완전한 구조가 남는다.

15 **where** | 그 예술가들은 자신들이 살고 있는 사회에 대해 무엇인가를 말하고 싶어 한다.

해설 네모 뒤에 〈S′+V′〉로 이루어진 완전한 문장이 왔으므로 관계부사 where가 알맞다. where가 이끄는 절은 장소를 나타내는 선행사 the society를 수식한다.

16 **which** | 공감은 우리 자신과 친구들 또는 가족 안에서 우리가 중요하게 여기는 특질이다.

해설 네모 뒤에 동사 value의 목적어가 없는 불완전한 문장이 왔으므로 a trait를 선행사로 하는 목적격 관계대명사 which가 알맞다.

17 **which** | 그녀는 그가 생일 선물로 사준 반지를 어제 돌려줬다.

해설 네모 뒤에 동사 bought의 직접목적어가 없는 불완전한 문장이 왔으므로 a ring을 선행사로 하는 목적격 관계대명사 which가 알맞다. 관계사절 바로 앞에 있는 yesterday를 선행사로 보지 않도록 주의해야 한다.

18 **when food has been scarce**

해설 관계부사 when의 선행사는 numerous times이다. 관계사절 바로 앞에 있는 history를 선행사로 보지 않도록 주의해야 한다.

19 whose brain only fills half of its skull

20 how people utilize Internet for information

배점	채점 기준
3	〈보기〉에서 올바른 관계사를 골랐으나 어순이 틀린 경우

UNIT 67 관계사의 생략

[01~10] 〈보기〉 내가 고용한 신입 사원은 열심히 일하는 사람이다.

01 ~ the postcards ∨ he had collected ● from his travels., which[that] | 그는 자신의 여행에서 수집해 온 엽서들을 내게 보여주었다.

해설 직접목적어 the postcards 뒤에 이를 수식하는 절이 이어지므로 관계사가 생략된 자리이다. 선행사(the postcards)가 사람이 아니고 이어지는 문장에 동사 had collected의 목적어가 없으므로 목적격 관계대명사 which[that]가 생략되었음을 알 수 있다.

02 ~ the woman ∨ he danced with ● as his girlfriend to us., who(m)[that] | 제리는 우리에게 그가 함께 춤을 춘 여자를 자신의 여자 친구라고 소개했다.

해설 목적어 the woman 뒤에 이를 수식하는 절이 이어지므로 관계사가 생략된 자리이다. 선행사(the woman)가 사람이고 이어지는 문장에 전치사 with의 목적어가 없으므로 목적격 관계대명사 who(m)[that]가 생략되었음을 알 수 있다. 참고로, 전치사의 목적어인 관계대명사는 전치사와 떨어져 있을 때 생략이 가능하다.

03 ~ the things ∨ they cannot readily obtain ●., which[that] | 사람들은 자신들이 손쉽게 얻을 수 없는 것들을 항상 갈망해 왔다.

해설 목적어 the things 뒤에 이를 수식하는 절이 이어지므로 관계사가 생략된 자리이다. 선행사(the things)가 사람이 아니고 이어지는 문장에 동사 cannot obtain의 목적어가 없으므로 목적격 관계대명사 which[that]가 생략되었음을 알 수 있다.

04 ~ the distance ∨ it has traveled ● by ~., which[that] | 개미는 자신의 발자국을 세어서 자신이 나아간 거리를 측정한다.

해설 목적어 the distance 뒤에 이를 수식하는 절이 이어지므로 관계사가 생략된 자리이다. 선행사(the distance)가 사람이 아니고 이어지는 문장에 동사 has traveled의 목적어가 없으므로 목적격 관계대명사 which[that]가 생략되었음을 알 수 있다. 여기서 travel은 '(일정 거리를) 나아가다'라는 의미의 타동사로 쓰였다.

05 ~ the man ∨ I hit ● with the ball ~., who(m)[that] | 나는 축구를 하다가 실수로 공으로 친 남자에게 사과했다.

해설 전치사 to의 목적어 the man 뒤에 이를 수식하는 절이 이어지므로 관계사가 생략된 자리이다. 선행사(the man)가 사람이고 동사 hit의 목적어가 없으므로 목적격 관계대명사 who(m)[that]가 생략되었음을 알 수 있다.

06 ~ a tennis player ∨ he was hoping to meet ● in person., who(m)[that] | 그 기자는 직접 만나길 바라고 있던 테니스 선수를 인터뷰했다.

해설 목적어 a tennis player 뒤에 이를 수식하는 절이 이어지므로 관계사가 생략된 자리이다. 선행사(a tennis player)가 사람이고 이어지는 문장에서 준동사 to meet의 목적어가 없으므로 목적격 관계대명사 who(m)[that]가 생략되었음을 알 수 있다.

07 ~ the package ∨ my friend sent ● a few days ago., which[that] | 배달원이 내 친구가 며칠 전에 보낸 소포를 마침내 내게 가져다줬다.

해설 직접목적어 the package 뒤에 이를 수식하는 절이 이어지므로 관계사가 생략된 자리이다. 선행사(the package)가 사람이 아니고 동사 sent의 목적어가 없으므로 목적격 관계대명사 which[that]가 생략되었음을 알 수 있다.

08 ~ his brother ∨ he was separated from ● during ~., who(m)[that] | 박 씨는 한국 전쟁 중에 헤어진 자신의 형제를 그리워 한다.

해설 목적어 his brother 뒤에 이를 수식하는 절이 이어지므로 관계사가 생략된 자리이다. 선행사(his brother)가 사람이고 전치사 from의 목적어가 없으므로 목적격 관계대명사 who(m)[that]가 생략되었음을 알 수 있다.

09 ~ the wedding dress ∨ my mom had worn ● at her wedding., which[that] | 우리 언니는 엄마가 그녀(엄마)의 결혼식에서 입으셨던 웨딩드레스를 받았다.

해설 직접목적어 the wedding dress 뒤에 이를 수식하는 절이 이어지므로 관계사가 생략된 자리이다. 선행사(the wedding dress)가 사람이 아니고 동사 had worn의 목적어가 없으므로 목적격 관계대명사 which[that]가 생략되었음을 알 수 있다.

10 ~ a special bond ∨ they all shared ● as a result ~., which[that] | 그 아이들은 여름 캠프의 결과로 그들 모두가 공유한 특별한 유대감을 보여줬다.

해설 목적어 a special bond 뒤에 이를 수식하는 절이 이어지므로 관계사가 생략된 자리이다. 선행사(a special bond)가 사람이 아니고 동사 shared의 목적어가 없으므로 목적격 관계대명사 which[that]가 생략되었음을 알 수 있다.

배점	채점 기준
2	∨를 바르게 표시한 경우
2	●를 바르게 표시한 경우
2	생략된 관계대명사를 바르게 쓴 경우

11 the reason | 숀은 샐리가 자신에게 화가 난 이유를 알아낼 수 없었다.

해설 문맥상 이유를 나타내는 선행사 the reason이 적절하다. 선행사 뒤에는 관계부사 why가 생략되어 있다.

12 the season | 7월과 8월은 대부분의 사람들이 휴가를 가는 시기이다.

해설 문맥상 시간을 나타내는 선행사 the season이 적절하다. 선행사 뒤에는 관계부사 when이 생략되어 있다.

13 **a place** | 우리 마을은 여러분의 자녀들이 심지어 밤에도 안전하게 돌아다닐 수 있는 장소입니다.

해설 문맥상 장소를 나타내는 선행사 a place가 적절하다. 선행사 뒤에는 관계부사 where가 생략되어 있다.

14 **the way** | 사냥과 관광 같은 특정한 인간 활동은 동물들이 자신들의 자연 서식지를 이동하는 방식을 직접적으로 바꾼다.

해설 문맥상 방법을 나타내는 선행사 the way가 적절하다.

15 **The place ∨ my mother works ~., where[that]** | 우리 어머니가 근무하시는 장소는 이백 년이 된 건물이다.

해설 선행사 The place와 절(my mother works) 사이에 관계부사 where[that]가 생략되었다.

16 **~ the time ∨ I learned ~., when[that]** | 나는 내가 처음으로 자전거 타는 법을 배웠던 때를 기억한다.

해설 선행사 the time과 절(I learned ~ time) 사이에 관계부사 when[that]이 생략되었다.

17 **~ the reason ∨ the fire started yesterday., why[that]** | 조사관들은 어제 화재가 시작된 원인을 찾기 위해 애쓰고 있다.

해설 선행사 the reason과 절(the fire started yesterday) 사이에 관계부사 why[that]가 생략되었다.

18 **~ the day ∨ Saint Valentine died., when[that]** | 밸런타인데이는 2월 14일에 기념되는데 그날이 성 밸런타인이 죽은 날이기 때문이다.

해설 선행사 the day와 절(Saint Valentine died) 사이에 관계부사 when[that]이 생략되었다.

배점	채점 기준
3	∨를 바르게 표시한 경우
3	생략된 관계부사를 바르게 쓴 경우

UNIT 68 선행사와 떨어진 관계사절

01 **The girl, who** | 내 옆에 앉아 있던 갈색 머리의 소녀는 친절했다.

해설 선행사(The girl)가 사람이므로 주격 관계대명사 who가 알맞다. 관계사 바로 앞의 명사(brown hair)를 선행사로 착각하지 않도록 주의한다.

02 **a suspect, who** | 경찰은 도주하려고 한 살인 사건의 용의자를 체포했다.

해설 선행사(a suspect)가 사람이므로 주격 관계대명사 who가 알맞다. 관계사 바로 앞의 명사(a murder case)를 선행사로 착각하지 않도록 주의한다.

03 **the appointment, that** | 김 씨는 그가 2주 전에 한 주치의와의 예약을 취소했다.

해설 선행사(the appointment)가 사람이 아니므로 목적격 관계대명사 that이 알맞다. 관계사 바로 앞의 명사(his doctor)를 선행사로 착각하지 않도록 주의한다.

04 **a book, which** | 나는 읽고 싶었고, 절판되었던 스티브 오스틴이 쓴 책을 발견했다.

해설 두 개의 관계사절이 하나의 선행사(a book)를 수식하고 있다. 네모 뒤의 관계사절이 수식하는 선행사가 사람이 아니므로 주격 관계대명사 which가 알맞다. 중간에 있는 명사(Steve Austin)를 선행사로 착각하지 않도록 주의한다. written by Steve Austin은 a book을 수식하는 과거분사구이다. ⇐ UNIT 52

05 **a situation, where** | 당신은 삶에서 두 가지 선택 중 하나를 택해야 하는 상황에 직면할 수 있다.

해설 네모 이하에 〈S'+V' ~〉를 포함하는 완전한 문장이 이어지고 선행사(a situation)가 '상황'을 나타내고 있으므로 관계부사 where가 알맞다. 관계부사 where의 선행사는 point(점), case(경우), circumstances(사정, 상황), situation, condition(상황) 등의 추상적인 공간인 경우도 있다. 관계사 바로 앞의 명사(life)를 선행사로 착각하지 않도록 주의한다.

배점	채점 기준
5	밑줄을 바르게 그은 경우
4.5	네모 안에서 알맞은 관계사를 고른 경우

06 **suits** | 우리는 나무 상자들로 우리 거실에 어울리는 커피 테이블을 만들었다.

해설 선행사(a coffee table)에 수일치시킨 단수동사 suits가 알맞다. 관계사절 앞의 명사(wooden boxes)를 선행사로 착각하지 않도록 한다.

07 **don't** | 당신은 오후 11시까지 열고 가는 데 차로 20분 넘게 걸리지 않는 약국을 알고 있나요?

해설 and로 연결된 두 개의 관계사절이 하나의 선행사(any pharmacies)를 수식하고 있다. 따라서 any pharmacies에 수일치시킨 복수동사 don't가 알맞다.

08 **belongs** | 나는 내 여동생의 것인 줄무늬가 있는 셔츠를 어디에 두었는지 기억이 안 난다.

해설 선행사(the shirt)에 수일치시킨 단수동사 belongs가 알맞다. 관계사절 바로 앞의 명사(stripes)를 선행사로 착각하지 않도록 주의한다.

09 **is** | 그 마을은 산으로 둘러싸여 있고 그것 주변의 야생 동물들로 인해 안전하게 들어가기가 어려운 지역에 위치해 있다.

해설 and로 연결된 두 개의 관계사절이 하나의 선행사(an area)를 수식하고 있다. 따라서 an area에 수일치시킨 단수동사 is가 알맞다. 중간에 있는 명사 mountains를 선행사로 착각하지 않도록 한다.

10 **ranges** | 그 대학은 모든 학생들에게 공용 기숙사부터 개인실에 이르는 숙소를 제공한다.

해설 선행사(accommodation)에 수일치시킨 단수동사 rages가 알맞다. 관계사절 앞의 명사(all students)를 선행사로 착각하지 않도록 한다.

11 **tell** | 타임캡슐은 당시 그 주인의 이야기를 알려주는 특정 시점의 물품

들을 보관한다.

해설 선행사(items)에 수일치시킨 복수동사 tell이 알맞다. 관계사절 앞의 명사(time 또는 a specific point)를 선행사로 착각하지 않도록 한다.

12 **needs** | 그 회사는 많은 직원들에게 영향을 미치는, 해결될 필요가 있는 문제를 다루고 있다.

해설 선행사(a problem)에 수일치시킨 단수동사 needs가 알맞다. 관계사절 앞의 명사(its employees)를 선행사로 착각하지 않도록 한다. affecting many of its employees는 a problem을 수식하는 현재분사구이다. ≪ UNIT 52

UNIT 64-68 OVERALL TEST

01 **X, it 삭제** | 할아버지께서 지난주에 내게 사주신 노트북 컴퓨터는 테이블 위에 있다.

해설 that이 이끄는 관계사절이 선행사 The laptop을 수식하는데, that이 관계사절 내에서 동사 bought의 직접목적어 역할을 하므로 it은 삭제해야 한다.

02 **O** | 그의 이마에는 교통사고로 생긴 흉터가 있다.

해설 관계사절이 선행사 a scar를 수식하고, 관계사가 관계사절 내에서 동사 got의 목적어 역할을 하므로 목적격 관계대명사 which가 적절히 쓰였다. 관계사 바로 앞의 명사(his forehead)를 선행사로 착각하지 않도록 주의한다.

03 **O** | 아버지로부터 들은 한 현인에 대한 이야기는 내게 영향을 많이 미쳤다.

해설 관계사절이 선행사 The story를 수식하고, 관계사가 관계사절에서 내에서 동사 heard의 목적어 역할을 하므로 목적격 관계대명사 that이 적절히 쓰였다. 관계사 바로 앞의 명사(a wise man)를 선행사로 착각하지 않도록 주의한다.

04 **X, who[that]** | 최고의 친구는 네가 네 자신을 사랑하는 것을 잊을 때 너를 사랑하는 누군가이다.

해설 관계사절이 선행사 someone을 수식하고, 관계사가 관계사절 내에서 주어 역할을 하므로 목적격 관계대명사 whom이 아닌 주격 관계대명사 who[that]가 와야 한다.

05 **O** | 유명한 잡지에 사진이 특별히 실린 한 소년이 하룻밤 사이에 인기를 얻게 되었다.

해설 관계사절이 선행사 A boy를 수식하고, 선행사와 관계사 뒤에 오는 명사(photo)가 소유 관계이므로 소유격 관계사 whose가 적절히 쓰였다.

06 **O** | 매 끼니 전에 두 잔의 물을 마시는 사람들은 배가 더 빨리 불러서 더 적은 칼로리를 섭취한다.

해설 관계사절이 선행사 People을 수식하고, 관계사가 관계사절 내에서 주어 역할을 하므로 주격 관계대명사 who가 적절히 쓰였다.

07 **X, whom** | 내가 고등학교에 함께 다닌 친구들은 평생 내 친구들이다.

해설 전치사 with가 바로 앞에 있으므로 관계대명사 that은 쓰일 수 없다. 선행사(The friends)가 사람이므로 목적격 관계대명사인 whom이 와야 한다.

08 **X, it 삭제** | 그녀가 자신의 프로젝트에 기울인 노력은 쓸모없는 게 아니었으며 결국 성과가 있었다.

해설 that이 이끄는 관계사절이 선행사 The effort를 수식하는데, that이 관계사절 내에서 동사 put의 목적어 역할을 하므로 it은 삭제해야 한다.

09 **X, who[that]** | 대회에는, 캐나다의 5개의 각 지역을 대표하는 20명의 요리사들이 참가할 것이다.

해설 which가 이끄는 관계사절이 사람 선행사 twenty chefs를 수식하고 있으므로 which가 아닌 who[that]가 와야 한다. 〈주어+관계사절〉에 비해 술어 부분이 짧으면 선행사와 관계사절이 떨어져 있을 수 있다.

10 **X, which[that]** | 그녀가 8년간 운영해 온 카페는 테이블 서비스뿐만 아니라 포장 서비스도 제공한다.

해설 선행사(The cafe)가 사람이 아니고 관계사가 관계사절에서 동사 has run의 목적어 역할을 하여 불완전한 절을 이끌므로 관계부사가 아닌 목적격 관계대명사 which[that]가 와야 한다.

11 **O** | 경제가 더 천천히 성장하고 있는 이유는 노동력의 부족이다.

해설 이유를 나타내는 선행사(The reason)가 와서 관계부사 why가 생략된 알맞은 문장이다.

12 **X, how[the way (that), the way in which]** | 지질학자들은 땅에서 열이 흐르는 방식을 연구해 왔다.

해설 관계부사 how는 선행사 the way와 같이 쓰일 수 없으므로 how[the way (that), the way in which]로 고쳐야 한다.

13 **X, hides** | 많은 동물들은 자신을 적들로부터 몸을 숨겨주는 타고난 위장이 있다.

해설 관계대명사 which가 이끄는 절이 수식하는 선행사는 a natural camouflage이므로 단수명사에 수일치시킨 단수동사 hides로 고쳐 써야 한다.

14 **X, which[that]** | 훌륭한 엔지니어에 의해 만들어진 함께 자주 나오는 단어들을 찾아주는 프로그램은 매우 유용하다.

해설 분사구 written by a good engineer와 관계사절이 선행사(The program)를 각각 수식하고, 관계사절 내에서 주어 역할을 하므로 사람이 아닌 선행사를 수식하는 주격 관계대명사 which[that]가 적절하다. 관계사 바로 앞의 명사인 a good engineer를 선행사로 착각하지 않도록 주의한다. 관계사절 뒤에 words를 선행사로 하는 또 다른 관계사절(that ~ very useful)이 쓰였다.

15 **X, who[that] tell** | 우리의 삶에서 우리 주변에 있는, 우리에게 우리의 결점들을 말해주고 우리가 그것(=결점)들을 개선하도록 도와주는 사람들이 우리의 귀중한 자산이다.

해설 문맥상 선행사는 People이므로 which는 사람인 선행사를 대신하는 관계대명사 who[that]로, 동사는 People에 수일치시킨 복수동사 tell로 바꿔 써야 한다. 바로 앞의 명사 our life를 선행사로 착각하지 않도록 주의한다.

감점	채점 기준
-3	X는 올바르게 표시했지만, 틀린 부분을 바르게 고치지 못한 경우

UNIT 69 명사절을 이끄는 관계대명사 what

01 **what they already have in life, 그들이 삶에서 이미 가진 것을,** O | 가장 행복한 사람들은 그들이 삶에서 이미 가진 것을 그저 감사하게 여긴다.

해설 what절은 문장에서 동사 appreciate의 목적어 역할을 하고 있다.

02 **What causes a person to be inactive, 사람을 게으르게 만드는 것은,** S | 사람을 게으르게 만드는 것은 목표와 목적의 부족 이다.

해설 what절은 문장에서 주어 역할을 하고 있다.

03 **what we learned in math class, 우리가 수학 수업에서 배운 것을,** O | 우리는 이 시험을 통과하기 위해 우리가 수학 수업에서 배운 것을 기억해야 한다.

해설 what절은 문장에서 동사 must remember의 목적어 역할을 하고 있다. to pass this test는 '목적'을 나타내는 부사적 용법으로 쓰인 to-v구로 문장 전체를 수식한다. ≪ UNIT 54

04 **what makes him a famous photographer, 그를 유명한 사진작가로 만드는 것,** C | 순간을 포착하는 그의 능력이 그를 유명한 사진작가로 만드는 것이다.

해설 what절은 문장에서 동사 is의 보어 역할을 하고 있다.

05 **what Mom has been eating, 엄마가 먹어 온 것을,** O | 자궁 속에 있는 아기들은 엄마가 먹어 온 것을 맛보고 기억할 수 있다.

해설 what절은 문장에서 동사 can taste와 (can) remember의 목적어 역할을 하고 있다.

배점	채점 기준
4	밑줄을 바르게 그은 경우
4	해석을 바르게 한 경우
4	✔를 바르게 표시한 경우

06 **what** | 당신은 자신의 삶에서 만들기를(이루기를) 원하는 것을 자유롭게 선택할 수 있다.

해설 네모 앞에 선행사가 없고, 네모 뒤에 준동사 to make의 목적어가 빠진 불완전한 구조가 왔으므로 선행사를 포함하는 관계대명사 what이 알맞다.

07 **what** | 우리가 매일 하는 일의 많은 부분은 무의식적이고 습관에 의해 좌우된다.

해설 네모 앞에 선행사가 없고, 네모 뒤에 동사 do의 목적어가 빠진 불완전한 구조가 왔으므로 관계대명사 what이 알맞다.

08 **that** | 몇몇 사람들은 크리스마스가 너무 상업화되었다는 것에 동의한다.

해설 네모 뒤에 SVC로 이루어진 완전한 구조가 왔으므로 명사절 접속사 that이 적절하다. 여기서 that이 이끄는 절은 동사 agree의 목적어 역할을 한다. ≪ UNIT 17

09 **what** | 사람들은 자신들이 같이 자라왔고 익숙해진 것을 좋아하는 경향이 있다.

해설 네모 앞에 선행사가 없고, 네모 뒤에 전치사 with와 to의 목적어가 빠진 불완전한 구조가 왔으므로 관계대명사 what이 알맞다.

10 **That** | 우리 선생님이 우리가 매일 에세이를 쓰는 것을 기대하시는 것은 매우 비현실적이다.

해설 네모 뒤에 SVOC로 이루어진 완전한 구조가 왔으므로 명사절 접속사 That이 적절하다. 여기서 That이 이끄는 절은 문장의 주어 역할을 한다. ≪ UNIT 09

UNIT 70 명사절을 이끄는 복합관계대명사

01 **Whoever cares to learn, 배우려고 노력하는 누구든지,** S | 배우려고 노력하는 누구든지 항상 스승을 찾을 것이다.

해설 Whoever가 이끄는 절은 문장에서 주어 역할을 하며, '~하는 누구든지'의 뜻이다.

02 **whatever I decide to do in the future, 내가 미래에 하고자 결정하는 것은 무엇이든지,** O | 우리 부모님은 내가 미래에 하고자 결정하는 것은 무엇이든지 전적으로 지지해주신다.

해설 whatever가 이끄는 절은 문장에서 동사 support의 목적어 역할을 하며, '~하는 것은 무엇이든지'의 뜻이다.

03 **whichever team reaches 20 points first, 먼저 20점을 달성하는 어느 팀이든지,** S | 결승전에서는, 먼저 20점을 달성하는 어느 팀이든지 그 경기를 이긴다.

해설 whichever가 이끄는 절은 문장에서 주어 역할을 하며, '~하는 어느 쪽이든지'의 뜻이다. 이때 whichever는 바로 뒤의 명사 team을 수식하는 형용사 역할을 한다.

04 **whichever road you like, 당신이 좋아하는 어느 길이든지,** O | 모든 것(=길)이 같은 곳으로 이어지기 때문에 당신이 좋아하는 어느 길이든지 택해도 된다.

해설 whichever가 이끄는 절은 문장에서 동사 may take의 목적어 역할을 하며, '~하는 어느 쪽이든지'의 뜻이다. 이때 whichever는 바로 뒤의 명사 road를 수식하는 형용사 역할을 한다.

05 **whoever makes the most mistakes, 가장 많은 실수를 하는 누구든지,** C | 승자는 가장 많은 실수를 하는 누구든지인데, 왜냐하면 그들은 실수에서 더 많은 것을 배우기 때문이다.

해설 whoever가 이끄는 절은 문장에서 동사 is의 보어 역할을 하며, '~하는 누구든지'로 해석한다.

배점	채점 기준
4	밑줄을 바르게 그은 경우
4	해석을 바르게 한 경우
4	✔를 바르게 표시한 경우

06 **whoever** | 너는 네가 원하는 누구든지 너의 생일파티에 초대해도 된다.

해설 관계대명사가 관계사절 내에서 동사 want의 목적어 역할을 하고, 문맥상 '~하는 누구든지'로 해석되어야 하므로 whoever가 적절하며 whomever도 가능하다.

07 **Whatever** | 조금이라도 할 만한 가치가 있는 것은 무엇이든지 잘할 가치가 있다.

해설 관계대명사가 관계사절 내에서 주어 역할을 하고, 문맥상 '~하는 것은 무엇이든지'로 해석되어야 하므로 Whatever가 적절하다.

08 **whatever** | 만일 당신이 자신감을 갖고 입는다면 스타일은 당신이 입는 것은 무엇이든지 될 수 있다.

해설 관계대명사가 관계사절 내에서 동사 wear의 목적어 역할을 하고, 문맥상 '~하는 것은 무엇이든지'로 해석되어야 하므로 whatever가 적절하다.

09 **Whichever** | 그녀는 뛰어난 요리사이기 때문에 그녀가 요리하는 어느 요리법이든지 맛이 기가 막힐 것이다.

해설 뒤에 오는 명사 recipe를 수식하는 형용사 역할로 Whichever(~하는 어느 쪽이든지)가 알맞다.

10 **whoever** | 나는 나와 함께 가고 싶어 하는 누구든지 이번 주 금요일 하키 경기에 데려갈 것이다.

해설 관계사절에 주어가 없으므로 주어를 대신 할 수 있는 whoever(~하는 것은 누구든지)가 적절하다.

UNIT 71 선행사를 보충 설명하는 관계사절 I

01 **who, 나는 다니엘과 시간을 보내는 것을 즐긴다, 왜냐하면 그는 언제나 나를 격려해주기 때문이다.**

해설 관계대명사 who가 콤마(,)와 함께 쓰여 선행사 Daniel을 보충 설명한다.

02 **which, 영국에서 약 80만 명의 사람들이 알츠하이머병을 앓고 있다, 그런데 그것에 대한 치료법은 없다.**

해설 관계대명사 which가 콤마(,)와 함께 쓰여 선행사 Alzheimer's disease를 보충 설명한다.

03 **whom, 그는 자신의 가족을 방문하기 위한 여행을 계획 중이다, 그런데 그들 중 대부분을 그는 여러 해 동안 보지 못했다.**

해설 which와 whom은 most[all, many, some, one] of which[whom]와 같은 형태로 선행사를 보충 설명하기도 한다. 여기서는 most of whom으로 선행사 his family를 보충 설명하고, '그들 중 대부분'으로 해석한다.

04 **which, 우리 할머니께서 쿠키를 몇 개 구워주셨다, 그리고 그것들은 하트 모양이었고 커피 맛이 났다.**

해설 관계대명사 which가 콤마(,)와 함께 쓰여 선행사 some cookies를 보충 설명한다.

05 **which, 최고의 공부 기술 중의 하나는 암송이다, 그리고 그것은 당신이 방금 배운 정보를 스스로에게 다시 말하는 것을 의미한다.**

해설 관계대명사 which가 콤마(,)와 함께 쓰여 선행사 recitation을 보충 설명한다. 관계대명사 that은 이 역할로 쓰일 수 없다. 선행사 the information을 수식하는 you just learned는 목적격 관계대명사 which[that]가 생략된 관계사절이다. ⇒ UNIT 67

배점	채점 기준
6	네모 안에서 알맞은 관계대명사를 고른 경우
6	해석을 바르게 한 경우

06 **My younger sister went out without saying anything** | 내 여동생은 아무 말도 없이 나갔다, 그리고 그것이 부모님을 걱정시켰다.

해설 관계대명사 which가 콤마(,)와 함께 쓰여 앞에 나온 절 전체(My younger sister ~ anything)를 보충 설명한다.

07 **vitamin K** | 브로콜리는 비타민 K의 훌륭한 공급원이다, 그리고 그것은 인지 기능을 높이는 것으로 알려져 있다.

해설 관계사 which가 콤마(,)와 함께 쓰여 선행사 vitamin K를 보충 설명한다.

08 **your sleep quality** | 운동은 당신의 수면의 질을 향상시킬 수 있다, 그런데 그것은 스트레스와 불안에 의해 부정적으로 영향 받을 수도 있다.

해설 관계사 which가 콤마(,)와 함께 쓰여 선행사 your sleep quality를 보충 설명한다.

09 **to keep a diary** | 몇몇 사람들은 일기를 쓰기 시작한다, 그리고 그것은 그들이 정신적으로 건강하고 더 창의적이게 되도록 도와준다.

해설 관계사 which가 콤마(,)와 함께 쓰여 선행사 to keep a diary를 보충 설명한다.

UNIT 72 선행사를 보충 설명하는 관계사절 II

01 **where, 스페인 선원들이 땅콩을 아시아에 가져왔다, 그리고 거기서 땅콩은 중요한 생산물이 되었다.**

해설 관계부사 where가 콤마(,)와 함께 쓰여 장소를 나타내는 선행사 Asia를 보충 설명한다.

02 **when, 어제는 현충일이었다, 그리고 그날 수백 명의 사람들이 추모공원에 모였다.**

해설 관계사 when이 콤마(,)와 함께 쓰여 시간을 나타내는 선행사 Memorial Day를 보충 설명한다.

03 **when, 현대의 껌은 1860년대부터 시작된다, 그리고 그때 치클이라고 불리는 물질이 개발되었다.**

해설 관계사 when이 콤마(,)와 함께 쓰여 시간을 나타내는 선행사 the 1860s를 보충 설명한다.

04 **where, 그는 집에서 사무실 업무를 많이 했다, 왜냐하면 그곳에서 그는 자신의 시간을 더 잘 관리할 수 있었기 때문이다.**

해설 관계사 where가 콤마(,)와 함께 쓰여 장소를 나타내는 선행사 his home을 보충 설명한다.

05 **where, 그 게스트 하우스는 부엌 옆에 거실이 있다, 그리고 그곳에서**

우리는 다른 사람들과 이야기할 수 있다.

해설 관계사 where가 콤마(,)와 함께 쓰여 장소를 나타내는 선행사 a living room을 보충 설명한다. 그 게스트 하우스에 있는 하나뿐인 거실을 설명하는 것이므로 계속적 용법으로 쓰였다. 콤마(,)가 없으면 '여러 개의 거실 중 우리가 다른 사람들과 이야기할 수 있는 거실'을 의미하게 된다.

배점	채점 기준
10	네모 안에서 알맞은 관계부사를 고른 경우
10	해석을 바르게 한 경우

UNIT 64-72 OVERALL TEST

01 **whomever** | 그는 학교에서 만나는 누구든지와 쉽게 친구가 된다.

해설 문맥상 '~하는 누구든지'로 해석되는 whomever가 알맞다. whomever는 관계사절 내에서 목적어 역할을 하는 동시에 앞의 전치사 with의 목적어 역할을 한다.

02 **when** | 아이들이 자유 시간을 갖는 것은 바람직한데, 왜냐하면 그때 그들은 그냥 이러저리 뛰어다니기 때문이다.

해설 콤마 뒤에 완전한 절이 이어지고, 그 절이 시간을 나타내는 선행사 free time을 보충 설명하므로 관계부사 when이 적절하다. that은 계속적 용법으로 쓰일 수 없다.

03 **whichever** | 너는 통밀 또는 흰 밀 중 네가 좋아하는 어느 밀가루든 사용할 수 있다.

해설 문맥상 통밀 또는 흰 밀 중 '어느 쪽의' 밀가루든 사용할 수 있다는 내용이 와야 하므로 whichever가 알맞다. whichever는 바로 뒤의 명사 flour를 수식하는 형용사 역할을 한다.

04 **that** | 질문을 하는 우리의 능력은 우리를 동물과 구별하는 것이다.

해설 사람이 아닌 선행사 something을 수식하는 주격 관계대명사 자리이므로 that이 알맞다. what은 선행사를 포함하므로 이 자리에 올 수 없다.

05 **which** | '나노'라는 용어는 그리스 단어 'nanos'에서 유래되었다. 그런데 그것은 극도로 작음을 의미한다.

해설 콤마(,) 뒤의 절이 선행사 the Greek word "nanos"를 보충 설명하므로 which가 알맞다. that은 계속적 용법으로 쓰일 수 없다.

06 **that** | 덜 활동적인 생활방식과 함께 사람들은 지금 필요한 것보다 훨씬 더 많은 칼로리를 포함하는 식사를 한다.

해설 선행사(a diet)가 사람이 아니고 관계사절 뒤에 주어가 빠진 불완전한 구조가 오고 있으므로 주격 관계대명사 that이 알맞다.

07 **whose** | 영화에서, 그 배우는 임무가 비밀 군사 문서를 훔치는 것인 스파이를 연기한다.

해설 선행사(a spy)와 관계사 뒤에 오는 명사(mission)가 소유 관계이므로 소유격 관계사 whose가 알맞다.

08 **O** | 때때로, 죄가 없는 사람이 유죄를 선고받은 사건들이 있다.

해설 완전한 문장을 이끌며 선행사 the cases를 수식하는 관계부사 where가 적절히 쓰였다.

09 **×, what** | 남들이 당신에게 하지 않았으면 하는 일을 남들에게 하지 말라.

해설 관계사절이 문장 내에서 준동사 to do의 목적어 역할을 하며 선행사가 없으므로 that이 아닌 관계대명사 what으로 고쳐야 한다. 관계사 앞의 명사(others)를 선행사로 착각하지 않도록 주의한다.

10 **×, who[that]** | 탁구에서, 11점을 먼저 득점한 선수가 승자로 선언된다.

해설 선행사(a player)가 사람이고 뒤에 주어가 없는 불완전한 문장이 왔으므로 소유격 관계대명사 whose를 주격 관계대명사 who 또는 that으로 고쳐야 한다.

11 **×, which[that]** | 우리 할아버지는 정원에 토양을 더 비옥하게 만드는 비료를 주셨다.

해설 선행사가 fertilizer이므로 선행사를 포함하는 관계대명사 what은 올 수 없다. 뒤에 주어가 없는 불완전한 문장이 왔으므로 주격 관계대명사 which 또는 that으로 고쳐야 한다. 관계사 앞의 명사(his garden)를 선행사로 착각하지 않도록 주의한다.

12 **×, whom** | 결혼식 하객들은, 그들 중 많은 사람들은 전통의상을 입고 있었는데, 갑작스런 소나기에 젖었다.

해설 두 개의 절이 접속사 없이 콤마로만 이어져 있으므로 콤마 뒤에는 관계사절이 오는 것이 적절하다. 선행사(The wedding guests)가 사람이고 전치사 of의 목적어 자리이므로 them을 whom으로 고쳐야 한다.

감점	채점 기준
-4	×는 올바르게 표시했지만, 틀린 부분을 바르게 고치지 못한 경우

CHAPTER  13 부사절

UNIT 73 시간을 나타내는 부사절 I

01 **during** | 관객들은 공연 동안 자리에 앉아 있도록 요청받았다.

해설 while과 during은 모두 '~하는 동안'을 의미한다. 그러나 접속사 while 뒤에는 〈주어+동사〉 형태의 절이 오지만, 전치사 during 뒤에는 명사(구)가 온다. 여기서는 뒤에 명사구(the performance)가 왔으므로 during이 적절하다.

02 **gets** | 그 고집 센 남자 아이는 장난감을 받을 때까지 울음을 멈추지 않을 것이다.

해설 시간을 나타내는 부사절에서는 현재시제가 미래를 대신하므로 gets가 적절하다.

03 **Since** | 그 음식점은 문을 연 이래로 매일 손님들로 붐벼왔다.

해설 시간을 나타내는 접속사 since(~한 이래로)가 이끄는 부사절에는 주로 과거시제를 사용하고, 주절에는 주로 완료형을 쓴다. 즉, 〈S+have[has]+p.p. ~ since+S′+과거시제 ...〉의 형태로 '…한 이후로 죽 ~ 해오고 있다'를 의미한다. 또한, since는 이유를 나타내는 부사절에서 '~이기 때문에'라는 뜻으로도 쓰이므로 문맥을 통해 의미를 구분해야 한다. ≪ UNIT 75

04 **come** | 네가 집에 오기 전에, 너의 남동생이 집안일을 끝내 놓을 것이다.

해설 시간을 나타내는 부사절에서는 현재시제가 미래를 대신하므로 come이 적절하다.

05 **until** | 사랑은 당신이 그것에 의미를 주는 누군가를 만날 때까지 그저 한 단어에 불과하다.

해설 사랑에 의미를 주는 누군가를 만날 '때까지'를 부사절에서 설명하고 있으므로 until이 적절하다.

06 **As** | 태양이 더 높이 떠오르면서[떠오를 때], 땅과 접촉한 공기는 더 따뜻해진다.

해설 뒤에 〈주어+동사〉 형태의 절이 왔으므로 접속사 As가 와야 한다. as는 '~할 때; ~하면서'의 뜻으로, 의미상으로도 태양이 하늘에 더 높이 떠오르면서[떠오를 때] 땅과 닿는 공기가 더 따뜻해진다는 것이 자연스럽다.

07 **after** | 핵 재난이 일어난 이후에 해바라기가 토양에서 독소를 제거하기 위해 사용되었다.

해설 뒤에 〈주어+동사〉 형태의 절이 왔으므로 접속사 after가 적절하다. 의미상으로도 핵 재난이 있고 난 뒤 해바라기를 사용해 땅에서 독성을 제거한다는 것이 자연스럽다.

08 **Once** | 교장 선생님이 연설을 시작하자마자, 학생들은 떠드는 것을 멈추고 그를 바라봤다.

해설 once는 '~하자(마자); ~할 때; 일단 ~하면'을 의미한다.

09 **before** | 콜럼버스가 도착해서 그들을 '인디언'이라고 부르기 전에 북미 원주민들은 아메리카에 이미 살고 있었다.

해설 before는 '~하기 전에'를 의미한다. 콜럼버스가 아메리카 대륙에 도착하기 전부터 원주민들은 그곳에 이미 살고 있었으므로 '계속'을 의미하는 과거완료(had p.p.)가 쓰였다.

10 **when** | 시각적인 업무들에 동시에 집중하는 중일 때 너는 일시적으로 귀가 들리지 않는 것을 경험할지도 모른다.

해설 일시적으로 귀가 들리지 않는 '때'를 부사절에서 설명하고 있으므로 when이 적절하다.

UNIT 74 시간을 나타내는 부사절 II

01 ⓒ | 우리가 도착했을 무렵에, 다른 손님들은 이미 자리에 앉아 있었다.

해설 by the time은 '~할 무렵에는, ~할 때까지(는)'을 의미한다. until[till]은 그때까지 주절의 동작이 '계속'되는 것에 비해, by the time은 그때까지는 '완료'한다는 것을 나타낸다.

02 ⓓ | 내가 힘든 상황에 빠져 있을 때마다, 엄마는 항상 나에게 명확한 지침을 주신다.

해설 whenever는 '~할 때마다'를 의미하며, every[each] time과 의미가 같다. 참고로 time이 들어가 접속사 역할을 하는 표현으로는 the first time(처음으로 ~할 때), the last time(지난번 ~했을 때), (the) next time(다음에 ~할 때) 등이 있다.

03 ⓑ | 버스에 오른 순간에 그녀는 카드에 돈을 충전하지 않았다는 것을 깨달았다.

해설 the moment는 '~하는 순간에'를 의미하며, the minute[instant]와 의미가 같다.

04 ⓐ | 우리는 우리의 가설이 틀렸다고 증명되자마자 그것을 버릴 준비가 되어 있어야 한다.

해설 as soon as는 '~하자마자, ~하자 곧'을 의미한다. as soon as가 이끄는 부사절에서 〈V′(prove)+O′(it)+C′(to be wrong)〉 구문이 수동태로 쓰였다. ≪ UNIT 39

---

05 **by the time I finished my homework**

해설 문맥상 by the time(~할 무렵에는, ~할 때까지는)이 적절하다. 접속사 뒤에는 〈주어+동사〉로 이루어진 완전한 문장이 와야 한다.

06 **as long as the air pollution levels are high**

해설 문맥상 as[so] long as(~하는 동안)가 적절하다. as[so] long as는 '~하는 한, ~하기만 하면'이라는 '조건'을 나타내는 접속사로도 쓰일 수 있다. ≪ UNIT 76

07 **it will not be long before your Spanish speaking skills improve**

해설 문맥상 it will not be long before ~(머지않아 ~할 것이다)가 적절하다.

08 **Hardly had I taken[I had hardly taken] the medicine when**

해설 hardly[scarcely] ~ when[than/before] ...(~하자마자, ~하자 곧)은 주절에 대개 과거완료가 온다. 부정어 hardly[scarcely]가 문두에 오면 〈had+S+p.p.〉로 도치된다. ⋞UNIT 94

배점	채점 기준
8	〈보기〉에서 올바른 것을 골랐으나 괄호 안의 어구와 함께 바르게 배열하지 못한 경우

UNIT 75 이유/원인을 나타내는 부사절

01 **All the banks are closed because today is a national holiday[Because today is a national holiday, all the banks are closed].** | 오늘은 국경일이기 때문에〈원인〉, 모든 은행이 문을 닫았다〈결과〉.

02 **The class was canceled because the minimum enrollment was not met[Because the minimum enrollment was not met, the class was canceled].** | 최소 등록자 수가 충족되지 않았기 때문에〈원인〉, 그 수업은 폐강되었다〈결과〉.

03 ⓓ | 고릴라는 그것들의 서식지가 인간에 의해 파괴되고 있기 때문에 멸종 위기 종이다.

해설 since는 '~이기 때문에'라는 의미의 접속사로 쓰였다. since는 '~한 이래로'라는 '시간'을 나타내는 접속사로도 쓰이므로 문맥을 잘 살펴 해석해야 한다. ⋞UNIT 73

04 ⓒ | 그 책이 이미 대출되었기 때문에 그녀는 그것을 빌릴 수 없었다.

해설 문맥상 as는 '~이기 때문에'를 의미한다. 참고로, '이유'를 나타내는 as는 보통 가볍고 부가적인 이유를 말할 때 쓰인다.

05 ⓑ | 이제 문제가 밝혀졌기 때문에 적절한 조치가 취해질 수 있다.

해설 now (that)은 '(지금) ~이므로, ~이기 때문에'라는 '이유'를 나타낸다.

06 ⓐ | 비가 아주 많이 쏟아지고 있으니, 우리는 약속을 변경하는 게 더 낫겠다.

해설 seeing (that)은 '~이므로, ~인 것으로 보아'를 의미하는 접속사로 쓰였다. 〈may as well ~ (as ...)〉은 '(…하느니) ~하는 게 더 낫다'는 의미의 조동사 표현이다. ⋞UNIT 37

07 **that he enjoyed a wonderful tour**

해설 that은 '~하다니, ~이므로, ~ 때문에'라는 의미의 '이유'를 나타내는 접속사로 쓰일 수 있다.

08 **not because I didn't have to, but because I was afraid**

해설 〈not A but B: A가 아니라 B〉 구문에서 A, B 자리에 because가 이끄는 부사절이 대등하게 연결되었다. ⋞UNIT 62
to 뒤에는 go to the hospital이 생략되었다. ⋞UNIT 96

UNIT 76 조건을 나타내는 부사절

01 **The video file won't open if the relevant program is not installed[If the relevant program is not installed, the video file won't open].** | 만약 적절한 프로그램이 설치되지 않으면〈조건〉, 그 비디오 파일은 열리지 않을 것이다〈결과〉.

02 **Jet lag symptoms can occur if two or more time zones are crossed[If two or more time zones are crossed, jet lag symptoms can occur].** | 만약 두 개 이상의 표준시간대가 횡단되면〈조건〉, 시차로 인한 피로 증상이 나타날 수 있다〈결과〉.

03 **Unless** | 만약 네가 제시간에 오지 않는다면, 우리는 너 없이 떠날 것이다.

해설 문맥상 '제시간에 오지 않는다면'이라는 부정의 의미가 되어야 하므로 '만약 ~이 아니라면(= if ~ not)'의 의미를 나타내는 접속사 unless가 적절하다.

04 **In case** | 당신이 내 도움이 필요한 경우에는, 내게 전화하는 것을 망설이지 마세요.

해설 문맥상 '만약 ~인 경우에는(= if)'의 '조건'의 의미를 나타내는 접속사 in case가 적절하다. in case (that)는 '~하면 안 되니까, ~할 경우에 대비하여'를 의미하는 목적을 나타내는 부사절 접속사로도 쓰인다. ⋞UNIT 79

05 **walk** | 더 빨리 걷지 않는다면 너는 마지막 지하철을 놓칠 거야.

해설 문맥상 '더 빨리 걷지 않는다면'이라는 의미가 되어야 하는데 unless가 '만약 ~이 아니라면'이라는 부정의 의미를 이미 포함하고 있으므로 동사는 긍정형이 와야 한다.

06 **only if you purchase the tickets**

해설 특정 카드로 구매해야만 할인을 받을 수 있다고 했으므로 only if(~해야만, ~일 경우에만)가 적절하다.

07 **unless their demands are fulfilled**

해설 문맥상 '요구 사항이 만족되지 않으면'이라는 부정의 의미가 있으므로 unless(만약 ~이 아니라면)가 적절하다.

08 **provided that the trip was comfortable**

해설 문맥상 if와 같은 '만일 ~하면'의 의미를 나타내는 접속사 provided that이 적절하다. provided (that)은 providing [suppose/supposing] (that)과 의미가 같다.

배점	채점 기준
7	〈보기〉에서 올바른 것을 골랐으나 괄호 안의 어구와 함께 바르게 배열하지 못한 경우

UNIT 77 양보/대조를 나타내는 부사절 I

01 whether they realize they dream or not, **자신들이 꿈을 꾸는 것을 알아차리든 아니든** | 자신들이 꿈을 꾸는 것을 알아차리든 아니든, 모든 사람은 매일 밤 꿈을 꾼다.

해설 〈whether A or B〉는 'A이든 B이든'을 의미한다.

02 Badly frightened as she was, **비록 그녀는 몹시 무서웠지만** | 비록 그녀는 몹시 무서웠지만 무슨 일이 있었는지 경찰에 알리기 위해 침착함을 유지하려고 노력했다.

해설 〈형용사[부사/명사]+as+S′+V′〉는 '비록 ~이지만'을 의미하며, 앞에 부사 badly는 형용사 frightened를 수식한다.

03 even if they have a low body fat percentage, **비록 그들이 낮은 체지방률을 가지고 있을지라도** | 근육량 비율이 높은 사람들은 비록 낮은 체지방률을 가지고 있을지라도 과체중으로 여겨질 수 있다.

해설 even if는 '비록 ~일지라도, ~이든 아니든'을 의미하며, if를 even이 강조하고 있는 형태로 '양보'의 의미가 더 강조된다.

배점	채점 기준
7	밑줄을 바르게 그은 경우
8	해석을 바르게 한 경우

04 ⓒ | 당신이 성공하든 실패하든, 그것은 당신이 노력하는 것을 멈춰야 한다는 것을 의미하지는 않는다.

해설 〈whether A or B〉는 'A이든 B이든'의 의미이다.

05 ⓑ | 순수 미술이 타고난 재능을 필요로 하는 반면, 상업 미술은 후천적으로 얻은 기술을 활용하는 경향이 있다.

해설 whereas는 '~인 반면에(= while)'라는 의미의 '대조'를 나타내는 접속사이다.

06 ⓓ | 몇몇 박테리아는 당신을 병에 걸리게 할 수 있는 반면에, 다른 것들은 당신이 음식을 소화시키는 것을 돕는 것과 같은 이로움이 있다.

해설 여기에서 while은 '~인 반면에(= whereas)'라는 의미의 '대조'를 나타내는 접속사이며, 문맥에 따라 '~하는 동안'이라는 '시간'을 나타내는 의미의 접속사로도 쓰인다. ≪ UNIT 73

07 ⓐ | 비록 동물 실험이 오늘날 여전히 흔하지만, 그러한 관행에 대한 대중의 지지는 최근 몇 년간 감소해 왔다.

해설 although는 '비록 ~이지만, ~에도 불구하고'의 의미를 나타내는 접속사이다. 참고로, although와 though는 의미는 같으나 구어체에서는 though가 더 자주 쓰인다.

08 Fiercely as he fought

해설 양보절을 이끄는 as는 〈형용사[부사/명사]+as+S′+V′〉 형태의 도치구문으로 쓰이며, '비록 ~이지만'이라는 의미를 나타낸다.

UNIT 78 양보/대조를 나타내는 부사절 II

01 Whatever I choose for my future, **내가 내 미래를 위해 무엇을 선택하더라도** | 내가 내 미래를 위해 무엇을 선택하더라도, 우리 부모님은 나의 결정을 인정하고 지지해주실 것이다.

02 No matter how hard it is, **그것이 아무리 힘들더라도** | 그것이 아무리 힘들더라도, 네가 포기할 때만 실패하는 것이므로 그저 계속 나아가라.

배점	채점 기준
10	밑줄을 바르게 그은 경우
10	해석을 바르게 한 경우

03 Whoever | 누가 나에게 전화하더라도, 나는 도서관에서 절대 전화를 받지 않는다.

해설 여기서 no matter who는 '누가 ~하더라도'라는 의미로 whoever로 바꿔 쓸 수 있다.

04 No matter how | 아무리 누추하다 할지라도, 집과 같은 곳은 없다.

해설 however가 '아무리 ~하더라도'라는 의미의 '양보'의 접속사로 쓰이면 no matter how로 바꿔 쓸 수 있다.

05 wherever | 그들이 어디에 있더라도, 우리는 인터넷을 통해 사람들에게 즉시 연락할 수 있다.

해설 no matter where는 '어디서 ~하더라도'라는 의미이다. 장소 부사절을 이끌어 at any place where(~하는 곳은 어디든)의 의미를 나타내기도 하며, wherever로 바꿔 쓸 수 있다.

UNIT 79 목적/결과를 나타내는 부사절

01 lest | 에이미는 전화가 울리는 것을 놓치지 않기 위해서 텔레비전 소리를 낮췄다.

해설 문맥상 '목적'을 나타내는 〈lest+S′(+should)+V′: ~하지 않기 위해서, ~하지 않도록〉가 적절하다.

02 in case | 해변에서 젖을 경우에 대비하여 케빈은 여분의 옷을 챙겨야 한다.

해설 문맥상 '~할 경우에 대비하여, ~하면 안 되니까'라는 의미의 in case가 적절하다.

03 that | 제이슨은 야단맞지 않기 위해서 아버지께 성적에 대해 거짓말했다.

해설 뒤에 〈주어+동사〉로 이루어진 절이 나오므로 접속사의 자리이다. 〈for fear (that)+S′(+should)+V′〉은 '~하지 않기 위해서, ~하지 않도록'을 뜻하며, 〈lest+S′(+should)+V′〉와 의미가 같다. for fear of 뒤에는 명사(구)가 와야 한다.

04 that | 그 카메라는 너무 비싸서 나는 그것을 사기 위해 다섯 달 동안 돈을 모아야 했다.

해설 문맥상 '아주 ~해서 …하다'라는 의미의 '결과'를 나타내는 <so+형용사[부사](+a/an 명사) ~ (that) ...>이 적절하다.

05 **so** | 그에게서 몇 주 동안 아무 소식도 들리지 않아서, 동아리 사람들은 그가 그만뒀다고 생각했다.

해설 문맥상 아무 소식이 없어서 사람들은 그가 그만뒀다고 생각했다는 '결과'를 나타내고 있으므로 '그래서, ~하여'라는 의미의 <~(,) so (that)>이 적절하다.

06 **that** | 당신이 약속에 제시간에 도착하도록 저희가 메시지를 보내드릴 것입니다.

해설 in order to와 in order that 모두 '~하기 위해서, ~하도록'이라는 의미이지만 뒤에 절이 왔으므로 접속사 in order that이 적절하다. in order that은 so that보다 정중한 표현으로 일상에서는 주로 so that이 많이 쓰인다.

07 **so** | 나는 계정 도난을 피할 수 있도록 내 비밀번호를 자주 바꾼다.

해설 문맥상 '~하기 위해서, ~하도록'이라는 의미의 '목적'을 나타내는 so that이 적절하다.

08 **such, that** | 거실에 있는 소파는 아주 편안한 의자여서 우리 고양이는 하루 종일 그곳에 앉아 있는 것을 매우 좋아한다.

해설 '아주 ~해서 …하다'라는 뜻의 <such (a/an)(+형용사)+명사 ~ that ...>이 쓰였다. <so+형용사[부사](+a/an 명사) ~ (that) ...>와 다른 어순에 주의하도록 한다.

09

기호	틀린 표현	고친 표현
ⓐ	forgot	(should) forget
ⓑ	such	so
ⓓ	so	such

| ⓐ 우리가 잊어버리지 않도록, 우리는 우리의 이야기에 기반을 둔 책을 출판했다.

ⓑ 헤어드라이어가 아주 시끄럽게 불어서 내 귀를 아프게 한다.

ⓒ 매튜는 자신의 개가 아플 경우에 대비하여 보험에 들 예정이다.

ⓓ 그 여배우는 아주 세심한 취급을 필요로 하는 목걸이를 착용하고 있어서 조심스럽게 걸었다.

ⓔ 우리 선생님은 우리가 함께 협력하는 법을 배울 수 있도록 종종 우리에게 그룹 프로젝트를 내주셨다.

해설 ⓐ '~하지 않도록'을 의미하는 <lest+S'(+should)+V'> 구문에서는 동사 앞에 조동사 should가 생략되어 있으므로 forgot은 (should) forget으로 써야 한다.

ⓑ such 뒤에 명사가 아닌 부사가 왔으므로 such를 형용사/부사를 수식할 수 있는 so로 고쳐야 한다. '아주 ~해서 …하다'라는 뜻의 <so+형용사[부사](+a/an 명사) ~ (that) ...> 구문이 사용되었다.

ⓓ so 뒤에 형용사/부사가 아닌 명사구가 왔으므로 so를 명사(구)를 수식할 수 있는 such로 고쳐야 한다. '아주 ~해서 …하다'라는 뜻의 <such (a/an)(+형용사)+명사 ~ that ...> 구문이 사용되었다.

감점	채점 기준
-6	기호와 틀린 표현을 하나 찾지 못한 경우
-6	틀린 표현을 바르게 고치지 못한 경우

UNIT 80 양태를 나타내는 부사절

01 **나폴레옹이 한때 말했듯이** | 나폴레옹이 한때 말했듯이, 공격은 최선의 방어법이다.

해설 '~처럼, ~이듯이, ~대로'의 의미를 나타내는 접속사 as가 쓰였다. 참고로, 구어체에서는 as 대신에 like가 접속사로 종종 쓰인다.

02 **꼭 미국인들이 야구를 매우 좋아하는 것처럼** | 꼭 미국인들이 야구를 매우 좋아하는 것처럼, 유럽인들은 축구를 매우 좋아한다.

해설 <(just) as ~, so ...>: (꼭) ~인 것처럼 …하다

03 **마치 내가 말한 것을 이해하지 못한 것처럼** | 앤은 마치 내가 말한 것을 이해하지 못한 것처럼 어깨를 으쓱했다.

해설 '마치 ~인 것처럼'의 의미를 나타내는 접속사 as if가 쓰였다. as if가 이끄는 종속절은 흔히 가정을 전제로 하기 때문에 가정법이 쓰이지만, 사실을 반영하는 경우에는 직설법이 쓰인다.

04 **의사들이 환자의 문제를 확인할 수 있는 것처럼** | 의사들이 환자의 문제를 확인할 수 있는 것처럼, 정비사들은 검사를 통해 자동차 문제를 진단할 수 있다.

해설 '~처럼'의 의미를 나타내는 접속사 the way가 쓰였다.

05 ⓓ | 집이 벽돌로 지어지는 것처럼 과학은 사실로 만들어진다.

06 ⓐ | 마치 비가 올 것처럼 하늘이 먹구름으로 덮여 있다.

07 ⓒ | 경찰이 현장에 도착할 때까지 물건들을 지금 있는 대로 놔둬라.

08 ⓑ | 꼭 회사가 한 명의 고객에게 의존해서는 안 되는 것처럼, 당신의 개인 소득도 한 가지 소득원에 의존해서는 안 된다.

09 **(Just) As the seasons change, so our lives change**

해설 '(꼭) ~인 것처럼 …하다'라는 의미를 나타내는 <(just) as ~, so ...>의 부사절 구문을 사용한다.

10 **you are perfect as you are**

해설 '~처럼, ~이듯이, ~대로'의 의미를 나타내는 접속사 as가 적절하다. 여기서 the fact와 that 이하는 동격 관계이다. ≪UNIT 99

11 **as though she wanted to ask a question**

해설 as though는 '마치 ~인 것처럼'의 의미를 나타내며 as if와 같다.

배점	채점 기준
5	<보기>에서 알맞은 것을 골랐으나 괄호 안의 어구와 함께 바르게 배열하지 못한 경우

UNIT 73-80 OVERALL TEST

01 **that** | 밤에 밖에서 나는 소리가 너무 시끄러워서 나는 내 집에서 편하게 쉴 수 없다.

해설 문맥상 '아주 ~해서 …하다'라는 의미의 '결과'를 나타내는 〈so+형용사[부사](+a/an 명사) ~ (that) ...〉이 적절하다.

02 **Seeing** | 일주일 내내 아팠으므로, 그는 파티에 올 것 같지 않다.

해설 문맥상 '~이므로, ~인 것으로 보아'라는 의미의 '이유'를 나타내는 부사절 접속사 Seeing that이 적절하다.

03 **before** | 그리스인들은 계산기가 이용 가능하기 훨씬 이전에 수학을 이해했다.

해설 뒤에 〈주어+동사〉 형태의 절이 오므로 접속사 자리이다. long before는 '훨씬 이전에'라는 의미의 '시간'을 나타내는 접속사이고, ago는 현재를 기준으로 '지금으로부터 ~전에'라는 의미를 나타내며 부사로만 쓰인다.

04 **when** | 구름은 낮 동안 습한 공기가 따뜻한 기류에 의해 위쪽으로 이동될 때 형성된다.

해설 문맥상 '~할 때'라는 의미의 '시간'을 나타내는 접속사 when이 적절하다.

05 **so that** | 누출될 때 그것(=천연가스)이 감지될 수 있도록 천연가스에 종종 강한 냄새가 첨가된다.

해설 문맥상 가스 누출 시 감지할 수 있도록 천연가스에 강한 냄새가 더해진다는 의미이므로, '~하기 위해서, ~하도록'이란 의미의 '목적'을 나타내는 접속사 so that이 적절하다.

06 **Although** | 비록 당신은 제공된 정보를 자유롭게 사용하실 수 있지만, 당신은 저희 웹사이트를 출처로 언급하셔야 합니다.

해설 문맥상 '비록 ~이지만, ~에도 불구하고'라는 의미의 '양보'를 나타내는 접속사 Although가 적절하다.

07 **Whereas** | 발은 길이에 있어서 스무 살 쯤 자라는 것을 멈추는 반면, 대부분의 발은 나이를 먹으면서 점점 넓어진다.

해설 앞뒤 문장의 내용이 대조를 이루고 있으므로 '~인 반면에'라는 의미의 '대조'를 나타내는 접속사 whereas가 적절하다.

08 **just as** | 꼭 운동이 근육을 키우는 것처럼, 새로운 언어를 배우는 것은 두뇌의 힘을 향상시킬 수 있다.

해설 문맥상 '(꼭) ~인 것처럼 …하다'라는 의미를 나타내는 〈(just) as ~, so ...〉의 부사절 구문이 적절하다.

09 **since** | 온라인에서 당신은 손짓이나 표정을 사용할 수 없기 때문에 스스로를 설명하기 위해 말에 의존해야 한다.

해설 문맥상 '~이기 때문에'라는 의미의 '이유'를 나타내는 접속사 since가 적절하다. since는 '~한 이래로'라는 '시간'을 나타내는 접속사로도 쓰이므로 문맥을 잘 살펴 해석해야 한다.

10 **while** | 힘찬 악수는 강인한 성격을 나타내는 반면 약한 악수는 배짱의 부족으로 여겨진다.

해설 앞뒤 문장의 내용이 대조를 이루고 있으므로 '~인 반면에'라는 의미의 while이 적절하다. while은 '~하는 동안'이라는 '시간'을 나타내는 접속사로도 쓰이므로 문맥을 잘 살펴 해석해야 한다.

11 **Once** | 일단 사람들이 우울증이 뇌 질환인 것을 알면, 그들은 치료에 더 개방적이 된다.

해설 문맥상 '일단 ~하면'이라는 '시간'을 나타내는 접속사 Once가 적절하다.

12 **whether** | 흔들림의 범위가 좁든 넓든 시계의 추는 흔들리는 데 언제나 동일한 시간이 걸린다.

해설 뒤에 or가 있으므로 문맥상 'A이든 B이든'의 의미를 나타내는 〈whether A or B〉가 적절하다.

13 **even if** | 이타주의는 비록 그것이 당신 자신에게 불이익을 야기할지라도 다른 이들에게 이득을 가져다주는 것을 기꺼이 행하는 마음이다.

해설 문맥상 '비록 ~일지라도'라는 의미의 '양보'를 나타내는 접속사 even if가 적절하다.

14 **so** | 그 모래언덕은 바다 근처에 위치해 있어서, 여러분은 샌드보딩과 바다 전망을 동시에 즐기실 수 있습니다.

해설 문맥상 모래언덕이 바다 근처에 있어서 샌드보딩과 바다 전망을 즐길 수 있다는 '결과'를 나타내고 있으므로 '그래서, ~하여'라는 의미의 so (that)이 적절하다.

---

15 **while** | 그들은 실종된 아들을 찾는 동안 마을의 모든 곳을 수색했다.

해설 while과 during 모두 '~동안에'를 의미하지만 뒤에 절이 왔으므로 접속사 while이 적절하다.

16 **during** | 제2차 세계대전 동안 항공 기술에 큰 진보가 있었다.

해설 while과 during 모두 '~동안에'를 의미하지만 뒤에 명사구가 왔으므로 전치사 during이 적절하다.

17 **Because of** | 지구에 미치는 태양의 큰 영향 때문에, 많은 초기 문화들은 태양을 신으로 여겼다.

해설 Because와 Because of 모두 '~때문에'를 의미하지만 뒤에 명사구가 왔으므로 전치사구인 Because of가 적절하다.

18 **because** | 어제로 돌아가는 것은 소용없어요, 왜냐하면 그때 나는 다른 사람이었기 때문이에요.

해설 because와 because of 모두 '~때문에'를 의미하지만 뒤에 절이 왔으므로 접속사 because가 적절하다.

19 **although** | 기린은 심박동수가 인간의 것(=심박동수)과 거의 같음에도 불구하고 포유류 중에 가장 혈압이 높다.

해설 although와 despite 모두 '~에도 불구하고'를 의미하지만 뒤에 절이 왔으므로 접속사 although가 적절하다.

20 **despite** | 관용을 갖는다는 것은 개인의 의견, 배경, 그리고 겉모습에도 불구하고 모든 사람에게 동일한 배려를 주는 것을 의미한다.

해설 although와 despite 모두 '~에도 불구하고'를 의미하지만 뒤에 명사구가 왔으므로 전치사 despite가 적절하다.

---

21 **in case I have to wait in line**

해설 '줄을 설 경우에 대비해서 책을 가지고 여행한다'라고 했으므로 '~할 경우에 대비하여, ~하면 안 되니까'라는 의미의 '목적'을 나타내는 접속사 in case가 적절하다.

22 so that there would be room for the new plants

해설 '새 화분들을 놓을 공간이 있게 하려고'라고 했으므로 '~하기 위해, ~하도록'이라는 의미의 '목적'을 나타내는 접속사 so that이 적절하다.

23 so well that we are facing challenges

해설 '아주 ~해서 …하다'라는 의미의 '결과'를 나타내는 〈so+형용사[부사] ~ (that) ...〉이 적절하다. 구어체에서는 that이 생략되기도 한다.

24 for fear that it should harm people's health

해설 '~하지 않기 위해, ~하지 않도록'이라는 의미의 〈for fear (that)+S'(+should)+V'〉가 적절하다.

배점	채점 기준
2	〈보기〉에서 알맞은 것을 골랐으나 괄호 안의 어구와 함께 바르게 배열하지 못한 경우

25 ⓑ, 나의 기말 보고서가 50페이지로 구성된 반면에, 그의 것은 겨우 20페이지이다. | ⓐ 내가 텔레비전 방송을 보고 있는 동안 전기가 갑자기 나갔다. ⓒ 상황을 바꿀 기회가 있는 동안, 우리는 행동해야 한다.

해설 ⓐ와 ⓒ는 '시간'을 나타내는 접속사 while(~하는 동안)로 쓰인 반면, ⓑ는 '대조'를 나타내는 접속사 while(~인 반면에)로 쓰였다.

26 ⓐ, 나와 카메론은 우리가 함께 학교에 다닐 때부터 친구로 지내 왔다. | ⓑ 파일이 비밀번호로 보호되어 있기 때문에 우리는 그것에 접근할 수 없다. ⓒ 잘못된 음식이 동물들을 아프게 할 수 있기 때문에 동물원에서 그것들에게 먹이를 주지 마세요.

해설 ⓑ와 ⓒ는 '이유'를 나타내는 접속사 since(~이기 때문에)로 쓰인 반면, ⓐ는 '시간'을 나타내는 접속사 since(~한 이래로)로 쓰였다.

27 ⓒ, 나는 역을 찾을 수 없어서 어떤 사람에게 길을 알려 줄 수 있는지 물어보았다. | ⓐ 만약 당신이 당신의 아이에게 단 한 가지 선물만 줄 수 있다면, 그것이 열정이 되게 하라. ⓑ 만약 당신이 시작할 용기를 가지고 있다면, 당신은 끝낼 용기도 가지고 있다.

해설 ⓐ와 ⓑ는 '조건'을 나타내는 접속사 if(만약 ~라면)로 쓰인 반면, ⓒ는 명사절을 이끄는 접속사 if(~인지 아닌지)로 쓰였다.

28 ⓑ, 새로운 반 친구들 앞에서 자신을 소개할 때 애슐리의 목소리는 많이 떨렸다. | ⓐ 남극은 아주 적은 비를 겪기 때문에 사막으로 여겨진다. ⓒ 사실상 모든 데님이 파란색이기 때문에 당신의 바지를 '블루진(파란 청바지)'이라 부르는 것은 불필요한 것 같다.

해설 ⓐ와 ⓒ는 '이유'를 나타내는 접속사 as(~이기 때문에)로 쓰인 반면, ⓑ는 '시간'을 나타내는 접속사 as(~할 때, ~하면서)로 쓰였다.

배점	채점 기준
3	접속사의 의미가 다른 문장을 찾은 경우
3	해석을 바르게 한 경우

PART 5 주요 구문

CHAPTER 14 전명구를 동반하는 동사구문

UNIT 81 동사 A from B

01 hikers from parking

해설 'A가 v하지 못하게 하다, A가 v하는 것을 막다'의 의미를 나타내는 〈discourage A from v-ing〉가 쓰였다.

02 her from trying

해설 'A가 v하지 못하게 하다, A가 v하는 것을 막다'의 의미를 나타내는 〈stop A from v-ing〉가 쓰였다.

03 the fire from spreading

해설 'A가 v하지 못하게 하다, A가 v하는 것을 막다'의 의미를 나타내는 〈prevent A from v-ing〉가 쓰였다.

04 their children from making poor choices

해설 'A가 v하지 못하게 하다, A가 v하는 것을 막다'의 의미를 나타내는 〈keep A from v-ing〉가 쓰였다.

배점	채점 기준
6	어순과 추가한 단어는 올바르나 어형 변형이 틀린 경우

05 그녀는 소설 속 이야기를 현실과 구별할 수 없었다.

해설 'A를 B와 구별하다'의 의미를 나타내는 〈distinguish A from B〉가 쓰였다.

06 금을 모래와 흙으로부터 분리하는 많은 다양한 방법들이 있다.

해설 'A를 B로부터 분리하다'의 의미를 나타내는 〈separate A from B〉가 쓰였다.

07 완전 초심자여서, 그는 피아노를 키보드와 구별할 수 없다.

해설 'A를 B와 구별하다'의 의미를 나타내는 〈know A from B〉가 쓰였다.

08 그들은 일란성 쌍둥이여서 아무도 아담을 그의 형제와 구별할 수 없다.

해설 'A를 B와 구별하다'의 의미를 나타내는 〈tell A from B〉가 쓰였다.

배점	채점 기준
7	밑줄 친 부분의 해석은 바르지만 다른 부분 해석이 틀린 경우
6	다른 부분 해석은 바르지만 밑줄 친 부분의 해석이 틀린 경우

UNIT 82 동사 A for B

01 my kids, their rude behavior

해설 〈scold A for B〉는 'A를 B의 이유로 꾸짖다'의 의미이다.

02 me and my friend, sisters

해설 〈take A for B〉는 '(특히 잘못 생각하여) A를 B라고 여기다'의 의미이다.

03 the courts, their light punishment

해설 〈criticize A for B〉는 'A를 B의 이유로 비판하다'의 의미이다.

04 a good habit, a bad habit

해설 〈substitute A for B〉는 'B 대신 A를 쓰다'의 의미이다. 같은 의미인 〈substitute B with A〉와 A, B의 자리를 혼동하지 않도록 주의한다.

05 local factories, the water pollution

해설 〈blame A for B〉는 'B를 A의 탓으로 돌리다; A를 B의 이유로 비난하다'의 의미이다.

06 criticized | 제이크는 그 정치인을 그의 부적절한 발언 때문에 비판했다.

해설 문맥상 〈criticize A for B〉 구문을 써서 'A(그 정치인)를 B(그의 부적절한 발언)의 이유로 비판했다'는 내용이 되는 것이 알맞다.

07 scolded | 그의 아버지는 불평함으로써 어머니를 속상하게 만든 것 때문에 그를 꾸짖으셨다.

해설 문맥상 〈scold A for B〉 구문을 써서 'A(그)를 B(어머니를 속상하게 만든 것)의 이유로 꾸짖으셨다'는 내용이 되는 것이 알맞다.

08 for | 그녀가 교복을 입고 있었기 때문에, 그는 샐리를 학생으로 (잘못) 여겼다.

해설 문맥상 〈take A for B〉 구문을 써서 '(잘못 생각하여) A(샐리)를 B(학생)라고 여겼다'는 내용이 되는 것이 알맞다.

09 thanked | 짐은 장래에 관한 사려 깊은 충고에 선생님께 감사했다.

해설 문맥상 〈thank A for B〉 구문을 써서 'A(선생님)에게 B(장래에 관한 사려 깊은 충고)에 대해 감사했다'는 내용이 되는 것이 알맞다.

10 substitute | 볶음밥을 만들 때, 당신은 풍미를 더하기 위해 식용유 대신 버터를 쓸 수 있다.

해설 문맥상 〈substitute A for B〉 구문을 써서 'B(식용유) 대신 A(버터)를 쓸 수 있다'는 내용이 되는 것이 알맞다.

UNIT 83 동사 A as B

01 ⓐ | 몇몇 아시아 문화에서는 침묵을 사회적 상호 작용의 중요한 부분으로 여긴다.

해설 〈view A as B〉 구문으로 '몇몇 아시아 문화에서는 A(침묵)를 B(사회적 상호 작용의 중요한 부분)로 여긴다'로 이어지는 것이 자연스럽다.

02 ⓓ | 케빈은 항상 자신을 매우 분별 있는 사람으로 여겨 왔다.

해설 〈think of A as B〉 구문으로 '케빈은 항상 A(자신)를 B(매우 분별 있는 사람)로 여겨 왔다'로 이어지는 것이 자연스럽다.

03 ⓔ | 많은 사람들이 비디오 게임을 무해한 재미 혹은 교육적인 도구로 여긴다.

해설 〈look upon A as B〉 구문으로 '많은 사람들이 A(비디오 게임)를 B(무해한 재미 혹은 교육적인 도구)로 여긴다'로 이어지는 것이 자연스럽다.

04 ⓑ | 의학 전문가들은 연구를 그들 업무의 필수적인 부분으로 여긴다.

해설 〈regard A as B〉 구문으로 '의학 전문가들은 A(연구)를 B(그들 업무의 필수적인 부분)로 여긴다'로 이어지는 것이 자연스럽다.

05 ⓒ | 대다수의 호주인들은 캥거루를 그 나라(호주)의 국가적인 상징으로 여긴다.

해설 〈see A as B〉 구문으로 '대다수의 호주인들은 A(캥거루)를 B(그 나라(호주)의 국가적인 상징)로 여긴다'로 이어지는 것이 자연스럽다.

---

06 look upon all volunteers as heroes

해설 〈look upon A as B〉 구문으로 'A(all volunteers)를 B(heroes)로 여기다'를 의미한다.

07 don't think of him as a failure

해설 〈think of A as B〉의 부정 구문으로 'A(him)를 B(a failure)로 여기지 않다'를 의미한다.

08 regard kimchi as a superfood

해설 〈regard A as B〉 구문으로 'A(kimchi)를 B(a superfood with health-protecting properties)로 여기다'를 의미한다.

09 might see you as an intruder to its house

해설 〈see A as B〉 구문으로 'A(you)를 B(an intruder to its house)로 여기다'를 의미한다.

10 viewed tigers as one of the guardian animals

해설 〈view A as B〉 구문으로 'A(tigers)를 B(one of the guardian animals)로 여기다'를 의미한다.

UNIT 84 동사 A of B

01 cleared | 거리 미화원은 도로에서 떨어진 나뭇잎들을 치워왔다.

해설 〈clear A of B〉 구문을 써서 'A(도로)에서 B(떨어진 나뭇잎들)를 치워왔다'는 내용이 되는 것이 알맞다.

02 notify | 귀하의 주문에 대한 어떠한 지연이라도 24시간 이내에 귀하께 알려드릴 것입니다.

해설 〈notify A of B〉 구문을 써서 'A(귀하)에게 B(귀하의 주문에 대한 어떠한 지연이라도)를 알려드릴 것이다'는 내용이 되는 것이 알맞다.

03 cured | 새로 개발된 한 치료법은 6세 여자아이의 병을 치료했다.

해설 〈cure A of B〉 구문을 써서 'A(6세 여자아이)의 B(병)를 치료했다'는 내용이 되는 것이 알맞다.

04 informed | 그들은 주민들에게 축제 동안 대체 가능한 주차 장소를 알렸다.

해설 〈inform A of B〉 구문을 써서 'A(주민들)에게 B(대체 가능한 주차 장소)를 알렸다'는 내용이 되는 것이 알맞다.

05 relieve | 그는 그녀의 증상들을 단시간에 없애줄 약을 처방했다.

해설 〈relieve A of B〉 구문을 써서 'A(그녀)에게서 B(그녀의 증상들)를 없애다'는 내용이 되는 것이 알맞다.

---

06 절대 누군가에게서 희망을 빼앗지 마라

해설 〈deprive A of B〉는 'A에게서 B를 빼앗다'를 의미한다.

07 애슐리에게 최근 그녀의 인도 여행을 상기시켰다

해설 〈remind A of B〉는 'A에게 B를 상기시키다'를 의미한다.

08 그녀에게서 공부하기 위해 외국으로 갈 수 있는 기회를 빼앗았다

해설 〈rob A of B〉는 'A에게서 B를 빼앗다'를 의미한다. 여기서 the opportunity와 to go abroad to study는 동격 관계이다. ≪ UNIT 99

09 그를 자신의 지갑에서 돈을 훔쳤다는 혐의로 고발했다[이유로 비난했다]

해설 〈accuse A of B〉는 'A를 B의 혐의로 고발하다; A를 B의 이유로 비난하다'를 의미한다.

10 팀 동료들에게 경기를 이길 그들의 능력을 확신시켰다

해설 〈assure A of B〉는 'A에게 B를 확신시키다'를 의미한다. 여기서 their ability와 to win the game은 동격 관계이다. ≪ UNIT 99

UNIT 85 동사 A to B

01 his death, heart disease, 그 의사는 그의 죽음을 심장 질환의 탓으로 돌렸다.

해설 〈ascribe A to B〉 구문에서 문맥상 A는 his death, B는 heart disease에 해당하며 'A를 B의 탓[책임]으로 돌리다'로 해석한다.

02 a discount coupon, my online order, 나는 20달러를 아끼기 위해 할인 쿠폰을 나의 온라인 주문에 적용했다.

해설 〈apply A to B〉 구문에서 문맥상 A는 a discount coupon, B는 my online order에 해당하며 'A를 B에 적용하다'로 해석한다.

03 her success, her family's sincere support, 샤론은 자신의 성공을 가족의 진심 어린 지지 덕분으로 돌린다.

해설 〈attribute A to B〉 구문에서 문맥상 A는 her success, B는 her family's sincere support에 해당하며 'A를 B의 덕분[책임]으로 돌리다'로 해석한다.

04 **a few jokes, a boring speech, 농담 몇 마디를 지루한 연설에 더하는 것은 그것을 더 재미있게 만들 것이다.**

해설 〈add A to B〉 구문에서 문맥상 A는 a few jokes, B는 a boring speech에 해당하며 'A를 B에 더하다'로 해석한다.

05 **his students, an aquarium, 그 교사는 그들이 해양 생물에 대해 배우는 것을 돕기 위해 자신의 학생들을 수족관으로 데려갔다.**

해설 〈take A to B〉 구문에서 문맥상 A는 his students, B는 an aquarium에 해당하며 'A를 B로 데려가다'로 해석한다.

배점	채점 기준
6	문장을 바르게 완성한 경우
5	해석을 바르게 한 경우

06 O | 그 회사는 자신들의 성장을 뛰어난 마케팅 전략들 덕분으로 돌렸다.

해설 'A는 B의 덕분이다'의 의미를 나타내는 〈owe A to B〉 구문이 적절히 쓰였다.

07 **X, to reading books** | 대부분의 어린이들은 아마도 책을 읽는 것보다 TV를 보는 것을 더 좋아할 것이다.

해설 'A를 B보다 더 좋아하다'의 의미를 나타내는 〈prefer A to B〉 구문으로 전치사 to 뒤에는 동사원형 read가 아닌 목적어(books)를 이끌 수 있는 동명사(v-ing) 형태인 reading이 와야 한다.

08 **X, led his team to victory** | 놀랄 것도 없이, 그 유명한 선수는 자신의 팀을 승리로 이끌었다.

해설 〈lead A to B〉 구문으로 'A(his team)를 B(victory)로 이끌었다'라는 의미에 맞춰 A, B의 위치를 서로 바꿔야 한다.

감점	채점 기준
-7	×는 올바르게 표시했지만, 틀린 부분을 바르게 고치지 못한 경우

UNIT 86 동사 A with B

01 **the audience, their best music**

해설 'A에게 B를 제공[공급]하다'는 뜻의 〈provide A with B〉 구문으로 A는 the audience, B는 their best music에 해당한다.

02 **the city residents, usable water**

해설 'A에게 B를 제공[공급]하다'는 뜻의 〈supply A with B〉 구문으로 A는 the city residents, B는 usable water에 해당한다.

03 **the youths, speaking skills**

해설 'A에게 B를 갖추어 주다'라는 뜻의 〈equip A with B〉 구문으로 A는 the youths, B는 speaking skills에 해당한다.

04 **me, flowers and a diploma**

해설 'A에게 B를 주다[수여하다]'라는 뜻의 〈present A with B〉 구문으로 A는 me, B는 flowers and a diploma에 해당한다.

05 **the local library, donated books from its citizens**

해설 'A에게 B를 제공[공급]하다'는 뜻의 〈furnish A with B〉 구문으로 A는 the local library, B는 donated books ~ citizens에 해당한다.

06 ⓒ | 그 고객은 오프라인 가격을 온라인 가격과 비교했다.

해설 〈compare A with B〉 구문으로 '고객이 A(오프라인 가격)를 B(온라인 가격)와 비교했다'로 이어지는 것이 자연스럽다.

07 ⓔ | 어머니는 우리 고양이를 목욕시키기 위해 욕조를 따뜻한 물로 채우셨다.

해설 〈fill A with B〉 구문으로 '어머니가 A(욕조)를 B(따뜻한 물)로 채우셨다'로 이어지는 것이 자연스럽다.

08 ⓐ | 몇몇 외로운 사람들은 정서적 굶주림을 신체적 굶주림과 혼동한다.

해설 〈confuse A with B〉 구문으로 '몇몇 외로운 사람들은 A(정서적 굶주림)를 B(신체적 굶주림)와 혼동한다'로 이어지는 것이 자연스럽다.

09 ⓑ | 그 기사는 그를 사람들의 기부금을 자기 자신을 위한 목적으로 사용한 것에 대해 비난했다.

해설 〈charge A with B〉 구문으로 '그 기사는 A(그)를 B(사람들의 기부금을 자신의 사적인 목적으로 사용한 것)의 이유로 비난했다'로 이어지는 것이 자연스럽다.

10 ⓓ | 그 최근 공익광고는 불법적으로 영화를 다운로드하는 것을 어떤 사람의 차를 훔치는 것에 비유한다.

해설 〈compare A to B〉 구문으로 '그 최근 공익광고는 A(불법적으로 영화를 다운로드하는 것)를 B(어떤 사람의 차를 훔치는 것)에 비유한다'로 이어지는 것이 자연스럽다.

UNIT 81-86 OVERALL TEST

01 **of** | 피부에서 햇볕으로 인은 화상이 통증을 덜기 위해 아이스 팩을 사용해라.

해설 〈relieve A of B〉: A에게서 B(불쾌감·고통 등)를 덜어주다[없애다]

02 **with** | 많은 사람들은 오스트리아의 스펠링을 오스트레일리아의 그것(=스펠링)과 종종 혼동한다.

해설 〈confuse A with B〉: A를 B와 혼동하다

03 **of** | 결혼반지는 내가 그것을 낄 때마다 내게 나의 결혼식 날을 상기시킬 것이다.

해설 〈remind A of B〉: A에게 B를 상기시키다

04 **for** | 매튜는 그가 아이스링크에서 한 실수를 자신의 낡은 스케이트 탓으로 돌렸다.

해설 〈blame A for B〉: B를 A의 탓으로 돌리다

05 **for** | 엄마는 남동생이 엄마가 가장 좋아하는 꽃병을 깨뜨렸을 때 그의 부주의함을 이유로 그를 꾸짖으셨다.

해설 〈scold A for B〉: A를 B의 이유로 꾸짖다

06 with[to] | 모든 사람은 자기 속도에 맞게 성장하므로, 자기 자신을 다른 사람과[사람에] 비교해서는 안 된다.

해설 〈compare A with B〉: A를 B와 비교하다
〈compare A to B〉: A를 B에 비교[비유]하다

07 to | 대학에서의 삶은 당신을 당신이 이전에 한 번도 경험한 일이 없는 경험들의 황금기로 이끌 수 있다.

해설 〈lead A to B〉: A를 B로 이끌다

08 from | 많은 부모들은 자녀가 TV 프로그램의 폭력적인 내용을 보지 못하게 하기를 원한다.

해설 〈stop A from v-ing〉: A가 v하지 못하게 하다

09 to | 나는 지식을 나눌 수 있는 기회 때문에 그룹으로 공부하는 것을 혼자 공부하는 것보다 선호한다.

해설 〈prefer A to B〉: A를 B보다 선호하다

10 from | 많은 의사들과 과학자들은 암세포를 정상적인 조직과 구별하는 새로운 방법들을 개발하고 있다.

해설 〈distinguish A from B〉: A를 B와 구별하다

11 with | 신문은 독자들에게 사실을 제공해야 하며 항상 진실을 말해야 한다.

해설 〈provide A with B〉: A에게 B를 제공[공급]하다. 이와 같은 의미의 〈provide B for A〉 구문과 A, B의 자리를 혼동하지 않도록 유의한다.

12 for | 맨디는 영어를 너무 잘해서 모든 사람들이 그녀를 원어민이라고 (잘못) 여겼다.

해설 〈take A for B〉: (특히 잘못 생각하여) A를 B라고 여기다
cf. 〈take A to B〉: A를 B로 데려가다

13 with | 안전상의 이유로, 투숙객들은 양초 대신 LED 양초 조명을 쓸 것을 권장 받는다.

해설 〈substitute B with A〉: B 대신 A를 쓰다. 이와 같은 의미의 〈substitute A for B〉 구문과 A, B의 자리를 혼동하지 않도록 유의한다.

CHAPTER 15 비교구문

UNIT 87 원급 구문 I

01 나는 내 머리카락을 우리 어머니의 것(머리카락)만큼 길게 길렀다.

02 나는 집을 빌리는 것이 음식을 주문하는 것만큼 쉽기를 원한다.

03 요가는 허리 통증을 줄이는 데 물리치료만큼 효과적일 수 있다.

배점	채점 기준
6	원급 구문의 해석은 바르지만 다른 부분 해석이 틀린 경우
4	다른 부분 해석은 바르지만 원급 구문의 해석이 틀린 경우

04 X, did | 코미디 방송을 보면서, 그녀는 내 여동생이 그랬던(웃었던) 것만큼 크게 웃었다.

해설 과거형 일반동사(laughed)를 대신하는 동사 자리이므로 did가 와야 한다.

05 X, precious | 과거에, 사람들은 얼음을 보석만큼 귀중하게 여겼다.

해설 〈A as 형용사/부사 as B〉 구문에서 '형용사/부사'의 구별은 as를 떼고 문장 구조상 적절한 것을 찾으면 된다. 동사 consider가 사용된 SVOC문형의 문장이고, 밑줄 친 부분은 목적격보어 자리이므로 부사가 올 수 없다. 따라서 preciously를 형용사 precious로 고쳐야 한다.

06 O | 심해의 서식지는 육지의 그것(서식지)만큼 다양하다.

해설 비교 대상은 '심해의 서식지'와 '육지의 서식지'이므로 앞에 나온 복수명사 habitats를 대신하는 those가 적절히 쓰였다.

감점	채점 기준
-5	×는 올바르게 표시했지만, 틀린 부분을 바르게 고치지 못한 경우

07 mine | 바바라의 제안은 나의 것(제안)만큼 창의적이었다.

해설 비교 대상이 '바바라의 제안'과 '나의 제안'이므로 소유대명사 mine(나의 것)이 적절하다.

08 those | 현지 주민의 요구는 꼭 관광객들의 그것(요구)만큼 중요하다.

해설 비교 대상은 '현지 주민들의 요구'와 '관광객들의 요구'이므로 앞에 나온 복수명사인 The needs를 대신할 수 있는 복수형 대명사 those가 적절하다. 〈A just as ~ as B: A는 꼭 B만큼 ~한[하게]〉

09 learning | 영어를 온라인으로 배우는 것은 영어를 대면으로 배우는 것만큼 좋다.

해설 '영어를 온라인으로 배우는 것'과 '영어를 대면으로 배우는 것'을 비교하는데, 앞의 비교 대상의 자리에 동명사(Learning)가 왔으므로 뒤에도 대등하게 동명사(learning)를 써야 한다.

10 can | 빠르게 걷는 것은 심장 관련 질환들에 대한 위험을 달리기가 할(낮출) 수 있는 만큼 많이 낮출 수 있다.

해설 앞에 쓰인 조동사구(can lower ~ conditions)를 대신하는 동사 자리이므로 조동사 can을 써야 한다.

UNIT 88 원급 구문 Ⅱ

01 O | 행복이란 소유하는 것에 있다기보다는 오히려 나누는 것에 있다.
해설 〈not so much A as B: A라기보다는 오히려 B〉 구문으로 비교 대상 A, B는 문법적으로 대등해야 하므로 in having과 대등한 형태의 〈전치사+명사〉구인 in sharing이 알맞게 쓰였다.

02 O | 수박 가격은 작년의 절반만큼 높다.
해설 원급의 형태를 판단하기 위해 as를 떼어보면 원급이 쓰인 자리는 동사 are의 보어 자리이므로 형용사 high가 알맞게 쓰였다.

03 X, that | 하이에나의 심장은 비슷한 크기의 포유동물의 그것(심장)보다 두 배만큼 크다.
해설 '하이에나의 심장(A hyena's heart)'과 '비슷한 크기의 포유동물의 심장'을 비교하는 것이므로 앞에 나온 단수명사인 a heart를 대신할 수 있는 단수형 대명사 that으로 고치는 것이 적절하다.

04 X, many | 우리는 무려 6,000명이나 되는 사람들이 축구 경기를 보러 올 것으로 예상한다.
해설 '무려 ~나 되는 수의[양의]'란 의미는 〈as many/much as ~〉로 나타낼 수 있다. 사람의 수가 많다는 것이므로 셀 수 없는 명사를 수식하는 much는 셀 수 있는 명사를 수식하는 many로 고치는 것이 적절하다.

05 X, do | 초보 운전자들은 숙련된 운전자들의 두 배만큼 많은 사고가 나는 것 같다.
해설 일반동사(have)를 대신하는 동사 자리이므로 이를 대신하는 대동사 do로 고치는 것이 적절하다. 이때, 동사를 비교 대상과 수일치시키는 것에 주의한다. 여기에서는 experienced drivers가 복수이므로 do를 쓰면 된다.

06 O | 암송하는 것은 시험 동안 당신이 자료를 가능한 한 정확하게 기억해 내도록 만든다.
해설 원급의 형태를 판단하기 위해 as를 떼어보면 원급이 쓰인 자리는 원형부정사 recall을 수식하는 자리이므로 부사 accurately가 알맞게 쓰였다. '가능한 한 ~한[하게]'라는 의미의 〈as ~ as possible〉은 〈as ~ as+주어+can/could〉로 바꿔 쓸 수 있다.

07 X, to broadcast | 오늘날 많은 인터넷 사용자들은 개인의 세부 사항을 알리기 위해서라기보다는 오히려 콘텐츠를 발행하기 위해 소셜 미디어를 활용한다.
해설 〈B rather than A: A라기보다는 오히려 B〉 구문으로 비교 대상 A, B는 문법적으로 대등해야 하므로 to publish와 대등한 형태인 to broadcast로 고치는 것이 적절하다. to publish 이하는 '목적'을 나타내는 부사적 용법으로 쓰인 to부정사구이다. ≪UNIT 54

감점	채점 기준
-5	X는 올바르게 표시했지만, 틀린 부분을 바르게 고치지 못한 경우

08 **not so much to live long as to live well**
해설 'A라기보다는 오히려 B'라는 의미는 〈not so much A as B〉로 나타낼 수 있다. 비교하는 A와 B에는 문법적으로 대등한 to-v구가 왔다. 여기에서 to-v는 동사 wish의 목적어로 쓰인 것으로 'v하기를 바라다'의 의미이다. ≪UNIT 15

09 **your writing style is not as important as the content**
해설 'A는 B만큼 ~하지는 않다'라는 의미는 〈A not as[so] ~ as B〉로 나타낼 수 있다.

10 **to generate ideas as many as possible**
해설 '가능한 한 ~한[하게]'를 의미하는 〈as ~ as possible〉 구문과 함께 주어진 어구를 배열한다. to generate ~ possible은 주격보어 역할을 하는 명사적 용법의 to부정사구이고, to solve 이하는 '목적'을 나타내는 부사적 용법의 to부정사구이다. ≪UNIT 21, 54

배점	채점 기준
5	〈보기〉에서 올바른 구문을 골랐으나 괄호 안의 어구와 함께 바르게 배열하지 못한 경우

UNIT 89 비교급 구문 Ⅰ

01 **두뇌는 슬픔보다 행복을 더 빠르게 감지한다.**

02 **당신은 입보다는 귀로 더 많은 친구를 사귈 수 있다.**

03 **자동차에 전기로 연료를 공급하는 것이 그것(자동차)에 휘발유로 연료를 공급하는 것보다 더 저렴하다.**

04 **수력이 태양력 또는 풍력보다 종종 훨씬 더 신뢰할 수 있다.**

05 **네 인생의 사람들은 네가 하는 일보다 항상 더 중요해야 한다.**
해설 the work와 you do 사이에 목적격 관계대명사 which[that]가 생략되어 있다. ≪UNIT 67

배점	채점 기준
5	비교급 구문의 해석은 바르지만 다른 부분 해석이 틀린 경우
5	다른 부분 해석은 바르지만 비교급 구문의 해석이 틀린 경우

06 X, yours[your house] | 우리 집은 너의 것(집)보다 지하철역에서 더 멀다.
해설 '우리 집'과 '너의 집'을 비교하는 것이므로 소유대명사 yours 또는 your house로 고쳐 쓰는 것이 적절하다.

07 X, those | 마음의 질병들은 신체의 그것들(질병들)보다 더 위험할 수 있다.
해설 '마음의 질병들'과 '신체의 질병들'을 비교하는 것이므로 밑줄 친 부분은 비교 대상인 Diseases를 대신해야 한다. 따라서 복수형 대명사 those로 고쳐 쓰는 것이 적절하다.

08 O | 한 자루의 초를 밝히는 것이 어둠을 저주하는 것보다 더 낫다.
해설 비교 대상 A, B에 문법적으로 대등한 형태의 to부정사구가 왔으므로 적절하다.

09 O | 이 새로운 배터리들은 일반 배터리들이 그런(오래가는) 것보다 훨씬 더 오래간다.
해설 앞에 나온 일반동사 last를 대신하고 than 뒤의 주어 the

ordinary batteries가 복수이므로 대동사 do는 적절하다.

10 ×, much[(by) far, a lot, still, even] | 연구자들은 건강에 좋지 않은 간식을 먹으며 TV를 보는 것이 온종일 직장에 앉아있는 것보다 훨씬 더 해롭다고들 말한다.

해설 비교급 수식어구로는 much, (by) far, a lot, still, even(훨씬) / a little, a bit(조금) 등이 있으며 very는 사용하지 않는다. very는 '매우'라는 뜻으로 수식하는 형용사를 강조하므로, 비교급을 수식하여 강조하는 much, (by) for, a lot, still, even으로 바꿔 쓴다.

감점	채점 기준
-5	×는 올바르게 표시했지만, 틀린 부분을 바르게 고치지 못한 경우

UNIT 90 비교급 구문 II

01 five times bigger than

해설 비교급을 이용한 배수 표현으로 〈A 배수/분수 비교급 than B: A는 B보다 …배만큼 ~한〉 구문을 사용하여 five times bigger than으로 쓴다. 비교되는 대상은 '이 국립공원'과 '맨해튼에 있는 공원'이다.

02 less favorable than

해설 'A는 B보다 덜 ~한'이라는 의미의 〈A less 원급 than B〉 구문을 사용한다. 비교되는 대상은 '현재의 경제 상황'과 '과거의 경제 상황'이다. 〈A not as[so] ~ as B〉 구문으로도 같은 의미를 나타낼 수 있다.

03 more and more necessary

해설 '점점 더~'라는 의미의 〈비교급+and+비교급〉 구문을 사용한다.

04 preferable to

해설 preferable이 '~보다 좋아하는, ~보다 오히려 나은'이라는 뜻의 비교급으로 쓰일 때 than 대신에 전치사 to를 써야 한다. 비교되는 대상은 '실내 운동'과 '실외 활동들'이다.

05 The more outrageous, the faster

해설 '~하면 할수록 더욱 …하다'라는 의미의 〈the+비교급 ~, the+비교급 ...〉 구문이다. 이때 the more의 경우, 뒤에 나오는 형용사, 부사는 바로 그 뒤에 붙여 쓰므로 형용사 outrageous는 The more 바로 뒤에 와야 한다.

배점	채점 기준
6	어순과 추가한 단어는 올바르나 어형 변형이 틀린 경우

06

기호	틀린 표현	고친 표현
ⓐ	than	to
ⓒ	much	more
ⓓ	close	closer

| ⓐ 현대의 음악은 종종 과거의 것(음악)보다 더 열등하다고 여겨진다.
ⓑ 별들은 가장 더운 여름날보다 25만 배 더 뜨겁다.
ⓒ 우리가 더 많은 짠 음식을 먹을수록, 우리는 그 후에 곧 더 많은 물을 원할 것이다.
ⓓ 의학은 암을 치료하는 것에 우리를 점점 더 가까이 데려다주고 있다.

해설 ⓐ '~보다 열등한'이라는 뜻의 비교급으로 쓰일 때 inferior 뒤에는 than 대신에 전치사 to를 써야 한다. 여기서 that은 반복되는 명사 Music을 대신 받는다.

ⓒ '~하면 할수록 더욱 …하다'이라는 의미의 〈the+비교급 ~, the+비교급 ...〉 구문이므로 원급인 much를 비교급인 more로 고쳐 써야 한다.

ⓓ '점점 더 ~'라는 의미의 〈비교급+and+비교급〉 구문이므로 원급인 close를 closer로 고쳐 써야 한다.

감점	채점 기준
-7.5	기호와 틀린 표현을 하나 찾지 못한 경우
-7.5	틀린 표현을 바르게 고치지 못한 경우

UNIT 91 혼동하기 쉬운 비교급 구문 I

01 ⓐ, 미술과 같은 비학문 교과목들은 꼭 학문 교과목들만큼 중요하다.

해설 〈A no less ~ than B〉는 'A는 꼭 B만큼 ~하다'라는 의미이다. A=B의 관계가 성립하며, than의 앞뒤를 모두 긍정한다. 즉, '비학문 교과목들'이 '학문 교과목들'만큼 중요하다는 내용이다.

02 ⓑ, 충분한 잠을 자는 것은 정기적으로 운동하는 것 못지않게 당신의 건강에 필수적이다.

해설 〈A not less ~ than B〉는 'A는 B(보다 나을지언정) 못지않게 ~하다'는 의미로, A≥B의 관계가 성립한다. '충분한 잠을 자는 것'은 '정기적으로 운동하는 것' 못지않게 필요하다는 내용이다.

03 ⓐ, 일부 영양사들은 체중 감량에 채식은 다른 식단들과 마찬가지로 효과적이지 않다고 주장한다.

해설 〈A no more ~ than B〉는 'A는 B와 마찬가지로 ~ 아니다'는 의미이다. A=B의 관계가 성립하며, than의 앞뒤를 모두 부정한다. 즉, '채식'은 '다른 식단들'과 같이 체중 감량에 효과적이지 않다는 의미이다.

04 ⓒ, 영어를 말할 때, 실수를 줄이려고 노력하는 것은 생각을 분명히 전달하려고 노력하는 것보다는 덜 중요하다.

해설 〈A not more ~ than B〉는 'A와 B 모두 ~하나 A가 B보다 덜 ~하다'는 의미로, A≦B의 관계가 성립한다. '실수를 줄이려고 노력하는 것'과 '생각을 분명히 전달하려고 노력하는 것'은 모두 중요하나, '실수를 줄이려고 노력하는 것'이 '생각을 분명히 전달하려고 노력하는 것'보다는 덜 중요하다는 내용이다.

배점	채점 기준
12	기호를 바르게 쓴 경우
13	해석을 바르게 한 경우

UNIT 92 혼동하기 쉬운 비교급 구문 Ⅱ

01 a. not less, b. at least

해설 〈not less than ~〉은 '~보다 적지 않은', 즉 '적어도(= at (the) least)'의 의미와 같다.

02 a. no more, b. as little as

해설 〈no more than ~〉은 '~보다 절대로 더 많지 않은', 즉 '겨우 ~인(= as few/little as = only)'의 의미이다. as few as는 '수'가 적음을 강조하고, as little as는 '양 · 정도'가 적음을 강조한다. 여기에서는 시간이 적음을 강조하고 있기 때문에 '양 · 정도'가 적음을 강조하는 as little as가 알맞다.

03 a. not more, b. at most

해설 〈not more than ~〉은 '~보다 많지 않은', 즉 '많아야, 기껏해야(= at (the) most)'의 의미와 같다.

04 a. no less, b. as many as

해설 〈no less than ~〉은 '~보다 절대로 더 적지 않은', 즉 '~나 되는(= as many/much as)'의 의미이다.

배점	채점 기준
10	네모 안에서 알맞은 것을 고른 경우
10	〈보기〉에서 알맞은 표현을 골라 문장을 바르게 완성한 경우

05 There were no more than 30 people

해설 '~보다 절대로 더 많지 않은,' 즉 '겨우 ~인'의 의미는 〈no more than ~〉으로 나타낸다.

06 you should read not less than 80 pages

해설 '~보다 적지 않은', 즉 '적어도'의 의미는 〈not less than ~〉으로 나타낸다.

배점	채점 기준
5	〈보기〉에서 올바른 구문을 골랐으나 괄호 안의 어구와 함께 바르게 배열하지 못한 경우

UNIT 93 최상급 구문

01 그녀는 지금까지 내가 본 사람 중에 가장 너그러운 사람이다.

02 당신의 무릎은 당신의 몸에서 가장 복잡한 관절이다.

03 건강은 모든 것들 중에서 가장 중요한 것이다.

04 그것은 지금까지 내가 읽어 본 것 중에 최고의 소설이었다.

배점	채점 기준
3	최상급 구문의 해석은 바르지만 다른 부분 해석이 틀린 경우
2	다른 부분 해석은 바르지만 최상급 구문의 해석이 틀린 경우

05 more | 어떤 것도 군중의 지지보다 더 불확실한 것은 없다.

해설 〈nothing ... 비교급 than ~〉의 비교급 표현으로 최상급의 의미를 나타내고 있다.

06 scientists | 그녀는 그 나라에서 가장 영향력 있는 과학자들 중 한 명으로 여겨졌다.

해설 '가장 ~한 것들 중 하나'라는 의미의 〈one of the+최상급+복수명사〉 구문이므로 복수명사 scientists가 적절하다.

07 the very most | 걷기는 시골 지역을 즐기는 단연 가장 인기 있는 방법이다.

해설 최상급 강조: 〈much[by far]+the+최상급 / the very+최상급: 단연 가장 ~한〉

08 more | 우리 할아버지는 세상의 다른 어떤 밴드보다 비틀즈를 더 좋아하신다.

해설 〈비교급 than any other ~〉는 최상급의 의미를 나타내는 비교급 표현이다.

09 better, best

해설 '~번째로 가장 …인'은 〈the+서수+최상급〉으로 나타낼 수 있다. 따라서 비교급인 better는 best로 고쳐야 한다.

10 less, least

해설 '가장 흔하지 않은 MBTI 유형'이라고 했으므로 '(~중에서) 가장 …이 아닌'을 의미하는 〈the least+원급 (of[in] ~)〉 구문으로 나타낸다. 따라서 비교급 less를 least로 고쳐야 한다.

감점	채점 기준
-4	틀린 부분에 밑줄을 올바르게 그었지만, 바르게 고치지 못한 경우

11 as[so] painful as / more painful than anything else | 인생에서 어떤 것도 사랑하는 사람을 잃는 것만큼 고통스러운 것은 없다.
→ 인생에서 다른 어떠한 것도 사랑하는 사람을 잃는 것만큼 고통스럽지 않다.
→ 사랑하는 사람을 잃는 것은 인생에서 다른 어느 것보다도 더 고통스럽다.

해설 최상급의 의미를 나타내는 원급 표현에는 〈no (other) ... as[so] 원급 as ~〉와 〈nothing ... as[so] 원급 as ~〉가 있으며 비교급 표현에는 〈no (other) ... 비교급 than ~〉, 〈nothing ... 비교급 than ~〉, 〈비교급 than any other ~〉, 〈비교급 than anything else〉가 있다.

12 more important than safety / (the) most important[the most important thing] | 사람이 높은 곳에서 일하는 중일 때 다른 어떠한 것도 안전만큼 중요한 것은 없다.
→ 사람이 높은 곳에서 일하는 중일 때 어떤 것도 안전보다 더 중요하지 않다.
→ 사람이 높은 곳에서 일하는 중일 때 안전은 가장 중요하다[가장 중요한 것이다].

해설 보어로 쓰인 형용사 뒤에 〈in ~〉, 〈of ~〉 등의 수식어구가 없는 경우 최상급 앞의 the를 생략할 수 있다.

13 **as[so] exciting as / more exciting than** | 그 시리즈의 최신 영화는 시리즈의 모든 영화들 중에 가장 흥미진진했다.
→ 그 시리즈의 다른 어떠한 영화도 최신 영화만큼 흥미진진하지 않았다.
→ 최신 영화는 그 시리즈의 다른 어느 영화보다 더 흥미진진했다.

배점	채점 기준
5	한 문장만 바르게 완성한 경우

14 **the least safe place**
해설 〈the least + 원급 (of[in]) ~〉의 구문으로 '(~중에서) 가장 … 이 아닌'이라는 의미이다. to walk alone at night는 앞에 있는 명사 the least safe place를 수식하는 형용사적 용법으로 쓰인 to부정사구이다. ⇐ UNIT 51

15 **One of the greatest diseases is**
해설 〈one of the + 최상급 + 복수명사〉의 구문이 주어 자리에 쓰여 '가장 ~한 것들 중 하나'라는 의미를 나타낸다. 이 경우에는 주어가 one이므로 단수 취급하여 단수동사 is를 써야 한다.

배점	채점 기준
4	어순은 올바르나 어형 변형이 틀린 경우

UNIT 87-93 OVERALL TEST

01 **lighter than** | 다른 어떠한 노트북도 랩톱 A보다 더 가볍지 않다.
해설 랩톱 A가 가장 가벼우므로 〈no (other) ... 비교급 than ~〉을 사용하여 최상급의 의미를 나타낸다.

02 **half as much as** | 랩톱 A는 랩톱 C의 절반만큼만 값이 나간다.
해설 랩톱 A는 C의 반값이므로 'A는 B의 …배만큼 ~한'이라는 의미의 원급을 이용한 배수 표현 〈A 배수/분수 as ~ as B〉를 사용한다.

03 **the second longest** | 랩톱 B는 세 개의 노트북 중에 두 번째로 가장 긴 배터리 수명을 가지고 있다.
해설 랩톱 B의 배터리 수명은 셋 중에 두 번째로 기므로 〈the + 서수 + 최상급〉을 사용해서 '~번째로 가장 …인'의 의미를 나타낸다.

04 **greater than** | 랩톱 C의 저장 용량은 나머지 노트북들의 것(저장 용량)을 합친 것보다 훨씬 더 크다.
해설 랩톱 C의 저장 용량은 랩톱 A와 B의 저장 용량을 합친 것보다 크므로 〈비교급 + than ~〉을 사용하여 '~보다 더 …한'의 의미를 나타낸다. 비교급 앞에 비교급을 강조하는 부사 even이 왔으며, that은 앞에서 반복된 비교 대상인 the storage capacity를 대신한다.

05 **thirteen times bigger than** | 미국의 인구수는 호주의 그것(인구수)보다 거의 13배만큼 더 크다.
해설 비교급을 이용하는 배수 표현은 〈A 배수/분수 비교급 than B: A는 B보다 …배만큼 ~한〉으로 나타낸다. 표에서 미국의 인구는 호주의 약 13배임을 알 수 있다. that은 앞에서 반복된 비교 대상인 The population을 대신한다.

06 **as high as** | 한국의 기대 수명은 호주의 그것(기대 수명)만큼 높다.
해설 호주와 한국의 기대 수명은 83세로 같으므로 원급을 사용하여 'A는 B만큼 ~하다'라는 의미의 〈A as ~ as B〉를 사용해 표현한다.

07 **twice as large as** | 미국의 1인당 국내 총생산은 대략 한국의 두 배만큼 크다.
해설 원급을 이용하는 배수 표현은 〈A 배수/분수 as ~ as B: A는 B의 …배만큼 ~한〉으로 나타낸다. 표에서 미국의 1인당 국내 총생산이 한국의 약 두 배임을 확인할 수 있다. 참고로, 〈A 배수 비교급 than B〉 구문에서는 배수 자리에 twice나 half를 쓸 수 없다.

08 **the lowest** | 한국의 출산율은 세 국가들 중에서 가장 낮다.
해설 세 국가 중 한국의 출산율이 가장 낮으므로 〈the + 최상급〉을 사용하여 표현한다.

CHAPTER 16 특수구문

UNIT 94 도치구문

01 **may zoo visitors feed, 무슨 일이 있어도 동물원 방문객들은 동물들에게 먹이를 주어서는 안 된다.**
해설 부정어 포함 어구(Under no circumstances)가 문두로 나가서 〈조동사(may) + 주어(zoo visitors) + 동사(feed)〉의 어순으로 도치되었다. (← Zoo visitors may feed the animals under no circumstances.)

02 **did he think, 그는 그녀의 사업이 성공적이게 될 것이라고 거의 생각하지 않았다.**
해설 준부정어(Little)가 문두로 나가서 〈조동사(did) + 주어(he) + 동사(think)〉의 어순으로 도치되었다. 일반동사는 〈do/does/did + 주어 + 동사〉의 어순으로 도치된다. (← He little thought that ~.)

03 **was the bus stop where Chad left his umbrella, 차드가 우산을 두고 온 버스 정류장이 모퉁이를 돈 곳에 있었다.**
해설 장소 부사구(Around the corner)가 문두로 나가서 〈동사(was) + 주어(the bus stop where ~ his umbrella)〉의 어순으로 도치되었다. (← The bus stop where Chad left his umbrella was around the corner.) where가 이끄는 관계부사절이 선행사 the bus stop을 수식하고 있다. ⇐ UNIT 66

04 **is the fact that most of the diseases are preventable, 대부분의 질병들이 예방 가능하다는 사실이 더 놀랍다.**

해설 보어(More surprising)가 문두로 나가서 〈동사(is)+주어(the fact that ~ preventable)〉의 어순으로 도치되었다. (← The fact that ~ preventable is more surprising.) that이 이끄는 동격절(that ~ preventable)이 the fact의 의미를 구체적으로 설명한다.

05 **are the rising costs in health services, 공공 의료 서비스에서의 상승하는 비용은 세금 인상에 동일하게 중요하다.**

해설 보어(Equally ~ increase)가 문두로 나가서 〈동사(are)+주어(the rising ~ services)〉의 어순으로 도치되었다. (← The rising costs in health services are equally significant ~ increase.)

배점	채점 기준
3	밑줄을 바르게 그은 경우
2	해석을 바르게 한 경우

06 **was our joy** | 그가 수술 후에 좋아질 것이라고 들었을 때 우리의 기쁨은 엄청났다.

해설 보어(Immense)가 문두에 왔으므로 〈동사(was)+주어(our joy)〉의 어순으로 써야 한다.

07 **did she direct the movie** | 그녀는 그 영화를 감독했을 뿐 아니라, 거기에서 단역도 맡았다.

해설 부정어 포함 어구(Not only)가 문두에 왔으므로 〈조동사(did)+주어(she)+동사(direct)〉의 어순으로 써야 한다. 일반동사는 조동사 do/does/did를 이용하여 시제와 수를 표현하고 이어서 주어와 동사원형을 쓴다. 〈not only A but also B: A뿐만 아니라 B도〉 구문이 사용되었다.

08 **have I seen a more spectacular dance performance** | 나는 내 인생에서 이보다 더 굉장한 댄스 공연은 전혀 본 일이 없다.

해설 부정어(Never)가 문두에 왔으므로 〈조동사(have)+주어(I)+p.p.(seen)〉의 어순으로 써야 한다.

09 **was a photo of my grandmother in her youth** | 우리 할머니의 젊으셨을 때의 사진이 선반 위에 있었다.

해설 장소 부사구(above the shelf)가 문두에 왔으므로 〈동사(was)+주어(a photo ~ youth)〉의 어순으로 써야 한다.

10 **could I hear her voice** | 나는 스피커에서 나오는 큰 음악 소리 너머로 그녀의 목소리를 거의 들을 수 없었다.

해설 준부정어(Hardly)가 문두에 왔으므로 〈조동사(could)+주어(I)+동사(hear)〉의 어순으로 써야 한다.

배점	채점 기준
3	어순은 올바르나 어형 변형이 틀린 경우

11 **is** | 톰은 물건들을 정리하는 것을 잘하고, 그의 형도 역시 그렇다.

해설 〈so+V+S: S도 역시 그렇다〉 구문으로, 앞에 나온 be동사 is를 받는 대동사 is가 적절하다.

12 **comes** | 끊임없는 노력들을 통해 더 나은 버전의 당신이 나타난다.

해설 부사구(Through continuous struggles)가 문두로 나가서 주어(a better version of yourself)와 동사(comes)가 도치된 문장이므로, 주어의 수에 맞춘 단수동사 comes가 적절하다. 네모 바로 앞의 명사(struggles)를 보고 복수동사를 고르지 않도록 주의한다. 부사(구) 도치의 경우, do/does/did를 사용하지 않고 동사 형태 그대로 도치된다.

13 **are** | 다수의 대학생들은 수업료 인하에 대해 기뻐한다.

해설 보어(Happy)가 문두로 나가서 주어(the majority of the college students)와 동사(are)가 도치된 문장이므로, 주어의 수에 맞춘 복수동사 are가 적절하다. 〈the majority of+명사(구)〉가 주어일 경우, 동사는 '명사(구)'에 수를 일치시킨다.

14 **was** | 그 프로그램은 학생들에게 유익하지도 않았고 매우 흥미롭지도 않았다.

해설 앞의 부정어 not을 받아 '그것은 매우 흥미롭지도 않았다'는 〈nor+V+S〉 구문이 쓰였으므로 주어 it(=the program)에 수일치시킨 단수동사 was가 적절하다.

15 **is** | 환경 운동가들은 오염과 나무들의 죽음 사이에 연관이 있다고 말한다.

해설 〈there+V+S〉 구문으로, 문장의 주어(a connection ~ trees)에 수일치시킨 단수동사 is가 적절하다.

16 **did I realize she was British**

해설 부정어 포함 어구(Not until)가 문두에 왔으므로 도치구문을 써야 한다. 시제가 과거이므로 주어진 do는 과거형 did로 바꿔 쓴다. she was British는 생략된 접속사 that이 이끄는 명사절로 목적어 역할을 한다. ≪ UNIT 17

17 **does the child become a human being**

해설 준부정에 포함 어구(Only ~ language)가 문두에 왔으므로 도치구문을 써야 한다. 시제가 현재이고 주어는 3인칭 단수(the child)이므로 주어진 do를 does로 바꿔 쓴다.

18 **is the weather**

해설 보이(So hot)가 문두에 왔으므로 도치구문을 쓴다. 주어가 단수명사(the weather)이므로 주어진 be동사를 단수형이자 현재형인 is로 바꿔 쓴다.

19 **nor have my friends**

해설 〈nor+V+S: S도 역시 그렇지 않다〉 구문이다. 주어(my friends)와 have를 도치시켜 쓴다.

20 **were giant trees that her father had planted**

해설 장소 부사구(In front of my grandmother's house)가 문두에 왔으므로 도치구문을 쓴다. 주어가 복수명사(giant trees ~ had planted)이므로 주어진 be동사를 복수형이자 과거형인 were로 바꿔 쓴다. that ~ had planted는 선행사인 giant trees를 수식하는 목적격 관계대명사절이다. ≪ UNIT 65

배점	채점 기준
3	어순은 올바르나 어형 변형이 틀린 경우

UNIT 95 강조구문

01 **my father that[who] first introduced the pleasure of cycling to me** | 우리 아버지가 내게 자전거 타기의 즐거움을 처음 소개해주셨다. → 내게 자전거 타기의 즐거움을 처음 소개해주신 분은 바로 우리 아버지셨다.

해설 주어 My father를 강조하여 〈It was A that[who] ~〉 형태로 바꿔 쓴다. 강조되는 어구가 사람이기 때문에 that[who]이 와야 한다.

02 **the album that[which] Helen has been looking for** | 헬렌은 지난 몇 달 동안 그 앨범을 찾고 있었다. → 헬렌이 지난 몇 달 동안 찾고 있었던 것은 바로 그 앨범이다.

해설 목적어 the album을 강조하여 〈It is A that[which] ~〉 형태로 바꿔 쓴다. 강조되는 어구가 사물이기 때문에 that[which]이 와야 한다.

03 **through giving that we receive the worthwhile things in life** | 우리는 주는 것을 통해 삶에서 가치 있는 것들을 얻는다. → 우리가 삶에서 가치 있는 것들을 얻는 것은 바로 주는 것을 통해서이다.

해설 부사구 through giving을 강조하여 〈It is A that ~〉 형태로 바꿔 쓴다.

04 **at the park that Brian ran into his old high school friend** | 브라이언은 어제 공원에서 오랜 고등학교 친구와 마주쳤다. → 브라이언이 어제 오랜 고등학교 친구와 마주쳤던 곳은 바로 공원에서였다.

해설 부사구 at the park를 강조하여 〈It was A that ~〉 형태로 바꿔 쓴다.

05 **not until he was fourteen that Einstein showed his mathematical talents** | 아인슈타인은 열네 살이 되어서야 비로소 수학적 재능을 보였다. → 아인슈타인이 수학적 재능을 보였던 것은 바로 그가 열네 살이 되어서였다.

해설 부정어 not과 부사절 until he was fourteen을 강조하여 〈It was A that ~〉 형태로 바꿔 쓴다. didn't show에서 not이 강조를 위해 문두로 이동했으므로 didn't show를 showed로 바꿔야 한다.

---

06 O | 조수에 가장 큰 영향을 미치는 것은 바로 달이다.

해설 〈It is+명사+that ~〉에서 that 이하에 주어가 빠진 불완전한 구조가 왔으므로 강조구문에 해당한다.

07 X | 최고의 교육은 경험에서 온다는 것은 정말 사실이다.

해설 〈It is+형용사+that ~〉은 가주어-진주어 구문이다.

08 X | 동물들이 다가오는 위험을 본능적으로 감지할 수 있다는 것은 놀라운 사실이다.

해설 〈It is+명사+that ~〉에서 that 이하에 완전한 구조가 왔으므로 가주어-진주어 구문이다.

09 O | 네 미래에 대한 중대한 결정을 내리는 데 있어 가장 중요한 것은 바로 네 의견이다.

해설 〈It is+명사+that ~〉에서 that 이하에 주어가 빠진 불완전한 구조가 왔으므로 강조구문이다.

10 O | 네가 부모가 되는 것의 노고를 깨닫는 것은 바로 네가 너 자신의 아이들을 가질 때만이다.

해설 〈It is+부사절+that ~〉은 부사절을 강조하는 강조구문이다.

---

11 **itself, 심지어 설탕 그 자체도 좋은 요리를 망칠지도 모른다.**

해설 재귀대명사 itself는 명사 주어 sugar를 강조하며, 이때 itself는 '그 자체'라고 해석한다.

12 **the very, 북극곰은 먹이사슬의 바로 그 꼭대기에 있다.**

해설 the very가 명사 top을 강조하며, 이때 the very는 '바로 그 [이]'라고 해석한다.

13 **on earth, 도대체 어쩌다 네 이마에 그렇게 큰 혹이 생겼니?**

해설 on earth는 의문문(How did you ~ your forehead?)을 강조한다. 이 외에 in the world, ever를 쓸 수도 있다.

14 **at all, 내 철학 선생님의 답변은 내 호기심을 전혀 충족시키지 못했다.**

해설 at all은 부정어 not을 강조하며, 이 외에 in the least, a bit, by any means 등을 쓸 수도 있다.

15 **do, 나는 고등학교에서 내 친구들과 보냈던 시간을 정말 소중히 여긴다.**

해설 동사 cherish 앞에 do[does, did]를 사용하여 동사를 강조하며, '정말[진짜]로'라고 해석한다. that 이하는 앞에 있는 명사 the times를 수식하는 목적격 관계대명사절이다. ≪ UNIT 65

배점	채점 기준
4	밑줄을 바르게 그은 경우
4	해석을 바르게 한 경우

UNIT 96 생략구문

01 **You can call me whenever you hope to (call me).** | 내게 전화하고 싶을 때 언제든지 너는 내게 전화해도 돼.

해설 to-v에서 반복되는 v 이하(call me)를 생략하고 to만 남길 수 있다.

02 **The hotel, though (it was) very old, was comfortable to stay at.** | 그 호텔은, 비록 매우 오래되었지만, 머물기에 편안했다.

해설 if, when, while, though, as 등이 이끄는 부사절과 주절의 주어가 같은 경우, 부사절의 〈S'+be〉를 생략하는 경우가 많다.

03 **Uncertainty is not the enemy, whereas hesitation is (the enemy).** | 불확실성은 적이 아닌 반면, 망설임은 적이다.

해설 앞에 나온 어구와 반복되는 the enemy를 생략할 수 있다.

04 **I didn't mean to take a taxi, but I had to (take a taxi) as I missed the bus.** | 나는 택시를 타려던 건 아니었지만, 버스를 놓쳤기 때문에 나는 택시를 타야 했다.

해설 앞에 나온 어구와 반복되는 어구(take a taxi)를 생략할 수 있다.

05 **Due to heavy snow last night, please take extra care while (you are) driving.** | 지난밤 폭설이 내린 관계로, 운전하는

동안 각별히 주의해 주십시오.

해설 if, when, while, though, as 등이 이끄는 부사절과 주절의 주어가 같은 경우, 부사절의 〈S′+be〉를 생략하는 경우가 많다.

06 **The man came out of the building and (the man) waited for a bus at the bus stop.** | 그 남자는 건물에서 나와 버스 정류장에서 버스를 기다렸다.

해설 앞에 나온 어구(The man)의 반복을 피하기 위해 the man을 생략할 수 있다.

07 **While the populations of large cities continue to rise, those in rural areas don't (continue to rise).** | 대도시들의 인구는 계속해서 느는 반면, 시골 지역들의 그것(=인구)은 계속해서 늘지 않는다.

해설 앞에 나온 어구의 반복을 피해 continue to rise를 생략할 수 있다.

08 **When (you are) considering your career options, you may get help by talking to people in the field.** | 너의 직업 선택사항을 고려할 때, 현장에 있는 사람들과 이야기함으로써 도움을 얻을지도 모른다.

해설 if, when, while, though, as 등이 이끄는 부사절과 주절의 주어가 같은 경우, 부사절의 〈S′+be〉를 생략하는 경우가 많다.

09 **The antique furniture is made by expert carpenters in much the same way as it was (made) 200 years ago.** | 그 고풍스러운 가구는 그것이 200년 전에 만들어졌던 것과 거의 같은 방식으로 숙련된 목공들에 의해 만들어진다.

해설 앞에 나온 어구의 반복을 피해 made를 생략할 수 있다.

10 **She could have told him the truth if she had decided to (tell him the truth), but she didn't (tell him the truth).** | 만약 그녀가 그에게 사실을 말하기로 결심했더라면 그에게 사실을 말할 수 있었지만, 그녀는 그에게 사실을 말하지 않았다.

해설 to-v에서 반복되는 v 이하(tell him the truth)를 생략하고 to만 남길 수 있다. 또한 but 뒤의 절에서도 앞에 나온 어구의 반복을 피해 tell him the truth를 생략할 수 있다.

---

11 **He told me that he would come, but he didn't ∨., come** | 그는 오겠다고 말했지만 그러지(오지) 않았다.

해설 앞에 나온 어구의 반복을 피하고자 come이 생략된 형태이다.

12 **Although ∨ incomplete, his report was praised for its creative ideas., it[his report] was** | 완전하지 않더라도, 그의 보고서는 창의적인 아이디어로 칭찬받았다.

해설 Although가 이끄는 부사절과 주절의 주어가 같아 부사절의 〈S′+be〉인 it[his report] was가 생략된 형태이다.

13 **If ∨ dissatisfied, you can return the item within five days of the purchase., you are** | 만약 불만족스러우시다면 당신은 그 물건을 구입 후 5일 이내에 반품하실 수 있습니다.

해설 if가 이끄는 부사절과 주절의 주어가 같아, 부사절의 〈S′+be〉인 you are가 생략된 형태이다.

14 **Seoul is the largest city in South Korea and ∨ the 18th largest city in Asia., it[Seoul] is** | 서울은 한국에서 가장 큰 도시이고 아시아에서는 18번째로 큰 도시이다.

해설 앞에 나온 어구의 반복을 피하고자 it[Seoul] is가 생략된 형태이다.

15 **I didn't want to buy jeans online, but I had to ∨ as I had no time for shopping., buy jeans online** | 나는 온라인으로 청바지를 사고 싶지 않았지만, 쇼핑할 시간이 없었기 때문에 그래야(온라인으로 청바지를 사야) 했다.

해설 buy jeans online이 반복되어 생략된 형태이다.

16 **Some of the students show positive responses to the teacher's plan while others do not ∨., show positive responses to the teacher's plan** | 일부 학생들은 그 선생님의 계획에 긍정적인 반응을 보이는 반면 다른 학생들은 그러지(그 선생님의 계획에 긍정적인 반응을 보이지) 않는다.

해설 앞에 나온 어구의 반복을 피하고자 show ~ the teacher's plan이 생략된 형태이다.

17 **A sentence should contain no unnecessary words, and a paragraph ∨ no unnecessary sentences., should contain** | 문장은 불필요한 단어를 포함하면 안 되고, 단락은 불필요한 문장을 포함하면 안 된다.

해설 앞에 나온 어구의 반복을 피하고자 should contain이 생략된 형태이다.

18 **Passengers can claim compensation unless ∨ informed of the cancellation of the flight in advance., they[the passengers] are[were]** | 사전에 항공편 취소를 통지받지 않으면[않았다면] 승객들은 보상을 요구할 수 있다.

해설 unless가 이끄는 부사절과 주절의 주어가 같아 부사절의 〈S′+be〉인 they[the passengers] are[were]가 생략된 형태이다.

19 **People who are confident in cooking tend to enjoy a greater variety of foods than those who are not ∨., confident in cooking** | 요리에 자신 있는 사람들은 그렇지 않은(요리에 자신 없는) 사람들보다 더 많은 다양한 음식들을 즐기는 경향이 있다.

해설 앞에 나온 어구의 반복을 피하고자 confident in cooking이 생략된 형태이다.

20 **Some jazz musicians can't read music but ∨ often don't bother, and their art is much involved with improvisation., they[some jazz musicians]** | 몇몇 재즈 음악가들은 악보를 읽을 수 없지만 대개 신경 쓰지 않으며, 그들의 음악은 즉흥연주가 훨씬 더 많이 수반된다.

해설 앞에 나온 어구의 반복을 피하고자 they[some jazz musicians]가 생략된 형태이다.

배점	채점 기준
3	∨를 바르게 표시한 경우
3	생략된 어구를 바르게 쓴 경우

UNIT 97 공통구문

01 **(A sting from a jellyfish) can be very painful. Or, (a sting from a jellyfish) might even cause death.** | 해파리로부터의 쏘임은 매우 고통스러울 수 있다. 또는, 해파리로부터의 쏘임은 심지어 사망을 초래할지도 모른다.

해설 A sting from a jellyfish can be very painful or even cause death.(해파리로부터의 쏘임은 매우 고통스러울 수 있거나 사망을 초래할지도 모른다.)

02 **(My friend and I planned to) borrow (bikes at the park). And (my friend and I planned to) ride (bikes at the park).** | 내 친구와 나는 공원에서 자전거를 빌리기로 계획했다. 그리고 내 친구와 나는 공원에서 자전거를 타기로 계획했다.

해설 My friend and I planned to borrow and ride bikes at the park. (내 친구와 나는 공원에서 자전거를 빌리고 타기로 계획했다.)

03 **The climate is changing (because of global warming). And the arctic glaciers are gradually melting (because of global warming).** | 지구 온난화 때문에 기후가 바뀌고 있다. 그리고 지구 온난화 때문에 북극의 빙하가 서서히 녹고 있다.

해설 The climate is changing and the arctic glaciers are gradually melting because of global warming. (지구 온난화 때문에 기후가 바뀌고 있고 북극의 빙하가 서서히 녹고 있다.)

04 **(Carbohydrates and protein) are essential for our diet. And (carbohydrates and protein) must be a regular part of our diet.** | 탄수화물과 단백질은 우리 식단에 필수적이다. 그리고 탄수화물과 단백질은 우리 식단의 일상적인 부분이 되어야 한다.

해설 Carbohydrates and protein are essential for our diet and must be a regular part of it. (탄수화물과 단백질은 우리 식단에 필수적이고 그래서 그것의 일상적인 부분이 되어야 한다.)

05 **I made a cake (for my parents on their wedding anniversary). And my sister bought silk pajamas (for my parents on their wedding anniversary).** | 나는 부모님의 결혼기념일에 부모님께 케이크를 만들어 드렸다. 그리고 내 여동생은 부모님의 결혼기념일에 부모님께 실크 잠옷을 사 드렸다.

해설 I made a cake and my sister bought silk pajamas for my parents on their wedding anniversary. (부모님의 결혼기념일에 부모님께 나는 케이크를 만들어 드렸고 내 여동생은 실크 잠옷을 사 드렸다.)

06 **X, soak** | 그는 욕조에 들어가서 30분 동안 몸을 담글 것이다.

해설 두 개의 동사(get into, soak)가 is going to에 공통으로 연결되어야 하므로 soaking을 soak로 고쳐 써야 한다.

07 **O** | 그녀는 자신을 집에 초대해주고 자신에게 맛있는 음식을 만들어준 것에 대해 그에게 감사했다.

해설 전치사 for의 목적어로 쓰인 두 개의 동명사구(inviting ~ his house, making ~ delicious food)가 She thanked him for에 공통으로 연결된 형태이다. 〈thank A for B: A에게 B에 대해 감사하다〉 ≪UNIT 82

08 **X, providing** | 객관적인 기준을 세우는 것과 건설적인 피드백을 제공하는 것은 학생들이 양질의 수업을 받도록 도울 것이다.

해설 주어로 쓰인 두 개의 동명사구(Creating objective standards, providing constructive feedback)가 will help students receive high-quality lessons에 공통으로 연결되어야 하므로 to provide를 providing으로 고쳐 써야 한다.

감점	채점 기준
-5	X는 올바르게 표시했지만, 틀린 부분을 바르게 고치지 못한 경우

09 **이 약은 약사에 의해 주어질 것이며 보험에 의해 보상되지 않을 것이다.**

해설 두 개의 동사구(be given by a pharmacist, not be covered by insurance)가 This medicine will에 공통으로 연결되어 있다.

10 **그 권투 선수는 챔피언인 것뿐만 아니라 긍정적인 태도를 가진 것으로도 유명했다.**

해설 두 개의 〈전치사+명사〉구(for being a champion, for having a positive attitude)가 The boxer was famous에 공통으로 연결되어 있다. 〈not only A but (also) B: A뿐만 아니라 B도〉 구문이 쓰였다.

UNIT 98 삽입구문

01 **(they believe), 그녀는 청소년들이 싸울 가치가 있는 것을 고수하도록 격려했다.** | 그녀는 청소년들이 그들이 믿기에 싸울 가치가 있는 것을 고수하도록 격려했다.

해설 they believe가 관계대명사(what)와 동사(is) 사이에 콤마 없이 삽입된 경우이다.

02 **(if not all), 대부분의 사람들은 군중 속에서 외로움을 느낀 일이 있다고 대답했다.** | 대부분의 사람들은, 모두 다 그런 것은 아니지만, 군중 속에서 외로움을 느낀 일이 있다고 대답했다.

해설 if not all은 '다 ~한 것은 아니지만'이라는 뜻으로 삽입구문에 자주 사용되는 관용적 표현이다.

03 **(— a celebration of Mozart —), 영화 〈아마데우스〉는 8개의 오스카상을 휩쓸었다.** | 영화 〈아마데우스〉는, 모차르트에 대한 찬양인, 8개의 오스카상을 휩쓸었다.

해설 삽입어구(a celebration of Mozart)의 앞뒤로 대시(—)가 온 경우이다.

04 **(if any), 그 사건은 미국의 유가에 많은 영향을 줄 것 같지 않다.** | 그 사건은 미국의 유가에, (영향이) 있다 하더라도, 많은 영향을 줄 것 같지 않다.

해설 if any는 '~가 있다 하더라도'라는 뜻으로 삽입구문에 자주 사용되는 관용적 표현이다.

05 **(whenever possible), 우리 엄마는 폐기물을 줄이기 위해 재생지를 사용하려고 노력하고 있으시다.** | 우리 엄마는 폐기물을 줄이기 위해, 가능할 때마다, 재생지를 사용하려고 노력하고 있으시다.

해설 whenever possible은 '가능할 때마다'라는 뜻으로 삽입구문에 자주 사용되는 관용적 표현이다.

06 **(they feel), 사람들은 자신의 진짜 감정보다 사회적으로 더 바람직한 대답을 할지도 모른다.** | 사람들은 자신의 진짜 감정보다 그들이 느끼기에 사회적으로 더 바람직한 대답을 할지도 모른다.

해설 they feel이 관계대명사(that)와 동사(are) 사이에 콤마 없이 삽입된 경우이다.

07 **(male and female alike), 이집트 사회의 엘리트 계층은 자신들의 신분을 나타내기 위해 향기를 사용하곤 했다.** | 이집트 사회의 엘리트 계층은, 남성과 여성 둘 다, 자신들의 신분을 나타내기 위해 향기를 사용하곤 했다.

해설 삽입어구(male and female alike)의 앞뒤로 콤마(,)가 온 경우이다.

08 **(and know something about), 대부분의 독자들은 그 주제에 대해 관심이 있기 때문에 기사를 읽는다.** | 대부분의 독자들은 그 주제에 관심이 있기 때문에, 그리고 그 주제에 대한 무엇인가를 알기 때문에, 기사를 읽는다.

해설 삽입어구(and know something about)의 앞뒤로 콤마(,)가 온 경우이다.

09 **(they say), 과학자들은 곧 집안일에 사용될지도 모르는 가정용 로봇을 개발하고 있다.** | 과학자들은 그들이 말하기에 곧 집안일에 사용될지도 모르는 가정용 로봇을 개발하고 있다.

해설 they say가 관계대명사(which)와 동사(may be used) 사이에 콤마 없이 삽입된 경우이다.

10 **(if possible), 만약 당신이 화재로 갇힌 것을 알게 된다면, 땅으로 몸을 낮추고 젖은 천으로 당신의 코와 입을 막으세요.** | 만약 당신이 화재로 갇히게 된다면, 땅으로 몸을 낮추고, 혹시 가능하다면, 젖은 천으로 당신의 코와 입을 막으세요.

해설 if possible은 '만약 가능하다면'이라는 뜻으로 삽입구문에 자주 사용되는 관용적 표현이다.

배점	채점 기준
5	( )를 바르게 표시한 경우
5	해석을 바르게 한 경우

UNIT 99 동격구문

01 geology, the science of the earth's crust | 그녀는 지질학, 즉 지각(地殼)에 대한 학문을 전공하고 있다.

해설 여기서 or는 geology를 달리 말하기 위한 동격 어구(the science of the earth's crust)를 이끈다.

02 the idea, exposing three-year-olds to computers | 어떤 사람들은 세 살 난 아이들을 컴퓨터에 노출시키는 생각에 동의하지 않는다.

해설 of 이하의 동격 어구(exposing ~ to computers)는 the idea의 의미를 구체적으로 설명한다.

03 the belief, that your times are the best of all possible times | 자기 시대 중심주의는 자신의 시대가 모든 가능한 시대 중에 최고라는 믿음이다.

해설 that이 이끄는 동격절(that ~ all possible times)은 the belief의 의미를 구체적으로 설명한다.

04 considerable doubt, whether the suspect was telling the truth | 한 형사가 용의자가 진실을 말하고 있는지에 대해 상당한 의문을 제기했다.

해설 whether가 이끄는 동격절(whether ~ telling the truth)이 considerable doubt의 의미를 구체적으로 설명한다.

05 a natural desire, to have more of a good thing than he needs | 인간은 자신이 필요로 하는 것보다 좋은 것을 더 많이 갖고자 하는 타고난 욕구를 가지고 있다.

해설 to-v 형태의 동격 어구(to have ~ he needs)는 a natural desire의 의미를 구체적으로 설명한다.

06 a possibility, that the Korean national archery team will go to the finals | 한국 국가 대표 양궁팀이 결승전에 진출할 것이라는 가능성이 있는 것 같다.

해설 that이 이끄는 동격절(that ~ the finals)이 a possibility의 의미를 구체적으로 설명한다.

07 The retail store, the one which sells electronics and groceries | 그 소매점은, 전자 제품과 식료품을 파는 곳인데, 최근 폐업했다.

해설 콤마(,)를 사용해서 The retail store에 대해 자세한 설명을 덧붙였다.

08 strong research evidence, that children perform better in mathematics if music is incorporated in it | 음악이 그것(=수학)에 포함되면 아이들이 수학에서 더 잘한다는 확실한 연구 증거가 있다.

해설 that이 이끄는 동격절(that ~ in it)이 strong research evidence의 의미를 구체적으로 설명한다. 여기서 it은 mathematics를 의미한다.

09 the knowledge, that they are learning a complex code | 아이들은 자신들이 복잡한 부호를 배우고 있다는 사실을 자각하지 못한 채 언어를 연습한다.

해설 that이 이끄는 동격절(that ~ code)이 the knowledge의 의미를 구체적으로 설명한다.

10 Genes, the basic parts of cells which are passed down from parents to children | 유전자는, 부모로부터 자녀에게로 전해지는 세포의 기본적인 단위인데, 인간의 행동과 관계가 있을지도 모른다.

해설 콤마(,)를 사용해서 Genes에 대해 자세한 설명을 덧붙였다.

---

11 X | 내가 개인적으로 생각하기에 하품은 친절보다 더 전염성이 강하다.

해설 I personally think는 설명을 덧붙이거나 의미를 보충하기 위해 삽입된 절이다. ≪ UNIT 98

12 O | 롱뷰라는 소도시에서의 추억이 여전히 내 마음속에 남아 있다.

해설 〈A of B〉에서 A와 B가 동격 관계인 문장이다.

13 X | 어떤 종들은 잠재적 포식자들에 대한 정보를 공유하기 위해 경계 신호를 사용한다.

해설 밑줄 친 to-v 이하는 '목적'을 나타내는 부사적 용법으로 쓰인 to부정사구이다. ≪ UNIT 54

14 X | 길의 양쪽을 따라 많은 세련된 옷 가게들과 레스토랑들이 있다.

해설 〈A of B〉에서 A가 전명구인 of B의 수식을 받는 경우로 동격 관계로 혼동하지 않도록 주의한다. 방향 부사구(Along ~ street)가 문두에 왔으므로 〈동사(stand)+주어(many ~ restaurants)〉의 어순으로 도치되었다. ≪ UNIT 94

15 O | 어머니께서 TV 드라마를 보는 동안 새 냄비를 태우셨다는 사실은 어머니를 매우 속상하게 만들었다.

해설 밑줄 친 that이 이끄는 절은 The fact의 의미를 구체적으로 설명하는 동격절이다.

16 O | 고대 그리스인들은 진주가 사랑의 여신인 아프로디테로부터 나온 굳어진 기쁨의 눈물이라고 믿었다.

해설 콤마(,)를 사용해서 Aphrodite에 대해 설명을 덧붙이는 동격구문이 쓰였다.

17 X | 친환경적으로 되기 위해, 케이트는 비닐봉지 대신 천으로 된 쇼핑 가방 또는 종이가방을 사용한다.

해설 여기서 or는 '또는'으로 해석되는 접속사이다.

18 X | 많은 사람들이 온라인에서 칭찬해 온 그 레스토랑은 실제로는 내게 형편없는 서비스를 제공했다.

해설 밑줄 친 that이 이끄는 절은 선행사 The restaurant를 수식하는 목적격 관계사절로, that 뒤에 동사 have been praising의 목적어가 없는 불완전한 문장이 왔다. ≪ UNIT 65

19 O | 동물과 상호작용하는 것은 긍정적인 기분을 촉진하는 두뇌의 화학물질인 옥시토신을 분비하는 데 도움이 될 수도 있다.

해설 콤마(,)를 사용해서 oxytocin에 대한 자세한 설명을 덧붙이는 동격구문이 쓰였다.

20 O | 다른 사람들의 무언의 행동들에 더 세심한 주의를 기울임으로써, 당신은 비언어적으로 소통하는 당신 자신의 능력을 향상시킬 것이다.

해설 밑줄 친 to-v 이하는 your own ability의 의미를 구체적으로 설명하는 동격구문으로 쓰였다.

UNIT 100 부정구문

01 **Almost** | 모든 정치적 이슈에 대해 잘 알고 있는 사람은 거의 없다. → 거의 모든 사람들이 모든 정치적 이슈에 대해 잘 알고 있지 않다.

해설 〈few: ((수)) 거의 없는〉

02 **always** | 우리 엄마의 조언은 반드시 내게 빛과 힘을 주어 왔다. → 우리 엄마의 조언은 항상 내게 빛과 힘을 주어 왔다.

해설 〈never fail to-v: 반드시 v하다(← v하는 것을 절대 실패하지 않다)〉

03 **didn't vote** | 그들의 부정부패로 인해, 나는 주요 후보자 어느 쪽에도 투표하지 않았다. → 그들의 부정부패로 인해, 나는 주요 후보자 어느 쪽에도 투표하지 않았다.

해설 neither는 '어느 쪽도 ~ 않다'는 의미로 not ~ either와 같으므로 didn't vote가 적절하다.

04 **always** | 태풍은 절대 농부들에게 심각한 피해를 입히지 않고는 오지 않는다. → 태풍이 올 때마다, 그것은 농부들에게 항상 심각한 피해를 입힌다.

해설 〈부정어 A without B〉의 부정+부정으로 '태풍은 항상[반드시] 농부들에게 심각한 피해를 입히며 온다'는 의미가 되어야 하므로 always가 적절하다.

05 **All** | 두려워서 증인들 중 누구도 법정에서 증언하는 것을 수락하지 않았다. → 두려워서 모든 증인들이 법정에서 증언하는 것을 거부했다.

해설 '모든 증인들이 증언을 거부했다'는 의미가 되어야 하므로 All이 적절하다.

06 **not always** | 겉모습은 믿을 수 없으므로, 사물은 보이는 것과 다를 수도 있다. → 겉모습은 믿을 수 없으므로, 사물은 보이는 것과 항상 같은 것은 아니다.

해설 '겉모습과 진짜 모습은 다를 수도 있다'는 의미가 되어야 하므로 '항상 ~한 것은 아니다'라는 일부 부정 의미의 not always가 적절하다.

07 **No** | 어떠한 발견도 다른 사람들에 의해서 획득된 지식을 활용하지 않고는 가능하지 않다. → 어떠한 발견도 다른 사람들에 의해서 획득된 지식을 활용하지 않고는 가능하지 않다.

해설 〈부정어 A without B〉의 부정+부정으로 '다른 사람들의 지식을 활용하지 않고는 어떤 발견도 가능하지 않다'는 의미가 되어야 하므로 '아무(것)도 ~ 않다'는 모두 부정 의미의 No가 적절하다.

---

08 **Nothing** | 꿈을 실현시키기 위해 단지 기다리기만 해서는 아무것도 얻어지지 않을 것이다.

해설 문맥상 '아무(것)도 ~ 않다'는 의미를 나타내는 모두 부정 구문이 와야 하므로 Nothing이 알맞다.

09 **without** | 독서는 언제나 큰 기쁨이었으므로, 나는 책이 없는 삶을 상상할 수 없다.

해설 as 이하의 내용으로 보아 문맥상 '책 없는 삶을 상상할 수 없다'는 의미의 부정+부정 구문이 와야 하므로 전치사 without이 알맞다.

10 **unless** | 입구에서 경비원에게 검사받지 않으면 아무도 그 건물에 들어갈 수 없다.

해설 '~하지 않으면 …할 수 없다'는 내용이 와야 하므로 unless가 알맞다.

11 **None** | 우리 중 아무도 이탈리아어로 쓰인 메뉴를 읽을 수 없어서, 우리는 영어 메뉴판을 요청했다.

해설 문맥상 '아무도 ~않다'는 의미를 나타내는 모두 부정 구문이 와야 하므로 None이 알맞다.

12 **the big gifts are not necessarily the nicest gifts**

해설 '반드시 ~한 것은 아니다'는 일부 부정인 not necessarily로 나타낼 수 있다.

13 **Not every man is born with a silver spoon**

해설 '모두 ~한 것은 아니다'는 일부 부정인 not every로 나타낼 수 있다. born with a silver spoon(은수저를 물고 태어난)은 태생부터 높은 사회적 지위를 갖거나 부유한 사람들을 일컫는 관용표현이다.

14 **could never have overcome difficulties without encouragement**

해설 'B 없이 A할 수 없다'의 의미는 부정+부정 구문인 〈never A without B〉로 나타낼 수 있다.

15 **their project was not impossible but time-consuming**

해설 '가능한'은 부정+부정인 not impossible(불가능하지 않은)로 나타낼 수 있다.

감점	채점 기준
-3	〈보기〉에서 올바른 어구를 고르고 어순도 올바르나 어형 변형이 틀린 경우

UNIT 101 주어를 부사로 해석해야 하는 구문

01 **Even though** | 컴맹은 그에게 어떤 문제도 일으키지 않았다. → 비록 그는 컴맹인 사람이지만, 그는 어떤 문제도 갖고 있지 않았다.

해설 문맥상 주어가 '양보'를 나타내는 부사적인 의미를 나타내므로 Even though가 알맞다.

02 **Thanks to** | 이 책은 내가 더 많은 한국사 지식을 얻는 데 도움이 되었다. → 이 책 덕분에, 나는 더 많은 한국사 지식을 얻었다.

해설 문맥상 주어가 '수단'을 나타내는 부사적인 의미를 나타내므로 Thanks to가 알맞다.

03 **Due to** | 두통은 때때로 내가 잠드는 것을 막는다. → 두통으로 인해, 나는 때때로 잠들 수 없다.

해설 문맥상 주어가 '원인'을 나타내는 부사적인 의미를 나타내므로 Due to가 알맞다.

04 **If** | 마른 티백을 냄새나는 신발 안에 넣어두는 것은 악취를 흡수할 것이다. → 마른 티백을 냄새나는 신발 안에 넣어두면, 그것들이 악취를 흡수할 것이다.

해설 문맥상 주어가 '조건'을 나타내는 부사적인 의미를 나타내므로 If가 알맞다.

05 **When** | 소셜 미디어의 사용은 사람들이 더 디지털로 연결되는 것을 가능하게 한다. → 사람들이 소셜 미디어를 사용할 때, 그들은 더 디지털로 연결될 수 있다.

해설 문맥상 주어가 '시간'을 나타내는 부사적인 의미를 나타내므로 When이 알맞다.

06 **The heavy rain** | 폭우로 인해 그들은 그날의 소풍 계획을 미뤘다. → 폭우가 그들이 그날의 소풍 계획을 미루도록 했다.

해설 '원인'을 나타내는 부사구 because of the heavy rain을 무생물 주어 The heavy rain으로 바꿔 쓸 수 있다.

07 **An hour's flight over the Andes** | 안데스 산맥을 넘는 한 시간의 비행 후에, 우리는 페루 공항에 도착했다. → 안데스 산맥을 넘는 한 시간의 비행이 우리를 페루 공항에 데리고 갔다.

해설 '시간'을 나타내는 부사절 After ~ the Andes를 무생물 주어 An hour's flight over the Andes로 바꿔 쓸 수 있다.

08 **Courage** | 당신이 용기를 가지면, 어떤 어려움과 장애물도 사라질 것이다. → 용기가 어떤 어려움과 장애물도 사라지게 한다.

해설 '조건'을 나타내는 부사절 Once ~ courage를 무생물 주어 Courage로 바꿔 쓸 수 있다.

09 **A visit to an art gallery** | 미술관을 방문하면, 당신은 많은 멋진 그림들을 볼 수 있을 것이다. → 미술관으로의 방문은 당신이 많은 멋진 그림들을 볼 수 있도록 할 것이다.

해설 '조건'을 나타내는 부사절 If ~ an art gallery를 무생물 주어 A visit to an art gallery로 바꿔 쓸 수 있다.

10 **Processing a song's lyrics** | 노래의 가사들을 처리하는 동안에 당신은 뇌의 왼쪽 부분(좌뇌)을 사용할 것이다. → 노래의 가사들을 처리하는 것은 당신이 뇌의 왼쪽 부분(좌뇌)을 사용하도록 요구한다.

해설 시간을 나타내는 부사절 while ~ a song's lyrics를 무생물 주어 Processing a song's lyrics로 바꿔 쓸 수 있다.

MEMO

MEMO

1001 SENTENCES **BASIC**

천일문 기본 문제집

영문법 학습의 올바른 시작과 완성은 문법이 제대로 표현된 문장을 통해서만 얻어질 수 있다고 생각합니다. 심혈을 기울여 엄선한 문장으로 각 문법의 실제 쓰임새를 정확히 보여주는 천일문은 마치 어두운 동굴을 비추는 밝은 횃불과 같습니다. 만약 제가 다시 학생으로 돌아간다면, 주저하지 않고 선택할 첫 번째 교재입니다. '학습에는 왕도가 없다'라는 말이 있지요. 천일문은 그럴싸해 보이는 왕도나 허울만 좋은 지름길 대신, 멀리 돌아가지 않는 바른길을 제시합니다. 영어를 영어답게 접근하는 방법, 바로 천일문에 해답이 있습니다.

황성현 | 서문여자고등학교

변화하는 시대의 학습 트렌드에 맞춘 고급 문장들과 정성스러운 해설서 천일비급, 빵빵한 부가 학습자료들로 더욱 업그레이드되어 돌아온, 천일문 개정판의 출시를 진심으로 축하드립니다. 전체 구성뿐만 아니라 구문별로 꼼꼼하게 선별된 문장 하나하나에서 최고의 교재를 만들기 위한 연구진들의 고민 흔적이 보입니다. 내신과 수능, 공시 등 어떤 시험을 준비하더라도 흔들리지 않을 탄탄한 구문 실력을 갖추길 원하는 학습자들에게 이 교재를 강력히 추천합니다.

김지연 | 송도탑영어학원

그동안 천일문과 함께 한지도 어느새 10년이 훌쩍 넘었습니다. 천일문은 학생들의 영어교육 커리큘럼에 필수 교재로 자리매김하였고, 항상 1,000문장이 끝나면 학생들과 함께 자축 파티를 하던 때가 생각납니다. 그리고 특히 이번 천일문은 개정 작업에 참여하게 되어 개인적으로 더욱 의미가 있습니다.
교육 현장의 의견을 적극적으로 반영하고 참신한 구성과 문장으로 새롭게 변신한 천일문은 대한민국 영어교육의 한 획을 그을 교재가 될 것이라 확신합니다.

황승휘 | 에버스쿨 영어학원

문법을 자신의 것으로 만드는 방법은 어렵지 않습니다. 좋은 교재로 반복하고 연습하면 어제와 내일의 영어성적은 달라져 있을 겁니다. 저에게 진짜 좋은 책 한 권, 100권의 문법책보다 더 강력한 천일문 완성과 함께 서술형에도 강한 영어 실력자가 되길 바랍니다.

민승규 | 민승규영어학원

저는 본래 모험을 두려워하는 성향입니다. 하지만 제가 전공인 해운업계를 떠나서 영어교육에 뛰어드는 결정을 내릴 수 있었던 것은 바로 이 문장 덕분입니다.

"Life is a journey, not a guided tour." 인생은 여정이다, 안내를 받는 관광이 아니라.
- 천일문 기본편 461번 문장

이제 전 확실히 알고 있습니다. 천일문은 영어 실력만 올려주는 책이 아니라, 영어라는 도구를 넘어 수많은 지혜와 통찰을 안겨주는 책이라는 것을요. 10대 시절 영어를 싫어하던 제가 내신과 수능 영어를 모두 1등급 받을 수 있었던 것, 20대 중반 유학 경험이 없는 제가 항해사로서 오대양을 누비며 외국 해운회사를 상대로 온갖 의사전달을 할 수 있었던 것, 20대 후반 인생에 고난이 찾아온 시기 깊은 절망감을 딛고 재기할 수 있었던 것, 30대 초반 온갖 도전을 헤치며 힘차게 학원을 운영해 나가고 있는 것, 모두 천일문에서 배운 것들 덕분입니다. 이 책을 학습하시는 모든 분들이, 저처럼 천일문의 막강한 위력을 경험하시면 좋겠습니다.

한재혁 | 현수학영어학원

최고의 문장과 완벽한 구성의 "본 교재"와 학생들의 자기주도 학습을 돕는 "천일비급"은 기본! 학습한 것을 꼼꼼히 점검할 수 있게 구성된 여러 단계(해석, 영작, 어법 수정, 문장구조 파악 등)의 연습문제까지! 대한민국 최고의 구문교재가 또 한 번 업그레이드를 했네요!
"모든 영어 구문 학습은 천일문으로 통한다!"라는 말을 다시 한번 실감하게 되네요!
메타인지를 통한 완벽한 학습!
새로운 천일문과 함께 하십시오.

이헌승 | 스탠다드학원

고등 내신에도, 수능에도 가장 기본은 정확하고 빠른 문장 파악! 문법 구조에 따라 달라지는 문장의 의미를 어려움 없이 이해할 수 있게 도와주는 구문 독해서! 추천합니다!

안미영 | 스카이플러스학원

"천일문"은 단지 수능과 내신 영어를 위한 교재가 아니라, 언어의 기준이 되는 올바른 영어의 틀을 형성하고, 의미 단위의 구문들을 어떻게 다루면 좋을지를 스스로 배워 볼 수 있도록 해주는 교재라고 생각합니다.
단순히 독해를 위한 구문 및 어휘를 배우는 것 이상으로, (어디로나 뻗어나갈 수 있는) 탄탄한 기본기를 형성을 위한 매일 훈련용 문장으로 이보다 더 좋은 시리즈가 있을까요.
학생들이 어떤 목표를 정하고 그곳으로 가고자 할 때, 이 천일문 교재를 통해 탄탄하게 형성된 영어의 기반이 그 길을 더욱 수월하게 열어줄 것이라고 꼭 믿습니다.

박혜진 | 박혜진영어연구소

최근 학습에 있어 가장 핫한 키워드는 문해력이 아닌가 싶습니다. 영어 문해력을 기르기 위한 기본은 구문 분석이라 생각합니다.
다년간 천일문의 모든 버전을 가르쳐본 결과 기초가 부족한 학생들, 구문 학습이 잘 되어 있는데 심화 학습을 원하는 학생들 모두에게 적격인 교재입니다.
천일문 교재를 통한 영어 문장 구문 학습은 문장 단위에서 시작하여 더 나아가 글을 분석적으로 읽을 수 있어 영어 문해력에 도움이 되어 자신 있게 추천합니다.

아이린 | 광주광역시 서구

쎄듀 초·중등 커리큘럼

예비초 | 초1 | 초2 | 초3 | 초4 | 초5 | 초6

- **구문**
  - 신간 천일문 365 일력 | 초1-3 | 교육부 지정 초등 필수 영어 문장
  - 초등코치 천일문 SENTENCE — 1001개 통문장 암기로 완성하는 초등 영어의 기초
- **문법**
  - 초등코치 천일문 GRAMMAR — 1001개 예문으로 배우는 초등 영문법
  - 왓츠 Grammar — Start (초등 기초 영문법) / Plus (초등 영문법 마무리)
- **독해**
  - 왓츠 리딩 70 / 80 / 90 / 100 A / B — 쉽고 재미있게 완성되는 영어 독해력
- **어휘**
  - 초등코치 천일문 VOCA&STORY — 1001개의 초등 필수 어휘와 짧은 스토리
  - 패턴으로 말하는 초등 필수 영단어 1 / 2 — 문장 패턴으로 완성하는 초등 필수 영단어
- **ELT**
  - Oh! My PHONICS 1 / 2 / 3 / 4 — 유·초등학생을 위한 첫 영어 파닉스
  - Oh! My SPEAKING 1 / 2 / 3 / 4 / 5 / 6 — 핵심 문장 패턴으로 더욱 쉬운 영어 말하기
  - Oh! My GRAMMAR 1 / 2 / 3 — 쓰기로 완성하는 첫 초등 영문법

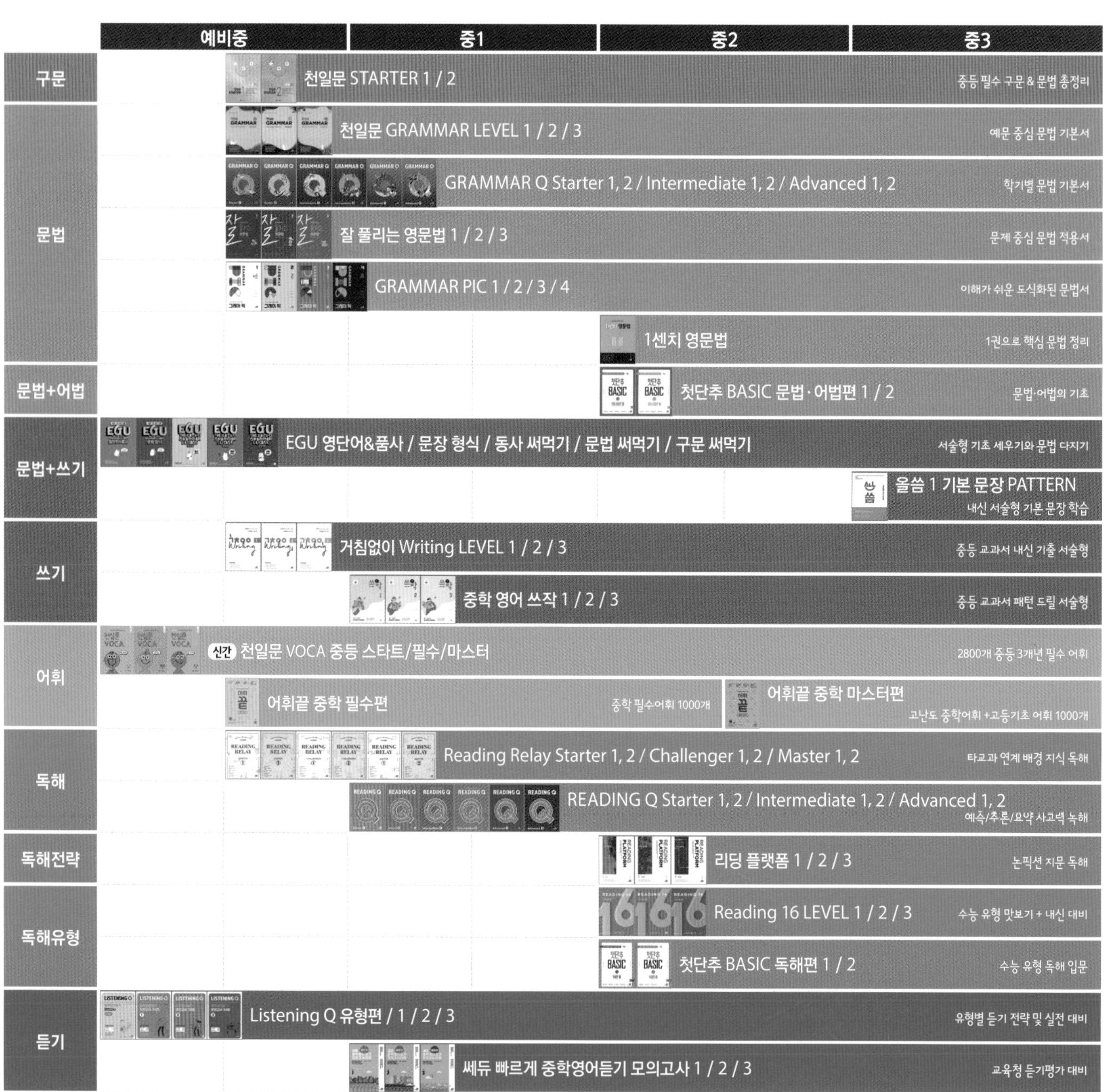

별책해설집

천일문 기본 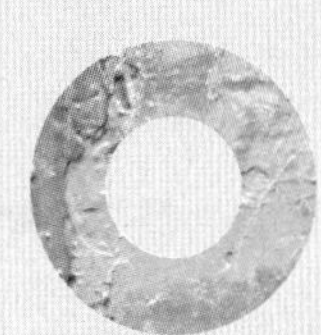 천일비급

HOW TO STUDY

Point 1 천일비급 학습법

1 학습 계획을 세운다. (비급 p. 4~7)

하루에 공부할 양을 정해서 천일문 학습을 끝까지 해낼 수 있도록 합니다.

P A R T 1 문장의 구성

CHAPTER	UNIT	PAGE	학습 예정일	완료 여부
01 동사와 문장의 기본 구조	01 SV	9	7/12	✔
	02 SVA	10	7/13	✔
	03 SVC	11	7/14	✔
	04 SVO/SVOA	13	7/15	✔

2 본책 학습과 병행하여 확인하고 보충한다.

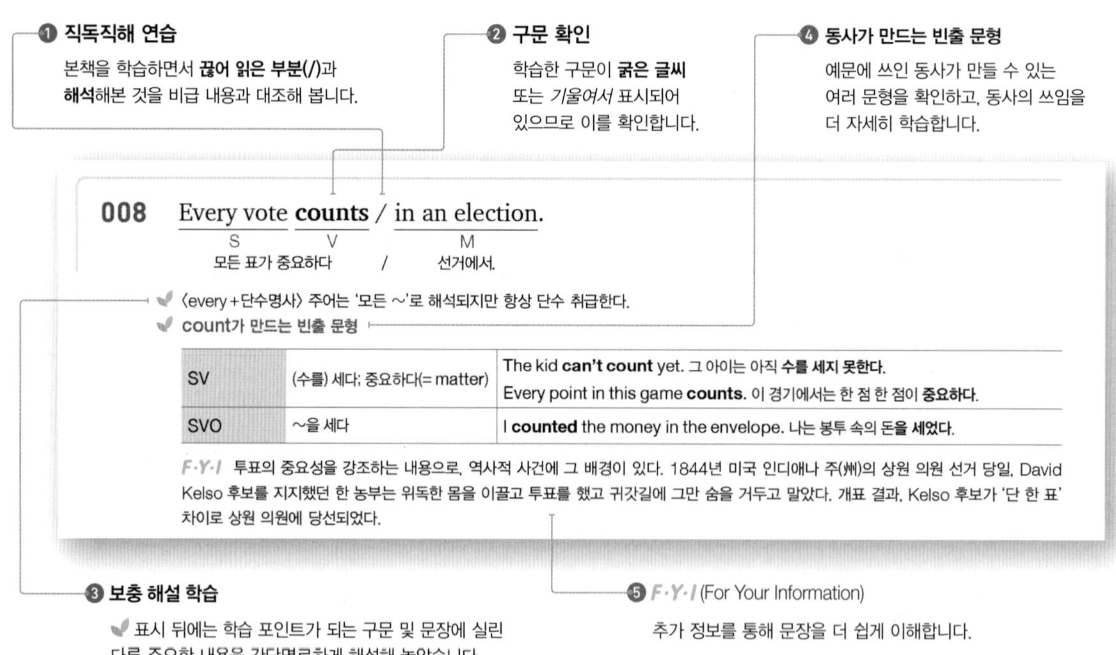

❶ 직독직해 연습
본책을 학습하면서 **끊어 읽은 부분(/)**과 **해석**해본 것을 비급 내용과 대조해 봅니다.

❷ 구문 확인
학습한 구문이 **굵은 글씨** 또는 *기울여서* 표시되어 있으므로 이를 확인합니다.

❹ 동사가 만드는 빈출 문형
예문에 쓰인 동사가 만들 수 있는 여러 문형을 확인하고, 동사의 쓰임을 더 자세히 학습합니다.

008 Every vote **counts** / in an election.
S V M
모든 표가 중요하다 / 선거에서.

✔ 〈every+단수명사〉 주어는 '모든 ~'로 해석되지만 항상 단수 취급한다.
✔ count가 만드는 빈출 문형

SV	(수를) 세다; 중요하다(= matter)	The kid **can't count** yet. 그 아이는 아직 **수를 세지 못한다.** Every point in this game **counts.** 이 경기에서는 한 점 한 점이 **중요하다.**
SVO	~을 세다	I **counted** the money in the envelope. 나는 봉투 속의 돈을 **세었다.**

F·Y·I 투표의 중요성을 강조하는 내용으로, 역사적 사건에 그 배경이 있다. 1844년 미국 인디애나 주(州)의 상원 의원 선거 당일, David Kelso 후보를 지지했던 한 농부는 위독한 몸을 이끌고 투표를 했고 귀갓길에 그만 숨을 거두고 말았다. 개표 결과, Kelso 후보가 '단 한 표' 차이로 상원 의원에 당선되었다.

❸ 보충 해설 학습
✔ 표시 뒤에는 학습 포인트가 되는 구문 및 문장에 실린 다른 주요한 내용을 간단명료하게 해설해 놓았습니다.

❺ *F·Y·I* (For Your Information)
추가 정보를 통해 문장을 더 쉽게 이해합니다.

3 MP3 파일을 들으며 리스닝 훈련을 한다.

원어민의 발음을 익히고 리스닝 실력까지 키우도록 합니다. (본책 유닛명 오른쪽의 QR코드를 스캔하면 MP3를 들을 수 있습니다.)

Point 2 천일비급에 쓰이는 기호

기본 사항 |

000	기본 예문	p.p.	과거분사	C	보어
000	중요 예문	v	동사원형 · 원형부정사	M	수식어
=	동의어, 유의어	S	주어	A	부사적 어구
↔	반의어	V	동사	/, //	끊어 읽기 표시
( )	생략 가능 어구	O	목적어		
[ ]	대체 가능 어구	IO	간접목적어		
to-v	to부정사	DO	직접목적어		
v-ing	동명사 또는 현재분사				

글의 구조 이해를 돕는 기호들 |

( )	앞의 명사를 수식하는 형용사구/생략어구	**( )**	삽입어구
[ ]	선행사를 수식하는 관계사절		
●	관계사절에서 원래 명사가 위치했던 자리		
▭	어구나 절을 연결하는 접속사 등		
S′	종속절의 주어/진주어	V′	종속절 · 준동사구 내의 동사
O′	종속절 · 준동사구 내의 목적어/진목적어/전치사의 목적어		
C′	종속절 · 준동사구 내의 보어	M′	종속절 · 준동사구 내의 수식어
S_1(아래첨자)	중복되는 문장 성분 구분		

기호 사용의 예 |

Healthy eating(S) is(V) really important(C) // if you(S′) want(V′) to become(V′) fit and healthy(C′)(O′).

(to become fit and healthy의 to부정사구는 if가 이끄는 부사절 내에서 목적어 역할이고, to부정사구에서 become은 동사 역할, fit and healthy는 보어 역할을 한다는 뜻)

일러두기 |

- 해석은 직역을 원칙으로 하였고, 직역으로 이해가 어려운 문장은 별도로 의역을 삽입함.
- 본 책에서의 끊어 읽기 표시(/, //)는 문장의 구조 분석을 위한 의미 단위를 기준으로 함.
  (원어민이 문장을 말할 때 끊는 부분(pause)과는 일치하지 않을 수 있음.)
  어구의 끊어 읽기는 / 로 표시하고, 구조상 보다 큰 절과 절의 구분은 // 로 표시함.
- 수식을 받는 명사(또는 선행사), 형용사, 동사는 글씨를 굵게 하거나 기울여 눈에 띄게 함.

CONTENTS & SCHEDULE

PART 1 문장의 구성

PART 2 서술어의 이해

PART

1

문장의 구성

UNIT 01 SV

001 Success **happens** / to everyone. Just don't **give up**.

S V M M V

성공은 일어난다 / 모든 사람들에게. 그저 포기하지만 마라.

✔ **SV문형 대표 동사**
happen, occur (일이) 일어나다 / appear 나타나다 / be 있다, 존재하다 / rise 오르다 / die 죽다 / fall 떨어지다 / grow 자라다 / run 달리다

✔ **SV문형에 쓰이는 구동사(phrasal verb)**
give up 포기하다, run away 도망가다, wake up 잠에서 깨다, get up (잠자리에서) 일어나다, come in 들어오다, sit down 앉다, make up 화해하다, take off 이륙하다, break up 헤어지다, break down 고장 나다, carry on 계속하다 등

✔ SV문형에 주로 쓰이는 대표 동사 중 be동사는 〈there is[are] ~〉의 형태로 자주 쓰이고 '~이 있다'라고 해석한다. 이때, there는 따로 해석하지 않는다.
e.g. There is no royal road to learning. 배움으로 가는 왕도(王道)는 없다. (→ 배움에 있어 쉬운 길은 없다.)
V S

002 Much of learning **occurs** / through trial and error. – 모의응용

S V M

배움의 많은 부분이 일어난다 / 시행착오를 거쳐서.

✔ 〈much of + 셀 수 없는 명사〉가 주어인 경우 단수 취급하여 단수동사가 온다.

003 Your success **grows** / from your struggles (in life).

S V M

당신의 성공은 커진다 / 당신의 노력으로부터 (인생에서의).

✔ **grow가 만드는 빈출 문형**

SV	자라다; 증가하다	The plants **can't grow** in poor soils. 식물들은 척박한 토양에서 **자랄 수 없다**. The number of the computer users **grew** rapidly. 컴퓨터 사용자의 수가 급격히 **증가했다**.
SVC	~해지다[하게 되다]	He **grew** impatient as time went on. 시간이 흐르면서 그는 조급**해졌다**.
SVO	~을 기르다[키우다]	My father **grows** a beard. 우리 아버지는 수염**을 기르신다**.

004 I **wake up** / at 6 o'clock every day / from force of habit.

S V M M M

나는 잠에서 깬다 / 매일 6시에 / 습관의 힘으로.

005 Skin color **doesn't matter** / in friendship.

S V M

피부색은 문제가 되지 않는다 / 우정에 있어서.

✔ matter는 '문제, 일; 물질' 등의 의미로만 알고 있기 쉬우나 '중요하다; 문제가 되다' 등의 의미를 가진 동사로도 쓰이는 것에 유의한다.

006 The vegetarian diet **worked** / well / for my health.

S V M M

채식주의 식단은 효과가 있었다 / 상당히 / 내 건강에.

✔ *cf.* My phone's GPS **isn't working** properly. 내 전화기의 GPS가 제대로 **작동이 안 되고 있다**.

007 Honesty **will pay** / in the end.
S V M
정직은 이익이 될 것이다 / 결국에는.
→ 정직하게 살면 결국에 보답을 받을 것이다.

008 Every vote **counts** / in an election.
S V M
모든 표가 중요하다 / 선거에서.

- 〈every+단수명사〉 주어는 '모든 ~'로 해석되지만 항상 단수 취급한다.
- **count가 만드는 빈출 문형**

SV	(수를) 세다; 중요하다(= matter)	The kid **can't count** yet. 그 아이는 아직 **수를 세지 못한다**. Every point in this game **counts**. 이 경기에서는 한 점 한 점이 **중요하다**.
SVO	~을 세다	I **counted** the money in the envelope. 나는 봉투 속의 돈을 **세었다**.

F·Y·I 투표의 중요성을 강조하는 내용으로, 역사적 사건에 그 배경이 있다. 1844년 미국 인디애나 주(州)의 상원 의원 선거 당일, David Kelso 후보를 지지했던 한 농부는 위독한 몸을 이끌고 투표를 했고 귀갓길에 그만 숨을 거두고 말았다. 개표 결과, Kelso 후보가 '단 한 표' 차이로 상원 의원에 당선되었다.

009 A glass of water **will do** / for me.
S V M
물 한 잔이면 충분할 것이다 / 나에게.

- 셀 수 없는 명사 water의 수량을 나타낼 때는 주로 명사 앞에 a glass of 등을 함께 쓴다.
- **do가 만드는 빈출 문형**

SV	되어 가다[하다]; 행동하다; 충분하다	My son **is doing** well at school. 우리 아들은 학교에서 **잘하고 있다**.
SVO	~을 하다	I'**ll do** my homework this weekend. 나는 이번 주말에 숙제를 **할 것이다**.
SVOO	IO에게 DO를 베풀다	**Would** you **do** me the honor of dining with me? 제게 함께 식사하는 영광을 **베풀어 주시겠어요**?

010 The meeting **lasted** / two hours.
S V M
그 회의는 계속되었다 / 두 시간 동안.

- *cf.* Bad times **won't last**. 어려운 시기는 **오래 가지 않을 것이다**.
- 명사구 two hours는 부사 역할을 할 수 있다. ▶Further Study p.25

UNIT 02 SVA

011 The next flight **will be** / **at 2:00 p.m.**
S V A
다음 항공편은 있을 것이다 / 오후 2시에.

- be동사는 SV문형에서는 '존재하다'라는 의미의 '있다'이고, SVA문형에서는 '(언제·어디에) 있다, (어디에) 위치하다'의 의미이다.
  e.g. Your wallet **is** on the desk. 네 지갑은 책상 위에 **있다**.
- 시간을 나타내는 숫자(즉, 시각) 앞에는 전치사 at을 사용한다.
- **부사적 어구(A)를 취하는 동사**
  be 있다 / stand, lie (위치해) 있다 / stay 계속 있다, 머무르다 / live 살다 / go 가다 / come 오다 / get 도착하다 / remain 남아 있다 등

012 The castle **stands** / **on top** (of the mountain).
S V A
그 성은 (~에 위치해) 있다 / 정상에 (그 산의).

stand가 만드는 빈출 문형

SV	(일어)서다	Everyone **stood** when the teacher came in. 선생님이 들어오시자 모두가 **일어섰다**.
SVA	(~에) 서[위치해] 있다	He **stood** on the subway platform. 그는 지하철 승강장에 **서 있었다**.
SVC	~인 상태에 있다	The room **stood** empty for a long time. 그 방은 오랫동안 비어 **있었다**.
SVO	~을 참다[견디다]	I **can't stand** people with no manners. 나는 예의가 없는 사람들**을 참을 수 없다**.

013 Dokdo **lies** / **in the East Sea** (between Korea and Japan).
S V A
독도는 (~에 위치해) 있다 / 동해에 (한국과 일본 사이의).

014 I **will stay in bed** / and get an extra 5 minutes' sleep.
S V1 A1 V2 O2
나는 침대에 계속 있을 것이다 / 그리고 5분을 더 잘 것이다.

015 We **live** / **in a rapidly changing information society**.
S V A
우리는 살고 있다 / 빠르게 변화하는 정보(화) 사회에.

016 My friends and I **went** / **to a museum** / last week.
S V A M
내 친구들과 나는 갔다 / 박물관에 / 지난주.

명사구 last week는 부사 역할을 할 수 있다. ▶Further Study p.25

UNIT 03 SVC

017 The 21st century **is** / ***the age*** (of information and knowledge). - 모의
S V C (S = C)
21세기는 ~이다 / 시대 (정보와 지식의).

보어로 명사나 형용사가 쓰이는 것은 명사인 주어를 설명하기 때문인 것으로 볼 수 있다. (대)명사 보어는 주어와 의미적으로 동격을 이루고, 형용사 보어는 주어의 성질, 상태를 설명한다.

of information and knowledge는 명사 the age를 수식하는 형용사구(<전치사+명사>구)이다. ▶Further Study p.27

SVC문형을 이루는 동사들은 조금씩 의미 차이는 있지만, 모두 '~이다'로 해석해도 의미가 잘 통하는 be동사 계열이다. ((계속해서) ~이다, ~가 되다, ~인 것 같다, ~하게 보이다, ~하게 들리다 등)

018 Water **is** ***vital*** / for our brain to function smoothly. - 모의응용
S V C M
물은 필수적이다 / 우리 뇌가 원활하게 기능하는 데.

for our brain은 to function smoothly의 의미상의 주어 ▶UNIT 12

F·Y·I 뇌는 우리 몸에서 에너지가 가장 많이 필요한 기관이며, 뇌의 75%가 물로 구성되어 있다. 물을 많이 소모하는 뇌는 수분이 1%만 부족해도 주의력과 기억력 등의 기능 저하가 시작되므로 적절한 수분 공급이 필수다.

019 A passion (for pleasure) / **is** ***the secret*** (of remaining young).
S V C (V' C')
열정은 (즐거움에 대한) / 비결이다 (젊은 채로 있을 수 있는).
- Oscar Wilde ((아일랜드 소설가))

전치사 of의 목적어로 동명사구(remaining young)가 쓰였다. ▶UNIT 19

020 Access (to medical services) / **remains *a problem*** / in many parts of the world. - 모의응용

S / V / C / M

접근성은 (의료 서비스의) / 문제로 남아 있다 / 세계 여러 지역에서.

✔ to medical services는 명사 Access를 수식하는 형용사구(〈전치사+명사〉)구이다.

021 Just **be *yourself***, // [and] **stay *true*** to your values.

M V1 C1 V2 C2 M

그저 (있는 그대로의) 너 자신이 되어라. // 그리고 너의 가치관에 충실해라.

022 You **don't get *older***; // you **get *better***. - Shirley Bassey ((英 가수))

S1 V1 C1 S2 V2 C2

당신은 나이가 드는 것이 아니다. // 당신은 더 나아지는 것이다.

✔ **get이 만드는 빈출 문형**

SVA	(장소 · 위치에) 도착하다[이르다]	We just **got** to New York. 우리는 방금 뉴욕에 **도착했다**.
SVC	(어떤 상태가) 되다[되게 하다]	He **got** angry with me because of my remark. 그는 내 발언 때문에 내게 화가 **났다**.
SVO	~을 얻다[받다]; 사다	Where **did** you **get** the idea from? 너는 그 아이디어를 어디서 **얻었니**?
SVOO	IO에게 DO를 가져다주다	**Get** me a glass of water. 제**게** 물 한 잔**을 가져다주세요**.
SVOC	O가 C하게 하다	My friend **got** me to help him with his homework. 내 친구는 내**가** 자신의 숙제를 도와주**게 했다**.

023 Proper nutrition and relaxation / **seem *important*** for students.

S / V C M

적당한 영양분과 휴식이 / 학생들에게 중요해 보인다.

✔ **seem, appear 문장 구조:** 비슷한 의미인 look과 비교해서 알아두자.
She **seems[appears] (to be)** happy. 그녀는 행복해 보인다. 〈look to be 형용사〉는 잘 쓰지 않음
It **seems[appears] (that)** she is happy. ***cf.*** It **looks that** she is happy. (×)

024 Children **can feel *insecure*** / in a new environment.

S V C / M

아이들은 불안해 할 수 있다 / 새로운 환경에서.

025 This cough medicine (for kids) / **tastes *like fruit***.

S / V C

이 기침약은 (아이들을 위한) / 과일 맛이 난다.

✔ 감각동사가 보어로 명사를 쓸 때는 〈like+명사〉 형태의 〈전치사+명사〉구를 취한다.
〈look[sound, feel, taste, smell] like+명사〉
e.g. You **look like** a model. 너는 모델 **같아 보인다**.

어법 직결 **026** This ring **looks *lovely*** / with my other rings.

S V C / M

이 반지는 예뻐 보인다 / 나의 다른 반지들과 함께.

정답 | O
해설 | 앞에 감각동사 look이 왔으므로 밑줄 친 부분에는 보어 자리에 올 수 있는 형용사가 와야 한다. 따라서 lovely는 적절하다.

✔ look '**~하게** 보이다', sound '**~하게** 들리다'처럼 보어의 자연스런 우리말 해석이 부사인 때도 있지만, 보어 자리에는 절대 부사가 올 수 없다.

✔ -ly로 끝나는 형용사(주로 〈명사+-ly〉)를 부사로 착각하지 않도록 주의한다.
- 〈명사+-ly〉: lovely 사랑스러운, friendly 친절한, elderly 나이든, costly 값비싼, manly 남자다운
- 기타: lonely 외로운, lively 활기찬, deadly 치명적인, likely 일어날 듯한, timely 시기적절한

e.g. He looked so **manly** in his uniform. 그는 제복을 입으니 아주 **남자다워** 보였다.

어법 직결 **027** The music **sounded** very ***loud***, // so we had to shout to each other.

S V C S′ V′ M′

음악이 매우 크게 들렸다. // 그래서 우리는 서로 큰 소리로 말해야 했다.

정답 | **X, loud**

해설 | 앞에 감각동사 sound가 왔으므로 밑줄 친 부분에는 보어 자리에 올 수 있는 형용사가 와야 한다. 부사(loudly)는 보어 자리에 절대 올 수 없으므로 형용사 loud로 고쳐 쓴다.

028 My dream **came *true*** / after all.

S V C M

나의 꿈은 실현되었다 / 결국에는.

029 In extremely hot weather, / dairy products **go *bad*** easily.

M S V C M

극도로 더운 날씨에는, / 유제품이 쉽게 상한다.

✔ 모든 문장이 주어로 시작하는 것은 아니다. 위 문장과 같이 부사구가 문두에 오는 경우도 있다.

030 She **turned *pale*** / at the sight of blood.

S V C M

그녀는 창백해졌다 / 피를 보고는.

✔ **turn이 만드는 빈출 문형**

SV	(몸을) 돌리다, 돌다	We **turned** and headed for home. 우리는 **몸을 돌려** 집으로 향했다.
SVC	(~인 상태로) 변하다; ~되다[해지다]	The weather **has turned** hot. 날씨가 더워**졌다**.
SVO	~을 뒤집다[돌리다]	**Turn** the socks inside out before you wash them. 세탁하기 전에 양말**을 뒤집어라**.

031 Our Earth is suffering // and time **is running *short***. We must act now.

S_1 V_1 S_2 V_2 C_2 S V M

우리의 지구는 고통 받고 있다 // 그리고 시간은 부족해져 간다. 우리는 이제 행동해야만 한다.

✔ 여기서 must는 충고/의무를 나타내는 조동사 ▶**UNIT 33**

UNIT 04 SVO/SVOA

032 A bad workman / **blames *his tools***. - Proverb

S V O

서투른 직공이 / 자신의 연장을 탓한다.

↳ 자신의 능력 부족을 인정하지 않고 원인을 다른 곳으로 돌린다.

033 **Don't put *the cart*** / ***before the horse***. - 모의응용

V O A

수레를 놓지 마라 / 말 앞에.

↳ 일의 순서가 뒤바뀌게 하지 마라.

✔ 위 문장과 같이 목적어 다음에 반드시 부사적 어구(A)가 와야 문장의 의미가 완전해지는 경우가 있다.

034 According to an old saying, / great hopes **make** ***great men***.

M / S V O

옛말에 이르기를, / 큰 포부가 큰 사람을 만든다.

✔ "Great hopes make great men."은 영국의 역사가 Thomas Fuller의 명언이다.

✔ **make가 만드는 빈출 문형**

SVC	~이 되다	He **will make** an excellent teacher one day. 그는 언젠가 훌륭한 선생님**이 될 것이다**.
SVO	~을 만들다	The birds **made** their nests in the roof. 새들이 지붕에 둥지**를 만들었다**.
SVOO	IO에게 DO를 만들어주다	My mom **makes** me a special cake. 우리 엄마는 나**에게** 특별한 케이크**를 만들어주신다**.
SVOC	O가 C가 되도록 하다	Advanced technology **makes** our lives easier. 선진 기술은 우리 삶**을** 더욱 편리**하게 해준다**.

035 The term K-pop / **describes** ***contemporary Korean pop music***.

S V O

K-pop이라는 용어는 / 현대의 한국 대중음악을 묘사한다.

036 One kind word / **can change** ***someone's entire day***.

S V O

한 마디의 친절한 말이 / 누군가의 하루 전체를 변화시킬 수 있다.

037 Depth (of friendship) / **does not depend on** / ***length*** (of acquaintance).

S V O

깊이는 (우정의) / (~에) 달려 있지 않다 / 기간에 (친분의).

↳ 우정의 깊이는 알고 지낸 기간에 달려 있지 않다.

✔ **SVO문형에 쓰이는 구동사(phrasal verb)**

look for ~을 찾다, depend[rely] on ~에 달려 있다, look at ~을 보다, put off ~을 미루다, take care of ~을 보살피다, look forward to ~을 고대하다, look up to ~을 존경하다 등

038 I **look forward to** / ***meeting you in person***.

S V O (V′ O′ M′)

나는 고대한다 / 당신을 직접 만나는 것을.

039 Please **place** ***the plant*** / ***close to the window***.

V O A

그 식물을 놓아주세요 / 창문 가까이에.

✔ close to(~가까이에)는 두 단어로 이루어진 구전치사

040 **Keep** ***your valuables*** / ***in a safe place***.

V O A

귀중품을 보관하세요 / 안전한 장소에.

✔ **keep이 만드는 빈출 문형**

SVC	(특정 상태 · 위치를) 유지하다 [계속 있다]; 계속해서 ~하다	Birds **keep** warm by ruffling up their feathers. *ruffle up (깃을) 곤두세우다 새들은 깃털을 세워 온기를 **유지한다**. Their population **keeps** growing. 그들의 개체 수는 **계속해서** 증가**한다**.
SVO	~을 유지하다[가지고 있다]; (비밀·약속을) 지키다; (일기 등을) 쓰다; ~하지 못하게 하다 ((from))	**Keep** the balance. 균형**을 유지하세요**. He **kept** his promise to visit them. 그는 그들을 방문하겠다는 약속을 **지켰다**. **Do** you **keep** a diary every day? 너는 매일 일기를 **쓰니**? Healthy foods **can keep** you from getting sick. 건강식품은 당신**이** 아프지 **않게 할 수 있다**.
SVOA	O를 ~에 넣다[보관하다]	She **keeps** her diary in her desk. 그녀는 자신의 일기장**을** 책상**에 보관한다**.
SVOC	O가 (계속) C하게 하다	This raincoat **will keep** you dry in the rain. 이 비옷은 빗속에서 당신**이** 젖지 않**게 해줄 것이다**.

UNIT 05 SVOO

041 Life **doesn't give** ***people*** / ***a second chance***. - 모의응용

S V IO DO

인생은 사람들에게 (~을) 주지 않는다 / 두 번째 기회를.

→ Life doesn't give a second chance **to** people.

042 Time and experience / **will teach** ***you*** / ***priceless lessons***.

S V IO DO

시간과 경험은 / 네게 가르쳐줄 것이다 / 값을 매길 수 없는 교훈들을.

→ Time and experience will teach priceless lessons **to** you.

043 Nobody **can bring** ***you peace*** / but yourself. - Ralph Waldo Emerson ((美 사상가이자 시인))

S V IO DO M

아무도 너에게 평화를 가져다줄 수 없다 / 너 자신 외에는.

→ Nobody can bring peace **to** you but yourself.

bring의 경우 SVO문형으로 쓰일 때 to나 for 모두를 취할 수 있다. to를 쓰면 '~에게'로 방향의 의미가 강하고, for를 쓰면 '~을 위하여'의 의미가 강하다.

cf. I brought some coffee **for** you. 너를 **위해** 커피를 가지고 왔어.

but은 접속사 외에 전치사로 쓰여 '~을 제외하고, ~외에(= except)'를 뜻하기도 한다.

e.g. Everyone was there **but** him. **그를 제외하고** 모두 그곳에 있었다.

044 Imagination **offers** ***us*** / ***feelings*** (of happiness).

S V IO DO

상상력은 우리에게 준다 / 감정을 (행복의).

→ Imagination offers feelings of happiness **to** us.

045 I **wish** ***you*** / ***a Merry Christmas*** [and] ***a Happy New Year***.

S V IO DO_1 DO_2

나는 당신에게 기원합니다 / 즐거운 성탄과 행복한 신년을.

직접목적어는 두 개의 명사구(a Merry Christmas, a Happy New Year)가 and로 연결된 병렬구조 ▶**UNIT 61**

wish가 만드는 빈출 문형

SV	소망하다	The kid **wishes** for a toy car. 그 아이는 장난감 자동차를 **원한다**.
SVO	~을 하고 싶다	I **wish** to travel around the world. 나는 세계 일주**를 하고 싶다**.
SVOO	IO에게 DO를 기원하다	Jenny **wishes** her grandmother good health. 제니는 할머니**께** 건강**을 기원한다**.
SVOC	O가 C이기를 바라다	She sincerely **wishes** him happy. 그녀는 진심으로 **그가** 행복하**기를 바란다**.

046 Money **can't buy** ***us*** / ***good health***.

S V IO DO

돈은 우리에게 사줄 수 없다 / 건강을.

→ Money can't buy good health **for** us.

047 The friendly librarian / **found** ***the student*** / ***the book*** (about Roman history).

S V IO DO

그 친절한 사서는 / 학생에게 찾아주었다 / 책을 (로마 역사에 관한).

find가 만드는 빈출 문형

SVO	~을 발견하다	I **found** the lost key under the table. 나는 잃어버린 열쇠를 식탁 아래서 **발견했다.**
SVOO	IO에게 DO를 찾아주다	**Can** you **find** me my shoes? 내 신발 좀 **찾아 주겠니**?
SVOC	O가 C라고 여기다	We often **find** our weaknesses hard to accept. 우리는 종종 우리의 약점을 받아들이기 힘들다**고 여긴다.**

048 Can I **ask** *you a favor*?

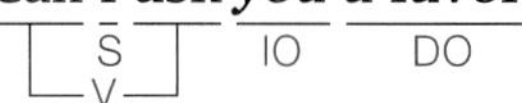

S V IO DO

(제가 당신에게) 부탁 하나 해도 될까요?

- = Can I ask a favor **of** you? = Will you do me a favor?
- 여기서 can은 허가를 나타내는 조동사 ▶**UNIT 32**
- ask가 만드는 빈출 문형

SVO	~을 묻다[요청하다]	**Can** I **ask** the price of it? 제가 이것의 가격을 **물어도 될까요**?
SVOO	IO에게 DO를 묻다[요청/부탁]하다	He **asked** me if I could help him. 그는 내**게** 내가 그를 도울 수 있는지**를 물었다.**
SVOC	O가 C할 것을 요청[요구]하다	My mother **asked** me to go on an errand. *errand 심부름 어머니는 내**가** 심부름을 갈 것**을 요청하셨다.**

영작 직결 **049** My dad sometimes **makes** *our family* / *various dishes* (with potatoes).

S M V IO DO

아빠는 때때로 우리 가족에게 만들어주신다 / 다양한 요리를 (감자로 만든).

정답 | **makes our family various dishes with potatoes**

해설 | our family 앞에 전치사 for가 없으므로 make 뒤에는 IO(간접목적어), DO(직접목적어) 순으로 두 개의 목적어가 오는 것이 적절하다. with potatoes는 various dishes를 수식하는 〈전치사+명사〉구로 various dishes를 뒤에서 수식한다.

UNIT 06 SVOC

050 Accepting our imperfections / **can make** / *us better people*.

S / V / O = C(명사)

우리의 결점을 인정하는 것이 / 만들 수 있다 / 우리를 더 나은 사람들로.

- **SVOC문형을 이루는 동사**
  make, get, drive, keep, leave, think, consider, feel, believe, find, call, name, appoint, elect, declare, pronounce 등
- 동명사 Accepting이 이끄는 동명사(v-ing)구가 문장의 주어 역할을 한다. ▶**UNIT 08**

051 Studying history / **can make** / *you more knowledgeable*. - 모의응용

S / V / O C(형용사)

역사를 공부하는 것은 / 만들 수 있다 / 여러분을 더 박식하게.

- 동명사 Studying이 이끄는 동명사(v-ing)구가 문장의 주어 역할을 한다. ▶**UNIT 08**

052 The uncommonly dry weather / **drove** / *the fire out of control*.

S / V / O C

극도로 건조한 날씨는 / 만들었다 / 그 불이 통제 불가가 되도록.

- 전치사는 대개 in, at, of 등의 한 단어지만 out of처럼 두세 단어로 이루어진 구전치사들도 있다.
- **구전치사의 종류**: out of (행위 · 능력 따위의) 범위 밖에, due to ~ 때문에, in front of ~ 앞에, instead of ~ 대신에 등

053 The noise (from outside) / **kept** ***me awake*** / all night.
S V O C M
소음이 (밖에서 오는) / 나를 깨어 있게 했다 / 밤새도록.

✔ from outside는 주어 The noise를 수식하는 형용사구(《전치사+명사》구)이다. 주어는 종종 뒤에 수식어가 붙어 길어질 수 있다.
✔ 접두사 a-로 시작되는 형용사 awake, alive, asleep, alone 등은 보어 자리에만 쓰이며 명사를 수식할 수 없다.
e.g. The baby is **awake**. (O) / an **awake** baby (×)

054 I **think** / ***some documentaries*** (on TV) / ***very educational***.
S V O C
나는 생각한다 / 몇몇 다큐멘터리가 (TV에서 하는) / 매우 교육적이라고.

✔ 목적격보어 자리에는 주격보어와 마찬가지로 부사가 올 수 없다. educationally (×)
✔ **think가 만드는 빈출 문형**

SV	생각[사고]하다	Let me **think**. (잠깐) **생각 좀 해** 보고 (대답하겠다).
SVA	~에 대해 생각하다[생각해 내다] ((about/of))	We **will think** about your suggestion. 우리는 당신의 제안에 대해 **생각해 볼 것입니다**.
SVO	~을[라고] 생각하다	I **think** (that) it will rain tomorrow. 나는 내일 비가 올 거**라고 생각한다**.
SVOC	O가 C라고 생각하다	She **thought** him (to be) kind and generous. 그녀는 그**가** 친절하고 너그럽다**고 생각했다**.

055 Sports commentators **considered** / ***him this year's best player***.
S V O C
스포츠 해설가들은 생각했다 / 그가 올해 최고의 선수라고.

✔ **consider가 만드는 빈출 문형**

SV	숙고하다	She paused and **considered** for a moment. 그녀는 잠시 멈추고 **숙고했다**.
SVO	~을 고려[숙고]하다	He **is considering** buying a used car. 그는 중고차를 살 것**을 고려 중이다**. I **am considering** whether to accept another job offer. 나는 다른 일자리 제안을 받아들일지 **숙고 중이다**.
SVOC	O가 C라고 생각하다[여기다]	I **consider** her a math genius. 나는 그녀**가** 수학 천재**라고 생각한다**. We **do not consider** this film suitable for young children. 우리는 이 영화**가** 어린아이들에게 적합**하다고 생각하지 않는다**.

056 I **found** / ***the information*** / ***very useful*** to our work.
S V O C M
나는 알게 되었다 / 그 정보가 / 우리의 일에 매우 유용하다는 것을.

cf. I found / a great resource (for environmentally friendly products).
S V O
나는 발견했다 / 훌륭한 자원을 (환경 친화적인 제품을 위한).

057 Some people **call** / ***the brain a living computer***.
S V O C
어떤 사람들은 부른다 / 뇌를 살아 있는 컴퓨터라고.

✔ **call이 만드는 빈출 문형**

SV(A)	(큰소리로) 부르다, 소리치다; 전화하다 ((to)); 방문하다 ((at/on))	I **called** to him for help. 나는 그에게 도와달라고 **소리쳤다**. An old friend **called** on me yesterday. 오랜 친구가 어제 나를 **방문했다**.
SVO	~을 부르다[소집하다]; ~에게 전화를 걸다	**Did** you **call** my name? 제 이름을 **부르셨나요**? **Would** you **call** me back in five minutes? 5분 후에 다시 **전화주시겠어요**?
SVOO	IO에게 DO를 불러주다	I'll **call** you a taxi. 당신**에게** 택시**를 불러 드릴게요**.
SVOC	O를 C라고 부르다[여기다]	People **call** a young chicken a chick. 사람들은 어린 닭**을** 병아리**라고 부른다**.

영작 직결 **058** Many readers **found** / ***this book helpful*** in learning English.

S V O C M

많은 독자들은 알게 되었다 / 이 책이 영어를 배우는 데 도움이 된다는 것을.

정답 | **found this book helpful in learning English**

해설 | 목적격보어 자리에 형용사(helpful)가 오는 것이 적절하므로 help를 helpful로 바꿔 쓴다.
단어 추가가 가능하면 아래와 같이 영작을 해도 옳은 표현이다.
Many readers **found this book to be helpful** in learning English.
Many readers **found (that) this book is helpful** in learning English.

영작 직결 **059** We **believe** ***him honest*** / in the performance of his duties.

S V O C M

우리는 그가 정직하다고 생각한다 / 자신의 임무 수행에 있어.

정답 | **believe him honest in the performance of his duties**

해설 | 목적어 자리에는 목적격이 와야 하므로 he를 him으로 바꿔 쓰고, 목적격보어 자리에 형용사(honest)가 오는 것이 적절하다.
〈in the performance of A〉는 'A를 수행함에 있어'의 뜻이다.

UNIT 07 주의해야 할 동사와 문형

060 Analysts **are discussing** / ***possible causes*** (of the air crash).

S V O

분석가들은 논의 중이다 / 가능한 원인들에 대해 (그 비행기 사고의).

✔ discuss가 '~에 대해 논의하다'의 의미일 때는 목적어를 필요로 하는 타동사이다. discuss ~~about~~ (×)

061 After two hours' walk, / we finally **reached** ***the coast***.

M S M V O

두 시간을 걸은 후에, / 우리는 마침내 해안에 도착했다.

✔ reach = arrive at[in], get to ~에 도착하다

062 He **answered** ***my text message*** / about an hour later.

S V O M

그는 내 문자 메시지에 답장을 했다 / 대략 한 시간 후에.

cf. I didn't get / an answer (to my text message) / last night.

S V O M

나는 받지 않았다 / 답장을 (내 문자 메시지에 대한) / 어젯밤에.

✔ answer = reply to ~에 답하다

✔ answer가 명사일 때는 뒤에 to가 쓰이기 때문에 더더욱 혼동하기 쉽다.
access, approach, visit 등의 동사도 마찬가지이므로 주의해야 한다.
e.g. She **visited** New York. 그녀는 **뉴욕을 방문했다**.
It was her first **visit to** New York. 그것은 그녀의 첫 뉴욕 **방문**이었다.

063 The job **would suit** / ***someone*** (with computer knowledge).

S V O

그 일은 어울릴 것이다 / 사람에게 (컴퓨터 지식이 있는).

✔ suit = match ~에(게) 어울리다 / fit ~에 맞다

064 The dog **was lying** / on a wooden table.

S V M

그 개는 누워 있었다 / 나무로 된 탁자 위에.

어법 직결 **065** I **lay** awake / last night. I was not able to sleep.

S V C M S V

나는 깨어 있었다 / 어젯밤에. 나는 잠을 잘 수가 없었다.

정답 | **lay**

해설 | 뒤에 보어(awake)가 있고 과거를 나타내는 부사구(last night)가 왔으므로 '~인 채로 있다'라는 뜻의 자동사 lie의 과거형인 lay가 적절하다. lied는 자동사 lie(거짓말하다)의 과거형이다.

어법 직결 **066** Galileo Galilei **laid** / the foundation (of modern science).

S V O

갈릴레오 갈릴레이는 확립했다 / 기초를 (근대 과학의).

정답 | **laid**

해설 | 뒤에 목적어(the foundation of modern science)가 왔으므로 타동사 lay의 과거형인 laid가 적절하다. lied는 자동사 lie(거짓말하다)의 과거형이다.

어법 직결 **067** Please **raise** your hand // when you need assistance.

V O S′ V′ O′

손을 들어 주시길 바랍니다 // 도움이 필요하실 때.

정답 | **raise**

해설 | 뒤에 목적어(your hand)가 왔으므로 타동사 raise가 적절하다. rise는 목적어가 필요 없는 자동사이다.

어법 직결 **068** During warm periods, / glaciers melt // and the sea level **rises**.

M S_1 V_1 S_2 V_2

따뜻한 기간 동안, / 빙하가 녹는다 // 그리고 해수면이 상승한다.

정답 | **rises**

해설 | 동사 뒤에 목적어가 없으므로 자동사 rise가 적절하다. raise는 목적어가 필요한 타동사이다.

069 She **explained** ***the situation*** / clearly ***to me***.

S V O M M

그녀는 그 상황을 설명해줬다 / 나에게 명확하게.

SVOO문형을 취하는 동사로 착각하기 쉬운 SVO동사

우리말로 '…에게 ~해주다'로 해석되지만 SVOO문형을 취할 수 없고 SVO문형으로만 쓰이는 동사들에 주의한다.

explain, announce, introduce, recommend, suggest[propose], mention, describe, state, say 등

e.g. She **explained** **the situation** *to me*. (O) 그녀는 내게 상황을 설명해주었다.

S V O

She explained me the situation. (×)

cf. tell은 say와 다르게 SVOO문형을 만들 수 있다.

She told us some funny stories about her sister. 그녀는 우리에게 자신의 여동생에 관한 몇몇 재미있는 이야기를 해주었다.

S V IO DO

She *said* us some funny stories about her sister. (×)

070 Travel **can introduce** ***to us*** / ***new people, experiences, and foods***.

S V M O

여행은 우리에게 소개해줄 수 있다 / 새로운 사람, 경험, 그리고 음식을.

목적어(new people ~ foods)가 길어 to us가 동사와 목적어 사이에 왔다.

(← Travel can introduce new people, experiences, and foods **to us**.)

071 He **suggested** ***a different idea*** / ***to us***.

S V O M

그는 다른 생각을 제안했다 / 우리에게.

UNIT 08 명사구 주어

072 To express feelings / is good / for your mental health.

감정을 표현하는 것은 / 좋다 / 당신의 정신 건강에.

cf. To express feelings, / we can keep journals.

감정을 표현하기 위해, / 우리는 일기를 쓸 수 있다.

- 명사구(to-v, v-ing) 주어는 단수 취급하므로 단수동사 is가 왔다.
- to-v구는 주어 자리에 잘 쓰지 않는다. 따라서 가주어 it으로 대신하고 to-v구는 문장 뒤로 보낸다. ▶UNIT 11
  = **It** is good for your mental health **to express feelings**.
- *cf.* 문장의 To express feelings는 문장 맨 앞에 있지만 주어가 아닌 'v하기 위해서'라는 의미를 나타내는 부사적 용법으로 쓰인 to부정사구이다. 보통 to-v구 뒤에 콤마(,)가 있는 경우에는 '목적'을 의미하는 부사구로 쓰이는 경우가 많다. ▶UNIT 54

073 Cramming for an important exam / seems like a bad idea!

중요한 시험을 위해 벼락공부를 하는 것은 / 나쁜 생각인 것 같다!

- v-ing(동명사)구는 주어로 자주 쓰인다. 가주어 it으로 대신하는 것은 몇몇 표현으로 제한되어 있다. ▶UNIT 11
- 〈like+명사〉는 동사 seems의 보어로 쓰인 형용사구이다. 형태는 〈전치사+명사〉구이지만 문장에서 형용사 역할을 한다.

074 To read your own essay aloud / can help you (to) find the errors. - 모의응용

여러분 자신의 에세이를 큰 소리로 읽는 것은 / 여러분이 오류를 찾도록 도와줄 수 있습니다.

- help는 목적격보어 자리에 원형부정사(v)와 to-v가 모두 올 수 있다. ▶UNIT 23
- **help가 만드는 빈출 문형**

SV	도움이 되다	Eight hours of deep sleep **helped** enormously. 8시간의 숙면은 대단히 **도움이 되었다.**
SVO	~을 돕다	Please **help** me with my homework. 제 숙제를 **도와주세요.**
SVOC	O가 C하도록 돕다	Taxing sugary drinks **may help** people (to) avoid the risk of illness. 설탕이 든 음료에 세금을 부과하는 것은 사람들**이** 질병의 위험을 피하**도록 도울지도 모른다.**

075 Not to know / is bad. Not to wish to know / is worse. - Proverb

알지 못하는 것은 / 나쁘다. 알고 싶어 하지 않는 것은 / 더 나쁘다.

- to-v의 부정형: not[never]+to-v

076 Trying to see the other person's point of view / is a good rule (in life).

다른 사람의 관점을 이해하려고 노력하는 것은 / 좋은 습관이다 (인생에 있어서).

- try가 to-v를 목적어로 취할 때는 'v하려고 노력하다[애쓰다]'라는 뜻 ▶UNIT 16
- 여기서 동사 see는 understand(이해하다)의 의미로 쓰였다.
  e.g. I **see** why you're angry. 나는 네가 왜 화났는지 **이해해.**

see가 만드는 빈출 문형

SV	보다	From the top, you **can see** for miles. 꼭대기에서, 당신은 수 마일 앞을 **볼 수 있다**.
SVO	~을 보다	We **saw** *Hamlet* at the National Theater last week. 우리는 지난주에 국립극장에서 〈햄릿〉**을 봤다**.
SVOC	O가 C하는 것을 보다	From the window we **could see** the children playing in the yard. 창문에서 우리는 아이들**이** 마당에서 노**는 것을 볼 수 있었다**.

077 Searching for new possibilities / with an inquisitive mind / is essential / to be successful. - 모의응용

(S: Searching for new possibilities with an inquisitive mind [V′: Searching for, O′: new possibilities, M′: with an inquisitive mind] / V: is / C: essential / M: to be successful)

새로운 가능성을 찾는 것은 / 탐구심을 갖고 / 필수적이다 / 성공적이 되는 데.

to be successful은 형용사 essential을 수식하는 부사적 용법으로 쓰인 to부정사구이며, 'v하기에 ~하다'라는 의미 ▶UNIT 55

078 Not getting enough sleep / is a common cause (of dark circles (under the eyes)). - 모의응용

(S: Not getting enough sleep [V′: getting, O′: enough sleep] / V: is / C: a common cause)

충분한 수면을 취하지 않는 것은 / 일반적인 원인이다 (다크서클의 (눈 밑)).

동명사(v-ing)의 부정형: not[never]+v-ing

F·Y·I 다크서클은 정확한 의학용어는 아니며 눈 아랫부분이 어둡게 보이는 증상을 가리킨다. 규칙적인 운동, 균형 잡힌 식사와 충분한 수면을 취하고, 가벼운 찜질로 혈액순환을 돕는 것이 다크서클 예방에 도움이 될 수 있다.

영작 직결 **079** Remembering[To remember] people's names / is the first step (towards relationship building).

(S: Remembering[To remember] people's names [V′: Remembering[To remember], O′: people's names] / V: is / C: the first step)

사람들의 이름을 기억하는 것은 / 첫 번째 단계이다 (관계 형성을 향한).

정답 | **사람들의 이름을 기억하는 것은, Remembering[To remember] people's names is the first step towards relationship building.**

해설 | 주어 자리에는 명사구인 to-v구 또는 v-ing구가 올 수 있으므로 remember는 Remembering 또는 To remember로 고치고, to-v, v-ing가 이끄는 명사구 주어는 단수 취급하므로 주어진 동사 be는 단수동사 is로 바꿔 써야 한다. 동사 바로 앞에 복수형 명사가 올 때 이를 주어로 착각하지 않도록 주의한다.

UNIT 09 명사절 주어 I

080 That we are curious about others // is natural.

(S: That we are curious about others [S′: we, V′: are, C′: curious, M′: about others] / V: is / C: natural)

우리가 다른 사람들에 대해 궁금해하는 것은 // 자연스러운 일이다.

that절은 주어로 거의 쓰지 않는다. 가주어 it으로 대신하고 that절은 문장 뒤로 보낸다. ▶UNIT 11
= **It** is natural **that we are curious about others**.

081 Whether you will succeed or not // depends on your will.

(S: Whether you will succeed or not [S′: you, V′: will succeed] / V: depends on / O: your will)

네가 성공할 것인지 아닌지는 // 너의 의지에 달려 있다.

whether절은 주어로 쓰기도 하고 가주어 it으로 대신하기도 한다. whether절이 진주어로 쓰여 문장 뒤로 이동했을 때는 whether 대신 if를 쓸 수 있다.
= **It** depends on your will **whether[if] you will succeed or not**.

082 When Neanderthals went extinct // is discussed / in this academic journal.

(S′ V′ C′ / S / V / M)

언제 네안데르탈인이 멸종되었는지가 // 논의된다 / 이 학술지에서.

- 의문부사절이 주어, 목적어 등의 역할을 하며 문장의 일부로 쓰일 때는 〈의문부사+S′+V′〉의 어순을 취한다. ▶**UNIT 17**
- SVO문형의 수동태는 〈be p.p.〉의 형태를 취한다. ▶**UNIT 38**
- **〈go + 형용사〉가 만드는 빈출 표현**

go extinct	멸종하다	There are many theories about why the dinosaurs **went extinct**. 왜 공룡이 **멸종했**는지에 관해 많은 학설들이 있다.
go wrong	잘못되다	Something**'s gone wrong** with my watch. 내 시계에 뭔가가 **잘못됐다**.
go public	공개하다	She refused to **go public** with her ideas. 그녀는 자신의 아이디어를 **공개하**기를 거절했다.
go bankrupt	파산하다	The company **would go bankrupt** sooner or later. 그 회사는 조만간 **파산할 것이다**.

083 Where you come from // is less important / than where you're going.

(S′ V′ A′ / S / V / C)

당신이 어디에서 왔는지는 // 덜 중요하다 / 당신이 어디로 가고 있는지보다.

- 〈A less 원급 than B: A는 B보다 덜 ~한〉 구문을 사용하여 두 개의 명사절 Where you come from과 where you're going을 비교하고 있다. ▶**UNIT 90**

084 How you control [and] use your imagination // affects the quality of your life.

(S′ V′1 V′2 O′ / S / V / O)

- Dr. T. P. Chia ((싱가포르 정치운동가))

어떻게 당신이 당신의 상상력을 제어하고 사용하는지가 // 당신의 삶의 질에 영향을 미친다.

085 In making a proposal, / why you want to achieve your purpose // should be clear and logical.

(M / S′ V′ O′ / S / V / C)

제안을 할 때는, / 왜 당신이 당신의 목적을 달성하고 싶은지가 // 명확하고 논리적이어야 한다.

- making은 전치사 in의 목적어이고 목적어를 동반하므로 동명사(v-ing) 형태를 취한다. ▶**UNIT 19**
- why가 이끄는 명사절에서 to-v구가 want의 목적어로 쓰였다. ▶**UNIT 15**

영작 직결 **086** How climate has changed // is vital / to assess current global warming trends.

(S′ V′ / S / V C / M)

- 모의응용

기후가 어떻게 변해 왔는지는 // 매우 중요하다 / 현재의 지구온난화 추세를 가늠하는 데.

정답 | **기후가 어떻게 변해 왔는지는, How climate has changed**

해설 | '기후가 어떻게 변해 왔는지는'은 의문부사 how를 사용해 영작한다. 의문부사절이 주어, 목적어 등의 역할을 하며 문장의 일부로 쓰일 때는 〈의문부사+S′+V′〉의 어순을 취하며, 명사절 주어는 단수 취급하므로 동사는 has changed로 쓴다.

- has changed는 과거부터 현재까지 일어난 일을 나타내는 현재완료 ▶**UNIT 29**
- to assess ~ trends는 형용사 vital을 수식하는 부사적 용법으로 쓰인 to부정사구이며, 'v하기에 ~하다'의 의미를 가진다. ▶**UNIT 55**

영작 직결 **087** Whether you are rich or poor // does not affect our friendship.

(S′ V′ C′ / S / V / O)

당신이 부유한지 가난한지는 // 우리 우정에 영향을 미치지 않는다.

정답 | **당신이 부유한지 가난한지는, Whether you are rich or poor does not affect our friendship.**

해설 | '당신이 부유한지 가난한지'는 접속사 whether를 사용하여 〈whether+S′+V′ ~ (or)〉로 표현할 수 있다. 명사절 주어는 단수 취급하므로 동사는 does not으로 쓴다.

UNIT 10

명사절 주어 II

088 **Who will be the next president** // is determined / by voters.

S: 누가 다음 대통령이 될지는 // V: 결정된다 / M: 유권자들에 의해.

✔ 의문대명사 who가 명사절의 주어로 쓰여 뒤에 동사(will be)가 왔다.

089 **Whose idea will be adopted** // remains confidential.

S: 누구의 아이디어가 채택될지는 // V: 기밀로 C: 유지된다.

✔ 의문사 whose가 명사 idea를 수식하는 형용사로 쓰였다.
✔ will be adopted는 조동사와 결합된 수동태 〈조동사+be p.p.〉 ▶**UNIT 40**
✔ **remain이 만드는 빈출 문형**

SV	남아 있다	Very little of the building **remained** after the fire. 화재 후에 그 건물은 거의 **남아 있지** 않았다.
SVA	머무르다	They **remained** in Mexico until June. 그들은 6월까지 멕시코에서 **머물렀다**.
SVC	여전히 ~이다	In spite of their quarrel, they **remain** the best friends. 다툼에도 불구하고, 그들은 **여전히** 가장 친한 친구 사이**이다**.

090 **What causes Alzheimer's Disease** // is not exactly known yet.

S: 무엇이 알츠하이머병을 유발하는지는 // V: 아직 정확히 알려지지 않았다. (M: yet)

✔ **cause가 만드는 빈출 문형**

SVO	~을 야기[초래]하다	The storm **caused** widespread damage. 폭풍우는 광범위한 피해를 **야기했다**.
SVOO	IO에게 DO를 (안겨)주다	The matter **caused** her a lot of distress. 그 문제는 그녀**에게** 많은 고통**을 안겨주었다**.
SVOC	O가 C하도록 하다	The bright light **caused** her to blink. 밝은 빛은 그녀**가** 눈을 깜박이**게 했다**.

F·Y·I 알츠하이머병은 뇌의 신경세포가 서서히 죽어가는 질환으로 치매를 유발하는 흔한 원인으로 알려져 있다.

091 **What is considered a status symbol** // will differ among cultures. - 수능응용

S: 무엇이 높은 사회적 신분의 상징으로 여겨지는지는 // V: 다를 것이다 M: 문화마다.

✔ 의문대명사 what이 이끄는 명사절 내에 SVOC문형의 수동태가 쓰였다. ▶**UNIT 39**

092 **What we see** // depends mainly on / what we look for. - John Lubbock ((英 고고학자))

S: 우리가 무엇을 보는지는 // V: 주로 ~에 달려 있다 / O: 우리가 무엇을 찾는지에.

✔ 의문대명사(what)가 이끄는 두 개의 명사절이 각각 주어와 목적어 자리에 쓰였다. ▶**UNIT 17**
✔ **look이 만드는 빈출 어구**

look for	~을 찾다	Police **are looking for** the escaped prisoner. 경찰이 탈옥한 죄수**를 찾는 중이다**.
look after	~을 돌보다	**Looking after** three children all day is hard work. 하루 종일 세 아이들**을 돌보는 것**은 힘든 일이다.
look up to	~을 존경하다	I **look up to** my parents a lot. 나는 부모님을 많이 **존경한다**.
look down on	~을 경시하다	She tends to **look down on** people who are less experienced. 그녀는 경험이 적은 사람들**을 경시하는** 경향이 있다.
look forward to	~을 고대하다	I'm really **looking forward to** seeing you again. 나는 너를 다시 보는 것을 정말 **고대하고 있어**.

093 In the movie, / **whom the main character marries** // interests the audience.
M / S (O' S' V') // V O
그 영화에서, / 주인공이 누구와 결혼하는지가 // 관객들을 흥미롭게 한다.

- 의문대명사(whom)가 명사절의 목적어일 때는 명사절의 주어와 동사가 뒤따른다.
- marry는 타동사로 뒤에 목적어를 바로 취한다. ▶UNIT 07
e.g. **marry** Jane (O) 제인**과 결혼하다** **marry** ***with[to]*** Jane (X)

094 **What great thing will happen / in our life** // is anybody's guess.
S (S' V' M') // V C
무슨 대단한 일이 일어날지는 / 우리의 인생에서 // 모두 짐작만 할 뿐인 것[누구도 확실히는 모르는 것]이다.

- 의문사 what이 뒤의 명사구 great thing을 수식하는 형용사로 쓰였다.

095 **Which city will host the next Olympic Games** // will be announced today.
S (S' V' O') // V M
어느 도시가 다음 올림픽을 개최할지가 // 오늘 발표될 것이다.

- 의문사 which가 뒤의 명사 city를 수식하는 형용사로 쓰였다.

영작 직결 **096** **Which friends you choose** // has a major influence on your life.
S (O' S' V') // V O M
어느 친구들을 당신이 선택하는지는 // 당신의 인생에 중요한 영향을 미친다.

정답 | **어느 친구들을 당신이 선택하는지는, Which friends you choose has a major influence on your life.**
해설 | 명사절의 의문사 which가 명사 friends를 수식하는 형용사로 쓰여 '어느 친구'라는 의미를 나타낸다. Which friends는 명사절에서 동사 choose의 목적어로 쓰였으며 뒤에 주어(you)와 동사(choose)가 뒤따른다. 명사절 주어는 단수 취급하므로 동사 have를 has로 바꿔 쓴다.

UNIT 11 가주어 it

097 It's a delight / **to trust somebody so completely.** - Jeff Goldblum ((美 배우))
S(가주어) V C / S'(진주어)
(~은) 기쁨이다 / 누군가를 완전히 믿는 것은.

- It은 가주어, to-v구가 진주어이다. it은 해석하지 않으며 진주어를 주어로 해석한다.

098 It is true // **that health is above wealth.**
S(가주어) V C // S'(진주어)
(~은) 진실이다 // 건강이 재산보다 위에 있다는 것은.
↳ 건강이 재산보다 중요하다는 것은 진실이다.

- It은 가주어, 명사절인 that절이 진주어이다.

099 It is not good / **to use the same reading speed / to handle different types of books.** - 모의응용
S(가주어) V C / S'(진주어)
(~은) 좋지 않다 / 똑같은 독서 속도를 이용하는 것은 / 여러 가지 다른 유형의 책을 다루기 위해.

- to handle ~ books는 '목적'을 나타내는 부사적 용법으로 쓰인 to부정사구 ▶UNIT 54

100 It's important / **to remember // that good decisions can still lead to bad outcomes.** - 모의
S(가주어) V C / S'(진주어)
(~은) 중요하다 / 기억하는 것은 // 좋은 결정을 내린다 해도 나쁜 결과를 초래할 수 있음을.

- 접속사 that은 remember의 목적어 역할을 하는 명사절을 이끌며, 이때 명사절은 완전한 구조를 이룬다. ▶UNIT 17

101 It's no wonder // **that too much fast food / can contribute to obesity.**

S(가주어) V C S′(진주어)

(~은) 놀랄 일이 아니다 // 과도한 패스트푸드가 / 비만의 원인이 될 수 있다는 것은.

102 At this time, / **it** is not certain // **whether there are aliens out there.**

M S(가주어) V C S′(진주어)

현재로서는, / (~은) 확실하지 않다 // 저 너머에(지구 밖 우주에) 외계인이 존재하는지는.

103 **It** can be explained by physics // **how an airplane flies.**

S(가주어) V M S′(진주어)

(~은) 물리학으로 설명될 수 있다 // 어떻게 비행기가 나는지는.

104 **It** is a mystery // **why he left his seat / all of a sudden.**

S(가주어) V C S′(진주어)

(~은) 미스터리이다 // 왜 그가 자리를 떠났는지는 / 갑자기.

105 **It** is no use / **crying over spilt milk.** - Proverb

S(가주어) V C S′(진주어)

(~해도) 소용없다 / 엎질러진 우유를 두고서 울어도.

↳ 이미 지나간 일을 두고 한탄해 봐야 소용없다.

✔ 동명사구를 진주어로 하는 것은 관용표현을 포함한 다음 몇 가지 예들에 불과할 정도로 제한적이다.

- **It** is no use **v-ing** v해도 소용없다
- **It** is worth **v-ing** v하는 것은 가치가 있다

✔ '엎질러진' 우유이므로 spill은 수식 받는 명사 milk와 수동 관계이다. 따라서 과거분사(spilt)가 쓰였다. ▶**UNIT 52**

106 **It** is worth / **challenging our thinking / to create a new attitude.**

S(가주어) V C S′(진주어)

(~하는 것은) 가치가 있다 / 우리의 생각에 도전하는 것은 / 새로운 태도를 만들어 내기 위해.

✔ to create a new attitude는 '목적'을 나타내는 부사적 용법으로 쓰인 to부정사구 ▶**UNIT 54**

UNIT 12 to부정사의 의미상의 주어

107 It is important / ***for students*** **to keep up with / modern digital trends.**

S(가주어) V C 의미상의 주어 S′(진주어)

(~은) 중요하다 / 학생들이 따라가는 것은 / 현대 디지털 트렌드에.

✔ for students는 to-v의 의미상의 주어로 to-v 앞에 위치한다.

108 Real leaders make space (***for others*** **to shine**).

S V O 의미상의 주어 M

진정한 리더들은 공간을 만들어 준다 (다른 사람들이 빛날).

↳ 진정한 리더는 다른 사람들이 능력을 발휘할 기회를 만들어 준다.

✔ for ~ shine은 space를 수식하는 형용사적 용법으로 쓰인 to부정사구 ▶**UNIT 51**

109 It is natural / ***for words*** to change their meaning / over time. - 모의응용
S(가주어) V C 의미상의 주어 S'(진주어)
(~은) 당연하다 / 단어들이 의미가 변하는 것은 / 시간이 흐름에 따라.

F·Y·I 예를 들어, 'nice'는 옛날에 '어리석은'의 부정적인 의미로 쓰였으나 지금은 '좋은'이라는 긍정적인 의미로 바뀌었다.

110 The pedestrians are waiting / ***for the lights*** to change / from red to green.
S V 의미상의 주어 M
보행자들이 기다리고 있다 / 신호가 바뀌기를 / 빨간불에서 초록불로.

영작 직결 **111** It is recommended / ***for our new employees*** / to gain experience in all departments. - 모의응용
S(가주어) V 의미상의 주어 S'(진주어)
(~이) 권고됩니다 / 우리 신입 사원들이 / 모든 부서에서 경험을 쌓는 것이.

정답 | **It is recommended for our new employees to gain experience**
해설 | 가주어 it과 진주어 to gain ~ departments를 사용한 문장으로 to-v의 의미상의 주어인 for our new employees는 to-v 앞에 온다.

112 It was careless ***of you*** / to lose your umbrella again.
S(가주어) V C 의미상의 주어 S'(진주어)
네가 조심성이 없었구나 / 우산을 또 잃어버리다니.

- 형용사 careless가 you의 행동(to lose ~ again)에 대한 '비난'을 나타내므로 의미상의 주어를 〈of A〉으로 나타냈다.
- 사람의 행동에 대한 '칭찬'이나 '비난'을 나타낼 때, 보통 그 대상을 주어로 쓰므로 〈of A〉를 실제 영문에서는 자주 볼 수 없다.
  e.g. *You* were careless to lose your umbrella again.

113 It is wise ***of you*** / not to open e-mail attachments (from an unknown source). - 모의응용
S(가주어) V C 의미상의 주어 S'(진주어)
너는 현명하구나 / 이메일 첨부 파일을 열지 않다니 (모르는 출처로부터 온).

- to-v의 부정형: not[never]+to-v

UNIT 13

동명사의 의미상의 주어

114 I really appreciate / ***your*** helping me with my homework.
문장의 주어 M V 의미상의 주어 O
나는 정말 고맙다 / 네가 내가 숙제하는 것을 도와줘서.

- 의미상의 주어는 동명사(v-ing)의 동작이나 상태를 취하는 주체가 문장의 주어와 다를 때 사용한다.
- 소유격 your는 v-ing(helping ~ homework)를 행하는 주체인 의미상의 주어이다.

115 In spite of ***the sun*** shining through the window, / the air was chilly.
전 의미상의 주어 전치사의 목적어 문장의 주어 V C
창문으로 햇빛이 들었음에도 불구하고, / 공기는 차가웠다.

- 동명사의 의미상의 주어가 사물 명사인 경우, 소유격이 아닌 목적격이 온다.
- 목적격 the sun은 v-ing(shining through the window)를 행하는 주체인 의미상의 주어이다.

116 Making a small request to people / can increase the chances / of ***their*** **accepting a bigger request afterwards.** - 모의응용

문장의 주어 / V / O / 전 / 의미상의 주어 / 전치사의 목적어

사람들에게 작은 요구를 하는 것이 / 가능성을 증가시킬 수 있다 / 나중에 그들이 더 큰 요구를 수락할.

✔ the chances는 their accepting ~ afterwards와 동격 관계 ▶**UNIT 99**
✔ 소유격 their는 v-ing(accepting ~ afterwards)를 행하는 주체인 의미상의 주어이다.

117 There is very little likelihood / of ***my*** **getting the scholarship** / **this semester.**

V / 문장의 주어 / 전 / 의미상의 주어 / 전치사의 목적어

가능성은 거의 없다 / 내가 장학금을 받을 / 이번 학기에.

✔ very little likelihood는 my getting ~ semester와 동격 관계 ▶**UNIT 99**
✔ 소유격 my는 v-ing(getting ~ semester)를 행하는 주체인 의미상의 주어이다.

118 ***Peter's*** **complaining about others** / will only make his situation worse.

의미상의 주어 / 문장의 주어 / V / O / C

피터가 다른 사람들에 대해 불평하는 것은 / 그의 상황을 더 안 좋게 만들기만 할 것이다.

✔ 〈명사's〉 형태의 소유격 Peter's는 v-ing(complaining about others)를 행하는 주체인 의미상의 주어이다.

119 Policymakers should keep in mind / the possibility of ***well-made plans*** **going wrong.** - 모의응용

문장의 주어 / V / O / 전 / 의미상의 주어 / 전치사의 목적어

정책 입안자들은 명심해야 한다 / 잘 만들어진 계획이 잘못될 가능성을.

✔ 목적격 well-made plans는 v-ing(going wrong)를 행하는 주체인 의미상의 주어이다.
✔ the possibility는 well-made plans going wrong과 동격 관계 ▶**UNIT 99**
✔ **keep이 만드는 빈출 어구**

keep in mind	명심하다	Here are some tips to **keep in mind.** 여기에 **명심할** 몇 가지 조언이 있다.
keep in touch	연락하고 지내다	Text messaging enables people to **keep in touch** at all times. 문자하기는 사람들이 언제나 **연락하고 지낼** 수 있게 해준다.
keep up with	유행을 따르다; ~에 뒤지지 않다	She likes to **keep up with** the latest fashions. 그녀는 최신 패션을 **따르는** 것을 좋아한다.

UNIT 14

it을 주어로 하는 구문

120 It snowed / in the Sahara desert / for 30 minutes / on Feb. 18, 1979.

S V / M / M / M

눈이 내렸다 / 사하라 사막에 / 30분 동안 / 1979년 2월 18일에. 〈날씨〉

✔ 여기서 It은 '날씨'를 나타낸다.

F·Y·I 사하라 사막은 아프리카 북부에 위치한 세계 최대 규모의 사막으로 '황야'라는 뜻을 지닌 아랍어 'Sahra(사흐라)'에서 유래했다. 세계에서 가장 건조한 이곳은 7월이면 기온이 50도까지 오르며, 가장 추운 시기인 1월에도 영상 12도를 유지한다. 그러나 최근 수년간 기온이 영하로 내려가고 밤에 내린 눈이 낮에도 녹지 않는 등 이상기후 현상이 일어나고 있다.

121 How far is **it** from here / to the nearest subway station?

C V S M / M

여기서 얼마나 먼가요 / 가장 가까운 지하철역까지? 〈거리〉

✔ 여기서 it은 '거리'를 나타낸다.

122 It's Monday morning, // and there's a long week / ahead of us.
S1V1 C1 V2 S2 M2
월요일 아침이다. // 그리고 긴 한 주가 있다 / 우리 앞에. 〈요일〉

- 여기서 It은 '요일'을 나타낸다.

123 It's really noisy in here, // so speak a little louder.
S V C M V′ M′
이 안이 정말 시끄럽다. // 그러니 조금만 더 크게 말해라. 〈막연한 상황〉

- 여기서 It은 '막연한 상황'을 나타낸다.
- 막연한 상황을 나타내는 it은 회화표현에 자주 쓰인다.

e.g. How is **it** going? 어떻게 지내니?
I can't stand **it** any longer. 난 더는 참을 수가 없어.
Take **it** easy. 진정해라.
Now **it**'s your turn. 자, 네 차례야.

124 It took me a long time / not to judge myself / through someone else's eyes.
S V IO(사람) DO(시간) - Sally Field ((美 배우))
내게 긴 시간이 걸렸다 / 내 자신을 판단하지 않는 데 / 다른 사람의 시선을 통해.

- 이때의 It은 비인칭 주어(시간)로 보기도 하고 가주어로 보기도 한다.
- 아래와 같은 SVO문형으로 바꿔 쓸 수도 있다.

= It took a long time for me not to judge myself ~.
= I took a long time not to judge myself ~.

125 It seems // that the medicine has helped him recover.
S V C
~인 것 같다 // 그 약이 그가 회복하는 데 도움이 된 것.
(= *The medicine* seems to have helped him recover.)

- 여기서 It은 '막연한 상황'을 나타낸다.
- 〈It seems that ~〉: ~인 것 같다, ~인 듯하다
- 이때의 it을 가주어로 보는 견해가 있기도 하지만, that절 이하가 it 대신에 문두에 올 수 없다는 점에서 가주어와 다르다. 그러므로 일반적으로는 it을 비인칭 주어로 본다. 〈It appears that ~〉 구문도 마찬가지이다.

e.g. **It seems that** he knows the secret. 그가 그 비밀을 알고 있**는 것 같다**.
That he knows the secret seems. (×)

126 It didn't seem // that they were close friends.
S V C
~인 것 같지는 않았다 // 그들이 친한 친구인 것.

127 It appears // that we are lost. I don't know // where we are.
S V C S V O
~인 것 같다 // 우리가 길을 잃은 것. 난 모르겠다 // 우리가 어디에 있는지.

- 〈It appears that ~〉: ~인 것 같다, ~인 듯하다
- **appear가 만드는 빈출 문형**

SV	생기다; 나타나다	Small cracks **appeared** in the wall. 벽에 작은 금들이 **생겼다**.
SVC	~인 것 같다	The diamonds **appeared** to be genuine. 그 다이아몬드는 진짜**인 것 같았다**.

128 To my surprise, / it happened // that I got an A in math.
M S(가주어) V S′(진주어)
놀랍게도, / 우연히 ~했다 // 나는 수학에서 A를 받았다.

- 〈It happens that ~〉: 우연히[공교롭게도] ~하다
- 이때의 it은 가주어로 보는 것이 적절하다. that절 이하를 it 자리에 두어도 의미가 통한다.

That I got an A in math happened. (○)

UNIT 15 to부정사/동명사 목적어 I

129 People want / **to follow leaders (with positive emotional states).** – 모의응용

S V O (V′ O′)

사람들은 원한다 / 지도자를 따르는 것을 (긍정적인 감정 상태를 지닌).

- 동사 want는 목적어로 to-v구를 취한다.
- 여기서 with positive emotional states는 명사 leaders를 수식하는 형용사구(〈전치사+명사〉구)이다.

130 For a happier life, / quit / **living according to others' expectations.**

M V O (V′ M′)

더 행복한 삶을 위해서, / 그만두어라 / 다른 이들의 기대에 따라 사는 것을.

- 동사 quit은 목적어로 v-ing구를 취한다. (quit-quit[quitted]-quit[quitted])

131 People (in good health / at the age of 60) / can expect / **to live close to thirty more years.** - 모의응용

S V O (V′ M′)

사람들은 (건강 상태가 괜찮은 / 나이 60세에) / 기대할 수 있다 / 30년 가까이 더 살 것을.

- in good ~ the age of 60는 명사 People을 수식하는 형용사구(〈전치사+명사〉구)이다.

132 Van Gogh decided / **to become an artist** // when he was 27 years old.

S V O (V′ C′) // S′ V′ C′

반 고흐는 결심했다 / 화가가 되기로 // 그가 27세였을 때.

- 여기서 when은 시간을 나타내는 부사절 접속사이다. ▶**UNIT 73**

133 Some people choose / **not to leave an unfulfilling job** // because they fear the unknown.

S V O (V′ O′) // S′ V′ O′

어떤 사람들은 결정한다 / 성취감을 주지 못하는 직업을 그만두지 않기로 // 미지의 것이 두려워서.

↳ 어떤 사람들은 해보지 않은 일에 도전하는 것이 두려워서 현 직업이 성취감이 없더라도 그만두지 못한다.

- to-v의 부정형: not[never]+to-v
- 여기서 〈the+형용사(unknown)〉는 추상명사로 '미지의 것(들)'을 의미한다.
- **leave가 만드는 빈출 문형**

SV	출발하다, 떠나다	The bus **leaves** in five minutes. 버스는 5분 후에 **출발한다.**
SVO(A)	~을 두고 오다	I **left** my keys on the kitchen table. 나는 식탁에 열쇠**를 두고 왔다.**
SVOO	IO에게 DO를 남기다	He **left** his niece all his money. 그는 조카**에게** 자신의 모든 돈**을 남겼다.**
SVOC	O가 C하도록 두다	I **left** the children watching television. 나는 아이들**이** 텔레비전을 보**게 두었다.**

134 People never plan / **to be failures**; // they simply fail / **to plan to be successful.**

S_1 V_1 O_1 (V′ C′) // S_2 V_2 O_2 (V′ O′)

사람은 결코 계획하지 않는다 / 실패자가 되는 것을. // 그들은 단지 하지 못할 뿐이다 / 성공하기로 계획하는 것을.

↳ 실패하기 위한 계획을 세우는 사람은 없다. 다만, 성공하기 위한 계획을 세우지 못할 뿐이다.

- 동사 fail의 목적어인 to-v구 내에서도 〈plan+to-v〉가 쓰였다.

135 Great storytellers manage / to grab the attention (of readers) / from page one.

훌륭한 작가들은 어떻게든 해낸다 / 관심을 끌어내는 것을 (독자들의) / 1페이지부터.

of readers는 명사 the attention을 수식하는 형용사구(〈전치사+명사〉구)이다.

136 The UK stopped / being a member of the EU / in 2020.

영국은 끝냈다 / 유럽연합의 멤버인 것을 / 2020년에.

F·Y·I 2016년에 실시된 유럽연합(the European Union) 잔류 여부를 묻는 국민투표의 결과 영국의 유럽연합 탈퇴가 결정되었다. 그 배경에는 2008년 금융위기 이후, 남유럽국가 금융지원과 EU의 난민 포용정책 등으로 영국의 재정분담금이 늘고 경제성장이 더뎌지면서 확산된 EU 회의론이 크게 작용하였다. 이때 영국이 유럽연합을 탈퇴한다는 의미로 영국(Britain)과 탈퇴(exit)가 합쳐진 'Brexit(브렉시트)'라는 합성어가 만들어졌다.

137 He didn't admit / giving money to local politicians.

그는 시인하지 않았다 / 지역 정치인들에게 돈을 준 것을.

138 Do not avoid / taking responsibility for your actions / in any situation.

피하지 마라 / 네 행동에 대해 책임지는 것을 / 어떤 상황에서도.

어법 직결 **139** You should consider / changing your old passwords regularly.

너는 고려해야 한다 / 네 오래된 비밀번호를 정기적으로 바꾸는 것을.

정답 | **changing**

해설 | consider는 v-ing(동명사)구를 목적어로 취하는 동사이므로 changing이 적절하다.

어법 직결 **140** Many people put off / going to the dentist / because of their fear of treatment.

많은 사람들이 미룬다 / 치과에 가는 것을 / 치료에 대한 두려움 때문에.

정답 | **going**

해설 | 동사구 put off(미루다, 연기하다)는 목적어로 v-ing(동명사)구를 취한다.

141 I don't know / what to choose as a profile picture.

나는 모르겠다 / 프로필 사진으로 무엇을 선택할지를.

동사 don't know의 목적어로 〈what+to-v〉가 쓰였다.

〈의문사+to-v〉는 대개 〈의문사+S′+should[can]+V′〉로 바꿔 쓸 수 있다. ▶**UNIT 17**

= I don't know **what I should choose** as a profile picture.

142 He told me / where to go, / but not how to get there.

그는 나에게 말했다 / 어디로 갈지를, / 하지만 거기에 어떻게 갈지를 말하지 않았다.

두 개의 〈의문사+to-v〉가 but으로 연결된 병렬구조 ▶**UNIT 61**

143 I asked / when to use ice or heat / on an injury.

나는 물어보았다 / 얼음이나 열을 언제 써야 할지를 / 상처에.

to부정사/동명사 목적어 II

144 Men love / **to wonder[wondering]**, // and that is the seed (of science).
S1 V1 O1 S2 V2 C2
- Ralph Waldo Emerson ((美 시인))

인간은 매우 좋아한다 / 궁금해하기를, // 그리고 그것이 씨앗이다 (과학의).

- 동사 love는 to-v구와 v-ing구 모두를 목적어로 가질 수 있으며 의미 차이는 없다.
- **목적어로 to-v나 v-ing가 와도 의미 차이가 없는 동사**
  like, love, hate, prefer, start, begin, continue 등
- 여기서 that은 지시대명사로 앞에 나온 절의 내용을 가리킨다.

145 Some novelists prefer / **to include[including] as many characters as possible / in their stories.** - 모의
S V(V′) O(O′) (M′)

일부 소설가들은 선호한다 / 가능한 한 많은 등장인물들을 포함시키는 것을 / 자신들의 이야기 속에.

- 〈as ~ as possible〉은 '가능한 한 ~한[하게]'의 뜻으로 〈as ~ as+주어+can/could〉로 바꿔 쓸 수 있다. ▶UNIT 88
  e.g. **as** many characters **as possible** = **as** many characters **as they can**

146 You begin **to feel[feeling] thirsty** // when your body loses / 1% (of its water).
S V O(V′ C′) S′ V′ O′

당신은 목마름을 느끼기 시작한다 // 당신의 신체가 잃으면 / 1%를 (체내 수분의).

F·Y·I 수분은 신체의 약 60%를 차지하는 주요 구성 성분으로 영양소를 운반하고 노폐물을 배출시키는 역할을 한다. 체내 총수분량의 1%가 손실되면 갈증을 느끼고, 4%가 손실되면 근육 피로감을 쉽게 느끼게 되고, 12%가 손실되면 무기력 상태에 빠지고, 20% 이상이 손실되면 사망할 수 있다. (박태선&김은경, 2011)

147 Remember / **to put a name tag / on your bag**. You might lose it.
V O(V′ O′ A′) S V O

기억하라 / 이름표를 달 것을 / 네 가방에. 너는 그것을 잃어버릴지도 모른다.

- 〈remember to-v〉는 미래성을 띠며 '(앞으로) v할 것을 기억하다, 잊지 않고 v하다'의 뜻이다.
- 여기서 put은 SVOA문형 동사로 장소를 나타내는 부사적 어구(A)가 있어야 의미가 완전해진다. ▶UNIT 04
- 여기서 might는 현재나 미래에 대한 가능성/추측을 나타내는 조동사 ▶UNIT 34

148 I remember / **putting a name tag / on my bag.**
S V O(V′ O′ A′)

나는 기억한다 / 이름표를 단 것을 / 내 가방에.

It had my name and phone number.
S V O1 O2

그것에는 내 이름과 전화번호가 적혀 있었다.

- 〈remember v-ing〉는 과거성을 띠며 '(과거에) v한 것을 기억하다'의 뜻이다.

149 Have an aim (in life) — // then don't forget / **to pull the trigger**.
V1 O1 V2 O2(V′ O′)

목표를 가져라 (인생의) // 그러고 나서 잊지 마라 / 방아쇠를 당기는 것을.

↳ 목표를 정했으면 그것을 실행에 옮겨라.

- 〈forget to-v〉는 미래성을 띠며 '(앞으로) v할 것을 잊어버리다'의 뜻이다.
- 'pull the trigger'는 '방아쇠를 당기다'라는 사전적 의미에서부터 '최종 결정을 내리다; 특정 행동에 전념하다'라는 뜻까지 확장되어 사용된다.

150 I'll never forget / hearing this song for the first time.

나는 결코 잊지 않을 것이다 / 처음으로 이 노래를 들었던 것을.

✔ 〈forget v-ing〉는 과거성을 띠며 '(과거에) v한 것을 잊어버리다'의 뜻이다.

151 We regret / to say // that we are unable to help you.

저희는 유감입니다 / 말씀 드리게 되어 // 여러분을 도와드릴 수 없다는 것을.

✔ 〈regret to-v〉는 미래성을 띠며 '(앞으로) v하게 되어 유감이다'의 뜻이다.
✔ 여기서 that은 say의 목적어 역할을 하는 명사절을 이끄는 접속사이다. ▶**UNIT 17**

152 Don't regret / making a wrong decision.

후회하지 마라 / 잘못된 결정을 내린 것을.

Learn from it, // move on, // and don't look back!

그것에서부터 배워라. // 계속 나아가라. // 그리고 (과거를) 되돌아보지 마라!

✔ 〈regret v-ing〉는 과거성을 띠며 '(과거에) v한 것을 후회하다'의 뜻이다.
✔ it = the wrong decision
✔ 두 번째 문장에서 세 개의 명령문이 콤마(,)와 and로 병렬 연결되었다. ▶**UNIT 61**

153 Don't try / to become a man (of success) // but rather try / to become a man (of value).

노력하지 말아라 / 사람이 되려고 (성공한) // 그보다는 노력해라 / 사람이 되려고 (가치 있는).

✔ 〈try to-v〉는 미래성을 띠며 'v하려고 노력하다[애쓰다]'의 뜻이다.
✔ 〈of+추상명사=형용사〉로 of success는 successful과, of value는 valuable과 같다.

154 The company provides / a free play version (of the game) // so that everyone can try / playing it / online.

그 회사는 제공한다 / 무료 플레이 버전을 (그 게임의) // 모두가 시도해볼 수 있도록 / 그것을 해보는 것을 / 온라인에서.

✔ 〈try v-ing〉는 현재성을 띠며 '시험 삼아[그냥] 한번 v해 보다'의 뜻이다.
✔ so that은 '~하기 위해서, ~하도록'의 의미로, 목적을 나타내는 부사절 접속사이다. ▶**UNIT 79**
✔ it = the free play version of the game

155 Winners never stop learning. - 모의

승자는 결코 배움을 멈추지 않는다.

cf. At a roadside stand, / we stopped / to ask for directions.

길가의 가판대에서, / 우리는 멈췄다 / 길을 묻기 위해서.

✔ 〈stop v-ing〉는 현재성을 띠며 'v하는 것을 멈추다'의 뜻이다.
cf. to ask for directions는 stop의 목적어가 아닌 '목적'을 나타내는 부사적 용법으로 쓰인 to부정사구 ▶**UNIT 54**

어법 직결 **156** We couldn't stop **laughing** // because the comedy show was so funny.
S V O S′ V′ C′
우리는 웃는 것을 멈출 수 없었다 // 그 코미디 프로그램이 너무 재미있어서.

정답 | **laughing**
해설 | 문맥상 '웃는 것을 멈출 수 없었다'가 되는 것이 자연스러우므로 〈stop v-ing: v하는 것을 멈추다〉가 적절하다. to laugh가 올 경우 '웃기 위해 멈추다'가 되어 의미가 어색해진다.

어법 직결 **157** Don't forget **to turn off** your cell phone // before the play starts. - 모의
V O (V′ O′) S′ V′
네 휴대전화의 전원을 끄는 것을 잊지 마라 // 연극이 시작하기 전에.

정답 | **to turn**
해설 | 문맥상 연극이 시작하기 전 '휴대전화의 전원을 끌' 것을 잊지 말라는 내용이므로 to turn off가 적절하다. turning off가 올 경우 '휴대전화의 전원을 (이미) 꺼버린' 것을 잊지 말라는 의미가 되어 어색해진다.

어법 직결 **158** To sufficiently clean your teeth, / you should brush / for at least two minutes /
M S V M
당신의 치아를 충분히 청결하게 하기 위해서, / 당신은 이를 닦아야 한다 / 최소 2분 동안 /
at least twice a day. Remember **to brush** your tongue, too. - 모의
M V O (V′ O′)
적어도 하루 두 번. 혀도 닦을 것을 기억하라.

정답 | **×, to brush**
해설 | 문맥상 이를 닦을 때 혀도 닦을 것을 잊지 말아야 한다는 내용이므로 〈remember to-v: v할 것을 기억하다〉가 의미상 적절하다. brushing이 올 경우 '혀를 닦은 것을 기억하다'라는 의미가 되어 어색해진다.

어법 직결 **159** A: The electric toy car stopped **working**.
S V O
장난감 전기자동차가 작동을 멈췄어.
B: Try **changing** the battery. That will fix the problem.
V O (V′ O′) S V O
(시험 삼아) 배터리를 한번 교체해 봐. 그것이 문제를 해결할 거야.

정답 | **×, changing**
해설 | 문맥상 작동을 멈춘 장난감 전기자동차의 배터리부터 한번 교체해 보라는 내용이므로 〈try v-ing: 시험 삼아[그냥] 한번 v해 보다〉가 의미상 적절하다. to change가 올 경우 '교체하려고 노력하다'라는 의미가 되어 어색해진다.

UNIT 17 명사절 목적어

160 I believe // (that) success is a journey, / not a destination. - 수능
S V O (S′ V′ C'_1 C'_2)
나는 믿는다 // 성공은 여정이라고, / 도착지가 아니라.

- 목적어 역할을 하는 명사절을 이끄는 that은 문장에서 흔히 생략되며, 생략된 자리에서 끊으면 된다.
- try, want, refuse 등은 that절을 목적어로 취하지 않는다. 즉, 모든 타동사가 that절을 목적어로 취하는 것은 아니다.
- **believe가 만드는 빈출 문형**

SV	(종교를) 믿다	Some people say those who **believe** will go to heaven. 어떤 사람들은 **(종교를) 믿는** 사람들은 천국에 갈 것이라고 말한다.
SVO	~을 믿다; ~을 생각하다	I **don't believe** a word of his story. 나는 그의 이야기의 한 마디도 **믿지 않는다**.
SVOC	O가 C라고 생각하다 [여기다]	I **believe** her to be the finest violinist in the world. 나는 그녀**가** 세계 최고의 바이올린 연주자**라고 생각한다**.

161 I wonder // **whether[if] I am on the right path in life.**
S V O (S′ V′ A′)
나는 궁금하다 // 내가 인생에서 올바른 길로 가고 있는지 (아닌지).

- whether[if]가 이끄는 명사절은 주로 동사 ask, tell, know, wonder, question 등의 목적어로 쓰인다.
- whether[if]가 목적어로서 명사절을 이끌 때에는 '~인지 아닌지'의 뜻이다. 한편, whether가 양보의 부사절을 이끌 때에는 '~이든 아니든'의 뜻이다. ▶UNIT 77

162 Color can impact // **how you perceive weight.**
S V O (M′ S′ V′ O′)
색상은 영향을 줄 수 있다 // 어떻게 여러분이 무게를 인식하는지에.

Dark colors look heavy, // and bright colors look less so. - 모의응용
S_1 V_1 C_1 S_2 V_2 C_2
어두운 색은 무거워 보인다. // 그리고 밝은 색은 덜 그렇게 보인다.

- 의문부사 how는 절 내에서 '부사' 역할을 하므로 뒤에 완전한 구조가 이어진다.
- 여기서 so는 앞 절의 보어인 형용사 heavy를 대신한다.

163 I think // **(that) the first duty (of society) / is justice.** - Alexander Hamilton ((美 정치인))
S V O (S′ V′ C′)
나는 생각한다 // 첫 번째 의무는 (사회의) / 정의라고.

- 동사 think의 목적어절을 이끄는 접속사 that이 생략되었다.

164 Neurologists remind us // **that all warm-blooded mammals / dream every night.**
S V IO DO (S′ V′ M′)
신경학자들은 우리에게 상기시킨다 // 모든 온혈 포유류는 / 매일 밤 꿈을 꾼다는 것을.

- 대표적으로 remind, tell, persuade, inform, convince 등이 〈SVO+that ~〉 형태를 취한다. (remind that ~ (X))
tell은 〈SV+that ~〉 형태도 취할 수 있다.

165 Only time will tell you // **whether your hard efforts / will pay off.**
M S V IO DO (S′ V′)
오직 시간만이 당신에게 말해줄 것이다 // 당신의 부단한 노력이 / 성공을 거두게 될지를.

- 〈will+동사원형〉은 미래를 나타내는 표현이다. ▶UNIT 28
- **tell이 만드는 빈출 문형**

SV	말하다	His rough hands **tell** of a hard life. 그의 거친 손이 힘든 삶을 **말해 준다**.
SVO	알리다, 전하다; 알다, 확실히 말하다; 구별하다 ((from))	No one **had told** her about the drug's side effects. 아무도 그 약의 부작용에 대해 그녀에게 **알려주지 않았다**. I **can't tell** the reason for his absence. 나는 그가 결석한 이유를 **모르겠다**. I **can't tell** Sue from her twin sister. 나는 수와 그녀의 쌍둥이 자매를 **구별할 수 없다**.
SVOO	IO에게 DO를 말하다	The teacher **told** us some funny travel stories. 선생님께서 우리**에게** 몇몇 재미있는 여행 이야기**를 해주셨다**.
SVOC	O에게 C하라고 말하다	The doctor **told** me to take a rest. 의사가 내**게** 쉬**라고 말했다**.

166 Early humans wondered // **why the moon looked different every night.** - 모의응용
S V O (S′ V′ C′ M′)
원시 인류는 궁금해했다 // 왜 달이 매일 밤 다르게 보이는지를.

167 Explore often. You will know // **how small you are / and how big the world is.**
V M S V O_1 (C′ S′ V′) O_2 (C′ S′ V′)
종종 탐험해라. 너는 알게 될 것이다 // 네가 얼마나 작은지 / 그리고 세상은 얼마나 큰지.

168 We must show / people [we love] // **how much they mean / to us.**
S V IO DO (O′ S′ V′ M′)
우리는 보여줘야 한다 / 사람들에게 [우리가 사랑하는] // 그들이 얼마나 많은 것을 의미하는지를 / 우리에게.

- we love는 목적격 관계대명사가 생략된 관계사절로 선행사 people을 수식한다. ▶**UNIT 67**

169 I wonder // **how many wishes a star can give.** - Winnie the Pooh ((곰돌이 푸))
S V O (O′ S′ V′)
나는 궁금하다 // 얼마나 많은 소망을 별이 들어줄 수 있을지.

170 Find out / **what gives you joy** // and do it. It will identify your values. - 모의응용
V1 O1 (S′ V′ IO′ DO′) V2 O2 S V O
찾아내라 / 무엇이 너에게 기쁨을 주는지를 // 그리고 그것을 해라. 그것이 너의 가치관을 찾아줄 것이다.

- 의문대명사 what이 명사절 내에서 주어 역할을 하므로 〈의문사(S′)+V′〉의 어순이 되었다.

171 I haven't decided // **what I should buy / for Parents' Day.**
S V O (=what to buy ~) (O′ S′ V′ M′)
나는 정하지 못했다 // 무엇을 사야 할지 / 어버이날에.

- 의문사 what 이하는 간접의문문이며, 이때의 어순은 〈의문사(O′)+S′+V′〉이다.
- what이 관계대명사인지 의문사인지 문법적으로 명확히 구분하기 어려운 경우가 종종 있다.
  문맥상 '무엇'이라는 해석이 자연스럽다면 의문사로, '~하는 것'이라는 해석이 자연스럽다면 관계대명사로 볼 수 있다.
- 〈의문사+S′+should[can]+V′〉는 대개 〈의문사+to-v〉로 바꿔 쓸 수 있다. 단, why to-v는 쓰이지 않는다. ▶**UNIT 15**
- 〈의문사+to-v〉는 주어, 보어로도 쓰인다.
  e.g. **What to do on his birthday** still isn't decided. **그의 생일날 무엇을 할지는** 여전히 정해지지 않았다. 〈주어〉
  The topic of the meeting was **when to reveal our new product**. 회의의 주제는 **우리의 신제품을 언제 발표할지**였다. 〈보어〉

172 Never mind // **whose fault it is.** Instead, fix the problem.
V O (C′ S′ V′) V O
신경 쓰지 마라 // 그것이 누구의 잘못인지를. 대신에, 문제를 해결하라.

- 의문대명사 whose, what, which가 명사를 수식하는 형용사로 쓰인 명사절의 해석은 다음과 같다.
  〈whose[what, which]+명사+(S′+)V′〉: 누구의[무슨, 어느] ~가 V′하는지를, 누구의[무슨, 어느] ~을 S′가 V′하는지를

173 The police will announce // **who is responsible for the crime.**
S V O (S′ V′ C′)
경찰은 발표할 것이다 // 누가 그 범죄에 책임이 있는지를.

174 The past doesn't decide // **who we are.** The present does.
S V O (C′ S′ V′) S V
과거는 결정하지 않는다 // 우리가 누구인지를. 현재가 그렇다(결정한다).

- 의문사 who 이하는 간접의문문이며, 이때의 어순은 〈의문사(C′)+S′+V′〉이다.
- does는 첫 번째 문장의 decide를 대신하는 대동사이다.

175 Tell me // **which color you like better.** Pink or blue?
V IO DO (O′ S′ V′ M′)
내게 말해줘 // 어느 색을 네가 더 좋아하는지를. 분홍색 아니면 파란색?

- 여기에서 의문사 which는 뒤의 명사 color를 수식하는 형용사 역할을 한다.

176 What / do you believe // makes life worth living?

의문사 S V O

무엇이 / 당신이 생각하기에 // 삶을 살 가치가 있게 만드나요?

주절이 do you think[believe, say 등]일 때는 의문사가 문장 맨 앞에 온다.
← Do you believe+what makes life worth living?

영작 직결 **177** In the thriller movie, / the main character didn't know // whom he could trust.

M S V O

그 스릴러 영화에서, / 주인공은 알지 못했다 // 자신이 누구를 믿을 수 있을지를.

정답 | **the main character didn't know whom he could trust**

해설 | 동사 know의 목적어로 whom이 이끄는 명사절이 와야 한다. 의문사절이 다른 문장의 일부로 연결될 때는 ⟨의문사(whom)+S′(he)+V′(could trust)⟩의 간접의문문 어순을 취한다. whom은 의문사절 안에서 목적어 역할을 한다.

UNIT 18 재귀대명사 목적어

178 Children like talking about **themselves**. (Children = themselves)

S V O

아이들은 자신들에 대해 이야기하는 것을 좋아한다.

cf. Children like talking about ***them***. (Children ≠ them)

S V O

아이들은 그들에 대해 이야기하는 것을 좋아한다.

전치사 about의 목적어가 주어인 Children과 일치하므로 재귀대명사 themselves가 쓰였다.

179 Put **yourself** / in another person's shoes / to understand their perspective.

V O A M

너 자신을 놓아라 / 다른 사람의 입장에 / 그들의 관점을 이해하기 위해.

명령문의 생략된 주어 You와 동사 Put의 목적어가 일치하므로 재귀대명사 yourself가 쓰였다.

to understand their perspective는 '목적'을 나타내는 부사적 용법으로 쓰인 to부정사구 ▶UNIT 54

180 The superior man blames **himself**. The inferior man blames others.

S V O S V O

우수한 사람은 자신을 탓한다. 열등한 사람은 다른 이들을 탓한다. - Don Shula ((美 풋볼 코치))

blames의 목적어가 주어인 The superior man과 일치하므로 재귀대명사 himself가 쓰였다.

181 The body can repair **itself**: // the liver regenerates / and bones grow back.

S V O S_1 V_1 S_2 V_2 M_2

신체는 스스로를 회복시킬 수 있다. // 간은 재생된다 / 그리고 뼈는 다시 자란다.

여기서 can은 능력을 나타내는 조동사이다. ▶UNIT 32

동사 can repair의 목적어가 주어인 The body와 일치하므로 재귀대명사 itself가 쓰였다.

182 We protect **ourselves** / from the worsening air quality / by wearing masks.

S V O A M

우리는 우리 자신을 보호한다 / 악화되고 있는 대기 질로부터 / 마스크를 써서.

동사 protect의 목적어가 주어인 We와 일치하므로 재귀대명사 ourselves가 쓰였다.

183 To make **myself** mentally stronger, / I try / to forget about the past /
내 스스로를 정신적으로 더 강하게 만들기 위해, / 나는 노력한다 / 과거를 잊으려고 /

and focus on the now.
그리고 현재에 집중하려고.

- To make ~ stronger는 '목적'을 나타내는 부사적 용법으로 쓰인 to부정사구로, In order to~로 바꿔 쓸 수 있다. ▶**UNIT 54**
- To make ~ stronger의 의미상의 주어(I)와 목적어가 일치하므로 재귀대명사 myself가 쓰였다.
- 동사 try가 to-v구를 목적어로 취하면 'v하려고 노력하다[애쓰다]'의 뜻이다. ▶**UNIT 16**

184 Comparing **ourselves** to others / can have a negative impact / on our self-esteem.
우리 자신을 다른 사람들에 비교하는 것은 / 부정적인 영향을 미칠 수 있다 / 우리의 자존감에.

- 동명사구 주어(Comparing ourselves to others)가 쓰였다. ▶**UNIT 08**
- 동명사의 생략된 의미상의 주어(we)와 동명사의 목적어가 일치하므로 재귀대명사 ourselves가 쓰였다.
- 여기서 can은 현재나 미래에 대한 가능성/추측을 나타내는 조동사 ▶**UNIT 34**

어법 직결 **185** In the movie *Mulan*, / the main character disguises **herself** as a man /
영화 〈뮬란〉에서, / 주인공은 자신을 남자로 변장시킨다 /
to enlist in the army / in place of her father.
군에 입대하기 위해서 / 아버지를 대신하여.

정답 | ×, **herself**
해설 | 주어인 the main character가 변장시키는 대상이 자기 자신이므로 her 대신 재귀대명사 herself가 와야 한다.

- to enlist 이하는 '목적'을 나타내는 부사적 용법의 to부정사구 ▶**UNIT 54**

186 I will **devote myself** / **to** something [that makes my life more interesting].
나는 전념할 것이다 / 무언가에 [나의 인생을 더욱 재미있게 만드는].

- that 이하는 something을 수식하는 주격 관계대명사절 ▶**UNIT 64**

187 Doing your best to the end / is great **in itself.**
끝까지 최선을 다하는 것은 / 그 자체로 훌륭하다.

- Doing ~ the end는 동명사구 주어이므로 단수동사 is를 썼다. ▶**UNIT 08**

188 Guests (of our hotel) / can **avail themselves** / **of** various indoor sports.
손님들은 (저희 호텔의) / 이용하실 수 있습니다 / 다양한 실내 스포츠를.

189 We should **enjoy ourselves** // while we can. Life is too short.
우리는 즐겁게 보내야 한다 // 우리가 할 수 있는 동안. 인생은 너무 짧다.

- should는 충고/의무를 나타내는 조동사 ▶**UNIT 33**
- 여기서 while은 시간을 나타내는 부사절을 이끄는 접속사 ▶**UNIT 73**
- while we can 다음에 enjoy ourselves가 생략되었다. ▶**UNIT 96**

190 **Commit yourself** / **to** something [(that) you have passion for]. - Bill Walsh ((美 풋볼 코치))

V O 전 O′

전념해라 / 어떤 것에 [네가 열정이 있는].

✔ 명령문의 생략된 주어(you)와 동작(commit)의 대상인 목적어(you)가 일치하므로 재귀대명사 yourself가 쓰였다.

✔ 목적격 관계대명사가 생략된 관계사절이 something을 수식한다. ▶**UNIT 67**

191 I learn much more / by traveling **by myself**. - Roberto Cavalli ((이탈리아 패션디자이너))

S V M M M

나는 훨씬 더 많이 배운다 / 홀로 여행하는 것으로.

✔ by oneself는 다음과 같은 두 가지 의미를 지닌다.

1) 혼자서 (= alone)

2) 혼자 힘으로 (= without help from anyone else; for oneself)

e.g. Can you help me move this table? I can't do it **by myself**.

이 테이블 옮기는 것 좀 도와줄 수 있어? **나 혼자 힘으로는** 그걸 옮길 수 없어.

192 If I do my full duty, // the rest will take care **of itself**.

S′ V′ O′ S V M

내가 내 모든 의무를 다한다면, // 나머지는 자연히 처리될 것이다.

✔ If ~ duty는 조건을 나타내는 부사절이므로 현재시제가 미래를 대신한다. ▶**UNIT 27, 76**

If I'll do my full duty (×)

영작 직결 **193** The journalists **dedicated themselves** / **to** reporting international conflicts.

S V O 전 O′

그 기자들은 전념했다 / 국제 갈등을 보도하는 데.

정답 | **dedicated themselves to reporting**

해설 | 〈dedicate oneself to 명사/v-ing〉는 '~에 전념하다[헌신하다]'의 뜻이다. 우리말 시제가 과거이므로 dedicate는 과거동사 dedicated로 쓰고, them은 재귀대명사 themselves로 바꿔 쓴다. 전치사 to의 목적어 자리에는 명사와 v-ing(동명사) 모두 올 수 있는데, 뒤에 international conflicts라는 딸린 어구가 있으므로 reporting으로 바꿔 쓰는 것이 적절하다.

UNIT 19 전치사의 목적어

194 Don't be afraid ***of*** **growing slowly**; // be afraid only ***of*** **standing still**.

V₁ C₁ 전 O′(전치사의 목적어) V₂ C₂ 전 O′

더디게 성장하는 것을 두려워하지 마라. // 가만히 멈춰 서 있는 것만 두려워해라.

✔ 전치사의 목적어로 오는 동사는 v-ing(동명사) 형태여야 한다.

195 The future depends ***on*** / **what we do in the present**. - Mahatma Gandhi

S V 전 O′(전치사의 목적어)

미래는 (~에) 달렸다 / 우리가 현재 무엇을 하느냐에.

196 We object / ***to*** **using animals** / ***for*** **the testing of cosmetics**.

S V 전 O′

우리는 반대한다 / 동물을 이용하는 것을 / 화장품 실험을 위해.

✔ 전치사 to의 목적어로 쓰인 동명사구(using ~ cosmetics) 내에 다시 전치사 for의 목적어로 명사구(the testing of cosmetics)가 왔다. 더 세부적으로는 cosmetics도 전치사 of의 목적어이다.

F·Y·I 동물 실험의 필요성에 의문이 제기되며 동물 실험을 하지 않는 크루얼티 프리&비건(Cruelty-free & Vegan) 화장품들이 등장하고 있다. 화장품 동물 실험 금지는 세계적으로 확산되는 추세로 우리나라는 2017년에 동물 실험이 금지되었으며, 동물 실험을 하지 않는 화장품을 찾아 구매하는 이른바 '착한 소비' 운동도 활발히 이루어지고 있다.

197 Forgive yourself / ***for*** **making mistakes**. You need to learn from them.

V O 전 V′ O′ S V O

스스로를 용서해라 / 실수를 저지른 것에 대해. 너는 그것으로부터 배울 필요가 있다.

- 전치사의 목적어로 (대)명사와 동명사가 모두 쓰일 수 있으나 뒤에 딸린 목적어가 있다면 동명사를 써야 한다.
- them = mistakes

198 Working parents are busy / ***in*** **balancing their work and home responsibilities**.

S V C 전 V′ O′

일하는 부모들은 바쁘다 / 자신들의 일과 가정의 책임들 사이에서 균형을 이루느라.

- **전치사가 자주 생략되는 구문**
  - be busy **(in)** v-ing v하느라 바쁘다
  - have difficulty[a hard time, trouble, a problem] **(in)** v-ing v하는 데 어려움을 겪다

199 Even highly skilled workers / had difficulty ***in*** **finding work** / ***during*** **the Great Depression (of the 1930s)**.

S V O 전 V′ O′ 전 O′

고도의 기술을 가진 근로자들조차 / 일을 찾는 데 어려움을 겪었다 / 경제 대공황 동안에 (1930년대의).

- 과거분사구 highly skilled는 명사 workers를 앞에서 수식하고 있다. ▶**UNIT 52**

F·Y·I 대공황은 1929년 10월 24일, 뉴욕 주식 시장의 주가 폭락 사태에서 비롯된 미국의 경제 공황이 전 세계로 확산되어 1930년대까지 지속된 것을 의미한다. 이때 미국 노동자의 27%가 직업을 잃었으며 당시 프랭클린 루즈벨트 미(美) 대통령은 경제를 되살리기 위해 댐 공사와 같은 국가 주도 사업으로 국민들에게 일자리를 제공하는 뉴딜(New Deal) 정책을 펼쳐 성공했다.

200 Your attitude makes all the difference / ***to*** **how your day will begin and end**.

S V O 전 S′ V′ O′

당신의 태도는 중요한 영향을 미친다 / 어떻게 당신의 하루가 시작되고 끝날 것인지에.

↳ 당신의 태도가 하루를 어떻게 보내는지에 큰 영향을 미친다.

- 의문사 how 이하의 어순은 〈의문사+S′+V′〉이다. ▶**UNIT 17**
- begin과 end가 접속사 and로 병렬 연결되었다. ▶**UNIT 61**

201 Be certain ***of*** **your decision** / ***regardless of*** **whether it is small or significant**.

V C 전 O′ 전 S′ V′ C′ O′

당신의 결정을 확신하라 / 그것이 사소하든 중요하든 상관없이.

- it = your decision
- regardless of와 같이 두 개 이상의 단어가 모여 전치사의 역할을 하는 것을 '구전치사'라고 한다. 자주 쓰이는 구전치사는 다음과 같다.
  - according to ~에 따르면
  - except for ~이 없으면, ~을 제외하고는
  - contrary to ~에 반해서
  - in place of ~을 대신해서
  - in spite of (= despite) ~에도 불구하고
  - in contrast to ~와 다르게

202 A repetitive schedule / gives us a sense of security, // ***in*** **that we know / what is coming next**. - 모의응용

S V IO DO 전 S′ V′ O′ O′

반복적인 스케줄은 / 우리에게 안정감을 준다. // 우리가 안다는 점에서 / 다음에 무엇이 올지.

- 보통 전치사는 that절을 목적어로 취하지 않지만 다음의 두 가지 예외가 있다.
  - in that ~라는 점에서
  - except that ~라는 것 외에는

203 The food was awesome, / ***except*** **that we had to wait for an hour**.

S V C 전 S′ V′ M′ O′

음식은 정말 훌륭했다. / 우리가 한 시간 동안 기다려야 했다는 것 외에는.

UNIT 20

가목적어 it

204 Education makes it possible / to defeat all barriers.
S V O(가목적어) C / O′(진목적어) [V′ O′]
교육은 (~을) 가능하게 한다 / 모든 장벽을 부수는 것을.

동사 makes의 목적어인 it은 가리키는 대상이 없는 가목적어이며 뒤에 진목적어인 to-v가 왔다.

205 The research made it evident // that good sleep is key / to good health.
S V O(가목적어) C // O′(진목적어) [S′ V′ C′ M′]
그 연구는 (~을) 분명하게 했다 // 충분한 수면이 중요하다는 것을 / 건강에.

it은 가목적어이고 that절이 진목적어이다.

206 I found it difficult / to finish the task in two hours.
S V O(가목적어) C / O′(진목적어) [V′ O′ M′]
나는 (~이) 어렵다는 것을 알았다 / 두 시간 만에 그 일을 끝내는 것이.

〈in+시간〉: ~ 후에, ~ 만에
cf. 〈within+시간〉: ~ 안에

207 Educators believe it wise / to emphasize self-directed learning.
S V O(가목적어) C / O′(진목적어) [V′ O′]
교육자들은 (~이) 현명하다고 믿는다 / 자기 주도 학습을 강조하는 것이.

208 You should keep it in mind // that time waits for no one.
S V O(가목적어) A // O′(진목적어) [S′ V′ O′]
당신은 (~을) 명심해야 한다 // 시간은 아무도 기다려주지 않는다는 것을.

〈keep (it) in mind that S′+V′: ~을 명심하다〉에서는 가목적어 it이 생략되는 경우가 많다.
여기서 should는 충고/의무를 나타내는 조동사 ▶UNIT 33

209 I make it a rule / to plan for each day's work / in the morning.
S V O(가목적어) C / O′(진목적어) [V′ M′ M′]
나는 (~을) 규칙으로 하고 있다 / 그날의 일을 계획하는 것을 / 아침에.

210 I take it for granted // that opportunities don't always last.
S V O(가목적어) C // O′(진목적어) [S′ V′]
나는 (~을) 당연하게 여긴다 // 기회가 언제나 계속되는 것은 아니라는 것을.

여기서 take는 consider의 의미로 〈take A for B: A를 B라고 여기다〉의 구조로 쓰였다. ▶UNIT 82
grant의 분사형 granted 앞에 동명사 being이 생략된 것으로 볼 수 있다. it이 목적어, for granted가 목적격보어 역할을 한다.

어법 직결 211 Governments are finding it hard / to look after the increasing number of old people. - 모의응용
S V O(가목적어) C / O′(진목적어) [V′ O′]
정부는 (~을) 어려워하고 있다 / 증가하는 노인 인구를 돌보는 것을.

정답 | **it**
해설 | 형용사 hard와 to부정사구(to look after ~)가 의미상 동사 find의 〈보어-목적어〉 관계이므로 that이 아닌 가목적어 it이 들어가야 한다.

영작 직결 **212** Doctors consider **it** important / **to safeguard infants** / **by giving supplementary vitamins.**

S V O(가목적어) C / V′ O′ O′(진목적어) / M′

의사들은 (~을) 중요하다고 생각한다 / 유아들을 보호하는 것을 / 보조비타민을 제공함으로써.

정답 | **consider it important to safeguard infants by giving supplementary vitamins**

해설 | 동사 consider의 목적어 it은 가목적어이므로 뒤에 진목적어 역할을 할 수 있는 to-v구가 와야 한다. 전치사 by의 목적어로는 give를 giving으로 바꿔 쓴다. 가목적어 it은 주로 SVOC문형에서 동사가 consider, make, find, keep, think 등일 때 자주 쓰인다.

UNIT 21 다양한 주격보어

213 Our prime purpose (in this life) / is **to help others**. - Dalai Lama ((티베트 라마교 교주))

S = V C (V′ O′)

우리의 주된 목적은 (이 삶에서) / 다른 사람들을 돕는 것이다.

- Our prime purpose in this life = to help others (to-v 보어)
- to-v에는 미래성의 의미가 있으므로 to-v를 보어로 잘 취하는 주어들도 '목표, 계획, 희망' 등을 나타내는 명사가 많다.
  e.g. purpose, goal, aim, plan, dream, hope, wish 등

214 The least expensive education / is **learning from the mistakes (of others)**.

S V = C (V′ M′)

가장 저렴한 교육은 / 실수로부터 배우는 것이다 (다른 사람들의).

- The least expensive education = learning from the mistakes of others (v-ing(동명사) 보어)

215 The duty (of the court system) / is **to protect the rights (of the people)**. - 수능응용

S = V C (V′ O′)

의무는 (법원 제도의) / 권리를 보호하는 것이다 (국민의).

- The duty of the court system = to protect the rights of the people (to-v 보어)

216 All [(that) you have to do] / is **(to) vary your routine a little**.

S = V C (V′ O′ M′)

모든 일은 [당신이 해야 할] / 당신의 틀에 박힌 일상에 조금 변화를 주는 것이다.

- All you have to do = (to) vary your routine a little (to-v 보어)
- you have to do는 목적격 관계대명사 that이 생략된 관계사절로 선행사 All을 수식한다. ▶**UNIT 67**
- all이 대명사로 쓰였을 때, 사람을 가리키면 복수, 사물을 가리키면 단수로 취급한다.
  e.g. **All** *were* happy. **다들** 행복해했다.
  All*'s* well that ends well. 끝이 좋으면 **모두** 좋다.

217 Forgiving someone / is **trying to look at things from their perspective**.

S V = C (V′ O′)

누군가를 용서하는 것은 / 그들의 관점에서 보려고 노력하는 것이다.

- Forgiving someone = trying to look at things from their perspective (v-ing(동명사) 보어)
- v-ing가 이끄는 명사구 주어(Forgiving someone)는 단수 취급하므로 동사 자리에 is가 왔다. ▶**UNIT 08**
- 〈try to-v〉: v하려고 노력하다[애쓰다] ▶**UNIT 16**

218 Set your goal // and keep **moving forward**. - Georges St-Pierre ((캐 격투기 선수))

V1 O1 V2 C2

목표를 세워라 // 그리고 계속해서 앞으로 나아가라.

219 You should stay **focused** / on the daily tasks.

S V C M

당신은 집중한 채로 있어야 한다 / 일과에.

- 여기서 should는 충고/의무를 나타내는 조동사 ▶**UNIT 33**
- focused는 주어 You를 보충 설명하는 과거분사
- **stay가 만드는 빈출 문형**

SV	계속[그대로] 있다	She **stayed** late to finish the report. 그녀는 보고서를 끝내기 위해 늦게까지 **있었다**.
SVA	머무르다	I **stayed** at the hotel for two days. 나는 호텔에서 이틀간 **머물렀다**.
SVC	유지하다; ~인 채로 있다	He **stays** calm while he plays chess. 그는 체스를 두는 동안 침착함을 **유지한다**.

220 The mysteries (surrounding Stonehenge) / remain **unsolved**.

S V C

미스터리는 (스톤헨지를 둘러싼) / 풀리지 않은 채로 남아 있다.

- unsolved는 주어 The mysteries surrounding Stonehenge를 보충 설명하는 과거분사

221 My point is // **that we're spending too much time / on details.**

S V = C (S′ V′ O′ M′)

내 요점은 ~이다 // 우리가 너무 많은 시간을 쓰고 있다는 것 / 세부적인 것에.

- My point = that we're spending too much time on details (명사절 보어)
- 접속사 that이 이끄는 명사절이 be동사의 보어로 쓰였다.

222 The question is // **not whether we will die, / but how we will live.**

S V = C (S′ V′ S′ V′)

-Joan Borysenko ((美 심리학자))

문제는 ~이다 // 우리가 죽을 것인지가 아니라, / 우리가 어떻게 살 것인지.

- The question = not whether ~ how we will live (명사절 보어)
- 〈not A but B: A가 아니라 B〉 구문이 쓰였으며, A와 B에는 문법적으로 대등한 명사절이 왔다. ▶**UNIT 62**

223 The hot topic (among students) / is // **who is going to be their homeroom teacher.**

S V = C (S′ V′ C′)

최대 관심사는 (학생들 사이에서) / ~이다 // 누가 그들의 담임 선생님이 될지.

- The hot topic among students = who ~ their homeroom teacher (명사절 보어)
- 의문사 who가 명사절 내에서 주어 역할을 하며 이때의 어순은 〈의문사(S′)+V′〉이다. ▶**UNIT 10**
- 〈be going to-v〉: 미래를 나타내는 표현 ▶**UNIT 28**

224 One (of the hardest choices (in life)) / is // **which bridge we should cross.**

S V = C (O′ S′ V′)

하나는 (가장 힘든 선택들 중에 (인생에서)) / ~이다 // 어느 다리를 우리가 건너야 하는지.

- One of ~ in life = which bridge we should cross (명사절 보어)
- 주어 자리에 〈one of+복수명사: ~중 하나〉가 올 경우, one이 주어이므로 동사는 단수형이 온다.
  e.g. **One** of the legs of the desk ***is*** broken. 책상 다리 중 하나가 부러졌다.
- 의문사 which는 명사 bridge를 수식하는 형용사로 쓰였으며, 의문사절이 문장의 주어, 목적어, 보어 등의 역할을 할 때는 〈의문사(+S′)+V′〉의 어순을 취한다. ▶**UNIT 09, 10, 17**

225 The first lesson (in driving) / is // **how you start the car.**

S V = C (S′ V′ O′)

첫 번째 교육은 (운전에 있어) / ~이다 // 어떻게 네가 차에 시동을 거는가.

- The first lesson in driving = how you start the car (명사절 보어)

226 We **seem to learn** life's best lessons / at the worst times.

S V C (V′ O′ M′)

우리는 인생의 가장 좋은 교훈을 배우는 것 같다 / 가장 힘든 때에.

227 He **didn't appear (to be)** nervous, / even before the big match.
S V C M
그는 긴장하는 것 같지 않았다. / 큰 경기 전에도.

✔ to-v가 to be일 때는 생략되는 경우가 많다.

228 Solving the climate problem / **has proved to be** a challenge.
S V C
기후 문제를 해결하는 것은 / 하나의 도전으로 판명되었다.

✔ Solving the climate problem은 v-ing(동명사)가 이끄는 명사구 주어 ▶**UNIT 08**

229 In a film, / sometimes / the least-expected person / **turns out to be** the villain.
M M S V C
영화에서, / 때때로 / 가장 예상치 못한 인물이 / 악당으로 판명된다.

230 We **don't get to know** people / when they come to us; // we must go to them / to find out what they are like. - Goethe ((괴테, 독일 작가))
S_1 V_1 C_1 S′ V′ A′ S_2 V_2 A_2 M_2
우리는 사람들을 알아가지 않는다 / 그들이 우리에게 올 때. // 우리는 그들에게 다가가야 한다 / 그들이 어떤 사람인지 알아내기 위해서.

✔ 〈what A be like〉는 A의 모습, 성격, 행동 등을 묘사할 때 자주 사용되는 표현이다.
e.g. A: **What is** your new house **like**? 너의 새 집은 어때? (= 너의 새 집은 어떤 모습이니?)
B: It is quite big and it has a nice garden. 꽤 크고, 멋진 마당이 있어.

✔ to find out 이하는 '목적'을 나타내는 부사적 용법으로 쓰인 to부정사구 ▶**UNIT 54**

231 We **happened to discover** // (that) we had a few things in common.
S V C
우리는 우연히 발견하게 됐다 // 우리가 몇 가지 공통점이 있다는 것을.

✔ discover 뒤에는 접속사 that이 생략되었다. 목적어 역할을 하는 명사절을 이끄는 that은 문장에서 흔히 생략된다. ▶**UNIT 17**

UNIT 22 to부정사 목적격보어

232 I *want* / my life **to have** a positive influence / on others.
S V O C
나는 원한다 / 내 삶이 긍정적인 영향을 미치기를 / 다른 사람들에게.

cf. I want your advice / to learn this software.
S V O M
저는 당신의 조언을 원합니다 / 이 소프트웨어를 배우기 위해.

✔ **목적격보어로 to-v를 취하는 동사**
- 바람·기대: want, wish, expect O가 v하기를 바라다
- 요구·명령: ask, require, order O가 v하기를 요청하다[명령하다]
- 허락·가능: allow, permit, enable O가 v하도록 허락하다[v할 수 있게 하다]
- 강요: force, compel O가 v하도록 강요하다
- 설득·장려·유도: persuade, encourage, urge, get, cause, lead O가 v하게 (설득, 장려, 유발, 초래)하다
  여기서 get은 persuade의 의미에 가깝다.
- 충고·경고: advise, tell, remind, warn O가 v하도록 충고하다[말하다, 일깨우다, 경고하다]

✔ *cf.* 문장의 to learn this software는 '목적'을 나타내는 부사적 용법으로 쓰인 to부정사구 ▶**UNIT 54**

233 Parents often *expect* / their children / **to do better / than they did.**

S V O C

부모들은 종종 기대한다 / 자녀들이 / 더 잘하기를 / 자신들이 했던 것보다.

✔ they = parents

234 A true friend never *asks* / you / **to act like an angel.** Instead, he becomes your angel.

S V O C S V C

진정한 친구는 절대로 요청하지 않는다 / 당신이 / 천사처럼 행동하도록. 그 대신에, 그가 당신의 천사가 된다.

✔ 여기서 like는 전치사로 쓰여 '~처럼[같이]'의 의미로 유사성을 나타낸다.

✔ 동사 become의 보어 자리에 명사구인 your angel이 왔다. (he = your angel)

235 The judge can *order* / you / **to pay a maximum fine amount of $1,000.**

S V O C

판사는 명령할 수 있다 / 네가 / 최대 1,000달러의 벌금을 내도록.

236 *Allow* / your passion / **to become your purpose,** // and it will become your profession / one day.

V_1 O_1 C_1 S_2 V_2 C_2 M_2

허락하라 / 당신의 열정이 / 당신의 목적이 되게, // 그러면 그것은 당신의 직업이 될 것이다 / 언젠가.

✔ 〈명령문+and S+V〉: ~하라, 그러면[그랬다간] S는 V할 것이다 ▶**UNIT 60**

✔ 두 번째 절의 동사 will become의 보어 자리에 명사구인 your profession이 왔다. it(= your passion) = your profession

237 Experience *enables* / you / **to recognize a mistake** // when you make it again.

S V O C

경험은 (~하도록) 한다 / 당신이 / 실수를 알아차리도록 // 그것(실수)을 다시 저질렀을 때.

✔ when 이하는 시간을 나타내는 부사절 ▶**UNIT 73**

✔ it = a mistake

238 Alone time *forces* / you / **to take a break / from everyday responsibilities.** - 모의응용

S V O C

혼자 있는 시간은 어쩔 수 없이 (~하도록) 한다 / 당신이 / 휴식을 취하도록 / 일상적인 책임에서 벗어나.

239 He *persuaded* / me / **to eat less meat / or try going vegetarian.**

S V O C_1 C_2

그는 설득했다 / 내가 / 고기를 덜 먹거나 / 한번 채식주의자가 되어 보라고.

✔ to-v가 이끄는 두 개의 목적격보어가 or에 병렬 연결되었다. 이때 두 번째로 나오는 to-v구의 to는 생략 가능하다. ▶**UNIT 61**

✔ try v-ing: 시험 삼아[그냥] 한번 v해 보다 ▶**UNIT 16**

240 Strong leaders *encourage* / you / **to do things for your own benefit, / not just theirs.** - Tim Tebow ((美 야구선수))

S V O C

강한 지도자는 격려해준다 / 네가 / 자신의 이익을 위해 행동하도록, / 단지 그들의 것(=지도자들의 이익)을 위해서가 아니라.

✔ theirs = their benefits

241 The continuous heavy rain *causes* / the price (of vegetables) / **to rise sharply.**

S V O C

계속되는 폭우는 유발한다 / 가격이 (채소의) / 폭등하도록.

242 The review *led* / me / **to believe** // **that the hotel had an overbooking problem**.
S V O C (V′, O′)
그 후기는 (~하도록) 했다 / 내가 / 생각하도록 // 그 호텔이 초과예약 문제가 있다고.

목적격보어로 쓰인 to부정사구 내에서 believe의 목적어로 that이 이끄는 명사절이 왔다. ▶**UNIT 17**

243 Dentists *advise* / us / **to replace our toothbrushes** / **every three months**.
S V O C (V′, O′, M′)
치과의사들은 충고한다 / 우리가 / 칫솔을 교체하도록 / 석 달마다.

어떤 사건이나 일이 발생하는 빈도를 나타낼 때는 every 뒤에 복수명사가 올 수 있다.
e.g. I go to hospital **every six weeks** for a check-up. 나는 검진을 위해 **6주마다** 병원에 간다.

244 *Remind* / yourself / **to trust your own judgments** // when things go wrong.
V O C S′ V′ C′
상기시켜라 / 네 자신이 / 스스로의 판단을 신뢰하도록 // 상황이 잘못 돌아갈 때.

명령문의 생략된 주어 You와 동사 Remind의 목적어가 일치하므로 재귀대명사 yourself가 쓰였다. ▶**UNIT 18**

245 The Foreign Minister *warns* / citizens / **not to travel to countries [that are likely to have terrorist attacks]**.
S V O C (V′, M′)
외무부 장관은 경고한다 / 국민들이 / (~한) 나라들을 여행하지 말도록 [테러리스트 공격이 있을 것 같은].

to부정사의 부정형: not[never]+to-v
that 이하는 countries를 수식하는 주격 관계대명사절 ▶**UNIT 64**

F·Y·I 우리나라 외교부는 국민의 안전을 위해 여행 · 체류 시 특별한 주의가 요구되는 특정 국가 및 지역에 경보를 지정하여 위험수준을 안내하고 있다. 여행경보는 단계별로 1단계(남색경보)는 '여행 유의'를, 2단계(황색경보)는 '여행 자제'를, 3단계(적색경보)는 '철수 권고'를, 4단계(흑색경보)는 '여행 금지'를 의미하며 외교부 홈페이지에서 각 단계별 경보가 내려진 국가들을 확인해 볼 수 있다.

어법 직결 **246** A moderate amount of stress *gets* / us **to perform at our best**.
S V O C (V′, M′)
적당한 양의 스트레스는 (~하도록) 한다 / 우리가 최고의 상태에서 일을 해내도록.

정답 | ×, **to perform**
해설 | get은 'O가 v하게 (설득, 장려)하다'의 의미일 때 to-v를 목적격보어로 취하므로 perform을 to perform으로 고쳐 써야 한다.

UNIT 23 원형부정사(v) 목적격보어

247 Don't count the days. *Make* the days **count**. - Muhammad Ali
V O V O C
하루하루를 세지 마라. 하루하루를 중요하게 만들어라.

사역동사(make, have, let)는 O와 C가 능동 관계일 때, 목적격보어로 원형부정사(v)를 취한다.
make는 '(강제로[억지로]) 목적어가 v하도록 만들다'라는 의미가 있다. 즉, 의미상 force나 cause에 가깝다.
첫 번째 count는 '~을 세다'라는 의미의 SVO문형 동사이고, 두 번째 count는 '중요하다'라는 의미의 SV문형 동사이다. ▶**UNIT 01**

248 Millions *saw* the apple **fall**, // but Newton was the one [who asked why].

S1 V1 O1 C1 / S2 V2 C2

- Bernard Baruch ((美 재정가))

수백만 명이 사과가 떨어지는 것을 보았다. // 하지만 뉴턴은 (~한) 사람이었다 [왜 그런지를 물은].

- 지각동사는 O와 C가 능동 관계일 때 목적격보어로 현재분사(v-ing)도 취할 수 있다. ▶UNIT 24
  원형부정사(v)를 취할 때와 의미 차이는 크지 않지만 v-ing는 진행의 의미를 좀 더 강조한다.
- **지각동사의 종류:** see, watch, look at, notice, observe, smell, (over)hear, listen to, feel 등
- who 이하는 the one을 수식하는 주격 관계대명사절 ▶UNIT 64
- 의문사 why 뒤에는 the apple fell이 생략되었다. ▶UNIT 96

F·Y·I 뉴턴은 만유인력의 법칙을 발견한 17세기 대표적인 물리학자로 과학 혁명의 완성자라고 불린다. 1665년 어느 날 그는 사과나무 아래에 앉아 졸고 있었는데 갑자기 사과가 자신의 머리 위로 떨어지는 것을 보고 그것이 수직 방향으로 떨어지는 이유에 대해 의문을 품기 시작했다. 수많은 노력 끝에 그는 사과가 아래로 떨어지는 힘을 중력이라 하고, 이 중력은 모든 물체 사이에 존재하는 힘이라는 결론을 내렸다. 이것이 바로 만유인력의 시초가 되었다.

249 The teacher *had* / students / **summarize the story / in less than 200 words.**

S V O C (V′ O′ M′)

선생님이 시키셨다 / 학생들이 / 그 이야기를 요약하도록 / 200자 미만으로.

- 여기서 have는 '~하게 하다', 즉 cause의 의미이고, O(students)와 C(summarize)가 능동 관계이므로 C 자리에 원형부정사(v)가 왔다.
- ⟨less than ~⟩: ~보다 적은

250 Never *let* / your emotions / **overpower your intelligence.**

V O C (V′ O′)

절대 두지 마라 / 당신의 감정이 / 당신의 지성을 압도하게.

- let은 'O가 v하도록 허락[허용]하다'란 의미이다. 즉, 'O의 행동을 막거나 하지 않고 내버려두다'라는 의미에 가깝다.

251 You can easily *observe* / people / **use their cell phones** / in the subway.

S V O C (V′ O′) M

당신은 쉽게 관찰할 수 있다 / 사람들이 / 휴대폰을 사용하는 것을 / 지하철에서.

252 I've never *heard* / my parents / **say a bad word (about anybody).**

S V O C (V′ O′)

나는 한 번도 들어본 일이 없다 / 나의 부모님이 / 나쁜 말씀을 하시는 것을 (누구에 대해서도).

- 여기서 have heard는 '경험'을 나타내는 현재완료 ▶UNIT 29

253 In spring, / you can *feel* / the temperature / **change a lot from night to day.**

M S V O C (V′ M′ M′)

봄에, / 당신은 느낄 수 있다 / 기온이 / 밤낮으로 크게 변하는 것을.

- **feel이 만드는 빈출 문형**

SV	(~에 대해) 의견[생각]을 가지다	I **feel** differently about the matter. 나는 그 문제에 대해 다르게 **생각한다**.
SVC	(~이라고) 느끼다; (촉감이) ~하다	I **feel** really hungry. 나는 정말 배가 고프**다**. Silk **feels** soft. 실크는 **촉감이** 보드랍**다**.
SVO	~을 느끼다; (손으로) 만져보다; (~라고) 생각하다	I **could feel** the warm sun on my back. 내 등에 비치는 따스한 햇살을 **느낄 수 있었다**. **Can** you **feel** the bump on my head? 내 머리에 혹이 **만져지니**? I **felt** that I had to apologize. 나는 내가 사과를 해야겠다고 **생각했다**.
SVOC	O가 C하는 것을 느끼다	I **felt** something crawl up my leg. 나는 무엇인가**가** 내 다리를 기어오르는 것**을 느꼈다**.

- **change가 만드는 빈출 문형**

SV	변하다; ~으로 갈아입다	Roy **hasn't changed** at all. 로이는 전혀 **변하지 않았다**. They **changed** into pajamas. 그들은 잠옷**으로 갈아입었다**.
SVO	~을 바꾸다; 환전하다	He **changed** his mind all of a sudden. 그는 갑자기 마음**을 바꿨다**. I **changed** dollars for won. 나는 달러**를** 원화로 **환전했다**.

254 *Help* others (to) achieve their dreams, // and you will achieve yours.

V1 O1 C1 S2 V2 O2

- Les Brown ((美 동기부여 전문가))

다른 사람들이 그들의 꿈을 이루는 것을 도와라. // 그러면 너는 너의 꿈을 이룰 것이다.

- help는 O와 C가 능동 관계일 때, 목적격보어로 원형부정사(v) 또는 to-v를 취한다.
- yours = your dreams
- 〈help+(목적어+)원형부정사〉: 목적어가 대명사일 경우 생략되는 경우가 있다.
  e.g. You should help (me) set the table. 너는 (내가) 상 차리는 것을 도와줘야 해.
- 〈명령문+and S+V〉: ~하라, 그러면[그랬다간] S는 V할 것이다 ▶**UNIT 60**

어법 직결 255 I *watched* / a man (on the Metro) / try to get off the train and fail. - 수능

S V O C

나는 지켜보았다 / 한 남자가 (메트로에 탄) / 전동차에서 내리려고 애쓰다가 실패하는 것을.

정답 | **try, 나는 메트로에 탄 한 남자가 전동차에서 내리려고 애쓰다가 실패하는 것을 지켜보았다.**

해설 | 목적어(a man on the Metro)와 목적격보어(try ~ and fail)가 능동 관계이므로, 목적격보어 자리에는 원형부정사(try)가 오는 것이 적절하다. 목적격보어에서 원형부정사 try와 fail은 and로 연결된 병렬구조로 쓰였다. try가 to-v를 목적어로 취하면 'v하려고 애쓰다[노력하다]'로 해석한다.

UNIT 24 현재분사(v-ing) 목적격보어

256 We *watched* / the sun **rising** over the sea.

S V O C

우리는 지켜보았다 / 태양이 바다 위로 떠오르고 있는 것을.

cf. We *watched* / the sun **rise** over the sea.

S V O C

우리는 지켜보았다 / 태양이 바다 위로 뜨는 것을.

- 지각동사의 목적격보어로 쓰인 현재분사(v-ing)는 진행 중이거나 아직 완료되지 않은 동작 · 사건을 강조한다.

257 Right before the large earthquake, / she *saw* the walls **shaking**.

M S V O C

큰 지진 바로 직전에, / 그녀는 벽이 흔들리고 있는 것을 보았다.

- 여기에서 shaking은 자동사로 쓰인 shake(흔들리다)의 현재분사형이다.

258 I *felt* / my heart **beating** faster // when I *noticed* / someone **following** me.

S V O C S′ V′ O′ C′

나는 느꼈다 / 내 심장이 더 빨리 뛰고 있는 것을 // 내가 알아차렸을 때 / 누군가가 나를 따라오고 있는 것을.

259 When we *hear* someone **laughing**, // it is almost impossible /

S′ V′ O′ C′ S(가주어) V C

우리가 누군가가 웃고 있는 것을 들을 때, // (~은) 거의 불가능하다 /

not to begin laughing too. - 모의응용

S′(진주어)

함께 웃기 시작하지 않는 것은.

- 주절에는 가주어 it이 쓰였으며, 진주어는 not to begin laughing too이다. ▶**UNIT 11**
- to부정사의 부정형: not[never]+to-v
- begin은 to-v구와 v-ing구 모두를 목적어로 가질 수 있는 동사이며, 어느 것이 목적어로 와도 의미 차이가 별로 없다. ▶**UNIT 16**

260 Sometimes / fear and guilt / *gets* us **walking on the right track.**

M / S / V O / C

때때로 / 두려움과 죄책감은 / 우리가 올바른 방향으로 걸어가기 시작하도록 한다.

- 〈get+O+v-ing〉는 'O가 v하기를 시작하게 하다'의 의미
  cf. 〈get+O+to-v〉: O가 v하도록 (설득, 장려)하다
- and로 연결된 명사 두 개가 관용적으로 함께 쓰여 단일 대상처럼 취급될 경우 동사의 단수형을 쓴다.
  e.g. **Trial and error** *is* a fundamental process of learning. **시행착오**는 배움의 기본 과정이다.

261 Reading *keeps* you / **thinking fast** [and] **taking actions faster than others.**

S V O / C_1 / C_2

독서는 당신이 계속해서 (~)하도록 한다 / 빨리 생각하고 다른 이들보다 더 빨리 행동에 옮기도록.

- 동사 keep의 목적격보어인 thinking과 taking이 and로 연결된 병렬구조 ▶**UNIT 61**
- fast는 형용사(빠른)와 부사(빨리, 빠르게)의 형태가 같으며, 여기서는 현재분사 thinking과 taking을 수식하는 부사로 쓰였다.

262 A wonderful book / will *have* you / **going through every possible emotion.**

S / V O / C

훌륭한 책은 / 당신이 계속 (~)하도록 할 것이다 / 모든 가능한 감정을 경험하도록.

- 이때의 have는 'O가 계속 v하게 하다[해두다]'의 의미
  e.g. He *had* us **laughing all through the meal**. 그는 우리가 식사 내내 계속 웃고 있게 했다.
  (V O C)
- every는 형용사로 주로 단수명사를 수식한다.

263 Greasy foods can slow digestion / [and] *leave* you **feeling uncomfortable.**

S / V_1 / O_1 / V_2 O_2 / C_2

기름진 음식은 소화를 느리게 할 수 있다 / 그리고 당신이 불편함을 느끼고 있는 채로 둘 수 있다.

- slow와 leave가 접속사 and로 연결된 병렬구조이며, leave 앞에는 can이 생략되어 있다. ▶**UNIT 61, 96**

264 When I'm in love, // I *find* myself / **smiling for no reason at all.**

S′V′ C′ / S V O / C

내가 사랑에 빠져 있을 때, // 나는 나 자신이 (~)하고 있는 것을 발견한다 / 전혀 아무 이유 없이 웃고 있는 것을.

- 주어인 I와 동사 find의 목적어가 같은 대상을 가리키므로 목적어 자리에 재귀대명사 myself가 왔다. ▶**UNIT 18**
- at all은 부정어 no를 강조하는 부사 ▶**UNIT 95**

265 I walk my own path; // you will never *catch* me / **following in another's footsteps.**

S_1 V_1 O_1 / S_2 V_2 O_2 / C_2

나는 나만의 길을 걷는다. // 당신은 내가 (~)하고 있는 것을 결코 발견하지 못할 것이다 / 다른 사람의 선례를 따르고 있는 것을.

↳ 인생에서 내가 가야 할 길은 다른 사람이 아니라 내가 정하는 것이다.

- catch가 지각(발견하다, 알아차리다)의 뜻일 때 목적격보어로 현재분사(v-ing)를 쓸 수 있다.
- **catch가 만드는 빈출 문형**

SV(A)	잡다; 걸리다	A drowning man **will catch** at a straw. 물에 빠지면 지푸라기라도 **잡으려 한다**. Her dress **caught** on a nail. 그녀의 드레스가 못에 **걸렸다**.
SVO	~을 (붙)잡다; (병에) 걸리다; ~을 이해하다	The police **caught** the criminal. 경찰이 범인**을 붙잡았다**. He **caught** a cold on holiday. 그는 휴일에 감기**에 걸렸다**. I **could not catch** what he said. 그가 한 말**을 이해할 수 없었다**.
SVOC	O가 C하는 것을 발견하다	I **caught** him reading my diary. 나는 **그가** 내 일기를 읽고 있는 **것을 발견했다**.

UNIT 25

과거분사(p.p.) 목적격보어

266 I can't *make* my voice **heard** / because of the noise.

S V O C M

나는 내 목소리가 들리게 할 수 없다 / 소음 때문에.

↳ 소음이 심해서 내 목소리가 들리지 않는다.

- O와 C가 수동 관계일 때는 사역동사의 목적격보어 자리에 과거분사(p.p.)가 온다.
- **p.p.를 목적격보어로 취할 수 있는 동사**
  - 사역동사: S는 O가 v되도록[v되게] 만들다[시키다, 내버려두다]
  - 지각동사: S는 O가 v되는 것을 보다[듣다, 느끼다] 등
  - keep, get: S는 O가 (계속) v되도록 하다[내버려 두다]
  - leave: S는 O가 v된 채로 두다
  - find: S는 O가 v된 것을 발견하다
  - want: S는 O가 v되기를 원하다

  *사역동사 let은 목적격보어로 be p.p.를 쓴다.

  e.g. I won't *let* myself **be ignored by anyone**. 나는 내 자신이 **누구에게도 무시당하지 않도록** 할 것이다.

267 We *heard* / our national anthem / **played proudly** / at the Olympics.

S V O C(V′ M′) M

우리는 들었다 / 우리 국가가 / 자랑스럽게 연주되는 것을 / 올림픽에서.

- O와 C가 수동 관계일 때는 지각동사의 목적격보어 자리에 과거분사(p.p.)가 온다.
  O와 C가 능동 관계일 때의 〈hear+O+v/v-ing〉와 잘 구분하도록 한다.

  e.g. We *heard* the orchestra **play[playing]** our national anthem at the Olympics.
  우리는 올림픽에서 오케스트라가 우리 국가를 **연주하는[연주하고 있는] 것을** 들었다.

268 People are likely to be more honest // when they *feel* / themselves **observed**.

S V C M(V′ C′) S′ V′ O′ C′ - 모의응용

사람들은 더 정직해지는 경향이 있다 // 그들이 느낄 때 / 자신이 관찰된다고.

- 〈be likely to-v〉: v하는 경향이 있다; v하기 쉽다
  여기서 to be more honest는 형용사 likely를 수식하는 부사적 용법으로 쓰인 to부정사구 ▶**UNIT 55**
- 주어 they와 동사 feel의 목적어가 같은 대상을 가리키므로 재귀대명사 themselves가 왔다. ▶**UNIT 18**
- when 이하는 시간을 나타내는 부사절 ▶**UNIT 73**

269 Examine your thoughts, // and you will *notice* them / **filled with the past or the future**. - 수능응용

V1 O1 S2 V2 O2 C2(V′ M′)

당신의 생각을 점검해 보아라, // 그러면 당신은 그것들이 (~)하다는 것을 알아챌 것이다 / 과거 또는 미래로 가득 차 있다는 것을.

- 〈명령문+and S+V〉: ~하라, 그러면[그랬다간] S는 V할 것이다 ▶**UNIT 60**
- them = your thoughts

270 When it's hard to focus at work, // listening to the appropriate music / could *keep* you **motivated**.

S′(가주어) V′ C′ S″(진주어) S(V′ O′) V O C

일에 집중하는 것이 어려울 때, // 적절한 음악을 듣는 것은 / 당신이 계속 동기를 부여받게 할 수 있을 것이다.

- 접속사 When이 이끄는 부사절에 가주어 it이 사용되었으며, 진주어는 to focus at work이다. ▶**UNIT 11**
- 주절에는 동명사(v-ing)구 주어(listening to the appropriate music)가 쓰였다. ▶**UNIT 08**
- 여기서 could는 현재나 미래에 대한 가능성/추측을 나타내는 조동사 ▶**UNIT 34**

271 I'll give you / some tips (for a better essay) [that will *get* you **noticed**].
S V IO DO S′ V′ O′ C′
내가 너에게 줄게 / 몇 가지 조언을 (더 나은 에세이를 위한) [네가 주목받도록 해줄].

✔ that 이하는 a better essay를 수식하는 주격 관계대명사절 ▶**UNIT 64**

272 Someday, / you may *find* / yourself / **improved / by all your struggles**.
M S V O C (V′ M′)
언젠가, / 당신은 알게 될지도 모른다 / 자신이 / 향상된 것을 / 당신의 모든 노력에 의해.

✔ 여기서 may는 현재나 미래에 대한 가능성/추측을 나타내는 조동사 ▶**UNIT 34**
✔ 주어인 you와 동사 find의 목적어가 같은 대상을 가리키므로 목적어 자리에 재귀대명사 yourself가 왔다. ▶**UNIT 18**

273 If you *want* your eggs **hatched**, // sit on them yourself. - Proverb
S′ V′ O′ C′ V M M
만약 당신의 달걀이 부화되기를 원한다면, // 그것들 위에 직접 앉아라.
↳ 무엇인가 원하는 것이 있다면, 누군가에게 기대하지 말고 스스로 그것을 쟁취하라.

✔ If는 조건을 나타내는 부사절을 이끈다. ▶**UNIT 76**
✔ them = your eggs
✔ 재귀대명사 yourself는 명령문의 생략된 주어 you를 강조하기 위해 쓰였으며 생략 가능하다. ▶**UNIT 95**

274 Don't *let* / yourself / **be controlled by three things**: / people, money, or past experiences.
V O C (V′ M′)
(~)하지 않도록 하라 / 네 자신이 / 세 가지 것들에 의해 통제되지 않도록 / 사람들, 돈 또는 과거의 경험들.

✔ 사역동사 let이 쓰인 문장의 O와 C가 수동 관계일 때는 목적격보어로 be p.p.를 쓴다.
✔ 생략된 주어(you)와 동사 let의 목적어가 같은 대상을 가리키므로 목적어 자리에 재귀대명사 yourself가 왔다. ▶**UNIT 18**
✔ people, money, past experiences가 콤마(,)와 접속사 or로 연결된 병렬구조 ▶**UNIT 61**

어법 직결 **275** The weak security systems (of some websites) / *left* users' personal information / **easily exposed to hackers**.
S V O C (M′ V′ M′)
취약한 보안 시스템은 (일부 웹사이트들의) / 사용자들의 개인 정보를 ~된 채로 두었다 / 해커들에게 쉽게 노출된.

정답 | O
해설 | 사용자들의 개인 정보가 '노출되는' 것이므로 O와 C는 수동 관계이다. 따라서 목적격보어 자리에 p.p. 형태인 exposed가 적절히 쓰였다.

UNIT 26

have+목적어+p.p.

276 When you complete your essay, // *have* it **reviewed** **by someone else**.

S′ V′ O′ V O C M′

당신이 에세이를 완성할 때, // 그것이 다른 사람에 의해 검토되게 하라. 〈사역〉

- 여기서 〈have+O+p.p.〉는 사역의 의미로 'O가 ~되도록 (누군가를) 시키다'의 뜻이다. 이때 p.p.로 자주 쓰이는 단어로는 build, complete, clean, decorate, deliver, develop, mend, photocopy, press, print, repair, review, service 등이 있다.

277 Have you ever *had* / something **stolen** from your house?

S V O C M

(~한) 일이 있나요 / 집에서 무언가를 도난당한? 〈경험〉

- 여기서 〈have+O+p.p.〉는 경험의 의미로 'O가 ~당하는 것을 경험하다[겪다]'의 뜻이다.

278 I myself already *have* / my bags **packed** / for the trip tomorrow.

S V O C M

나는 이미 스스로 (~한) 상태이다 / 내 가방들을 싸 둔 / 내일 여행을 위해. 〈상태〉

- myself는 주어인 I를 강조하기 위해 쓰였으며 생략할 수 있다. ▶**UNIT 95**
- 여기서 〈have+O+p.p.〉는 상태의 의미로 'O가 ~된 상태이다'의 뜻이다.

279 We had no time (to cook), // so we *had* / some food **delivered**.

S V O S′ V′ O′ C′

우리는 시간이 없어서 (요리할), // 그래서 우리는 시켰다 / 음식이 배달되도록. 〈사역〉

- to cook은 time을 수식하는 형용사적 용법으로 쓰인 to부정사구 ▶**UNIT 51**
- 여기서 〈have+O+p.p.〉는 사역의 의미로 'O가 ~되도록 (누군가를) 시키다'의 뜻이다.

280 During the intense training, / the runner / *had* his ankle **broken**.

M S V O C

집중 훈련 중에, / 그 달리기 주자는 / 발목이 부러졌다. 〈경험〉

- During은 '~ 동안'을 의미하는 전치사로 명사(구)를 목적어로 취한다.
- 여기서 〈have+O+p.p.〉는 경험의 의미로 'O가 ~당하는 것을 경험하다[겪다]'라는 뜻이다.

281 Be careful / not to *have* / your pocket **picked** / in a big crowd.

V C V′ O′ C′ M M

조심하십시오 / ~(당하지) 않도록 / 소매치기를 당하지 / 많은 군중 속에서. 〈경험〉

- 여기서 not to have ~ picked는 '목적'을 나타내는 부사적 용법으로 쓰인 to부정사구 ▶**UNIT 54**

282 The soccer player *has* / one year **left** / on his contract.

S V O C M

그 축구 선수는 (~인) 상태이다 / 1년이 남아 있는 / 계약서상으로. 〈상태〉

- 여기서 〈have+O+p.p.〉는 상태의 의미로 'O가 ~된 상태이다'의 뜻이다.

영작 직결 **283** Because we cannot *have* everything **completed** / **all at once**, //

S′ V′ O′ C′ M′

우리는 모든 것들이 완료되도록 할 수 없기 때문에 / 동시에, //

we have to prioritize. - 모의응용

S V

우선순위를 정해야 한다. 〈사역〉

정답 | **Because we cannot have everything completed**

해설 | 모든 것들이 '완료되지' 못하는 것이므로 O와 C는 수동 관계임을 알 수 있다. 따라서 목적격보어 자리에 p.p. 형태인 completed를 써야 한다.

PART 2

서술어의 이해

UNIT 27 현재시제의 다양한 의미

284 We **live** / in an age (of constant interaction). - 모의응용
S V A
우리는 (~에) 살고 있다 / 시대에 (끊임없는 상호작용의).

✔ 현재시제가 현재의 상태를 나타낸다.

285 He **goes** hiking / every Saturday.
S V M
그는 등산하러 간다 / 토요일마다.

✔ 반복적 행동을 나타낼 때는 always, usually, often, sometimes, every Saturday, on Saturday(s) 등 '빈도'나 '반복'을 나타내는 부사와 같이 쓰이는 경우가 많다.

286 Most planets **rotate** / in an anticlockwise direction.
S V M
대부분의 행성은 자전한다 / 반시계방향으로.

✔ 과학적 현상은 현재시제로 표현한다.

F·Y·I 태양계에 있는 행성(수성, 금성, 지구, 화성, 목성, 토성, 천왕성, 해왕성)은 모두 반시계방향으로 공전한다. 이들 중 자전 방향이 공전 방향과 다른 행성이 하나 있는데, 바로 금성(Venus)이다. 금성은 시계방향으로 자전하고, 금성을 제외한 나머지 행성은 모두 반시계방향으로 자전한다.

287 Vegetarians **stay away** from meat, / including chicken and fish.
S V M M
채식주의자들은 고기를 피한다, / 닭고기와 생선을 포함하여.

✔ 진리, 언제나 사실인 것은 현재시제로 표현한다.

288 The new subway line / **opens** next month.
S V M
새 지하철 노선은 / 다음 달에 개통될 것이다.

✔ 가까운 미래의 확정된 일(계획, 일정, 시간표, 요일 등)에서 현재시제가 미래를 나타낸다. 가까운 미래를 나타내는 부사(구)와 같이 잘 쓰이며, '이동(go, come, leave, depart, arrive), 시작이나 끝(start, begin, end, finish)'을 의미하는 동사들이 자주 쓰인다.
e.g. Tomorrow **is** Sunday. (will be (×)) 내일은 일요일**이다.**

289 When you **do** common things / in an uncommon way, // you will get the attention (of the world).
S′ V′ O′ M′ S V O
당신이 평범한 일을 할 때 / 평범하지 않은 방식으로, // 당신은 주목을 받을 것이다 (세상의).

✔ When ~ way는 시간의 부사절이므로 현재시제가 미래를 나타낸다. ▶**UNIT 73**
✔ **시간/조건을 나타내는 부사절 접속사**
when, after, before, once, until[till], by the time, as soon as, if, unless 등 ▶**UNIT 73, 74, 76**
✔ when이 명사절을 이끌 때는 미래를 미래표현으로 나타낸다. ▶**UNIT 17**
e.g. I don't know when he **will come** back. 나는 그가 언제 **돌아올지** 모르겠어.
동사 know의 목적어 역할을 하는 명사절

290 If you **don't go through** hardships, // you won't know / how strong you are.
S′ V′ O′ S V O (C′ S′ V′)
당신이 역경을 겪지 않는다면, // 당신을 모를 것이다 / 자신이 얼마나 강한지를.

- If ~ hardships는 조건을 나타내는 부사절이므로 현재시제가 미래를 나타낸다. ▶**UNIT 76**
- how 이하는 동사 know의 목적어 역할을 하는 명사절이다. ▶**UNIT 17**
- if가 명사절을 이끌 때는 미래를 미래표현으로 나타낸다.
  e.g. I wonder if it **will rain** tomorrow. 나는 내일 **비가 올지** 궁금하다.
  동사 wonder의 목적어 역할을 하는 명사절

어법 직결 **291** As soon as you **start** to pursue a dream, // everything (in your life) / will have meaning.
S′ V′ O′ (V′ O′) S V O
당신이 꿈을 좇기 시작하자마자, // 모든 것이 (당신의 삶의) / 의미를 가질 것이다.

정답 | **start**
해설 | As soon as(~하자마자) ~ a dream은 시간의 부사절이므로 현재시제가 미래를 대신한다.

UNIT 28 미래를 나타내는 표현

292 Respect yourself // and others **will respect** you. - Confucius ((공자: 유교 창시자))
V_1 O_1 S_2 V_2 O_2
너 자신을 존중해라 // 그러면 다른 사람들도 너를 존중할 것이다.

- 〈will+동사원형〉: 미래표현
- 〈명령문+and+S+V〉: ~하라. 그러면[그랬다간] S는 V할 것이다 ▶**UNIT 60**

293 The successful man / **will profit** from his mistakes / and **(will) try** again / in a different way. - Dale Carnegie
S V_1 M_1 V_2 M_2 M_2
성공한 사람은 / 자신의 실수에서 이익을 얻을 것이다 / 그리고 다시 시도할 것이다 / 다른 방법으로.

- 접속사 and 뒤에 반복되는 조동사 will은 생략할 수 있다. ▶**UNIT 96**

294 This week / I'**m going to concentrate on** / schoolwork [that I need to catch up on].
M S V O (S′ V′ O′)
이번 주에 / 나는 ~에 집중하려고 한다 / 학교 공부에 [내가 따라잡아야 할].

- 〈be going to-v〉는 will과 대체로 비슷한 의미이지만 주어가 미리 정해놓은[결심한] '계획'이나 '의도'를 나타낸다.
- that 이하는 선행사 schoolwork를 수식하는 목적격 관계대명사절로 that이 관계사절 내에서 to부정사(to catch up on)의 목적어(schoolwork)를 대신한다. ▶**UNIT 65**

295 We **are moving** / to a new place / tomorrow.
S V M M
우리는 이사할 것이다 / 새로운 곳으로 / 내일.

- 〈be v-ing(현재진행형)〉는 확정된 '계획'이나 '일정'에 쓰인다. 〈be going to-v〉는 주어가 정해놓은 계획이란 점에서 차이가 있다.

296 A lot of people give up // just before they**'re about to achieve** success.
S V S′ V′ O′
많은 사람들이 포기한다 // 자신들이 막 성공을 달성하기 직전에.

〈be about to-v〉: 미래표현

297 She **was on the point of leaving** // when he finally arrived.
S V S′ V′
그녀는 막 떠나려는 참이었다 // 그가 마침내 도착했을 때.

〈be on the point of v-ing〉: 미래표현

298 The plane (for Toronto) / **is to take off** / within 30 minutes.
S V M
비행기는 (토론토로 가는) / 이륙할 것이다 / 30분 이내에.

여기서 〈be to-v〉는 '공식적인 예정'이나 '계획'과 관련된 문어체 표현이다. 이외에 '의무', '가능', '의도' 등의 의미로도 쓰인다.
- 의무: You **are to knock** before you come into my room. 너는 내 방에 들어오기 전에 **노크해야 한다**.
- 가능: Happiness **is not to be bought** with money. 행복은 돈으로 **살 수 없다**.
- 의도, 목적: If you **are to succeed**, you must do your best. **성공하려면** 최선을 다해야 한다.

〈within+시간〉: ~ 안에
cf. 〈in+시간〉: ~ 후에[만에]

299 The project **is due to start** / on Monday // and the duration **will be** three weeks.
S_1 V_1 M_1 S_2 V_2 C_2
그 프로젝트는 시작하기로 되어 있다 / 월요일에 // 그리고 기간은 3주일 것이다.

〈be due to-v〉: 미래표현
cf. 〈be due to+명사〉: ~ 때문이다
Most real failures **are due to** *limitations* which men have made in their minds.
대부분의 진짜 실패는 인간이 자신의 마음속에 만든 *한계* **때문이다**.

UNIT 29 현재완료형/현재완료 진행형

300 People **have wondered** / ***for centuries*** / about life after death.
S V M M
사람들은 궁금해했다 / 수 세기 동안 / 사후 세계에 대해. 〈계속〉

〈for+기간〉이 현재완료와 함께 쓰여 그 기간 동안 죽 무언가를 해왔음을 강조한다.
〈for+기간〉은 현재완료(계속)와 같이 자주 쓰이지만, 과거시제에서도 쓸 수 있다. ▶ **Further Study p.75**
e.g. I *stayed* in Toronto **for a few days**. 나는 토론토에 **며칠간** *머물렀다*.

301 We **have been** to Jeju Island / ***many times***.
S V A M
우리는 제주도에 가본 일이 있다 / 여러 번. 〈경험〉

이때의 〈have been to〉는 '~에 가본 일이 있다'를 의미한다.
부사 ~ times(~ 번)와 함께 쓰여 '경험'을 나타낸다.

302 We **have *just* been** to Jeju Island / for summer vacation.
S V A M
우리는 막 제주도에 다녀왔다 / 여름휴가로. 〈완료〉

부사 just(막, 방금)와 함께 쓰여 막 완료된 상태를 나타낸다.
이때의 〈have been to〉는 '~에 갔다 왔다'를 의미한다. 즉, 〈have been to〉는 함께 쓰이는 부사(구)에 따라 '경험', '완료' 둘 다로 해석될 수 있다.

303 South Africa **has lost** / many natural habitats / due to deforestation.

S: South Africa / V: has lost / O: many natural habitats / M: due to deforestation

남아프리카는 잃어버렸다 / 많은 자연 서식지를 / 삼림 벌채로 인해. 〈결과〉

삼림 벌채의 결과로 남아프리카에는 자연 서식지가 많이 사라진 상태임을 의미한다.

304 ***Since 1985***, / the company **has been** in its present location.

M: Since 1985 / S: the company / V: has been / A: in its present location

1985년 이래로, / 그 회사는 현재 위치에 있어 왔다. 〈계속〉

since의 다양한 의미

1. ~ 이래로 〈전치사+명사(구)〉, 〈접속사+S′+V′〉 ▶**UNIT 73**
   since가 시간을 나타내는 접속사로 쓰이면 주로 since가 이끄는 절에는 과거시제를, 주절에는 현재완료(have p.p.)를 쓴다.
   We have been friends **since** we were six. 우리는 여섯 살 때**부터** 죽 친구였다.
2. ~ 때문에 〈접속사+S′+V′〉 ▶**UNIT 75**
   Since we don't have much time, we should hurry. 우린 시간이 별로 없**으니** 서둘러야 해.

305 It **has been** my lifelong dream / to visit this beautiful city. - 모의응용

S(가주어): It / V: has been / C: my lifelong dream / S′(진주어): to visit this beautiful city

내 일생의 꿈이었다 / 이 아름다운 도시를 방문하는 것이. 〈계속〉

lifelong dream이라는 어구로 인해 '계속'으로 해석하는 것이 자연스럽다.
It은 가주어이며 to visit this beautiful city가 진주어이다. ▶**UNIT 11**

306 **Have** you ***ever*** **imagined** / your future?

S: you / V: Have ... imagined / O: your future

너는 언젠가 상상해본 일이 있니 / 너의 미래를? 〈경험〉

부사 ever(언젠가)와 함께 쓰여 '경험'을 나타낸다.
imagine이 만드는 빈출 문형

SV	추측[생각]하다	**Can** you **imagine**? 넌 **짐작할 수 있겠니**? (= 넌 도저히 짐작하지 못할 거야.)
SVO	~을 상상하다	I **can't imagine** life without smartphones now. 난 이제 스마트폰 없는 삶은 **상상할 수도 없다**.
SVOC	O가 C라고 상상하다	**Imagine** yourself to be in his place. 네**가** 그의 입장에 있**다고 상상해 보아라**. He often **imagines** himself a hero. 그는 자신**이** 영웅이**라고** 종종 **상상한다**.

307 The baseball team / **has *never* won** a game ***so far*** / this season.

S: The baseball team / V: has never won / O: a game / M: so far / M: this season

그 야구팀은 / 지금까지 한 번도 승리하지 못했다 / 올 시즌에. 〈계속〉, 〈경험〉

부사 so far(지금까지)가 함께 쓰여 '계속'을 의미할 수도 있고, never가 쓰여 '경험'으로 해석하는 것도 가능하다. 이렇듯 '계속'이나 '경험'으로 둘 다 해석이 가능한 경우가 있다.
e.g. We **haven't seen** him since last year.
우리는 작년 이후로 죽 그를 **보지 못하고 있다**. 〈계속〉
우리는 작년 이후로 그를 **본 일이 없다**. 〈경험〉

win이 만드는 빈출 문형

SV	이기다	South Korea **won** by three goals to two against Japan. 한국이 일본에 3대 2로 **이겼다**.
SVO	~을 타다[따다]	She **won** first prize in a speaking contest. 그녀는 말하기 대회에서 1등 상을 **탔다**.
SVOO	IO에게 DO를 얻게 하다	His honesty **won** him the confidence of his colleagues. 그의 정직함은 그**에게** 동료들의 신뢰**를 얻게 해주었다**.

308 She's only twenty, // [but] she's ***already*** **achieved** / worldwide fame.

S1 V1 C1 S2 V2 O2

그녀는 겨우 스무 살이다. // 하지만 그녀는 이미 얻었다 / 세계적인 명성을. 〈완료〉

- 부사 already(이미, 벌써)와 함께 쓰여 이미 완료된 상태를 나타낸다.
- 이 문장에서 첫 번째 She's는 She is의 단축형이고, 두 번째 she's는 she has의 단축형이다.

309 He **has *just* become** / a member (of Mensa), / with an estimated IQ of 156.

S V C M =

그는 방금 (~이) 되었다 / 회원이 (멘사의) / 156이라는 추정 IQ로. 〈완료〉

- 부사 just(방금, 막)와 함께 쓰여 방금 완료된 상태를 나타낸다.
- 두 번째 of는 동격을 나타낸다. (an estimated IQ = 156) ▶**UNIT 99**

F·Y·I Mensa는 표준 IQ테스트에서 상위 2% 안에 들어야 가입할 수 있는 국제단체이다. 회원들의 뛰어난 지능을 인류를 위해 사용하자는 취지로 1946년에 영국의 옥스퍼드에서 설립되었다. 오늘날 100개국 이상에 11만 명이 넘는 회원을 보유하고 있으며, 한국에는 약 2,500명(2018년 기준)이 회원으로 등록되어 있다.

310 My sister **has gone** to the bank. She should be back soon.

S V A S V A M

내 여동생은 은행에 갔다.(그 결과 지금 여기에 없다.) 〈결과〉 그녀는 곧 돌아올 것이다.

- 완료 vs. 결과: '완료'는 과거 언젠가 시작된 행동을 이제 막 끝낸 것이고, '결과'는 과거에 끝난 행동이 현재에 미치는 '결과'를 나타내는 것이다. 완료인지 결과인지 한 문장만으로는 구분이 쉽지 않아 대개 문맥을 통해 구분하는데, '완료 · 결과' 둘 다 해당하는 경우도 많다.
  - 완료: He **has just finished** the work. 그는 (해오던) 일을 **이제 막 끝냈다**.
  - 결과: A: Is John here? I have something to tell him. 존이 여기 있니? 그에게 말할 게 있는데.
    B: He **has gone out**. 그는 **외출했어**. (그래서 너는 그에게 말할 수 없어.)
- 여기서 should는 현재나 미래에 대한 가능성/추측을 나타내는 조동사 ▶**UNIT 34**

어법 직결 **311** Someone is sitting / in the shade / today // because someone **planted** a tree / ***a long time ago***. - Warren Buffett ((美 기업인))

S V M M S′ V′ O′ M′

누군가가 앉아 있다 / 그늘에 / 오늘날 // (다른) 누군가가 나무를 심었기 때문에 / 오래 전에.

정답 | **planted**

해설 | 명백한 과거를 나타내는 부사구인 a long time ago가 있으므로 현재완료는 올 수 없으며 과거시제가 적절하다.

어법 직결 **312** N Seoul Tower **has been** a symbol of Seoul // ***since it first opened*** / ***to the public*** / ***in 1980***.

S V C S′ V′ M′ M′

N 서울 타워는 서울의 상징이어 왔다 // 그것이 처음으로 개방된 이래로 / 대중에게 / 1980년에. 〈계속〉

정답 | **has been**

해설 | 과거부터 현재까지 지속되고 있는 상태를 나타내므로 현재완료가 적절하다. since절에는 과거의 한 시점(in 1980)이 오므로 과거동사 opened가 왔다.

313 The baby **has been crying** // ***since we got here***.

S V S′ V′ A′

그 아기는 (계속) 울고 있다 // 우리가 여기에 온 이후로.

- 현재완료 진행형(have been v-ing)은 과거의 동작이 현재까지 계속 진행됨을 나타낸다. 현재완료보다 동작이 계속됨을 좀 더 강조한다.

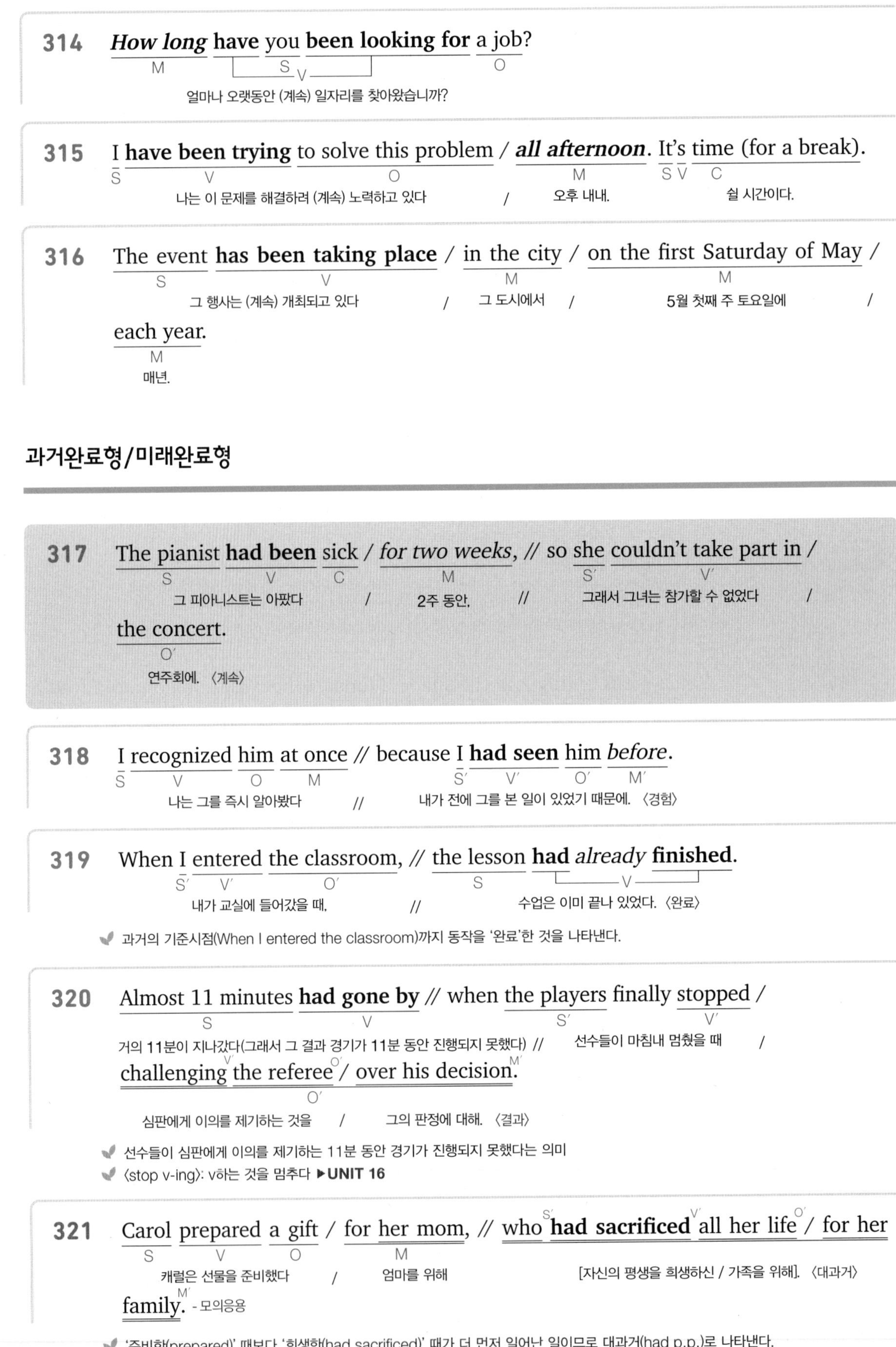

314 ***How long*** **have** you **been looking for** a job?
M S V O
얼마나 오랫동안 (계속) 일자리를 찾아왔습니까?

315 I **have been trying** to solve this problem / ***all afternoon***. It's time (for a break).
S V O M S V C
나는 이 문제를 해결하려 (계속) 노력하고 있다 / 오후 내내. 쉴 시간이다.

316 The event **has been taking place** / in the city / on the first Saturday of May / each year.
S V M M M
그 행사는 (계속) 개최되고 있다 / 그 도시에서 / 5월 첫째 주 토요일에 / 매년.

UNIT 30

과거완료형/미래완료형

317 The pianist **had been** sick / *for two weeks*, // so she couldn't take part in / the concert.
S V C M S′ V′ O′
그 피아니스트는 아팠다 / 2주 동안, // 그래서 그녀는 참가할 수 없었다 / 연주회에. 〈계속〉

318 I recognized him at once // because I **had seen** him *before*.
S V O M S′ V′ O′ M′
나는 그를 즉시 알아봤다 // 내가 전에 그를 본 일이 있었기 때문에. 〈경험〉

319 When I entered the classroom, // the lesson **had** *already* **finished**.
S′ V′ O′ S V
내가 교실에 들어갔을 때, // 수업은 이미 끝나 있었다. 〈완료〉

✔ 과거의 기준시점(When I entered the classroom)까지 동작을 '완료'한 것을 나타낸다.

320 Almost 11 minutes **had gone by** // when the players finally stopped / challenging the referee / over his decision.
S V S′ V′ V′ O′ M′ O′
거의 11분이 지나갔다(그래서 그 결과 경기가 11분 동안 진행되지 못했다) // 선수들이 마침내 멈췄을 때 / 심판에게 이의를 제기하는 것을 / 그의 판정에 대해. 〈결과〉

✔ 선수들이 심판에게 이의를 제기하는 11분 동안 경기가 진행되지 못했다는 의미
✔ 〈stop v-ing〉: v하는 것을 멈추다 ▶**UNIT 16**

321 Carol prepared a gift / for her mom, // who **had sacrificed** all her life / for her family. - 모의응용
S V O M S′ V′ O′ M′
캐럴은 선물을 준비했다 / 엄마를 위해 [자신의 평생을 희생하신 / 가족을 위해]. 〈대과거〉

✔ '준비한(prepared)' 때보다 '희생한(had sacrificed)' 때가 더 먼저 일어난 일이므로 대과거(had p.p.)로 나타낸다.
✔ who 이하는 선행사 her mom을 보충 설명하는 관계사절 ▶**UNIT 71**

322 She **will have graduated** from college / by next month.
S V M M
그녀는 대학을 졸업하게 될 것이다 / 다음 달에는. 〈완료〉

- 미래의 특정한 시점(next month)을 기준으로 그때까지의 동작의 '완료'를 나타낸다.
- 미래완료는 〈by[until]+시간〉 어구와 종종 함께 쓰인다.

323 She **will have taught** English / for ten years / by next year.
S V O M M
그녀는 영어를 죽 가르쳐온 것이 된다 / 10년 동안 / 내년이면. 〈계속〉
↳ 그녀는 내년이면 영어를 가르친 지 10년이 된다.

- **teach가 만드는 빈출 문형**

SV	학생들을 가르치다	She **teaches** at middle school. 그녀는 중학교에서 **학생들을 가르친다**.
SVO	~을 가르치다	John **teaches** English to adult learners. 존은 성인 학습자들에게 영어**를 가르친다**.
SVOO	IO에게 DO를 깨닫게 하다[가르치다]	Our experience **taught** us many valuable lessons. 우리의 경험은 우리**에게** 많은 귀중한 교훈**을 깨닫게 했다**.
SVOC	O가 C하도록 가르치다	My father **taught** me to be an altruistic person. *altruistic 이타적인 우리 아버지는 내**가** 이타적인 사람이 되**도록 가르치셨다**.

324 If I see this film once more, // I **will have seen** it three times.
S′ V′ O′ M′ S V O M
만약 내가 이 영화를 한 번 더 보면, // 나는 그것을 세 번 보는 것이 될 것이다. 〈경험〉

- If ~ more는 조건의 부사절이므로 현재시제가 미래를 대신한다. ▶**UNIT 76**
- it = this film

325 We **will have overcome** differences // if we respect them.
S V O S′ V′ O′
우리는 차이를 극복하게 될 것이다 // 우리가 그것들을 존중한다면. 〈결과〉
(그래서 그 결과 우리는 별 문제없이 잘 지내게 될 것이다.)

- if 이하는 조건의 부사절이므로 현재시제가 미래를 대신한다. ▶**UNIT 76**
- them = differences

UNIT 31 to부정사/동명사의 완료형

326 I am very satisfied / **to have tried** many kinds of sports last year.
S V C M (V′ O′ M′)
나는 매우 만족스럽다 〈현재〉 / 작년에 많은 종류의 스포츠를 시도해서. 〈과거〉

- = I *am* very satisfied that I ***tried*** many kinds of sports last year.
- 문장의 동사(am)보다 앞선 때의 동작(tried)을 나타내므로 to부정사의 완료형(to have p.p.)이 쓰였다.
- to-v 이하는 감정의 원인을 나타내는 부사적 용법으로 쓰인 to부정사구 ▶**UNIT 54**

327 He denied / **having made** a serious mistake.
S V O (V′ O′)
그는 부인했다 / 심각한 실수를 저질렀음을.

- = He *denied* that he ***had made*** a serious mistake.
- 문장의 동사(denied)보다 앞선 때의 동작(had made)을 나타내므로 동명사의 완료형(having p.p.)이 쓰였다.
- deny는 v-ing(동명사)를 목적어로 취하는 동사 ▶**UNIT 15**

328 A farmer claimed / to **have seen** a UFO / in the sky.

S V O (V′ O′ M′)

농부는 주장했다 / UFO를 봤다고 / 하늘에서.

= A farmer *claimed* that he ***had seen*** a UFO in the sky.

329 It was helpful / to **have reviewed** the book // before I attended the class.

S(가주어) V C S′(진주어) (V′ O′ S″ V″ O″)

(~은) 도움이 되었다 / 그 책을 복습했던 것은 // 내가 수업에 참석하기 전에.

= It *was* helpful that I ***had reviewed*** the book before I attended the class.

It은 가주어, to have reviewed ~ the class는 진주어이다. ▶**UNIT 11**

330 **Having failed** once / doesn't mean // that you're going to fail / at everything.

S V O (S′ V′ M′)

한 번 실패한 것이 / 의미하지는 않는다 // 당신이 실패하게 될 거라는 것을 / 모든 일에.

= The fact that you ***failed[have failed]*** once *doesn't mean* that you're going to fail at everything.

Having failed once는 동명사구 주어이다. ▶**UNIT 08**

여기서 that은 동사 mean의 목적어를 이끄는 명사절 접속사 ▶**UNIT 17**

331 I'm pretty proud / of **having completed** a marathon / myself.

S V C 전 전치사의 목적어 (V′ O′ M′)

나는 매우 자랑스럽다 / 마라톤을 완주한 것이 / 바로 내가.

= I'*m* pretty proud that I ***completed[have completed]*** a marathon myself.

전치사 of의 목적어 자리에 v-ing(동명사)구가 왔다. ▶**UNIT 19**

여기서 myself는 주어 I를 강조하기 위해 쓰인 재귀대명사 ▶**UNIT 95**

332 John Bardeen is the only scientist (**to have received** two Nobel Prizes / in the Physics category).

S V C (V′ O′ M′)

존 바딘은 유일한 과학자이다 (두 개의 노벨상을 받은 / 물리학 분야에서).

= John Bardeen *is* the only scientist who ***received[has received]*** two Nobel Prizes in the Physics category.

여기서 to have received 이하는 명사구인 the only scientist를 수식하는 형용사적 용법으로 쓰인 to부정사구 ▶**UNIT 51**

UNIT 32 능력(Ability)/허가(Permission)

333 She **can** speak several languages / plus her own language.
S 조동사 동사원형 O M
그녀는 몇 개 국어를 말할 수 있다 / 그녀의 모국어 외에. 〈능력〉

- 여기서 can은 '능력'을 나타낸다. (can = is able to)

334 **Can** I take pictures [or] film videos / of these exhibits?
조동사 S 동사원형1 O1 동사원형2 O2 M
사진이나 비디오를 찍어도 될까요 / 이 전시물들의? 〈허락 구하기〉

- 허락을 구하는 표현으로 May I ~?보다는 Can I ~?를 쓰는 것이 보통이다.
- 허락한다는 응답으로는 Yes, you can[may] 외에도 Sure, Go ahead, No problem, Of course, Certainly 등이 있다.
허락하지 않는다는 응답으로는 No, you can't[may not] 외에도 I'm afraid you can't, I'm sorry but you can't 등이 있다.

335 You **may** keep this guidebook / [or] return it / for others to use.
S 조동사 동사원형1 O1 동사원형2 O2 M2
이 안내서를 가지고 있어도 좋고 / 반납해도 좋습니다 / 다른 이들이 사용하도록. 〈허가〉

- may는 허가를 나타낼 때 '~해도 좋다[괜찮다]'를 의미한다.
- it = this guidebook
- for others는 to use의 의미상의 주어이다. ▶**UNIT 12**

336 Our love is the wind. I **can't** see it, // [but] I **can** feel it. - 영화 *A Walk to Remember* 中
S V C S1 조동사1 동사원형1 O1 S2 조동사2 동사원형2 O2
우리의 사랑은 바람이다. 나는 그것을 볼 수 없다. // 하지만 나는 그것을 느낄 수는 있다. 〈능력〉

- it = our love

337 I **couldn't** find / the sports car (of my dreams), // so I built it myself.
S 조동사 동사원형 O S' V' O' M'
- Ferdinand Porsche ((포르쉐 자동차 회사 설립자))
나는 찾을 수 없었다 / 스포츠카를 (내가 꿈꾸는), // 그래서 나는 그것을 직접 만들었다. 〈능력〉

- 여기서 could는 과거의 '능력'을 나타낸다. (couldn't = wasn't able to)
- so는 앞서 나온 내용의 '결과'를 나타내는 부사절 접속사 ▶**UNIT 79**
- it = the sports car of my dreams
- 여기서 myself는 주어 I를 강조하는 재귀대명사 ▶**UNIT 95**

F·Y·I Ferdinand Porsche(페르디난트 포르쉐)는 오스트리아의 자동차 설계자이자 제작자이다. 1939년 포르쉐란 이름의 차를 처음으로 제작하였고, 포르쉐 365 · 911 · 924 · 928 등 우수한 스포츠카를 제작하였다.

338 With faith, / you **will be able to** handle / any challenges (in life).
M S 조동사 동사원형 O
신념이 있다면, / 당신은 처리할 수 있게 될 것이다 / 어떤 문제라도 (삶의). 〈능력〉

- will 뒤에 can이 와야 할 때는 be able to를 쓴다. (will can (×))

339 Visitors **may** use the swimming pool / between 5:30 p.m. and 7:30 p.m.
S 조동사 동사원형 O M
방문객들은 수영장을 사용해도 된다 / 오후 5시 반에서 7시 반 사이에. 〈허가〉

✔ 허가를 나타내는 may는 be allowed to, be free to로 바꿔 쓸 수 있다.

340 You **cannot** make or take phone calls / in the library / except in designated areas.
S 조동사 동사원형 O M M
당신은 전화를 걸거나 받으실 수 없습니다 / 도서관에서 / 지정된 장소 외에서는. 〈금지〉

✔ 금지를 뜻하는 표현으로 may not, must not도 있다. may not은 격식체이고, must not은 금지의 뜻이 가장 강하다. 일상적으로 제일 많이 쓰이는 것이 cannot이다.

어법 직결 **341** I **cannot** relax / in my apartment. The noise (from the park / at night) /
S 조동사 동사원형 M S
나는 쉴 수 없다 / 우리 아파트에서. 소음이 (그 공원에서 오는 / 밤에) /

is so loud. - 수능응용
V C
너무 크다.

정답 | **cannot**
해설 | 문맥상 밤에 공원의 소음으로 인해 아파트에서 쉴 수 없다는 의미가 되어야 하므로 cannot이 적절하다.

UNIT 33

충고(Advisability)/의무(Necessity)

342 Your mistakes **should** be your motivation, / not your excuses.
S 조동사 동사원형 C_1 C_2
당신의 실수는 당신의 동기 부여가 되어야 한다. / 변명이 아니라.
↳ 당신이 실수를 저질렀을 때, 변명에 그치지 않고 발전할 기회로 삼아야 한다.

✔ should와 ought to는 유사한 의미이며, should가 더 많이 쓰인다.

343 To live a creative life, / we **must** lose / our fear (of being wrong).
V′ O′
M S 조동사 동사원형 O - Joseph Pearce (《美 작가》)
창의적인 삶을 살기 위해, / 우리는 없애야 한다 / 두려움을 (틀리는 것에 대한).

✔ To live a creative life는 '목적'을 나타내는 부사적 용법으로 쓰인 to부정사구 ▶**UNIT 54**

344 We **should not** judge people's merits / by their qualifications.
S 조동사 동사원형 O M
우리는 사람들의 장점을 판단하지 말아야 한다 / 그들의 능력으로.

✔ **judge가 만드는 빈출 문형**

SV	판단하다, 판정하다	You **shouldn't judge** by appearances alone. 너는 겉모습만으로 **판단해서는 안 된다.**
SVO	~라고 판단[평가]하다	He **judged** that the risk was too great. 그는 위험이 너무 **크다고 판단했다.**
SVOC	O가 C라고 짐작하다;	I **judged** him to be about 30. 나는 **그가** 서른 살 정도 되었을 **것으로 짐작했다.**
	O가 C라고 판결을 내리다	The jury **judged** him guilty. 배심원은 **그가** 유죄**라고 판결을 내렸다.**

345 You **ought to** expect better (of people).
S 조동사 동사원형 O
당신은 더 나은 것을 기대해야 한다 (사람들의).

It encourages / you to be a better person yourself. - Jeph Jacques ((美 만화가))
S V O C (V′ C′ M′)
그것은 (~하도록) 격려한다 / 당신이 스스로 더 나은 사람이 되도록.
↳ 사람들이 더 나은 처신을 하기를 기대하는 것은 스스로가 더 나은 사람이 되도록 만든다.

- ought to의 부정형인 ought not to는 현대영어에서 잘 쓰지 않고 대신 should not을 사용한다.
- 앞 문장의 better는 명사로 쓰여 '더 좋은[나은] 것[사람]'을 의미하고, 뒤 문장의 better는 형용사로 person을 수식한다.
- yourself는 encourage의 목적어인 you를 강조하는 재귀대명사 ▶**UNIT 95**
- **expect가 만드는 빈출 문형**

SV	(아마 그렇다고) 생각하다	I **don't expect** so. 나는 그렇게 **생각하지 않아**.
SVO	~을 기대하다[예상하다]	Our customers **expect** good service. 우리 고객들은 좋은 서비스**를 기대한다**. I **expect** to be back within a week. 나는 일주일 내로 돌아오리라 **예상한다**.
SVOC	O가 C하기를 기대하다	She **expected** you to behave responsibly. 그녀는 네**가** 책임 있게 행동**하기를 기대했다**.

346 Life is like fireworks. You **had better** seize the moment!
S V C S 조동사 동사원형 O
인생은 불꽃놀이와 같다. 당신은 기회를 포착해야 한다!

- had better는 비교적 강한 표현으로서 경고, 협박, 명령으로 들릴 수 있기 때문에 손윗사람에게는 잘 쓰지 않는다.

347 You **had better not** force your opinion / on others.
S 조동사 동사원형 O
당신은 자신의 생각을 강요하지 않는 편이 좋다 / 다른 사람들에게.

- had better의 부정형: had better not (~하지 않는 편이 좋다)

348 You **need not** do great things / to show great love (for your neighbors).
S 조동사 동사원형 O M (V′ O′)
당신은 큰일들을 할 필요는 없다 / 큰 사랑을 보여주려고 (당신의 이웃들에 대한).

- need는 주로 의문문과 부정문에서만 조동사로 쓰인다. 긍정문에 쓰인 need는 일반동사로 〈need to-v〉의 형태를 갖는다.
- need not = don't need to = don't have to: ~할 필요가 없다
- to show 이하는 '목적'을 나타내는 부사적 용법으로 쓰인 to부정사구 ▶**UNIT 54**

349 We **have to** try / to see the positives in life // even while we are stuck /
S 조동사 동사원형 O (V′ O′ M′) S′ V′ C′
우리는 애써야 한다 / 인생에서 긍정적인 것들을 보도록 // 우리가 갇혀 있는 동안에도 /

in the middle of trouble. - 모의응용
M′
곤경의 한가운데.

- **while의 다양한 의미**
  1. ~하는 동안 〈접속사+S′+V′〉 ▶**UNIT 73**
     e.g. I gained a lot of weight **while** I was on holiday. 휴가를 보내**는 동안** 나는 체중이 많이 늘었다.
  2. ~인 반면에 〈접속사+S′+V′〉 ▶**UNIT 77**
     e.g. He wanted to go to the party, **while** I wanted to stay in. 나는 집에 있길 원했던 **반면에** 그는 파티에 가고 싶어 했다.

어법 직결 **350** Adults **must** pay an entrance fee, // but children **don't have to** pay anything.
S_1 조동사$_1$ 동사원형$_1$ O_1 S_2 조동사$_2$ 동사원형$_2$ O_2
어른들은 입장료를 내야 한다. // 하지만 아이들은 어떤 것도 낼 필요가 없다.

정답 | **don't have to**
해설 | 아이들은 입장료를 낼 필요가 없다는 내용이 되어야 하므로 '불필요'를 나타내는 don't have to가 적절하다.

UNIT 34

현재나 미래에 대한 가능성/추측

351 To produce something worthwhile / **may** require years of fruitless labor. - 모의

S / 조동사 동사원형 O

가치 있는 어떤 것을 생산하는 일은 / 수 년 간의 성과 없는 노력을 요구할지도 모른다.

- To produce something worthwhile은 to-v가 이끄는 명사구 주어 ▶**UNIT 08**
- 형용사 worthwhile이 something을 뒤에서 수식하고 있다. 수식을 받는 명사가 -thing, -body, -one으로 끝나는 경우 수식어(구)가 뒤에서 수식한다. ▶**Further Study p.27**
- **require가 만드는 빈출 문형**

SV	요구하다; 필요하다	You should do as regulations **require**. 여러분은 규칙이 **요구하는** 대로 행동해야 합니다.
SVO	~을 필요로 하다	Children **require** a lot of care and attention. 아이들은 많은 보살핌과 관심**을 필요로 한다**.
SVOC	O가 C하는 것을 요구하다	The rules **require** all members to contract in. 그 규칙은 모든 일원**이** 참가하기로 약조[동의]**하는 것을 요구한다**.

352 Our bill is over $200 — // that **can't** be right. There **must** be some mistake.

S V C // S 조동사 동사원형 C // 조동사 동사원형 S

우리 계산서가 200달러가 넘는데, // 그게 맞을 리가 없어요. 틀림없이 무슨 착오가 있을 거예요.

- 여기서 can't는 강한 부정적 추측으로 '~일 리가 없다'란 뜻이다. 반대로 must는 강한 긍정적 추측으로 '~임에 틀림없다'란 뜻이다.
- 조동사가 '추측'의 의미로 쓰일 경우 과거형은 〈조동사+have p.p.〉로 나타낸다. 따라서 여기서 must의 과거형은 had to가 아닌 must have p.p.가 된다. ▶**UNIT 35**

353 Accepting your flaws / **might** lead to personal growth and change.

S / 조동사 동사원형 O

당신의 결점을 받아들이는 것은 / 개인의 성장과 변화로 이어질지도 모른다.

- Accepting your flaws는 v-ing(동명사)가 이끄는 명사구 주어 ▶**UNIT 08**

354 Your worst day / **could** be a blessing (in disguise).

S / 조동사 동사원형 C

당신의 최악의 날은 / 축복일지도 모른다 (변장한).

↳ 나쁜 일이라고 생각했던 일이 뜻밖의 좋은 결과를 가져올 수 있다. (전화위복)

cf. I came home / at 11 p.m. / and *could* see a light (from the kitchen).

S_1 V_1 A_1 / M_1 / 조동사$_2$ 동사원형$_2$ O_2

나는 집에 왔다 / 밤 11시에 / 그리고 불빛을 볼 수 있었다 (주방의).

- worst는 bad의 최상급 표현 (bad-worse-worst)
- ***cf.*** 여기서 could는 과거의 '능력'을 나타낸다.

355 A single moment **can** change your life; // be open / to gift-like chances [which the world **might** bring / to your feet].

S_1 조동사$_1$ 동사원형$_1$ O_1 // V_2 C_2 / M_2 [O' S' 조동사' 동사원형' / M']

한 순간이 당신의 삶을 바꿀 수도 있다. // 열린 자세를 가져라 / 선물과도 같은 기회에 [세상이 가져다줄지도 모르는 / 당신의 발치에].

- which 이하는 gift-like chances를 수식하는 목적격 관계대명사절 ▶**UNIT 65**
- 과거형 조동사(might, could, would)는 현재형 조동사(may, can, will)보다 더 희박한 가능성 또는 약한 추측을 나타낸다.

356 The cherry blossoms **should** be in full bloom / in a day or two / and **will** last / about a week.

S / 조동사1 동사원형1 C1 / M1 / 조동사2 동사원형2 / M2

벚꽃은 만개할 것이다 / 하루나 이틀 후에 / 그리고 지속될 것이다 / 약 일주일간.

- should와 ought to는 '의무'와 혼동이 될 수도 있기 때문에 '추측'의 의미로는 잘 쓰이지 않는다.
- 〈in+시간〉: ~ 후에[만에]
  cf. 〈within+시간〉: ~ 안에

357 The film **ought to** take about 90 minutes, // so we**'ll** be home / by 10 p.m.

S / 조동사 / 동사원형 / O // S′ 조동사′ 동사원형′ / A′ / M′

그 영화는 약 90분 동안 상영할 것이다. // 그러면 우리는 집에 갈 것이다 / 오후 10시까지는.

358 The best way (to answer the question) / **would** be / to focus on the things [that matter].

S (V′ O′) / 조동사 동사원형 / C (V′ O′)

가장 최선의 방법은 (그 질문에 대해 대답하는) / ~일 것이다 / (~한) 것에 집중하는 것 [중요한].

- to answer the question은 The best way를 수식하는 형용사적 용법으로 쓰인 to부정사구 ▶**UNIT 51**
- to focus on the things that matter는 to부정사가 이끄는 주격보어 ▶**UNIT 21**
- that matter는 선행사 the things를 수식하는 주격 관계대명사절 ▶**UNIT 64**

359 As you **will** understand, // we *can't* make exceptions (to this safety rule).

S′ 조동사′ 동사원형′ // S 조동사 동사원형 O

당신도 이해하시겠지만, // 우리는 예외를 만들 수 없습니다 (이 안전 수칙에 대한).

- 여기서 can't는 '금지'를 나타낸다. ▶**UNIT 32**

어법 직결 **360** It **cannot** be true // that he is home now. He went to the east coast / on vacation / yesterday.

S(가주어) 조동사 동사원형 C // S′(진주어) (S′ V′ A′ M′) / S V A / M / M

(~은) 사실일 리가 없다 // 그가 지금 집에 있는 것은. 그는 동해안에 갔다 / 휴가로 / 어제.

정답 | **cannot**

해설 | 그가 휴가로 동해안에 갔기 때문에 현재 집에 있을 리가 없다는 내용이 되어야 하므로 강한 부정적 추측을 나타내는 cannot(~일 리가 없다)이 적절하다. must는 '~임이 틀림없다'라는 의미로 강한 긍정적 추측을 나타낸다.

- 여기서 It은 가주어이며, that 이하가 진주어이다. ▶**UNIT 11**
- = It is impossible that he is home now. He ~.

UNIT 35 과거에 대한 가능성/추측/후회

361 Someone **may have found** / your phone. Check the lost and found first.

S 조동사 have p.p. / O / V O M

누군가가 발견했을지도 모른다 / 네 전화기를. 분실물 보관소를 먼저 확인해봐라.

- = It is possible that someone *found* your phone. Check ~.
- may have p.p.: ~했을지도 모른다 〈과거의 일에 대한 불확실한 추측〉

362 My alarm clock didn't go off / this morning.

S V M

내 알람 시계가 울리지 않았다 / 오늘 아침에.

I **must have forgotten** / to set it / last night.

S 조동사 have p.p. O (V′ O′) M

나는 잊어버렸음이 틀림없다 / 그것을 설정하는 것을 / 지난밤에.

- = My alarm clock ~. It is certain that I *forgot* to set it last night.
- must have p.p.: ~했음이 틀림없다 〈과거의 일에 대한 단정적 추측〉
- forget to-v: v할 것을 잊다 〈미래성〉 ▶**UNIT 16**

  cf. forget v-ing: v한 것을 잊다 〈과거성〉

363 A comet **may not have caused** / the extinction (of the dinosaurs).

S 조동사 have p.p. O

혜성이 야기하지 않았을지도 모른다 / 멸종을 (공룡의).

There is no authentic proof (of it).

V S

확실한 증거가 없다 (그것에 대한).

- 〈there is[are] ~〉는 '~이 있다'라고 해석하며, 여기서 there는 문법적 주어로 따로 해석하지 않는다.

  e.g. **There is** a cherry blossom tree near my house. 우리 집 근처에 벚꽃나무 한 그루**가 있다.**

  F·Y·I 지구에서 공룡이 사라진 이유를 설명하기 위해 만들어진 이론에는 종족의 노쇠, 생존 경쟁, 기후의 변화, 화산 활동, 외계의 원인 등 100여 가지가 있다. 이 중, 소행성이나 혜성의 파편 충돌로 인한 지각의 이동으로 지구 환경이 급변하여 공룡들이 적응하지 못하고 멸종했다는 이론이 널리 인정되고 있기는 하지만 공룡 멸종의 정확한 이유는 아직 알려지지 않았다.

364 He was very young then. Dealing with the sudden fame / **could have been** difficult / for him.

S V C M / S (V′ O′) / 조동사 have p.p. / C / M

그는 그때 너무 어렸다. 갑작스러운 명성에 대처하는 것은 / 어려웠을 수도 있다 / 그에게.

- = He ~. It is possible that dealing with the sudden fame *was* difficult for him.
- could have p.p.: ~했을 수도 있다 〈may have p.p.보다 더 강한 추측〉
- Dealing with the sudden fame은 v-ing(동명사)가 이끄는 명사구 주어 ▶**UNIT 08**

365 The exam was quite difficult. Susan **cannot have gotten** a perfect score.

S V C S 조동사 have p.p. O

시험은 상당히 어려웠다. 수잔이 만점을 받았을 리가 없다.

- = The exam ~. It is impossible that Susan *got* a perfect score.
- can't[cannot] have p.p.: ~했을 리가 없다 〈과거의 일에 대한 강한 부정적 추측〉
- 부사 quite가 형용사를 수식할 경우 '상당히, 꽤'로 해석한다.

어법 직결 **366** Some small dinosaurs [that did not fly] / had feathers.

S (S′ V′) V O

몇몇 작은 공룡들은 [날지 않았던] / 깃털을 가지고 있었다.

The feathers **might have been** / for keeping warm, / but not for flying.

S 조동사 have p.p. A_1 A_2

그 깃털은 어쩌면 ~이었을지도 모른다 / 따뜻하게 하기 위함 / 날기 위함이 아니라.

정답 | **might**

해설 | 깃털이 있음에도 날지 않았던 공룡들이므로 그 깃털은 날기 위해서가 아니라 따뜻하게 하기 위해 존재했을 것으로 추측하는 might가 문맥상 적절하다.

- that did not fly는 Some small dinosaurs를 수식하는 주격 관계대명사절 ▶**UNIT 64**

367 Your application is too late. You **should have submitted** it / the day before yesterday.

S V C / S 조동사 have p.p. O / M

당신의 지원서는 너무 늦었습니다. 당신은 그것을 제출했어야 했습니다 / 그저께. 〈유감, 비난〉

- = Your application ~. It is a mistake that you *didn't submit* it the day before yesterday.
- should[ought to] have p.p.: ~했어야 했는데 (하지 않았다) 〈과거의 일에 대한 후회/유감〉
- the day before yesterday 그저께 ***cf.*** the day after tomorrow 모레

368 I was late for school this morning. I **should have checked** the bus schedule / in advance.

S V C M M / S 조동사 have p.p. O / M

나는 오늘 아침 학교에 지각했다. 나는 버스 시간표를 확인했어야 했는데 (하지 않았다) / 미리. 〈후회〉

- = I regret that I *didn't check* the bus schedule in advance.

369 Why is she late? She **ought to have arrived** / by now.

의문사 V S C / S 조동사 have p.p. / M

그녀가 왜 늦을까? 그녀는 도착했어야 했는데 (하지 않았다) / 지금쯤. 〈유감, 비난〉

- = It is a mistake that she *didn't arrive* by then.

370 I **shouldn't have said** it, // but the words slipped / out of my mouth.

S_1 조동사$_1$ have p.p. O_1 // S_2 V_2 / M_2

나는 그것을 말하지 말았어야 했다, // 하지만 그 말이 불쑥 나와 버렸다 / 내 입에서. 〈후회〉

- = I regret that I *said* it, but the words slipped out of my mouth.

371 You **needn't have come** / this early. The bookstore doesn't open / till 10 a.m.

S 조동사 have p.p. / M / S V / M

너는 올 필요가 없었다 / 이렇게 일찍. 그 서점은 문을 열지 않는다 / 오전 10시까지는.

- 주로 구어체에서는 this나 that이 형용사 또는 부사를 수식해 'so(매우 ~한)'와 비슷한 의미를 나타낸다.
  e.g. I didn't realize it was going to be **this** *cold*. 나는 **이렇게** 추워질 줄은 몰랐다.
- until과 till은 모두 전치사와 접속사로 쓸 수 있으며, till은 구어체에서 많이 사용된다.

영작 직결 **372** If you spend time / (in) thinking about what you **should have done**, // you lose valuable time (for planning what you will do).

S′ V′ O′ / // S V O (V′ O′)

만약 당신이 시간을 보낸다면 / 당신이 했어야 했던 일에 대해 생각하는 데, // 당신은 귀중한 시간을 잃는다 (당신이 무엇을 할지를 계획하는).

정답 | **If you spend time (in) thinking about what you should have done**

해설 | '~하는 데 시간을 보내다'라는 의미인 〈spend+시간+(in) v-ing〉를 사용한다. 전치사 about의 목적어로 관계대명사 what이 이끄는 명사절이 오는데, 문맥상 '(과거에) ~했어야 했는데 (하지 않아서 유감이다)'라는 의미로 과거의 일에 대한 후회/유감을 나타내는 〈should have p.p.〉를 사용하여 what you should have done을 쓴다.

UNIT 36

should의 특별한 쓰임

373 Justice *demands* // that there **(should)** be no discrimination / against anybody.

S V O

정의는 요구한다 // 어떤 차별도 없어야 한다고 / 어느 누구에 대해서도.

- 동사 demands의 목적어 자리에 쓰인 that절이 당위성을 의미하는 경우 동사 be 앞에 조동사 should는 생략할 수 있다.
- that there ~ anybody는 접속사 that이 이끄는 명사절로 동사 demands의 목적어 역할을 한다. ▶**UNIT 17**

374 Life doesn't *require* // that we **(should)** be the best, //

S V O1

삶은 요구하지 않는다 // 우리가 최고가 되어야 한다고, //

only that we **(should)** try our best. - H. Jackson Brown Jr. ((美 작가))

O2

다만 우리가 최선을 다해야 한다고 (요구한다).

- 동사 doesn't require의 목적어 자리에 쓰인 두 개의 that절에서 동사 be와 try 앞에 각각 조동사 should가 생략되었다.

375 They *suggest* // that young people **(should)** stop wasting their money /

S V O

그들은 제안한다 // 젊은 사람들이 돈을 낭비하기를 그만두어야 한다고 /

on unnecessary things / and **(should)** start saving it. - 모의응용

불필요한 것에 / 그리고 저축을 시작해야 한다고.

cf. All the evidence *suggests* // that he **is** guilty / of serious misconduct.

S V O

모든 증거가 시사한다 // 그가 유죄임을 / 심각한 위법 행위로.

- 동사 suggest의 목적어 자리에 쓰인 that절에서 동사 stop과 start 앞에 조동사 should가 생략되었다.
- stop wasting ~ things와 start saving it은 접속사 and로 연결되어 병렬구조를 이룬다. ▶**UNIT 61**
- ***cf.*** suggest가 '제안하다'의 의미가 아니라 '시사하다, 암시하다'의 의미일 경우, that절이 '당위성'을 의미하지 않으므로 that절에 《(should+)동사원형》을 쓰지 않고 동사를 주어의 인칭과 수, 그리고 시제에 맞게 써야 한다.
  All the evidence *suggested* that he **had stolen** the money. 모든 증거가 그가 돈을 **훔쳤음을** *시사했다.*

376 I *insist* // that every room **(should)** be provided / with a fire extinguisher.

S V O

나는 주장한다 // 모든 방에는 갖추어져 있어야 한다고 / 소화기가.

cf. He *insisted* // that he **had seen** a ghost / with his own eyes.

S V O

그는 주장했다 // 그가 유령을 봤다고 / 자신의 눈으로.

- 동사 insist의 목적어 자리에 쓰인 that절에서 every room과 be provided 사이에 조동사 should가 생략되었다.
- '모든 방'이 '갖춰지는' 것이므로 every room과 provide는 수동 관계 ▶**UNIT 38**
- ***cf.*** that절의 내용이 '당위성'이 아닌 현재나 과거의 '사실'일 때는 《(should+)동사원형》을 쓰지 않고 동사를 주어의 인칭과 수, 그리고 시제에 맞게 써야 한다.

377 It is *necessary* // that we **(should)** consider other people / before we act.

S(가주어) V C S'(진주어)

(~이) 필요하다 // 우리가 다른 사람들을 고려해야 하는 것이 / 우리가 행동하기 전에.

- 형용사 보어 necessary 다음에 오는 진주어 that절에서 동사 consider 앞에 조동사 should가 생략되었다.
- 여기서 before는 시간을 나타내는 접속사 ▶**UNIT 73**

378 My *suggestion* is // that children **(should)** be careful / in both how and how much they use their smartphones.

S V C M′

내 제안은 ~이다 // 어린이들이 주의해야 한다는 것 / 어떻게 그리고 얼마나 많이 그들이 스마트폰을 사용하는지 모두에서.

- be동사(is)의 보어 역할을 하는 that절에서 동사 be 앞에 조동사 should가 생략되었다.
- 첫 번째 how 뒤에 they use their smartphones가 생략되어 있다. ▶**UNIT 96**
  ~ children (should) be careful in [both] how (they use their smartphones) [and] how much they use their smartphones.

379 It's my *proposal* // that the government **(should)** regulate fake news.

S(가주어) V C S′(진주어)

(~은) 내 제안이다 // 정부가 가짜 뉴스를 규제해야 한다는 것은.

- 명사 보어 my proposal 다음에 오는 진주어 that절에서 동사 regulate 앞에 조동사 should가 생략되었다.

어법 직결 **380** Health experts *recommend* // that nuts **(should)** be eaten regularly, // as they are major sources (of protein, minerals, and vitamins).

S V O S′ V′ C′

건강 전문가들은 권고한다 // 견과류는 주기적으로 섭취되어야 한다고, // 그것들은 주요 공급원이기 때문에 (단백질, 무기질 그리고 비타민의).

정답 | ×, **(should) be**

해설 | recommend(권고하다) 뒤의 that절이 '~해야 한다'라는 당위성을 나타내고 있으므로 that절에 ⟨(should +)동사원형⟩을 써야 한다.

- as는 '이유'를 나타내는 접속사 ▶**UNIT 75**

381 It is not so *strange* // that worry **should produce** physical symptoms.

S(가주어) V C S′(진주어)

(~이) 그다지 이상하지는 않다 // 걱정이 신체적 증상을 낳는다는 것이.

cf. It is not so *strange* that worry **produces** physical symptoms.

- 놀라움, 뜻밖, 노여움, 유감 등의 감정을 나타낼 때 that절의 should를 생략하고 동사원형만 쓸 수 없다.
  (~ that worry **produce** physical symptoms. (×))
- ***cf.*** 이 경우 should를 쓰지 않고 동사를 주어(worry)의 인칭과 수, 그리고 시제에 맞게 썼다.

382 It is a *shame* // that he **should miss** / such a golden opportunity.

S(가주어) V C S′(진주어)

(~이) 유감이다 // 그가 놓치다니 / 너무나 황금 같은 기회를.

- should를 쓰지 않으면 동사를 적절한 시제로 써야 한다.
  ~ that he **missed** such a golden opportunity. (○)
  ~ that he **miss** such a golden opportunity. (×)
- 이때의 such는 '너무나 ~한'의 의미로 ⟨such (a/an)(+ 형용사)+명사⟩의 어순으로 쓰인다.

UNIT 37

자주 보이는 조동사 표현

383 I **would[used to]** eat meat, // but now I'm a vegetarian.

S1 조동사1 동사원형1 O1 S2V2 C2

나는 고기를 먹곤 했다. // 그러나 이제는 채식주의자이다. 〈과거의 습관〉

- used to가 나오면 과거와 현재를 대조하는 내용임을 알 수 있다. '과거에는 ~했으나 지금은 아니다'라는 의미를 포함한다.
- would는 과거의 계속적 상태를 나타낼 수 없다.
  e.g. There **used to**(← would (×)) be a supermarket here. **예전에는** 이곳에 슈퍼마켓이 **있었다**. (지금은 없다)

384 He **used to** put on weight every winter // until he started skiing.

S 조동사 동사원형 O M S′ V′ O′

그는 매년 겨울 살이 쪘다 // 그가 스키 타는 것을 시작하기 전까지는. 〈과거의 상태〉

- every는 빈도를 나타내어 '매 ~, ~마다'의 의미로 쓰일 수 있다.
- 여기서 until은 시간을 나타내는 접속사 ▶UNIT 73

385 Where **did** you **use(d) to** live // before you moved here?

의문사 S 조동사 동사원형 S′ V′ M′

너는 예전에 어디에 살았니 // 여기로 이사 오기 전에? 〈과거의 상태〉

- 〈used to 동사원형〉의 의문형: 〈Did+S+use to+동사원형 ~?〉 / 〈used to 동사원형〉의 부정형: 〈didn't use to+동사원형〉
  e.g. I **didn't use to** like her, but now we're good friends. 나는 그녀를 좋아하지 **않았지만**, 지금 우리는 좋은 친구이다.
  단, 현대영어에서는 의문형과 부정형의 used를 use로 고치지 않고 사용하기도 한다.
  Did you used to ~? (O) I didn't used to ~. (O)

386 We **would like to** thank you / for your suggestion (about introducing more employee wellness programs). - 모의응용

S 조동사 동사원형 O M V′ O′

저희는 감사드리고 싶습니다 / 귀하의 제안에 (더 많은 직원 건강 프로그램을 도입하는 것에 관한).

- 〈would like to-v〉는 〈want to-v〉보다 좀 더 공손한 표현이다.
- *cf.* 〈would like+명사〉: ~을 먹고[가지고] 싶다
  I'**d like** some warm water. 따뜻한 물을 좀 마시고 **싶은데요**.
- 〈전치사+명사〉구인 about ~ programs는 your suggestion을 수식하는 형용사구이다.
- 전치사 뒤에 올 수 있는 것은 명사와 동명사인데, 뒤에 목적어를 바로 취하는 것은 동명사이므로 about 뒤에 동명사 introducing이 왔다. ▶UNIT 19
  cf. 명사를 쓸 경우 적절한 전치사를 이용하면 된다.
  = ~ about introduction of more employee wellness programs.

387 I'**d rather** attempt to do something great and fail / **than** attempt to do nothing and succeed. - Robert H. Schuller ((美 목사))

S 조동사 동사원형1 V′ O′ O1 동사원형2 동사원형3 V′ O′ O3 동사원형4

나는 차라리 무언가 위대한 일을 시도해보고 실패하고 싶다 / 아무것도 시도해보지 않고 성공하느니.

- 비교구문에서 비교되는 대상 A와 B는 문법적 성격(격, 형태 등)이 같아야 한다. ▶UNIT 88
  A: attempt to do something great and fail
  B: attempt to do nothing and succeed
- than을 기준으로 앞에는 attempt와 fail이, than 뒤에는 attempt와 succeed가 and로 연결된 병렬구조이다. ▶UNIT 61
- 형용사 great가 something을 뒤에서 수식하고 있다. 수식을 받는 명사가 -thing, -body, -one으로 끝나는 경우 수식어(구)가 뒤에서 수식한다. ▶Further Study p.27

388 If you have to have a dream, // you **may as well** dream big. - Rachel Bilson ((美 배우))

S′ 조동사′ 동사원형′ O′ S 조동사 동사원형 M

만약 네가 꿈을 가져야 한다면, // 너는 크게 꿈꾸는 게 더 낫다.

389 When I hear great music, // I **can't help being** inspired by it.

S′ V′ O′ S V O M

내가 훌륭한 음악을 들을 때, // 나는 그것에 영감을 받지 않을 수 없다.

- 〈cannot help v-ing〉 = 〈cannot (help) but + 동사원형〉
  = When I hear great music, I **cannot (help) but be** inspired by it.
- v-ing(동명사)의 의미상의 주어인 I와 inspire가 수동 관계이므로 〈being p.p.〉가 쓰였다. ▶**UNIT 43**
- it = great music

390 Parents **cannot** be **too** careful / about their words and actions / before their children.

S 조동사 동사원형 C M M

부모는 아무리 신중해도 지나치지 않다 / 그들의 말과 행동에 대해서 / 그들의 아이들 앞에서.

↳ 부모는 아이들 앞에서 하는 언행에 매우 신중해야 한다.

391 Books **may well** be / the only true magic. - Alice Hoffman ((美 소설가))

S 조동사 동사원형 C

책은 아마 ~일 것이다 / 유일한 진짜 마법.

- = Books **are very likely to** be the only true magic.
- may well: '추측'을 나타내는 may에 well이 함께 쓰여 확신의 정도를 높여준 것이다.

어법 직결 **392** You **may as well** know nothing / **than** know things by halves.

S 조동사 동사원형1 O1 동사원형2 O2 M2

아무것도 모르는 게 더 낫다 / 어중간하게 아느니.

정답 | **X, may as well**

해설 | '(…하느니) ~하는 게 더 낫다'의 의미를 가진 조동사 표현으로는 〈may as well ~ (as[than] ...)〉이 적절하다. 〈may well ~〉은 '아마 ~일 것 같다; ~하는 것도 당연하다'의 의미이다.

어법 직결 **393** Whenever I meet homeless dogs and cats, // I **can't help but** feel sorry for them.

S′ V′ O′ S 조동사 동사원형 C M

집 없는 개와 고양이를 만날 때마다, // 나는 그들이 가엽다고 느끼지 않을 수 없다.

정답 | **X, feel**

해설 | 'v하지 않을 수 없다'라는 의미의 〈cannot (help) but + 동사원형〉 구문이 쓰였으므로 동사원형인 feel이 와야 한다.

- whenever는 시간의 부사절을 이끄는 접속사로 every[each] time과 의미가 같다. ▶**UNIT 74**

영작 직결 **394** I **would like to** give you / some useful tips (on how to learn efficiently). - 교과서응용

S 조동사 동사원형 IO DO

제가 여러분에게 드리고 싶습니다 / 몇 가지 유용한 조언을 (효율적으로 학습하는 방법에 관한).

정답 | **I would like to give you some useful tips**

해설 | 우리말에 '~하고 싶습니다'가 있으므로 정중한 제안을 나타내는 〈would like to-v〉를 쓰는 것이 적절하다. give 뒤에는 간접목적어와 직접목적어가 이어지는 SVOO문형이 쓰였다.

- on how ~ efficiently는 some useful tips를 수식하는 형용사구이고, how ~ efficiently는 〈의문사+to-v〉의 명사구로 전치사 on의 목적어이다. 〈how to-v: v하는 방법〉

UNIT 38

3문형/4문형의 수동태

395 All things **are won** / by industry. - Proverb
S V M
모든 것은 얻게 된다 / 근면에 의해서.
↳ 부지런하면 모든 것을 얻는다.

396 A smile (with direct eye contact) / **is welcomed** everywhere.
S V M
미소는 (눈을 직접 마주치며 짓는) / 어디에서나 환영받는다.

✔ 〈by+행위자〉는 행위자가 일반인일 때, 불명확할 때, 밝힐 필요가 없을 때 생략되는 경우가 많다. (약 80%)

397 Half (of the world's habitable land) / **is used** for agriculture.
S V M
절반이 (세계의 주거할 수 있는 땅의) / 농업을 위해 사용된다.

398 Come away from that machine // before you **get hurt**.
V M S′ V′
저 기계에서 떨어져라 // 네가 다치기 전에.

✔ 여기서 before는 시간을 나타내는 접속사로 부사절에서 현재시제가 미래를 나타낸다. ▶**UNIT 27**
✔ 〈get p.p.〉는 행동이나 변화를 나타내며, 보통 상태 동사가 아닌 동작 동사와 함께 사용된다.
✔ **자주 쓰이는 〈get+p.p〉 형태의 어구**

- get arrested 체포되다
- get fired 해고되다
- get caught 붙잡히다
- get lost 길을 잃다
- get dressed 옷을 입다
- get married 결혼하다
- get divorced 이혼하다
- get stuck 꼼짝 못하게 되다
- get drunk 취하다
- get confused 혼동되다

399 He **was given** ***a fine*** / for parking his car / in the wrong place.
S V O M M
그는 벌금을 부과받았다 / 자신의 차를 주차했다는 이유로 / 부적당한 장소에.

✔ ← The police officer **gave** him ***a fine*** for parking his car ~.
S V IO DO
✔ 여기서 for는 이유를 나타내는 전치사로 동명사구를 목적어로 취하고 있다. ▶**UNIT 19**

400 The earth **was not given** ***to you*** / by your parents. It **was loaned** ***to you*** /
S V M M S V M
지구는 당신에게 주어지지 않았다 / 당신의 부모에 의해. 그것은 당신에게 대여되었다 /
by your children. - Proverb
M
당신의 자녀들에 의해.
↳ 지구는 부모님이 당신에게 준 것이 아니라 당신이 자녀들에게서 빌려온 것이다.

✔ ← Your parents **didn't give** you ***the earth***. Your children **loaned** it(=the earth) to you.
S V IO DO S V O M
✔ give와 loan은 DO가 수동태의 주어로 가면 IO 앞에 전치사 to를 쓴다. ▶**UNIT 05**

401 The robot **was taught** / ***how to respond to human facial expressions***.
S V O
그 로봇은 배웠다 / 인간의 얼굴 표정에 반응하는 법을.

- ← People **taught** the robot ***how to respond to human facial expressions***. (S V IO DO)
- teach의 수동형인 be taught는 '~을 배우다'로 해석한다.
- 〈how to-v〉: v하는 방법

402 We're told / at school // ***that white reflects sunlight / and black absorbs it***. (S'1 V'1 O'1 / S'2 V'2 O'2)
S V M O
우리는 듣는다 / 학교에서 // 하얀색은 햇빛을 반사하고 / 검은색은 그것을 흡수한다고.
- 모의응용

- ← Teachers **tell** us at school ***that white reflects sunlight and black absorbs it***. (S V IO DO)
- 〈be told that ~: ~라고 듣다〉는 자주 사용되는 수동태 표현
- that white ~ absorbs it은 접속사 that이 이끄는 명사절로 동사 are told의 목적어 역할을 한다. ▶**UNIT 17**
- that절에서 등위접속사 and가 절과 절을 병렬 연결하고 있다. ▶**UNIT 61**
- it = sunlight

어법 직결 **403** I **was offered** ***a scholarship*** // because I got top marks / in all my subjects.
S V O S' V' O' M'
나는 장학금을 받았다 // 최고점을 받았기 때문에 / 모든 과목에서.

(← They **offered** me ***a scholarship*** because I got top marks ~.) (S V IO DO S' V' O')

정답 | **was offered, got**
해설 | 문맥상 I가 장학금을 '제공받는' 것이므로 I와 offer는 수동 관계이다. 또한, I가 최고점을 '받은' 것이므로 '~을 받다' 의미의 〈get+O〉가 적절하다. SVO 구조인지 〈be p.p.+O〉 구조인지는 문맥상 주어와 동사의 관계를 통해 파악한다.

UNIT 39 5문형의 수동태

404 Trust **is considered** / ***the basis (of every relationship)***.
S V C
신뢰는 (~라고) 여겨진다 / 기반이라고 (모든 관계의).

- ← People **consider** trust ***the basis of every relationship***. (S V O C)
- 〈consider+O+C(명사구)〉의 수동태
- SVOC문형의 수동태는 O가 주어로 나가고 C가 그 자리에 그대로 남는다.

405 The bank clerks / **were made** / ***to lie on the floor*** / by the gunman. (V' A')
S V C M
그 은행원들은 / 강요받았다 / 바닥에 엎드리도록 / 총을 든 사람에 의해.

- ← The gunman **made** the bank clerks ***lie on the floor***. (S V O C)
- 〈make(사역동사)+O+C(원형부정사)〉의 수동태: 사역동사의 목적격보어인 원형부정사는 수동태 문장에서 to-v로 전환된다.

406 Laughter **is called** ***the best medicine***.
S V C
웃음은 최고의 약이라고 한다.

- ← People **call** laughter ***the best medicine***. (S V O C)
- 〈call+O+C(명사구)〉의 수동태

407 Our immune systems / **are kept** ***strong*** / by fighting off a small amount of germs and viruses.

S: 우리의 면역 체계는 / V C: 강하게 유지된다 / M: 적은 양의 세균과 바이러스를 퇴치함으로써.

- ← Our bodies **keep** our immune systems ***strong*** by fighting off ~. (S V O C)
- 〈keep+O+C(형용사)〉의 수동태
- 여기서 〈by v-ing〉는 'v함으로써'의 의미로 쓰인 〈전치사+명사〉구이다. 〈by+행위자〉로 혼동하지 않도록 한다.

408 **You're not allowed** / ***to take pictures in the museum.***

S V: 당신은 허용되지 않습니다 / C (V′ O′ M′): 박물관에서 사진 찍는 것이.

- ← We **don't allow** you ***to take pictures in the museum***. (S V O C)
  ← We **don't let** you ***take pictures in the museum***. (S V O C)
- 〈allow+O+C(to-v)〉 또는 〈let(사역동사)+O+C(원형부정사)〉의 수동태
- 원형부정사를 목적격보어로 취하는 사역동사 let은 수동태로 쓸 때 〈be allowed to-v〉 형태를 취한다.
  e.g. He **let** me ***go*** home. 그는 내가 집에 **가게 했다**.
  → I **was allowed**(← **was let**(×)) ***to go*** home. 나는 집에 **가도록 허락받았다**.

409 The mailman **was seen** / ***to take the envelopes out of the mailbox.***

S: 그 우체부가 V: 보였다 / C (V′ O′ M′): 우체통에서 봉투들을 꺼내는 것이.

- ← People **saw** the mailman ***take the envelopes out of the mailbox***. (S V O C)
- 〈see(지각동사)+O+C(원형부정사)〉의 수동태

410 I **was advised** / by the nutritionist / ***to eat more vegetables and less sugar.***

S V: 나는 충고를 받았다 / M: 영양사에게 / C (V′ O′): 더 많은 채소와 더 적은 설탕을 먹으라는.

- ← The nutritionist **advised** me ***to eat more vegetables and less sugar***. (S V O C)
- 〈advise+O+C(to-v)〉의 수동태

411 Footsteps **were heard** / ***echoing*** down a long dark hallway.

S V: 발소리가 들렸다 / C M: 길고 어두운 복도를 따라 울리는 것이.

- ← I **heard** footsteps ***echoing*** down a long dark hallway. (S V O C)
- 〈hear(지각동사)+O+C(v-ing)〉의 수동태
- **hear가 만드는 빈출 문형**

SV(A)	듣다, 들리다; 소식을 듣다	My grandfather **can't hear** very well. 우리 할아버지는 귀가 매우 잘 **안 들리신다**. I **have never heard** of him since. 나는 이후로 그의 소식을 **한 번도 듣지 못했다**.
SVO	~을 듣다	She **heard** footsteps behind her. 그녀는 뒤에서 발소리가 나는 것을 **들었다**. I **heard** an interesting program on the radio this morning. 나는 오늘 아침에 라디오에서 재미있는 방송을 **들었다**.
SVOC	O가 C하는 것을 듣다	She **heard** the dog barking outside. 그녀는 밖에서 **개가 짖고 있는 것을 들었다**. At eight o'clock Jane **heard** him go out. 8시 정각에 제인은 **그가 나가는 것을 들었다**.

412 Anne Frank's diary / **was found** / ***hidden in the upper floor [where the Frank family hid].***

S: 안네 프랑크의 일기는 / V: 발견되었다 / C: 위층에 숨겨진 채로 / (M′ S′ V′) [프랑크네 가족이 숨어 있던].

← They **found** Anne Frank's diary ***hidden in the upper floor ~***.
S V O C

〈find+O+C(p.p.)〉의 수동태

관계부사 where가 이끄는 절이 장소를 나타내는 선행사 the upper floor를 수식하고 있다. ▶**UNIT 66**

F·Y·I 제2차 세계대전 당시 히틀러는 독일 정권을 잡으면서 유대인 학살(홀로코스트)을 명령하였고, 이를 피해 안네 프랑크는 가족과 함께 약 2년 동안 은신처에서 지내며 일기를 썼다. 그러나 1944년 안네의 가족들은 발각되어 아우슈비츠 수용소로 옮겨졌고, 안네는 16세에 수용소가 해방되기 두 달 전 장티푸스로 사망하게 된다. 그녀의 일기는 1947년에 네덜란드어로 출판되었고 이후 65개국의 언어로 번역되어 세계적인 베스트셀러가 되었다.

문장 전환 **413** The patient **was noticed** / ***to have difficulty in performing her daily activities*** / by the doctor.
S V C M
그 환자는 알아차려졌다 / 일상 활동을 하는 것에 어려움이 있다고 / 의사에 의해.

정답 | **was noticed to have difficulty**

해설 | 〈notice(지각동사)+O+C(원형부정사)〉 문형을 수동태 문장으로 바꿀 경우 원형부정사는 to-v로 전환된다. 〈by+행위자〉는 생략이 가능하다.

UNIT 40 조동사/시제와 결합된 수동태

414 Few things **will be gained** / by blaming the past.
S V M
얻어지는 것이 거의 없을 것이다 / 과거를 탓함으로써.

← You **will gain** few things by blaming the past.

few는 셀 수 있는 명사 앞에 쓰이며 '거의 없는'을 의미한다. a few는 '조금 있는'이라는 뜻이다.
cf. 셀 수 없는 명사 앞에는 little(거의 없는), a little(약간 있는)이 쓰인다.

여기서 by blaming the past는 수단을 나타내는 〈전치사+명사〉구로, 〈by+행위자〉로 혼동하지 않도록 한다.

415 Polar bears **are being driven** to extinction / because of increasing temperatures (in their habitat).
S V M M
북극곰들은 멸종으로 내몰리고 있다 / 높아지는 기온 때문에 (서식지의).

현재분사 increasing은 명사 temperatures를 수식한다. ▶**UNIT 52**

416 The concept of doing multiple things at a time / **has been studied** by psychologists / since the 1920s. - 수능응용
S (= V′ O′ M′) V M M
한 번에 여러 가지 일을 한다는 개념이 / 심리학자들에 의해 연구되어 왔다 / 1920년대부터.

The concept와 doing ~ at a time은 동격 관계이다. ▶**UNIT 99**

'~부터'라는 의미의 전치사 since와 함께 '계속'을 나타내는 현재완료(has been studied)가 쓰였다. ▶**UNIT 29**

F·Y·I 여러 가지 일을 동시에 처리하는 것을 다중작업 또는 멀티태스킹이라고 한다. 멀티태스킹이 인간의 정신건강 및 일의 능률, 생산성 향상 등에 미치는 영향에 대해 전문가들은 뇌가 과부하 상태에 놓여 집중력 저하, 불안감과 같은 부정적인 심리 현상을 초래할 수도 있다고 경고하고 있다.

417 I **may be compelled** / to face danger, / but never fear it.
S V1 C1 (V′ O′) V2 O2
나는 어쩔 수 없이 (~하게) 될지 모른다 / 위험을 마주하게, / 그러나 절대로 그것을 두려워하지 않는다.

- 두 개의 동사구(may be compelled, fear)가 등위접속사 but으로 병렬 연결되었다. ▶**UNIT 61**
- compel은 목적격보어로 to부정사를 취하는 동사 ▶**UNIT 22**
- it = danger

418 Children **must be taught** / how to think, / not what to think. - Margaret Mead ((美 인류학자))
S V O1 O2
아이들은 배워야 한다 / 어떻게 생각할지를 / 무엇을 생각할지가 아니라.

- **〈의문사+to-v〉 형태의 명사구** ▶**UNIT 15**
  - what to-v 무엇을 v할지를 • when to-v 언제 v할지를 • which to-v 어떤 것을 v할지를
  - where to-v 어디서 v할지를 • how to-v 어떻게 v할지를[v하는 방법]
- 여기서 must는 충고/의무를 나타내는 조동사 ▶**UNIT 33**

419 Free parking permits / **will be provided** / only to those [who have registered in advance]. - 모의
S V M (S′ V′ M′)
무료 주차권은 / 제공될 것입니다 / (~한) 사람들에게만 [미리 등록한].

- 〈those who ~〉: ~하는 사람들
- 여기서 who 이하는 those를 수식하는 주격 관계대명사절 ▶**UNIT 64**

420 Your order **is being prepared** / for shipping. You can expect delivery / in 2-3 business days.
S V M S V O M
당신의 주문품은 준비되고 있습니다 / 배송을 위해. 당신은 배달을 예상할 수 있습니다 / 2~3일의 영업일 후에.

↳ 주문하신 상품은 배송 준비 중입니다. 2~3일의 영업일 후에 받아보실 수 있습니다.

- 〈in+시간〉: ~ 후에 ***e.g.*** **in** two weeks 2주 **후에**
  cf. 〈within+시간〉: ~ 안에 ***e.g.*** **within** two weeks 2주 **안에**
- 여기서 business day(영업일)는 (공)휴일, 주말 등을 제외한 평일을 의미한다.

421 He **had been told** / by his grandmother // that he could achieve anything / with persistence.
S V M O (S′ V′ O′ M′)
그는 들었다 / 할머니에 의해 // 그가 어떤 것도 이룰 수 있을 거라고 / 끈기가 있으면.

- that 이하는 접속사 that이 이끄는 명사절로 능동태 문장에서는 직접목적어 역할을 한다. ▶**UNIT 17**
- ***cf.*** 미래완료 수동태는 〈will have been p.p.〉로 쓴다.
  The building **will have been completed** by December. 그 건물은 12월에는 **완성이 되어 있을 것이다.**

422 Up until the late 1800s, / soccer **had been called** "football" / in both America and Britain.
M S V C M
1800년대 후반까지, / 축구는 '풋볼'이라고 불렸다 / 미국과 영국 모두에서.

- 부사구 Up until the late 1800s와 함께 과거 어느 시점부터 1800년대 후반까지 계속되었던 것을 나타내기 위해 과거완료(had been called)가 쓰였다. ▶**UNIT 30**

UNIT 41

형태에 유의해야 할 수동태

423 She **is looked up to** / by other women / as a role model.
S V M M
그녀는 존경받는다 / 다른 여성들에게 / 롤모델로서.

← Other women **look up to** her as a role model.

그 외 자주 쓰이는 구동사
- put off ~을 미루다
- pay attention to ~에 주의를 기울이다
- run over (차가) ~을 치다
- put up with ~을 참다
- depend[rely] on ~을 신뢰[의지]하다
- take care of / look after ~을 돌보다
- take up (시간 · 공간을) 차지하다, 쓰다
- look forward to ~을 기대하다
- catch up with[on] ~을 따라잡다
- bring up ~을 키우다[훈육하다]
- do away with ~을 제거하다
- speak well[ill] of ~을 칭찬[험담]하다

424 Petroleum **is referred to** / **as** black gold / because of its high value (in the market).
S V M
석유는 불린다 / 블랙 골드라고 / 그것의 높은 가치 때문에 (시장에서의).

← People **refer to** petroleum **as** black gold ~.

425 Books **have been thought of** / **as** windows (to another world of imagination).
S V
책은 여겨져 왔다 / 창문으로 (또 다른 상상의 세계로 통하는).

- Stephenie Meyer 《〈트와일라잇〉 작가》

← People **have thought of** books **as** windows ~.

426 Pablo Picasso **was laughed at** / by many of his contemporaries / for his unusual painting style.
S V M M
파블로 피카소는 비웃음을 당했다 / 많은 동시대 사람들에게 / 그의 특이한 그림 기법 때문에.

← Many of Pablo Picasso's contemporaries **laughed at** him for ~.

여기서 for는 이유를 나타내는 전치사로 쓰였다.

427 It **is said** // that habit *is* second nature.
S(가주어) V S′(진주어) (S′ V′ C′)
(~라고) 말해진다 // 습관은 제2의 천성이라고.

= Habit **is said** *to be* second nature.
S V C (V′ C′)

← People **say** that habit *is* second nature.

People say[know, believe, think] 뒤의 that절이 목적어인 경우 두 가지 형태의 수동태가 가능하다.

1. 〈가주어 it+be p.p.+that절〉
2. 〈that절의 주어+be p.p.+to-v〉 (주절 시제 = that절 시제)
   〈that절의 주어+be p.p.+to have p.p.〉 (주절 시제 ≠ that절 시제)
   e.g. People **say** that Einstein *was* a genius.
   = Einstein **is said** *to have been* a genius.

People say that ~은 주로 구어에서 쓰이고, 수동태로 바꾼 형태는 주로 문어에서 쓰인다.

428 It **is known** // that eating bananas / *is* a natural cure (to reduce the effects of stress and anxiety).

S(가주어) V S'(진주어) S' V' C'

(~라고) 알려져 있다 // 바나나를 먹는 것은 / 자연 치유법이라고 (스트레스와 불안의 영향을 줄여주는).

- = Eating bananas **is known** *to be* a natural cure ~.
- to reduce 이하는 앞의 명사구 a natural cure를 수식하는 형용사적 용법의 to부정사구 ▶**UNIT 51**

F·Y·I 바나나는 행복 호르몬으로 알려져 있는 세로토닌의 생성에 도움을 주는 비타민 B6의 함유량이 많아 불안감이나 스트레스 해소에 도움이 될 수 있다. 이 밖에도 바나나에는 피부 미용, 불면증 완화 등의 많은 건강상의 이로움이 있다.

429 Our life experience **is thought** / *to have* a profound effect / upon intelligence.

S V C V' O' M'

우리의 삶의 경험은 여겨진다 / 엄청난 영향을 미치는 것으로 / 지성에. - 모의응용

- = It **is thought** that our life experience *has* a profound effect ~.

430 It **is believed** // that genetic factors / *contribute* about 30 percent *to* / the human lifespan.

S(가주어) V S'(진주어) S' V' M' O'

(~라고) 여겨진다 // 유전적 요인은 / (~에) 약 30퍼센트 기여한다고 / 인간의 수명에.

- = Genetic factors **are believed** *to contribute* about 30 percent *to* ~.

UNIT 42 명령문/의문문 수동태

431 **Let** the door **be closed**.

V O C

문을 닫아주세요.

- ← **Close** the door.
- 명령문의 수동태는 매우 딱딱한 문어 표현으로 구어에서는 거의 쓰지 않는다.

432 **Was** this book **written** / by a robot (with artificial intelligence)?

S V M

이 책이 쓰였나요 / 로봇에 의해 (인공지능을 가진)?

- ← **Did** a robot with artificial intelligence **write** this book?

433 **Let** yourself / **not be pressured into making a hasty decision.**

V O C

너 자신이 ~하도록 하라 / 성급한 결정을 내리게 압박받지 않도록.

- ← **Don't pressure** yourself into making a hasty decision.
- = **Don't let** yourself **be pressured into making a hasty decision.**

434 **Don't let** your viewpoints / **be distorted** / **by false information.**

V O C

네 관점이 ~하지 않도록 하라 / 왜곡되지 (않도록) / 잘못된 정보에 의해.

← **Don't let** false information **distort** your viewpoints.

= **Let** your viewpoints **not be distorted by false information**.

435 **Will** the class **be cancelled** // if the number (of registered students) / is less than ten?

S V S' V' C'

수업이 취소되나요 // 수가 (등록한 학생들의) / 10명 미만이면?

← **Will** the teacher **cancel** the class if the number ~?

조건을 나타내는 부사절(if the number ~ ten)에서는 현재시제가 미래를 대신한다. ▶**UNIT 27, 76**

436 A: What **is included** / in the ticket price?

의문사(S) V M

무엇이 포함되나요 / 티켓 가격에?

B: Each ticket includes / admission and a free drink.

S V O

각 티켓은 포함합니다 / 입장과 무료 음료 한 잔을.

← **What do** they **include** in the ticket price?

〈each+단수명사〉는 단수 취급하므로 단수동사 includes가 쓰였다.

437 Why **was** the film **banned** / by the government?

의문사 S V M

왜 그 영화가 (상영이) 금지되었나요 / 정부에 의해?

← **Why did** the government **ban** the film?

cf. 의문대명사가 주어인 문장이 수동태로 전환될 경우 〈by+행위자〉의 by는 문미에 두는 경우가 일반적이고, 문어에서는 문두에 두기도 한다.

Who wrote this book? 누가 이 책을 썼니?

→ **Who(m)** was this book written ***by***? 이 책은 누구에 의해 쓰였니?

→ ***By*** **whom** was this book written?

UNIT 43

to부정사/동명사의 수동형

438 I am happy / **to be invited** to your party.

S V C M

저는 기쁩니다 / 당신의 파티에 초대받아서.

= I *am* happy that I'*m invited* to your party.

내가 '초대받은' 것이므로 I(의미상의 주어)와 invite는 수동 관계이다. 따라서 to부정사의 수동형(to be p.p.)이 쓰였다.

to be invited 이하는 감정(happy)의 원인을 나타내는 부사적 용법으로 쓰인 to부정사구 ▶**UNIT 54**

439 Simply **being watched** / makes us self-conscious. - 모의응용

S / V O C

단순히 (누군가에 의해) 지켜봐지는 것은 / 우리가 남의 시선을 의식하게 만든다.

↳ 누군가가 우리를 지켜볼 때 우리는 타인의 시선을 의식하여 행동하게 된다.

- v-ing(동명사)구 주어는 단수 취급하므로 단수동사 makes가 왔다. ▶**UNIT 08**
- 우리가 '지켜봐지는' 것이므로 동명사의 의미상의 주어인 we와 watch는 수동 관계이다. 따라서 동명사의 수동형(being p.p.)이 쓰였다.

440 All bad fortune / is **to be conquered** / by endurance. - Virgil ((고대 로마의 시인))

S V C

모든 불운은 / 극복되어야 한다 / 인내로.

- = All bad fortune *is* something that should *be conquered* by endurance.
- 불운이 '극복되는' 것이므로 All bad fortune(의미상의 주어)과 conquer는 수동 관계이다.
- 여기서 ⟨be to-v⟩는 '의무'의 의미를 나타낸다.

441 I'd like a full refund // because the package appeared / **to be damaged** during delivery.

S V O S′ V′ C′

저는 전액 환불을 받고 싶습니다 // 소포가 ~처럼 보였기 때문에 / 배달 중에 손상된 것(처럼).

- = I'd like a full refund because it *appeared* that the package *was damaged* during delivery.
- 소포가 '손상된' 것이므로 the package(의미상의 주어)와 damage는 수동 관계이다.
- **주격보어로 to-v를 취하는 동사**
  appear, seem, happen, turn out, prove, come, get, grow 등 ▶**UNIT 21**

442 The air crash seemed **to have been caused** / by pilot error.

S V C

그 항공기 사고는 야기된 것처럼 보였다 / 조종사의 실수로 인해.

- = It *seemed* that the air crash *had been caused* by pilot error.
- 비행기 사고가 '야기되는' 것이므로 The air crash(의미상의 주어)와 caused는 수동 관계이다.
- 동사(seemed)보다 항공기 사고가 일어났던(had been caused) 때가 앞서므로 완료 수동형(to have been p.p.)이 쓰였다.

443 Listening is giving the other person / the experience (of **being heard**).

S V (V′ IO′ DO′) C

경청이란 상대방에게 주는 것이다 / 경험을 ((자신의 말이) 들어지는).

↳ 상대방의 이야기에 귀 기울이고 있음을 상대방이 느끼도록 하는 것이 경청이다.

- = Listening *is* giving the other person the experience that he or she *is (being) heard*.
- giving ~ heard는 동명사가 이끄는 명사구 보어 ▶**UNIT 21**
- 상대방(의 말)이 '들어지는' 것이므로 the other person(의미상의 주어)과 hear는 수동 관계이다.
- being heard는 전치사 of의 목적어로 쓰인 동명사의 수동형(being p.p.)이다.

444 **Having been hurt** by someone / is never enough reason (to hurt them back).

S V C

누군가에 의해 상처받았던 것이 / 결코 충분한 이유가 되지 않는다 (그들에게 다시 상처를 주는).

↳ 상처를 받았다고 해서 상처를 준 사람에게 똑같이 상처를 주는 것은 옳지 않다.

- = That you *were[have been] hurt* by someone *is* never enough reason to hurt them back.
- 일반인 주어 you(의미상의 주어)와 hurt는 수동 관계이다.
- 문장의 동사(is)보다 앞선 때(were[have been] hurt)의 동작이므로 완료 수동형(having been p.p.)이 쓰였다.
- Having ~ someone은 동명사가 이끄는 명사구 주어 ▶**UNIT 08**
- to hurt them back은 앞의 명사 reason을 수식하는 형용사적 용법의 to부정사구 ▶**UNIT 51**

UNIT 44 if+가정법 과거

445 If I **were** good at grammar, // I **could answer** the question.
S′ V′ C′ M′ S V O
만약 내가 문법을 잘한다면, // 나는 그 문제에 답할 수 있을 텐데.

- 현재의 사실과 반대로 가정(문법을 잘하지 못하지만 잘한다면). 내용을 반대로 하여 직설법으로 바꾸면 자연스럽다.
  = As I'm not good at grammar, I can't answer the question.
- 가정법 과거의 if절에서 be동사는 인칭, 수에 상관없이 were를 쓰는 것이 원칙이다. 단, 구어체에서는 I나 3인칭 단수 주어일 때 was도 많이 쓴다.
  e.g. If I **was** good at grammar, I could answer the question.

446 If I **had** eight hours (to chop down a tree), // I **would spend** six / sharpening my axe. - Abraham Lincoln
S′ V′ O′ S V O
만약 나에게 8시간이 있다면 (나무를 벨), // 나는 6시간을 쓸 텐데 / 내 도끼를 날카롭게 하는 데.
↳ 일을 하는 데 있어서 준비를 철저히 하는 것이 중요하다.

- 현재나 미래에 일어날 가능성이 매우 희박하거나 불가능하다고 보는 일. 이런 경우, 내용을 반대로 하여 직설법으로 바꾸면 대체로 의미가 어색하다.
  As I don't have eight hours ~, I don't spend .... (×)
- to chop down a tree는 eight hours를 수식하는 형용사 역할의 to부정사구 ▶UNIT 51
- six 뒤에는 hours가 생략되었다.

447 If my grandparents **were** alive, // they **could experience** a whole new world.
S′ V′ C′ S V O
나의 조부모님이 살아 계신다면, // 완전히 새로운 세계를 경험할 수 있으실 텐데.

- 현재의 사실과 반대로 가정((조부모님이 돌아가셨지만) 살아 계신다면)
  = As my grandparents aren't alive, they can't experience a whole new world.

448 If nature **were** not beautiful, // it **would** not **be** worth knowing, / and life **would** not **be** worth living. - Henri Poincaré ((프 수학자))
S′ V′ C′ S_1 V_1 C_1 S_2 V_2 C_2
자연이 아름답지 않다면, // 그것은 알 가치가 없을 것이다, / 그리고 삶은 살 가치가 없을 것이다.

- 현재의 사실과 반대로 가정((자연은 아름답지만) 아름답지 않다면)
  = As nature is beautiful, it is worth knowing, and life is worth living.
- it = nature

449 If you **had** a one-year vacation, // what **would** you **do** / during that time?
S′ V′ O′ O S V M
만약 당신에게 1년의 휴가가 있다면, // 무엇을 할 것인가 / 그 시간 동안?

- 현재나 미래에 일어날 가능성이 매우 희박하거나 불가능하다고 보는 일
  cf. 아래와 같이 표현하면 일어날 가능성이 있다(likely)고 보는 것이다.
  If you **have** a one-year vacation, what **will** you **do** ~?

어법 직결 **450** If happiness **were** sold, // few of us **could pay** the price.

S′ V′ S V O

행복이 판매된다면, // 값을 지불할 수 있는 사람은 거의 없을 텐데.

정답 | **could**

해설 | 현재나 미래에 일어날 가능성이 매우 희박하거나 불가능하다고 보는 일을 가정하고 있으므로 가정법 과거가 적절하다.

- 행복이 '판매되는' 것이므로 happiness와 sell은 수동 관계 ▶**UNIT 38**
- **sell이 만드는 빈출 문형**

SV	팔리다	Her new book **sold** very well. 그녀의 새 책은 매우 잘 **팔렸다**.
SVO	~을 팔다	My uncle buys and **sells** antiques for a living. 우리 삼촌은 생계를 위해 골동품**을** 사고**파신다**.
SVOO	IO에게 DO를 팔다	I **sold** him my car for $6,000. 나는 **그에게** 내 차**를** 6,000달러에 **팔았다**.

어법 직결 **451** Life expectancy **would grow** / by leaps and bounds // if green vegetables

S V M S′

기대 수명은 늘어날 텐데 / 급속히 // 만약 녹색 채소들이 좋은 냄새가 난다면

smelled as good / as bacon. - Doug Larson ((美 저널리스트))

V′ C′

/ 베이컨만큼.

정답 | **smelled**

해설 | 현재나 미래에 일어날 가능성이 매우 희박하거나 불가능하다고 보는 일을 가정하고 있으므로 가정법 과거가 적절하다.

- 〈A as 원급 as B〉: 'A는 B만큼 ~하다'라는 의미의 원급 구문 ▶**UNIT 87**
- if절은 다른 부사절과 마찬가지로 문장 앞이나 뒤에 올 수 있는데, 뒤에 올 경우는 콤마(,)가 대부분 생략된다.
- **smell이 만드는 빈출 문형**

SV	냄새가 나다	His feet really **smell**. 그의 발은 정말 **냄새가 난다**.
SVC	~한 냄새가 나다	The cake **smelled** delicious. 그 케이크는 맛있는 **냄새가 났다**.
SVO	냄새 맡다, 감지하다	He **smelled** danger. 그는 위험을 **냄새 맡았다[감지했다]**.
SVOC	O가 C하는 냄새를 맡다	I **can smell** the bread baking. 나는 빵**이** 구워지고 있는 **냄새를 맡을 수 있다**. (→ 빵이 구워지는 냄새가 난다.)

452 **Would** it **be** all right // if I **invited** him / to supper?

V S C S′ V′ O′ M′

괜찮으실까요 // 제가 그를 초대해도 / 저녁 식사에?

- 가정법 과거를 사용하여 정중하고 덜 직접적인 제안을 나타낸다.

453 It **would be** great // if you **could come** / to my party tonight.

S V C S′ V′ M′ M′

좋을 거예요 // 만약 당신이 오실 수 있다면 / 오늘 밤 제 파티에.

454 If we all **did** / just one random act of kindness daily, // we **might set** the world /

S′ V′ O′ M′ S V O

만약 우리 모두가 (~을) 한다면 / 하루에 친절한 행동을 무작위로 한 가지만, // 우리는 세상을 놓을지도 모른다 /

in the right direction.

A

올바른 방향으로.

↳ 우리 모두가 하루에 한 가지씩이라도 친절을 베풀면 더 나은 세상이 될 것이다.

- 가정법 과거를 사용하여 완곡한 제안을 나타낸다.
- 〈of + 추상명사 = 형용사〉로 of kindness는 kind와 같다.
- **〈of + 추상명사〉 형태의 어구**
  - of age = old
  - of no use, of no avail = useless
  - of interest = interesting
  - of (great) value = (very) valuable
  - of (great) experience = (very) experienced
  - of importance = important
  - of little use = almost useless
  - of wisdom = wise
  - of no value = valueless
  - of (great) help = (very) helpful
- **set이 만드는 빈출 문형**

SV	(해가) 지다; 착수하다	The sun **has set**. 해가 **졌다**. They **set** to work to paint the house. 그들은 집을 페인트칠 하는 일에 **착수했다**.
SVC	굳다, 굳어지다	The glue **had set** hard. 접착제가 단단히 **굳어 있었다**.
SVO	(결)정하다; 준비하다 ((for)); 보이다; 세우다	They **haven't set** a date for their wedding yet. 그들은 아직 결혼 날짜를 **정하지 않았다**. I **set** the table for dinner. 나는 저녁 상을 **차렸다**. Parents **should set** a good example to their children. 부모는 아이들에게 좋은 모범을 **보여야 한다**. She **has set** a new world record. 그녀는 세계 신기록을 **세웠다**.
SVOA	(특정한 장소에) 놓다	He **set** a vase of flowers on the table. 그는 꽃병을 탁자 위에 **놓았다**.
SVOO	IO에게 DO를 시키다 [부과하다]	We **set** the kids the task of clearing the rooms. 우리는 아이들**에게** 방을 치우는 일**을 시켰다**.
SVOC	O가 C가 되게 하다 [만들다]	They **set** the slaves free. 그들은 노예들**이** 해방**되게 했다**. (노예들을 해방시켰다.) Her last remark **has set** me thinking. 그녀의 마지막 말은 내**가** 생각하**게 만들었다**.

UNIT 45

if+should/were to

455 If all the ice (in the Arctic) / **should melt**, // many coastal areas **would disappear**.
(S′: all the ice, V′: should melt, S: many coastal areas, V: would disappear)

혹시라도 모든 얼음이 (북극의) / 녹는다면, // 많은 해안 지역이 사라질 텐데.

- if절에 should 또는 were to가 쓰이면 어떤 일이 일어날 가능성이 더 희박하다는 느낌을 준다.

F·Y·I 북극의 모든 얼음이 녹는다면 해수면이 급격히 상승하여 극심한 기후 변화를 일으키고, 북극곰, 북극여우와 같은 동물들의 서식지도 파괴될 수 있다. 실제로 약 2만 년 전의 마지막 빙하기보다 현재 해수면은 100m 이상 상승했다고 보고되며, 21세기 말에는 해수면이 최대 약 1m까지 상승할 수 있다고 전망된다.

456 If the Internet **were to stop** functioning, // the results **could be** chaotic.
(S′: the Internet, V′: were to stop, O′: functioning, S: the results, V: could be, C: chaotic)

만에 하나 인터넷이 작동하는 것을 멈춘다면, // 그 결과는 혼란스러울 텐데.

457 If you **were to change** your job right now, // what **would** you **choose**?
(S′: you, V′: were to change, O′: your job, M′: right now, O: what, S: you, V: would ... choose)

만에 하나 당신이 지금 당장 직업을 바꾼다면, // 무엇을 택할 것인가?

UNIT 46 if+가정법 과거완료/혼합가정법

458 If you **had spent** more time / on the project, // you **would have made** fewer mistakes.
S′ V′ O′ / S V O
만약 네가 더 많은 시간을 썼더라면 / 그 프로젝트에, // 더 적은 실수를 했을 텐데.

- 과거의 사실과 반대로 가정((더 많은 시간을 쓰지 않았지만) 썼더라면)
= As you didn't spend more time on the project, you made several mistakes.

459 If Edison **had been born** / before Gutenberg, // books **might have been distributed** / as sound recordings.
S′ V′ M′ S V M
만약 에디슨이 태어났더라면 / 구텐베르크보다 먼저, // 책은 유통되었을지도 모를 텐데 / 녹음물로.

- 직설법으로 바꾸면 의미가 어색해지므로, 과거에 일어났을 가능성이 매우 희박하거나 불가능하다고 보는 일을 가정 · 상상하는 것이다.
As Edison was not born before Gutenberg, books weren't distributed as sound recordings. (×)
- 여기서 as는 전치사로서 '~로(서)'의 뜻이다.

F·Y·I 구텐베르크는 15세기에 금속활자를 발명하여 인쇄술을 혁신했는데, 그의 인쇄 방식으로 출판된 책은 지식 전달의 속도와 양을 엄청나게 증가시켜 학문의 발달을 가져왔다. 만약 1847년생인 에디슨이 구텐베르크보다 먼저 태어났다면 그 많은 지식과 정보는 인쇄된 종이가 아니라 에디슨이 발명한 축음기를 통해 녹음된 형태로 유통되었을지도 모른다.

460 If I **had thought of** the right words, // I **could have told** him / what I was thinking!
S′ V′ O′ // S V IO / DO (O′ S′ V′)
만약 내가 적당한 말을 생각해냈더라면, // 나는 그에게 말할 수 있었을 텐데 / 내가 무엇을 생각하고 있는지를!

- 과거의 사실과 반대로 가정((생각나지 않았지만) 생각해냈더라면)
= As I didn't think of the right words, I couldn't tell him what I was thinking!
- what ~ thinking은 could have told의 직접목적어로 쓰인 명사절(명사절로 쓰이는 의문사절의 어순은 ⟨의문사+(S′+)V′⟩) ▶UNIT 17

461 If I **had** not **dared** to be risky, // I **could** never **have dared** to be great.
S′ V′ O′ // S V O
만약 내가 감히 위험해지려고 하지 않았더라면, // 나는 절대로 훌륭해질 수 없었을 텐데.
↳ 나는 기꺼이 위험을 감수했기 때문에 훌륭해질 수 있었다.

- 과거의 사실과 반대로 가정((위험을 감수했지만) 감수하지 않았더라면)
= As I dared to be risky, I could dare to be great.

462 I **would** not **have seen** the movie // if I **had read** the reviews.
S V O // S′ V′ O′
나는 그 영화를 보지 않았을 텐데 // 만약 내가 그 후기들을 읽었더라면.

- 과거의 사실과 반대로 가정((후기를 읽지 않았지만) 읽었더라면)
= As I didn't read the reviews, I saw the movie.

463 If her father **had been** alive, // he **would have** heartily **agreed with** / her marriage to Tim.

S′ V′ C′ S V O M

만약 그녀의 아버지가 살아계셨더라면, // 그는 진심으로 동의하셨을 텐데 / 그녀와 팀의 결혼에.

직설법으로 바꾸면 의미가 어색해지므로, 과거에 일어났을 가능성이 매우 희박하거나 불가능하다고 보는 일을 가정·상상하는 것이다.
As her father was not alive, he didn't agree with her marriage to Tim. (×)

464 If you **had taken** a different path, // what **would** you **be doing** now?

S′ V′ O′ O S V M

만약 당신이 (과거에) 다른 진로를 택했더라면, // 지금 당신은 무엇을 하고 있을까요?

if절(If you ~ path)은 문맥상 과거 사실을 반대로 가정하고 있고, 주절(what ~ now)은 현재 사실을 반대로 가정하고 있다.
혼합가정법에서는 어느 시점에 발생한 일인지를 나타내는 시간의 부사가 빈번히 사용된다. 특히 주절에 now나 today 같은 부사가 사용되면 혼합가정법인 경우가 많다.

465 If it **hadn't rained** in the morning, // we **would be** on the top of the mountain now.

S′ V′ M′ S V A M

만약 아침에 비가 내리지 않았더라면, // 우리는 지금 산 정상에 있을 텐데.

if절(If it ~ morning)은 문맥상 과거 사실을 반대로 가정하고 있고, 주절(we would ~ now)은 현재 사실을 반대로 가정하고 있다.
if절의 주어 it은 '날씨'를 나타내며, 이때 it은 해석하지 않는다. ▶**UNIT 14**

UNIT 47 if 생략 도치구문

466 **Were** ***I*** in your shoes, // I **would try** to look on the bright side.

V′ S′ C′ S V O

내가 네 입장이라면, // 나는 긍정적으로 보려고 노력할 텐데.

if가 생략되어 주어(I)와 동사(were)가 도치된 형태이다. 의문문이 아닌데 〈Were/Had/Should+S′〉의 형태로 문장이 시작하면, if가 생략된 가정법 문장이 아닌지 문맥과 주절의 동사 형태(조동사 과거형)를 통해 확인할 필요가 있다.
← *If I* **were** in your shoes, I would try to look on the bright side.

467 **Had** ***Asian countries*** **been unified** / with one language, // there **would have been** less diversity / in our history.

S′ V′ M′ V S M

아시아 국가들이 통합되었더라면 / 한 언어로, // 더 적은 다양성이 있었을 텐데 / 우리 역사에.

↳ 만약 과거에 아시아 국가들이 모두 같은 언어를 사용했다면, 인류 역사의 다양성이 더 적었을 것이다.

if가 생략되어 주어(Asian countries)와 조동사(had)가 도치된 형태
← *If Asian countries* **had been unified** with one language, ~.
과거에 일어났을 가능성이 매우 희박하다고 보는 일을 가정

468 She **would have gotten** the job // **had** ***she*** **been** better **prepared.**

S V O S′ V′

그녀는 그 일자리를 얻었을 텐데 // 만약 그녀가 더 잘 준비되었더라면.

- if가 생략되어 주어(she)와 조동사(had)가 도치된 형태
  ← She would have gotten the job *if she* **had been** better **prepared**.
- 과거 사실(She wasn't better prepared.)과 반대로 가정

469 **Should** ***you*** **have** further questions, // please **feel** free to e-mail or call us.

S′ V′ O′ V C M

혹시라도 질문이 더 있으시다면, // 마음 편히 저희에게 이메일이나 전화 주십시오.

- if가 생략되어 주어(you)와 조동사(should)가 도치된 형태
  ← *If you* **should have** further questions, ~.
- should가 쓰인 가정법에는 주절에 명령문이 올 수 있다. ▶**UNIT 45**
- further(더 이상의, 추가의)는 far의 비교급이다. (far-further[farther]-furthest[farthest])

470 According to research, / nearly a third of adults / **would face** financial disaster / within two months // **should** ***they*** **lose** their jobs.

M S V O M S′ V′ O′

연구에 따르면, / 거의 3분의 1의 성인들은 / 재정적인 재앙을 마주할 것이다 / 두 달 안에 // 만약 그들이 직업을 잃으면.

- if가 생략되어 주어(they)와 조동사(should)가 도치된 형태
  ← ~, nearly a third of adults would face financial disaster within two months *if they* **should lose** their jobs.
- 〈within+시간〉: ~안에 ***cf.*** 〈in+시간〉: ~후에

영작 직결 **471** **Had** ***he*** **followed** my advice, // he **would have saved** face.

S′ V′ O′ S V O

그가 내 충고를 따랐더라면, // 그는 체면을 지켰을 텐데.

←*If he* **had followed** my advice, ~.

정답 | **Had he followed, would have saved**

해설 | 과거 사실(He didn't follow my advice.)과 반대로 가정하고 있기 때문에 가정법 과거완료가 적절하다. 조건을 나타내는 부분의 빈칸이 세 개이므로 if는 생략하고 주어(he)와 조동사(had)가 도치된 형태로 써야 한다.

UNIT 48 S+wish+가정법

소망하는 시점(현재) = 소망 내용의 시점(현재)

472 When I read a good book, // I ***wish*** / my life **were** three thousand years long.

S′ V′ O′ S V O (S′ V′ C′)

- Ralph Waldo Emerson ((美 시인))

내가 좋은 책을 읽을 때, // (~라면) 좋을 텐데 / 내 삶이 3천 년이라면.

↪ 좋은 책을 읽을 때, 나는 그 책을 최대한 오래 음미할 수 있도록 삶이 길었으면 하고 바란다.

- 소망하는 시점과 소망 내용의 시점이 일치하면 〈S+wish(ed)〉 다음에 이어지는 명사절에 동사의 과거형/were를 쓴다. 이 경우, 소망하는 당시 또는 그보다 미래에 이루기 어려운 것을 나타낸다.
- 〈S+wish(ed)〉 뒤의 명사절에 가정법 과거가 올 때는 〈would/could/might+동사원형〉을 쓸 수도 있다.
  = ~, I wish my life **would be** three thousand years long.

소망하는 시점(현재) ≠ 소망 내용의 시점(과거)

473 I ***wish*** // I **had expressed** my gratitude / to my parents / more often.

S V O

(~라면) 좋을 텐데 // 내가 나의 감사함을 표현했다면 / 부모님께 / 더 자주.

- 소망하는 시점보다 소망 내용의 시점이 먼저이면 ⟨S+wish(ed)⟩ 다음에 이어지는 명사절에 ⟨had p.p.⟩를 쓴다. 이 경우, 소망하는 당시보다 더 과거에 이룰 수 없었던 소망을 나타낸다.
- ⟨S+wish(ed)⟩ 뒤의 명사절에 가정법 과거완료가 올 때는 ⟨would/could/might+have p.p.⟩를 쓸 수도 있다.
  = I wish I **would have expressed** my gratitude to my parents more often.

소망하는 시점(현재) = 소망 내용의 시점(현재)

474 Attendees (of the lecture) / ***wish*** // they **could have** / more time (for discussion).

S V O

참석자들은 (그 강연의) / 바란다 // 그들이 가질 수 있기를 / 더 많은 시간을 (토론을 위한).

- = Attendees of the lecture wish they **had** more time for discussion.

소망하는 시점(과거) = 소망 내용의 시점(과거)

475 The old Romans ***wished*** / they **had** a king // because they hadn't yet tasted / the sweetness (of freedom).

S V O S′ V′ O′

고대 로마인들은 바랐다 / 왕이 있기를 // 왜냐하면 그들은 아직 경험하지 못했기 때문에 / 달콤함을 (자유의).

- = The old Romans wished they **would have** a king ~.

소망하는 시점(현재) ≠ 소망 내용의 시점(과거)

476 Many people ***wish*** // he **had** not **been** in a public office / because of his dishonesty.

S V O M

많은 사람들은 바란다 // 그가 공직에 있지 않았기를 / 그의 부정직함 때문에.

- = Many people wish he **would** not **have been** in a public office ~.

소망하는 시점(과거) ≠ 소망 내용의 시점(대과거)

477 The city was beautiful, // and I ***wished*** / we **could have stayed** longer.

S_1 V_1 C_1 S_2 V_2 O_2

그 도시는 아름다웠다, // 그리고 나는 바랐다 / 우리가 더 오래 머물 수 있었기를.

- = ~ and I wished we **had stayed** longer.

UNIT 49 as if+가정법

가정하는 시점(현재) = 가정 내용의 시점(현재)

478 I always try to live my life // ***as if*** there **were** no second chances.

S V O V′ S′

나는 항상 내 삶을 살려고 노력한다 // 마치 두 번째 기회들이 없는 것처럼.

→ 나는 항상 기회가 한 번뿐이라는 생각으로 최선을 다하며 살기 위해 노력한다.

- as if[though]는 사실이 아닌 내용이나 사실일 가능성이 희박한 일에 대한 가정·상상을 나타낸다.
- 가정하는 시점과 가정 내용의 시점이 일치하면, as if가 이끄는 절에는 동사의 과거형/were를 쓴다.

가정하는 시점(현재) ≠ 가정 내용의 시점(과거)

479 Some people waste your time // ***as if*** they **had bought** it / from you.

S V O S′ V′ O′ M′

어떤 사람들은 당신의 시간을 낭비한다 // 마치 자기들이 그것을 샀던 것처럼 / 당신으로부터.

↳ 어떤 사람들은 당신의 시간이 자신의 것인 듯 당신의 시간을 빼앗는다.

- 가정하는 시점보다 가정 내용의 시점이 먼저이면, as if가 이끄는 절에는 〈had p.p.〉를 쓴다.
- it = your time

가정하는 시점(과거) = 가정 내용의 시점(과거)

480 He always looked happy, // ***as if*** a smile **were painted** on his face.

S V C S′ V′ M′

그는 항상 행복해 보였다. // 마치 얼굴에 미소가 그려진 것처럼.

가정하는 시점(과거) ≠ 가정 내용의 시점(대과거)

481 He talked about my sister // ***as though*** she **had been** a close friend.

S V M S′ V′ C′

그는 나의 언니에 대해서 말했다 // 마치 그녀(=언니)가 가까운 친구였었던 것처럼.

482 **It is high time** // that you **should consider** / what you really want to do / in the future.

S V C S′ V′ O′ (S′ V′ O′) M′

(~할) 때이다 // 네가 고려해봐야 할 / 네가 정말로 무엇을 하고 싶어 하는지 / 미래에.

- = It is high time that you **considered** what you really want to do ~.
- should를 쓰면 '마땅히 ~해야 한다'라는 의미를 내포하여 좀 더 강한 어조를 나타낸다.
- 의문대명사 what 이하는 동사 consider의 목적어 역할을 하는 명사절 ▶**UNIT 17**

483 **It's time** // (that) I **had** a haircut. My hair is so long.

S V C S′ V′ O′ S V C

(~할) 때이다 // 내 머리를 자를. 내 머리가 너무 길다.

- = It's time that I **should have** a haircut.
- 현재 어떤 일이 늦어져서 이제 할 때가 되었다는 의미
- that절에는 아직 일어나지 않은 일을 가정하기 때문에 가정법 과거(현재 사실의 반대)를 쓴다.

UNIT 50 가정법을 이끄는 표현

484 He is a genius in communication. ***Otherwise***, / he **would** never **be** my choice (for the position).

S V C M M S V C

그는 의사소통의 귀재이다. 그렇지 않다면, / 그는 내 선택이 절대 되지 못할 것이다 (그 자리에 대한).

↳ 그가 의사소통의 귀재가 아니라면, 나는 그를 그 자리에 임명하지 않을 것이다.

- Otherwise = *If* he were *not* a genius in communication

485 ***Without[But for]*** friends, / the world **would be** a pretty lonely place. - 모의응용

M / S / V / C

친구들이 없다면, / 세상은 상당히 외로운 곳일 것이다.

= *If it were not for[Were it not for]* friends, the world would be a pretty lonely place.

pretty는 부사로 쓰일 때는 '상당히, 아주'의 뜻을 나타낸다.

486 ***Without*** copyright, / the dramatic growth (of the artistic, cultural, and other creative industries) / **would have been** impossible. - 모의

M / S / V / C

저작권이 없었더라면 / 극적인 성장은 (예술적, 문화적, 그리고 다른 창의적인 산업들의) / 불가능했을 것이다.

= *If it had not been for[Had it not been for]* copyright, ~.
= *But for* copyright, ~.

487 The benefit concert **couldn't have been held** / ***without*** the many sponsors.

S / V / M

그 자선 음악회는 개최되지 못했을 텐데 / 많은 후원자가 없었더라면.

= ~ *if it had not been for[had it not been for]* the many sponsors.
= ~ *but for* the many sponsors.

hold가 만드는 빈출 문형

SV	지속되다; 견디다	How long **will** the fine weather **hold**? 좋은 날씨가 얼마나 오래 **지속될까**? The rope **wouldn't hold** any longer. 그 밧줄은 더 이상 **견디지 못할 것이다**.
SVC	유지하다, 계속하다	The stock market **has held** steady for a few months. 주식 시장이 몇 달간 안정을 **유지했다**.
SVO	잡고[안고] 있다; 수용하다; 보유하다; (회의를) 열다	She **was holding** a baby in her arms. 그녀는 아기를 팔에 **안고 있었다**. The stadium **holds** 80,000 people. 그 경기장은 8만 명을 **수용한다**. She **held** the title of world champion for three years. 그녀는 3년 동안 세계 챔피언 타이틀을 **보유했다**. Each month she **holds** a meeting with her entire staff. 매달 그녀는 전 직원과 회의를 **연다**.
SVOC	O를 C로 두다[유지하다]	She **held** her lips tight for a moment. 그녀는 잠시 동안 입을 꽉 다문 **채로 있었다**.

488 ***If it were not for*** love, // life **would be** quite a gloomy experience.

S′ / V′ / M′ / S / V / C

사랑이 없다면, // 삶은 꽤 우울한 경험일 텐데.

= *Were it not for* love, life would be ~.
= *Without[But for]* love, life would be ~.

부사 quite가 ⟨a(n)+형용사+명사⟩와 함께 쓰일 때는 a(n) 앞에 온다.
e.g. It's a quite small house. (×) → It's quite a small house. (○)

489 ***Had it not been for*** our efforts, // we **would be** / in an even more difficult position now.

S′ / V′ / M′ / S / V / A / M

만약 우리의 노력이 없었더라면, // 우리는 있을 것이다 / 지금 훨씬 더 어려운 입장에.

= *If it had not been for* our efforts, we would be ~.
= *Without[But for]* our efforts, we would be ~.

if가 생략되어 주어(it)와 조동사(had)가 도치된 형태

종속절(Had it ~ our efforts)은 문맥상 과거 사실을 반대로 가정하고 있고, 주절(we ~ now)은 현재 사실을 반대로 가정하고 있다. 또한, 종속절에는 과거완료가 사용되었고 주절에는 부사 now가 사용되었으므로 혼합가정법이 사용된 문장임을 알 수 있다. ▶UNIT 46

490 ***Supposing*** / you **had been born** a century ago, // what differences **would have been made** / in your life?

S′ V′ M′ S V M

가정해 보자 / 당신이 1세기 전에 태어났다고, // 어떤 차이점들이 생겼을까 / 당신의 인생에?

- = *If you had been born a century ago*, ~?
- suppose[supposing] (that) = provided[providing] (that)
- 가정법에서 ago와 같은 과거시제와 함께 쓰이는 부사가 있을 경우 동사는 과거완료형을 써야 한다.

491 ***In different circumstances***, / we **could have been** good friends.

M S V C

다른 상황이었다면, / 우리는 좋은 친구가 될 수도 있었을 텐데.

- = *If we had been in different circumstances*, ~.
- 부사구(In different circumstances)가 가정의 의미를 포함한다.

492 What **would** you **do** / ***in my place***?

의문사 S V M

너는 어떻게 하겠니 / 내 입장이라면?

- = What would you do *if you were in my place*?
- 부사구(in my place)가 가정의 의미를 포함한다.

493 ***Perhaps billions of years ago***, / Mars **would have had** water (covering its entire surface).

M S V O

아마도 수십억 년 전에는, / 화성에 물이 있었을 것이다 (그것의 전체 표면을 덮는).

- 부사구(Perhaps billions of years ago)가 가정의 의미를 포함한다.
- covering 이하는 앞에 나온 명사 water를 수식하는 현재분사구 ▶**UNIT 52**

494 ***A true friend*** / **would** never **walk away** // when times get tough.

S V S′ V′ C′

진정한 친구라면 / 절대 떠나 버리지 않을 것이다 // 힘들 때.

- = *If he or she were a true friend*, he or she would never walk away ~.
- 주어(A true friend)가 가정의 의미를 포함한다.

495 ***A teen*** **wouldn't be able to go** / without a cell phone / for a day.

S V M M

십 대라면 견딜 수 없을 것이다 / 휴대폰 없이 / 하루도.

- = *If you were a teen*, you wouldn't be able to go ~.
- 주어(A teen)가 가정의 의미를 포함한다.

496 ***To hear her sing***, / you **might think** // she was an angel.

M S V O (S′ V′ C′)

그녀가 노래 부르는 것을 듣는다면, / 당신은 생각할지도 모른다 // 그녀가 천사라고.

- = *If you heard her sing*, you might think ~.
- To hear her sing은 '조건'을 나타내는 부사적 용법으로 쓰인 to부정사구로 가정의 의미를 포함한다. ▶**UNIT 55**
- think와 she 사이에는 명사절 접속사 that이 생략되었다. ▶**UNIT 17**

497 ***To see his everyday life***, / you **would** never **think** // he is 80 years old.

M S V O

그의 일상생활을 보면, / 당신은 절대 생각하지 않을 것이다 // 그가 80세라고.

- = *If you saw his everyday life*, you would never think ~.
- To see his everyday life는 '조건'을 나타내는 부사적 용법으로 쓰인 to부정사구로 가정의 의미를 포함한다. **▶UNIT 55**
- think와 he 사이에는 명사절 접속사 that이 생략되었다. **▶UNIT 17**

498 ***Asked for the most useful advice (in life)***, / I **would say**: // Expect difficulties always!

M S V V O M

가장 도움이 되는 충고를 요청받는다면 (인생에서), / 나는 (이렇게) 말할 텐데. // 항상 어려움을 예상하라!

- = *If (I were) asked for the most useful advice in life*, I would say: ~!
- 조건을 나타내는 분사구문(Asked ~ life)이 가정의 의미를 포함한다. **▶UNIT 58**

PART

3

수식어구의 이해: 준동사 중심

UNIT 51 to부정사의 형용사적 수식

499 *The first person* (to make a voyage alone / around the world) / was Sir Francis Chichester.

최초의 사람은 (혼자서 항해한 / 전 세계를) / 프랜시스 치체스터 경이었다.

- = *The first person* **who made a voyage alone** ~.
- 수식 받는 명사 The first person이 to-v구의 의미상의 주어 (The first person made a voyage)
- **수식 받는 명사와 to-v(구)의 관계**

  이때의 to-v(구)는 명사를 구체적으로 설명해주는 역할을 하는데, 명사와의 관계를 정리해보면 다음과 같다.

  1. 명사가 to-v(구)의 의미상의 주어

     I'll pay ***someone*** **to help with this**. 나는 **이 일을 도와줄 누군가**에게 돈을 지불할 것이다.

     (→ someone helps: S+V)

  2. 명사가 to-v(구)의 의미상의 목적어

     I have ***lots of things*** **to do**. 나는 **해야 할 많은 일**이 있다.

     (→ do lots of things: V+O)

  3. 〈명사+to-v+전치사〉 구조는 의미상 〈자동사+전치사+명사〉

     Give me ***a chair*** **to sit on**. **앉을 의자** 좀 주세요.

     (→ sit on a chair: V+전치사+O′)

  4. 명사와 to-v(구)가 동격 관계 ▶**UNIT 99**

     I made her ***a promise*** **to get back**. 나는 그녀에게 **돌아오겠다는 약속**을 했다.

     (→ a promise = to get back)

  5. to-v(구)가 명사를 한정

     When is ***the best time*** **to visit Chicago**? 언제가 **시카고를 방문할 가장 좋은 때**입니까?

     (→ to visit Chicago가 the best time을 한정)

F·Y·I 프랜시스 치체스터는 65세의 나이에 세계 최초로 지구 한 바퀴를 226일 만에 혼자 요트로 항해한 영국의 모험가이다.

500 You have *no one* (to blame) / but yourself // because your life is the fruit (of your own doing).

당신은 사람이 아무도 없다 (비난할) / 당신 자신 외에는 // 당신의 삶은 결과이기 때문에 (당신 자신의 행동에 대한).

- = You have *no one* **whom you would blame** ~.
- 수식 받는 명사 no one이 to-v의 의미상의 목적어 (blame no one)
- but = except (~ 외에는)

501 "Impossible" is *a word* (to be found / only in the dictionary of fools).

- Napoleon Bonaparte

'Impossible'은 단어이다 (발견되는 / 바보들의 사전에서만).

- = "Impossible" is *a word* **which is found** ~.
- 수식 받는 명사 a word가 to-v구의 의미상의 주어 (a word is found)
- to find와 의미상의 주어 a word가 수동 관계이므로 to-v의 수동형(to be p.p.)이 쓰였다. ▶**UNIT 43**

502 If you are well prepared, // there is *nothing* **(to worry about)**.

S′ V′ C′ V S

만약 당신이 준비가 잘 되어 있다면, // 아무것도 없다 (걱정할).

- 수식 받는 명사 nothing이 〈to-v+전치사〉의 의미상의 목적어 (worry[V′] about nothing[M])

503 Everyone can experience / the joy (of generosity) // because everyone has / *something* **(to give)**. - Jan Grace ((美 작가))

S V O S′ V′ O′

모두는 경험할 수 있다 / 즐거움을 (너그러움의) // 모두가 가지고 있기 때문에 / 무엇인가를 (줄).

- 수식 받는 명사 something이 to-v의 의미상의 목적어 (give[V] something[O])
- 여기서 because는 이유/원인을 나타내는 부사절을 이끄는 접속사 ▶**UNIT 75**

504 You can never cross the ocean // until you have / *the courage* **(to lose sight of the shore)**. - Christopher Columbus

S V O S′ V′ O′ =

당신은 결코 대양을 건널 수 없다 // 가질 때까지는 / 용기를 (해안을 더 이상 안 볼).

↳ 해안이 보이지 않아도 겁먹지 않을 용기를 가지고 나서야 비로소 대양을 건널 수 있다.

- 수식 받는 명사 the courage와 to-v구가 동격 관계 (the courage = to lose sight of the shore) ▶**UNIT 99**
- 여기서 until은 시간을 나타내는 부사절을 이끄는 접속사 ▶**UNIT 73**

505 Flextime could give people / *more time* **(to spend with their children)**.

S V IO DO

자유 근무 시간제는 사람들에게 줄 수 있다 / 더 많은 시간을 (그들의 아이들과 함께 보낼).

- 수식 받는 명사 more time이 to-v구의 의미상의 목적어 (spend[V] more time[O] with their children[M])
- **give가 만드는 빈출 문형**

SV	기부하다	We always **give** to charity at Christmas. 우리는 항상 크리스마스 때 자선단체에 **기부한다**.
SVO	주다, 제공하다	I **gave** a birthday present to Lisa. 나는 리사에게 생일 선물을 **주었다**.
SVOO	IO에게 DO를 (건네)주다; IO에게 (병을) 옮기다	Please **give** me the sugar and salt. 제**게** 설탕과 소금**을** 좀 **건네주세요**. She **has given** me her cold. 그녀가 나**에게** 감기**를 옮겼다**.

506 Breakfast is / *the most important meal (of the day)* **(to have)** / to think more clearly in school. - 모의응용

S V C M

아침은 ~이다 / 가장 중요한 식사 (하루 중) (먹어야 할) / 학교에서 더 명료하게 생각하기 위해.

- 수식 받는 명사 the most important meal of the day가 to-v의 의미상의 목적어 (have[V] the most important meal of the day[O])
  이때 to-v는 바로 앞에 오는 the day가 아닌 the most important meal을 수식한다. 〈전치사+명사〉구인 of the day 역시 앞에 나온 명사를 수식하는 수식어구로 〈명사+수식어구+to-v〉의 구조를 나타낸다.
- to think 이하는 '목적'을 나타내는 부사적 용법으로 쓰인 to부정사구 ▶**UNIT 54**

507 Money is [not] / *an aim* **(to live for)**, / [but] just a means of exchange.

S V C_1 C_2

돈은 ~이 아니다 / 목적 (살기 위한), / 단지 교환의 수단에 불과하다.

- 수식 받는 명사 an aim이 〈to-v+전치사〉의 의미상의 목적어 (live for[V] an aim[O])
- 〈not A but B〉: A가 아니라 B ▶**UNIT 62**
- a means of A: A의 수단
  '수단'을 의미하는 means는 단수와 복수의 형태가 같다.
  e.g. Lights were *a* **means** of military signals. 등불은 군사적인 신호의 **수단**이었다.
  Large cities have *several* **means** of transportation. 대도시에는 여러 교통**수단들**이 있다.

508 I had / *a lot of school and friend issues* **(to deal with)** / last month.

S V O M

나는 가지고 있었다 / 많은 학교 및 친구 문제를 (처리해야 할) / 지난달에.

✔ 수식 받는 명사 a lot of school and friend issues가 ⟨to-v+전치사⟩의 의미상의 목적어 (deal with a lot of school and friend issues)

어법 직결 **509** *The best season* **(to plant tomatoes)** / is in late spring or early summer.

S V C

가장 좋은 시기는 (토마토를 심을) / 늦봄이나 초여름이다.

정답 | O

해설 | 문장의 주어 The best season을 to plant tomatoes가 뒤에서 수식하고 있다. 따라서 주어 The best season에 수를 일치시킨 단수 동사 is가 오는 것이 적절하다. 동사 바로 앞의 명사 tomatoes를 주어로 착각하지 않도록 주의한다.

✔ to-v구 to plant tomatoes가 명사 The best season을 한정

어법 직결 **510** It's *a terrific house* **(to live in)**; // you can feel the seasons / through the huge glass windows.

S_1 V_1 C_1 S_2 V_2 O_2 M_2

그것은 아주 좋은 집이다 (살기에). // 너는 계절을 느낄 수 있다 / 큰 유리 창문들을 통해.

정답 | **×, to live in**

해설 | 수식 받는 명사 a terrific house는 to live 뒤 전치사 in의 목적어이다. live가 자동사이므로 뒤에 전치사 in이 필요하다. (live in a terrific house)

UNIT 52 분사(v-ing/p.p.)의 형용사적 수식

511 A **barking** *dog* seldom bites. - Proverb

S V

짖는 개는 좀처럼 물지 않는다.

↳ 항상 위협만 하는 사람은 오히려 실제로 행동에 옮기지는 않는다.

✔ 수식을 받는 명사와의 관계가 능동인 경우에는 v-ing(현재분사)를, 수동인 경우에는 p.p.(과거분사)를 쓴다.

✔ barking이 동반하는 어구 없이 단독으로 쓰였으므로 명사 앞에서 명사를 수식하는 형용사 역할을 한다.

✔ 빈도부사 seldom의 일반적인 위치: be동사·조동사 뒤/일반동사 앞

512 *People* **(experiencing stress)** / tend to long for more fatty, salty and sugary foods.

S V O

사람들은 (스트레스를 겪는) / 더 기름지고, 짜고, 단 음식을 갈망하는 경향이 있다.

✔ = *People* **who experience[are experiencing]** stress ~.

✔ experiencing이 단독으로 쓰이지 않고 다른 어구(stress)를 동반하고 있으므로 명사(People)를 뒤에서 수식한다.

✔ 세 개의 형용사(fatty, salty, sugary)가 콤마(,)와 and로 병렬 연결되어 뒤에 있는 foods를 수식한다. ▶**UNIT 61**

513 Some aromas have a **relaxing** *effect* on the body, / for example lavender.

S V O M

어떤 향기는 신체에 진정시키는 효과를 나타낸다. / 예를 들어 라벤더 향 같은.

F·Y·I '향기'를 뜻하는 아로마는 사람에게 이로운 효능이 있는 식물(허브)에서 추출한 물질로, 심신의 건강이나 미용을 증진하기 위한 목적으로 아로마 치료법(aromatherapy)에 사용된다. 특히 상쾌하고 달콤한 향을 가진 라벤더의 경우 신경을 안정시켜주고 스트레스 해소 및 불면증 예방에 탁월한 효과가 있는 것으로 알려져 있다.

514 According to doctors, / *hair* (**turning gray**) / runs in the family.

의사들에 따르면, / 머리카락은 (회색으로 변하는) / 집안 내력이다.

= According to doctors, *hair* **which turns** gray ~.

515 The United Nations / is *an international organization* (**promoting world peace, civil rights, and anti-terrorism**).

국제연합은 / 국제기구이다 (세계 평화, 시민의 평등권, 그리고 반(反) 테러리즘을 증진하는).

= The United Nations is *an international organization* **which promotes** ~.

promoting의 목적어로 쓰인 세 개의 명사가 콤마(,)와 접속사 and로 병렬 연결되었다. ▶**UNIT 61**

F·Y·I 국제연합(UN)은 국제 평화와 안전을 위해 세계 대전과 같은 대규모 전쟁을 예방하고, 지구촌 곳곳에서 벌어지는 분쟁을 조정하는 역할을 하며, 우리나라는 1991년에 북한과 함께 회원국이 되었다.

어법 직결 **516** *About a third of the students* (**graduating from the technology department / of our university**) / have taken jobs / in the IT industry.

대략 3분의 1의 학생들이 (공학과를 졸업하는 / 우리 대학의) / 직업을 택했다 / IT 산업에서.

정답 | X, graduating

해설 | 문장의 동사는 have taken이고 접속사가 없으므로 graduate는 동사가 될 수 없다. 따라서 graduate는 바로 앞의 주어 About a third of the students를 수식하는 분사 형태가 되어야 알맞다. 문맥상 '공학과를 졸업하는' 학생들에서 About a third of the students와 graduate는 능동 관계임을 알 수 있으므로 graduate를 v-ing(현재분사) 형태인 graduating으로 고치는 것이 적절하다.

= *About a third of the students* **who have graduated** from the technology department ~.

어법 직결 **517** *Books* (**dealing with self-development**) / are popular / these days.

책들이 (자기 개발을 다루는) / 인기 있다 / 요즘.

정답 | X, are

해설 | 문장의 주어 Books를 dealing with self-development가 뒤에서 수식하고 있다. 따라서 주어 Books에 수를 일치시킨 복수동사 are가 알맞다. 동사 바로 앞의 명사 self-development를 주어로 착각하지 않도록 주의한다.

= *Books* **which deal with** self-development are ~.

518 Life is a journey; / not a **guided** *tour*.

인생은 여정이다 / 안내를 받는 관광이 아니라.

↳ 인생은 가야 할 길을 누군가가 대신 안내해 주지 않는다. 스스로 개척해 나가야 한다.

'안내를 받는' 관광이므로 guide는 수식 받는 명사 tour와 수동 관계이다. 따라서 과거분사(guided)가 쓰였다.

동사의 과거형과 과거분사의 형태가 서로 같을 경우(*e.g.* made-made), 명사를 수식하는 과거분사를 문장의 동사로 잘못 판단하지 않도록 유의해야 한다.

e.g. The loud explosion **made** everyone jump. 〈동사의 과거형〉
그 큰 폭발은 모두를 놀라게 **만들었다.**
Milk **made** from almonds is a good source of vitamin E. 〈명사를 수식하는 과거분사〉
아몬드로 **만들어진** 우유는 훌륭한 비타민 E 공급원이다.

519 *DNA* (**left behind / at the crime scene**) / is used as court evidence. - 모의응용

DNA는 (남겨진 / 범죄 현장에) / 법정 증거로 사용된다.

= *DNA* **which is left behind** ~.
DNA가 '사용되는' 것이므로 DNA와 use는 수동 관계 ▶**UNIT 38**
여기서 as는 '~로서'라는 의미의 전치사

F·Y·I 인체에서 유래된 혈흔, 혈액, 모발, 타액 등의 유전자 분석은 범죄 수사에서 범인을 확증하는 데 결정적인 역할을 할 수 있다.

520 Regret (for **wasted** *time*) / is more **wasted** *time*. - Mason Cooley ((美 작가))
S / V / C
후회는 (낭비된 시간에 대한) / 더 많이 낭비되는 시간이다.
↳ 과거에 낭비한 시간에 대해 후회만 하는 것은 오히려 더 큰 시간 낭비이다.

521 Truth is like *the moon* (**hidden** by thick clouds / on a dark night).
S V C
진실은 마치 달과 같다 (짙은 구름에 의해 가려진 / 어두운 밤에).
↳ 구름 뒤에 가려진 달이 언젠가 나타나듯이 가려진 진실도 언젠가는 드러나게 되어 있다.

= Truth is like *the moon* **which is hidden** by ~.

522 Cats have / *flexible bodies and sharp teeth* (**adapted** for hunting small animals (such as mice)).
S V O
고양이는 가지고 있다 / 유연한 몸과 날카로운 이빨을 (작은 동물을 사냥하기에 적합한 (쥐와 같은)).

= Cats have *flexible bodies and sharp teeth* **which are adapted** for ~.
전치사 for의 목적어로 hunting이 이끄는 동명사구가 왔다. ▶**UNIT 19**

어법 직결 **523** *Only people* (**involved** in the project) / are allowed to access the data.
S V C
사람들만이 (프로젝트에 관련된) / 그 데이터에 접근하는 것이 허용된다.

정답 | **×, involved**
해설 | 수식 받는 명사 Only people이 프로젝트에 '관련되는' 수동 관계이므로 현재분사 involving을 과거분사 involved로 고쳐야 한다.

= *Only people* **who are involved** in the project ~.
〈allow+O+C(to-v)〉의 수동태가 쓰였다. ▶**UNIT 39**

어법 직결 **524** *The secret funds scandal* (**revealed** in today's news) / may be just the tip of the iceberg.
S V C
비자금 사건은 (오늘 뉴스에서 밝혀진) / 단지 빙산의 일각에 불과할지도 모른다.

정답 | **×, revealed**
해설 | 문장의 동사는 may be이고 접속사가 없으므로 reveals는 동사가 될 수 없다. 따라서 reveals는 바로 앞의 주어 The secret funds scandal을 수식하는 준동사 형태가 되어야 알맞다. 문맥상 오늘 뉴스에서 '밝혀진' 비자금 사건에서 The secret funds scandal과 reveal은 수동 관계임을 알 수 있으므로 reveal을 p.p. 형태인 revealed로 고치는 것이 적절하다.

= *The secret funds scandal* **which was revealed** in today's news ~.

영작 직결 **525** *Things* (**acquired** with little effort) / are easily lost.
S V
(~한) 것들은 (거의 노력하지 않고 얻어진) / 쉽게 잃어버린다.

정답 | **acquired with little effort are easily lost [are lost easily]**
해설 | '거의 노력하지 않고 얻어진' 것들이므로 Things와 acquire with little effort는 수동 관계이다. 따라서 acquire는 p.p. 형태인 acquired가 적절하다. 또한 주어가 복수(Things)이고, 현재시제이므로 be 동사를 are로 바꿔 써야 하며, 부사 easily의 위치는 be 동사 뒤, 혹은 문장 끝 둘 다 가능하다.

= *Things* **which are acquired** with little effort ~.

UNIT 53

감정 분사(v-ing/p.p.)의 형용사적 수식

526 I love / meeting **interesting** *people* / and doing things with them.
S V O1 O2
나는 몹시 좋아한다 / 흥미로운 사람들을 만나는 것을 / 그리고 그들과 함께 무언인가를 하는 것을.

- 감정을 나타내는 분사가 명사를 수식하는 경우, 명사가 감정을 불러일으키는 원인이면 v-ing(현재분사)를, 감정을 느끼는 존재이면 p.p.(과거분사)를 쓴다.
- **감정 형용사로 자주 쓰이는 분사**

• surprising 놀라게 하는	• surprised 놀란	• amusing 즐겁게 해주는, 재미있는	• amused 즐거워하는
• shocking 충격적인	• shocked 충격을 받은	• embarrassing 당혹하게 하는	• embarrassed 당혹스러운
• confusing 혼란스럽게 하는	• confused 혼란스러워하는	• frightening 무섭게 하는	• frightened 무서워하는, 겁먹은
• pleasing 즐겁게 하는	• pleased 기쁜, 만족해하는	• disappointing 실망스러운	• disappointed 실망한, 낙담한
• terrifying 겁나게 하는	• terrified 무서워하는, 겁이 난	• puzzling 곤혹하게 하는	• puzzled 어리둥절해 하는
• annoying 짜증 나게 하는	• annoyed 짜증이 난	• fascinating 매력적인	• fascinated 매료된
• touching 감동적인	• touched 감동한	• thrilling 아주 신나는	• thrilled 아주 신이 난

527 *People* (**interested** / **in what you're interested in**) / are more likely to become friends with you.
S V′ M′ V C M
사람들은 (흥미를 갖는 / 네가 흥미를 가진 것에) / 너와 친구가 될 가능성이 더 많다.

- = *People* **who are interested** in ~.
- what you're interested in은 관계대명사 what이 이끄는 명사절로 전치사 in의 목적어 ▶**UNIT 69**

528 Trying to stop an unwanted habit / can be an extremely **frustrating** *task* // as habits are difficult to break. - 모의응용
S V C S′ V′ C′ M′
원치 않는 습관을 멈추려 노력하는 것은 / 매우 좌절감을 주는 일이 될 수 있다 // 왜냐하면 습관은 고치기 어렵기 때문이다.

- Trying to ~ habit은 v-ing(동명사)가 이끄는 명사구 주어 ▶**UNIT 08**
- 여기서 as는 '원인'을 나타내는 접속사 ▶**UNIT 75**
- to break는 형용사(difficult)를 수식하는 부사적 용법으로 쓰인 to부정사 ▶**UNIT 55**

529 Take a guided *tour* (of the Vatican Museums) / for an **amazing** *travel experience*. - 모의
V O M
가이드가 인솔하는 투어를 하세요 (바티칸 박물관의) / 놀라운 여행 경험을 위해.

530 *Consumers* (**satisfied** / **with the quality of the product**) / gave a high score / in the customer satisfaction survey.
S V′ M′ V O M
고객들은 (만족한 / 상품의 질에) / 높은 점수를 주었다 / 고객 만족도 조사에서.

- = *Consumers* **who were satisfied** with ~.

어법 직결 **531** Social media is a favorite pastime (for many **bored** *people*).

S V C

소셜 미디어는 가장 선호되는 취미이다 (지루해하는 많은 사람들에게).

정답 | **bored**
해설 | people이 지루한 감정을 느끼는 존재이므로 과거분사(p.p.)가 적절하다.

어법 직결 **532** After years working with **boring** *people*, / he set off to travel the world.

M S V M

수년 간 지루한 사람들과 일을 한 후에, / 그는 세계 여행을 하기 위해 여정을 떠났다.

정답 | **boring**
해설 | people이 지루한 감정을 일으키는 존재이므로 현재분사(v-ing)가 적절하다.

- to travel 이하는 '목적'을 나타내는 부사적 용법으로 쓰인 to부정사구 ▶**UNIT 54**

UNIT 54

to부정사의 부사적 수식 I

533 **To learn anything new**, / you have to have an open mind.

V' O' 〈목적〉 S V O

새로운 어떤 것을 배우기 위해서, / 당신은 열린 마음을 가져야 한다.

- '목적'을 의미하는 to-v는 in order[so as] to-v로 바꿔 쓸 수 있다. 참고로 so as to-v는 문두에 잘 쓰지 않는다.

534 I'm really sorry / **to hear that**.

S V C 〈감정〉 V' O' 〈원인〉

나는 정말 유감이야 / 그 말을 듣게 돼서.

- 감정 어구 뒤에 오는 that절도 감정의 원인을 나타낼 수 있다.
  e.g. I'm *really sorry* **that she didn't accept your invitation.** **그녀가 너의 초대에 응하지 않아서** *정말 유감*이야.

535 They must be crazy / **to believe such nonsense**.

S V C 〈판단〉 V' O' 〈근거〉

그들은 미쳤음이 틀림없다 / 그런 터무니없는 말을 믿는 것을 보니.

- 여기서 조동사 must는 '~임에 틀림없다'라는 의미로 강한 추측을 나타낸다. ▶**UNIT 34**

536 I'm always doing // what I can't do / **to learn how to do it**.

S V O V' O' 〈목적〉

나는 항상 하고 있다 // 내가 할 수 없는 것을 / 그것을 어떻게 하는지 배우기 위해.

- 관계대명사 what이 이끄는 명사절(what I can't do)이 am doing의 목적어로 쓰였다. ▶**UNIT 69**
- to learn의 목적어로 〈의문사+to-v〉 형태의 명사구 how to do it이 왔다. ▶**UNIT 15**
- it = what I can't do

537 Breaks are needed / **to revive your energy levels** / and (to) **recharge your mental stamina**. - 모의응용

S V V'1 O'1 〈목적〉 V'2 O'2

휴식이 필요하다 / 에너지 수준을 회복시키고 / 정신적인 체력을 재충전하기 위해.

- '목적'을 나타내는 두 개의 to-v구가 접속사 and로 병렬 연결된 구조로 recharge 앞에는 to가 생략되었다. ▶**UNIT 61, 96**

538 Attempt the impossible / **in order to improve your work.** - Betty Davis ((美 배우))

V O 〈목적〉

불가능한 일을 시도해라 / 당신의 업무를 향상시키기 위해.

- Attempt the impossible **so as to** improve your work.
- 〈the+형용사〉는 '~인 사람들'의 의미뿐만 아니라 이 문장에서처럼 '~한 일[것]'을 의미하는 추상명사로도 사용된다.

539 Make a detailed plan / in advance / **not to waste your time.**

V O M 〈목적〉

상세한 계획을 세워라 / 미리 / 너의 시간을 낭비하지 않기 위해.

- to-v의 부정형: not[never]+to-v

540 Some animals, / (like the chameleon), / can change the color (of their skin) /

S V O

어떤 동물들은, / (카멜레온 같은), / 색을 바꿀 수 있다 (자기 피부의) /

so as not to be seen by predators.

〈목적〉

포식자들에게 보이지 않게 하기 위해.

- 〈so as to-v / in order to-v〉의 부정형: so as **not** to-v / in order **not** to-v
- like the chameleon은 주어에 설명을 덧붙이기 위해 들어간 삽입어구이다. 삽입어구를 괄호로 묶으면 전체 문장 구조가 더 잘 보일 수 있다. ▶**UNIT 98**
- 여기서 can은 '능력'을 나타내는 조동사 ▶**UNIT 32**
- to-v의 의미상의 주어인 Some animals와 see는 수동 관계이므로 to-v의 수동형(to be p.p.)이 왔다. ▶**UNIT 43**

541 We are pleased / **to offer free trees / through our annual Tree Distribution Event.**

S V C〈감정〉 〈원인〉 - 모의응용

저희는 기쁩니다 / 나무를 무료로 제공하게 되어 / 저희의 연례 '나무 분배 행사'를 통해.

542 I was foolish / **to give up my dreams / just because of fear (of failure).**

S V C〈판단〉 〈근거〉

나는 어리석었다 / 내 꿈을 포기하다니 / 단지 두려움 때문에 (실패에 대한).

UNIT 55

to부정사의 부사적 수식 Ⅱ

543 Many young Koreans are growing up / **to be taller than their parents.**

S V 〈결과〉

많은 한국의 청소년들은 자라고 있다 / 자신의 부모들보다 키가 더 크게.

- 주어의 의지와 무관한 동작을 나타내는 동사 grow up 뒤에 오는 to-v는 앞에 나온 행위에 대한 '결과'를 나타낸다.
- 비교급을 이용해 Many young Koreans와 their parents를 비교하고 있다. ▶**UNIT 89**

544 I woke up / **to find the sun shining brilliantly.**

S V 〈결과〉

나는 깨어나서 / 해가 찬란히 빛나고 있는 것을 알아차렸다.

545 If you wish / to live / **to see better days,** // you must endure the bad days.

S′ V′ O′ 〈결과〉 S V O

만약 네가 소망한다면 / 살아서 / 더 좋은 날들을 마주하기를, // 너는 힘든 날들을 견뎌야 한다.

- 여기서 must는 충고/의무를 나타내는 조동사 ▶**UNIT 33**

546 Many of us attempt change, / ***only* to give up after a few tries.**

S V O 〈결과〉

우리 중 많은 사람이 변화를 시도한다. / 그러나 몇 번의 시도 후에 결국 포기할 뿐이다.

cf. If you work / ***only* to make money**, // you're doing it wrong.

S′ V′ 〈목적〉 S V O M

만약 네가 일한다면 / 단지 돈을 벌기 위해, // 너는 그것을 잘못하고 있는 것이다.

- 〈only to-v〉: (그 결과) v할 뿐인
- *cf.* only to-v는 '단지 v하기 위해'라고 해석되어 '목적'의 의미를 강조할 수도 있다.

547 One day / he disappeared from the town, / ***never* to be seen again.**

M S V M 〈결과〉

어느 날 / 그는 마을에서 사라졌다, / 그리고 결코 다시는 보이지 않았다.

- 〈never to-v〉: (그 결과) 결코 v하지 못한
- to-v의 의미상의 주어인 he와 see는 수동 관계이므로 to-v의 수동형(to be p.p.)이 쓰였다. ▶**UNIT 43**

548 **To see the scene**, / you *would* never forget it.

〈조건〉 S V O

그 풍경을 보면, / 당신은 결코 그것을 잊지 못할 것이다.

- = *If you saw* the scene, you would never forget it.
- to-v구에 가정의 의미가 포함된 경우가 있으므로 if가 없더라도 주절에 과거형 조동사가 있으면 가정법의 의미가 숨어있지 않은지 생각해봐야 한다. ▶**UNIT 50**
- it = the scene

549 You *would* be foolish / **to spend money / on something [that you can't afford].**

S V C 〈조건〉

너는 어리석을 것이다 / 돈을 쓴다면 / 무엇인가에 [네가 살 여유가 없는]

- = You would be foolish *if you spent* money on something that you can't afford.
- that 이하는 something을 수식하는 목적격 관계대명사절 ▶**UNIT 65**

550 Kind words can be short and *easy* **to speak**, // but their echoes are truly endless.

S_1 V_1 C_1 C_1 S_2 V_2 C_2

- Mother Teresa

친절한 말은 짧고 말하기도 쉬울 수 있다. // 그러나 그것들의 울림은 참으로 영원하다.

↳ 친절한 말 한마디는 짧고 말하기도 쉽지만, 그 말 한마디가 미치는 긍정적인 영향은 실로 엄청나다.

- **〈S+be+형용사+to-v〉 형태로 잘 쓰는 형용사**
  difficult, hard, tough, impossible, easy (어려움, 쉬움) / dangerous, safe (위험, 안전) / pleasant, interesting, comfortable, convenient (유쾌, 안락) 등
- 〈S+be+형용사+to-v〉는 〈It is+형용사(+for A)+to-v〉 구문으로 바꿔 쓸 수 있다.
  e.g. **It** can be **easy to speak** kind words, but their echoes are truly endless.
  친절한 말은 하기 쉬울 수 있다, 하지만 그것들의 울림은 참으로 영원하다.

551 Good friends are *hard* **to find** / and *impossible* **to forget**. - John Green ((美 작가))

S V C_1 C_2

좋은 친구들은 찾기에 어렵다 / 그리고 잊기에 불가능하다.

- = **It** is **hard to find** good friends and **impossible to forget** them.
- 보어로 쓰인 두 개의 형용사구 hard to find와 impossible to forget이 and로 병렬 연결되어 있다. ▶**UNIT 61**

552 Undercooked meat and eggs / are *dangerous* **to give to your dog.**

S V C

설익은 고기와 달걀은 / 너의 개에게 주기에는 위험하다.

- = **It** is **dangerous to give** undercooked meat and eggs to your dog.

553 Plastic bags are *convenient* **to use** / but harmful for the environment.

S V C_1 V′ C_2 M_2

비닐봉지는 사용하기에 편리하다 / 하지만 환경에 해롭다.

= **It** is **convenient to use** plastic bags, but they are harmful for the environment.

보어로 쓰인 두 개의 형용사구 convenient to use와 harmful for the environment가 but으로 병렬 연결되어 있다. ▶**UNIT 61**

554 You are *free* **to choose**, // but you are not free / from the consequences (of your choice).

S_1 V_1 C_1 V′ S_2 V_2 C_2 M_2

너는 마음대로 선택한다. // 하지만 자유롭지 못하다 / 결과로부터 (네가 선택한 것의).

↳ 선택은 자유이지만 선택한 것의 결과에는 책임이 뒤따른다.

555 Children are *apt* **to imitate** / **the characters (in their favorite books)**.

S V C V′ O′

아이들은 모방하기 쉽다 / 등장인물들을 (그들이 매우 좋아하는 책 속의).

영작 직결 556 Art is *difficult* **to define** // because anything can be considered art / by anyone. - 모의응용

S V C V′ S′ V′ C′ M′

예술은 정의하기에 어렵다 // 어느 것이든 예술로 여겨질 수 있기 때문에 / 누구나에 의해.

정답 | **Art is difficult to define**

해설 | to define은 형용사 difficult를 뒤에서 수식하는 부사적 역할을 하며 'v하기에 ~하다'의 뜻을 나타낸다. because가 이끄는 절에는 SVOC문형의 수동태가 쓰였다. (← because anyone(S′) can consider(V′) anything(O′) art(C′))

= **It** is **difficult to define** art because anything can be considered art by anyone.

UNIT 56

to부정사가 만드는 주요 구문

557 The subject is too sensitive / to **respond to** openly. - 수능응용

S V C

그 주제는 너무 민감해서 / 드러내놓고 답할 수 없다.

⟨too ~ to-v⟩ 구문은 '결과'를 뜻하는 것이 대부분이다.

⟨so ~ that S′+can't v⟩로 바꿔 쓸 수 있다.

≒ The subject is *so* sensitive *that I can't respond to* it openly.

558 A man must be wise enough / to **admit** his mistakes.

S V C

사람은 (충분히) 현명해야 한다 / 자신의 실수를 인정할 수 있을 만큼.

⟨so ~ that S′+(can) V′⟩, ⟨so ~ as to-v⟩로 바꿔 쓸 수 있다.

≒ A man must be *so* wise *that he can admit* his mistakes.

≒ A man must be *so* wise *as to admit* his mistakes.

559 Fear can be **so** strong / **as to** **limit** people's behaviors.
S V C
두려움은 매우 강할 수 있다 / 사람들의 행동을 제한할 만큼.

✔ 〈so ~ that S'+V'〉, 〈~ enough to-v〉로 바꿔 쓸 수 있다.
≒ Fear can be *so* strong *that it limits* people's behaviors.
≒ Fear can be strong *enough to limit* people's behaviors.

560 The issue was **too** important / *for me* **to** **judge** alone.
S V C
그 사안은 너무 중요해서 / 내가 혼자서 판단할 수 없었다.

✔ ≒ The issue was *so* important *that I couldn't judge* it alone.
✔ for me는 to judge의 의미상의 주어이다. ▶**UNIT 12**

561 You were given this life // because you are strong **enough** / **to** **live** it.
S V O S' V' C'
너는 이 삶을 부여받았다 // 네가 (충분히) 강하기 때문에 / 그것을 살 수 있을 만큼.

✔ ≒ You were given this life because you are *so* strong *that you can live* it.
≒ You were given this life because you are *so* strong *as to live* it.
✔ 4문형의 수동태가 쓰여 간접목적어(You)는 주어 자리에 가고, 직접목적어(this life)는 그 자리에 그대로 남았다. ▶**UNIT 38**
(← Someone gave you this life because ~.)
S V IO DO
✔ it = this life

562 The baby's vision is **not so** mature / **as to** **focus** on a screen. - 모의응용
S V C
아기의 시력은 발달되어 있지 않다 / 화면에 집중할 만큼.

✔ ≒ The baby's vision is *not* mature *enough to focus* on a screen.
✔ 구문에 not이 붙으면 '정도'의 의미로 해석해야 자연스러운 경우가 많다.
〈not too ~ to-v〉: v할 정도로 너무 ~하지는 않다
〈not ~ enough to-v〉: v할 수 있을 만큼 ~하지는 않다
〈not so ~ as to-v〉: v할 만큼 ~하지는 않다

영작 직결 563 Everything was explained clearly **enough** / *for me* **to** **understand**.
S V M
모든 것이 (충분히) 명확하게 설명되었다 / 내가 이해할 수 있을 정도로.

정답 | **was explained clearly enough for me to understand**
해설 | '(충분히) ~해서 (A가) v하는[할 수 있는]'이라는 의미로 '결과'를 나타내는 〈~ enough (for A) to-v〉 구문을 사용한다. '내가' 이해하는 것이므로 to understand의 의미상의 주어로 for me가 온다.

✔ ≒ Everything was explained *so* clearly *that I could understand* it.

UNIT 57 분사구문의 의미

564 **Shouting** for joy, / the players celebrated their own victory.

환성을 지르면서, / 선수들은 자신들의 승리를 축하했다. 〈동시동작〉

- = **As they shouted** for joy, the players celebrated their own victory.
분사구문을 〈부사절+주절〉로 바꿀 때 주어가 '명사'일 경우 어느 한 절에서는 이를 '대명사'로 바꿔 써야 한다. 대개 주절의 주어를 명사로 하고 부사절의 주어는 대명사로 표기한다. 물론 바꿔서 부사절의 주어를 명사로 하고 주절에 대명사로 표현해도 틀린 것은 아니다.
- = The players shouted for joy, **celebrating** their own victory.
동시동작은 어느 것을 분사구문으로 표현해도 의미가 거의 같다.
- = The players, **shouting** for joy, celebrated their own victory.
분사구문은 문장의 앞, 뒤, 중간(주어와 동사 사이)에 모두 올 수 있다.

565 **Opening** the envelope, / the presenter announced / the winner (of the Best Actress Award).

봉투를 열고[연 후에], / 시상자는 발표했다 / 수상자를 (여우주연상의). 〈연속동작〉

- = The presenter opened the envelope ***and*** **(he/she) announced** the winner of ~.
= The presenter opened the envelope, **announcing** the winner of ~.
= The presenter, **opening** the envelope, announced the winner of ~.
- 연속동작도 어느 것을 분사구문으로 표현해도 되지만, 순서는 뒤바꾸지 않는 것이 좋다.
Announcing the winner of ~, the presenter opened the envelope. (×)

566 I got up from the table quickly, / **knocking over** a glass of water.

나는 식탁에서 급히 일어나다가, / 물 한 잔을 엎었다. 〈결과〉

- = I got up from the table quickly ***and*** **(I) knocked over** a glass of water.
- 분사구문이 결과를 나타내는 경우에는 반드시 문장 뒤에 온다.

567 **Waiting** to be served, / we stood in a long line / in front of the restaurant.

응대받기 위해 기다리면서, / 우리는 긴 줄을 섰다 / 식당 앞에서. 〈동시동작〉

- = ***As*** **we waited** to be served, we stood in a long line ~.
= We waited to be served, **standing** in a long line ~.
- 주어가 대명사일 때는 분사구문을 주어와 동사 사이에 쓰지 않는다. (We, **waiting** to be served, stood ~. (×))
- to-v의 의미상의 주어 we와 serve는 수동 관계이므로 to-v의 수동형(to be p.p.)이 왔다. ▶**UNIT 43**

568 Roman law evolved dramatically over time, / continuously **adapting** to new circumstances and challenges. - 모의응용

로마법은 시간이 지남에 따라 극적으로 진화했다, / 끊임없이 새로운 환경과 도전에 적응하면서. 〈동시동작〉

- = ***As*** **it** continuously **adapted** to ~, Roman law evolved dramatically over time.
= **Evolving** dramatically over time, Roman law continuously adapted to ~.
= Roman law, continuously **adapting** to ~, evolved dramatically over time.

569 Good readers, / **reading** books, / make predictions (about the text [they read]).

S V' O' V O

훌륭한 독서가들은, / 책을 읽으면서, / 예측한다 (글에 대한 [그들이 읽는]). 〈동시동작〉

= *As* **they are reading** books, good readers make predictions ~.
= **Reading** books, good readers make predictions ~.
= Good readers read books, **making** predictions ~.

570 The plane left London at 10 a.m., / **arriving** here at 3 p.m.

S V O M V' M' M'

그 비행기는 오전 10시에 런던을 떠나서, / 여기에 오후 3시에 도착했다. 〈연속동작〉

= The plane left London at 10 a.m. ***and*** **(it) arrived** here at 3 p.m.
= **Leaving** London at 10 a.m., the plane arrived here at 3 p.m.
= The plane, **leaving** London at 10 a.m., arrived here at 3 p.m.
(**Arriving** here at 3 p.m., the plane left ~. (×))

571 Sleep deprivation can negatively affect / a person's cognitive skills, /

S V O

수면 부족은 부정적인 영향을 줄 수 있다 / 사람의 인지 능력에, /

thus **reducing** the ability (to focus).

V' O' =

그래서 능력을 감소시킨다 (집중하는). 〈결과〉

= Sleep deprivation can negatively affect a person's cognitive skills ***and*** **(it) reduces** the ability to focus.
thus, thereby 등은 결과를 뜻하는 분사구문 앞에 자주 쓰이는 부사로 분사구문을 수식한다.
the ability와 to focus는 동격 관계 ▶**UNIT 99**

572 **Filling out** the customer survey, / please answer all the questions.

V' O' V O

고객 여론 조사를 작성하실 때는[하시는 동안에는], / 모든 질문에 답해 주세요. 〈시간〉

= ***When[While]*** **you fill out** the customer survey, please answer ~.

573 **Feeling** rather ill, / I declined his invitation to dinner.

V' C' S V O

몸이 좀 아파서, / 나는 그의 저녁 식사 초대를 거절했다. 〈원인〉

= ***Because[Since, As]*** **I felt** rather ill, I declined his invitation ~.

574 **Choosing** a career, / you should think hard / about your interests.

V' O' S V M M

직업을 택할 때, / 당신은 골똘히 생각해야 한다 / 당신의 관심사에 대해. 〈시간〉

= ***When*** **you choose** a career, you should think hard ~.
Choosing a career는 '직업을 택할 때'라는 의미로 '시간'을 나타내는 접속사 When이 와야 한다.

575 My sister, / **not knowing** what to do, / came to ask for my advice.

S V' O' V M

내 여동생은, / 무엇을 해야 할지 몰라서, / 나의 조언을 구하러 왔다. 〈원인〉

= ***Because[Since, As]*** **she didn't know** what to do, my sister came ~.
not knowing what to do는 '무엇을 해야 할지 몰라서'라는 의미로 '원인'을 나타내는 접속사 Because가 와야 한다.
분사구문의 내용을 부정하는 경우, 부정어(not, never)를 분사 바로 앞에 두는 것이 일반적이다.
〈의문사+to-v〉는 명사구로서 주어, 목적어, 보어로 쓰이는데 여기서는 분사 knowing의 목적어로 쓰였으며, 대개 〈의문사+S'+should[can] V'〉로 바꿔 쓸 수 있다. ▶**UNIT 15**
e.g. Tell me **what to do**. = Tell me **what I should do**. **내가 무엇을 해야 하는지** 내게 알려줘.

576 **Having** a positive attitude, / you can come up with possible solutions / in difficult situations.

긍정적인 태도를 가지면, / 당신은 가능한 해결책을 떠올릴 수 있다 / 어려운 상황에서. 〈조건〉

= ***If* you have** a positive attitude, you can come up with possible solutions ~.
Having a positive attitude는 '긍정적인 태도를 가지면'이라는 의미로 '조건'을 나타내는 접속사 If가 와야 한다.

577 **Admitting** // that some areas take longer to master, / I found English quite interesting to learn.

(~을) 인정하더라도 // 어떤 분야는 숙달하는 데 더 오랜 시간이 걸린다는 것을, / 나는 영어가 배우기에 꽤 흥미롭다는 것을 알게 되었다. 〈양보〉

= ***Although* I admitted** that some areas take longer to master, I found English ~.
Admitting that some areas take longer to master는 '어떤 분야는 숙달하는 데 더 오랜 시간이 걸린다는 것을 인정하더라도'의 의미로 '양보'를 나타내는 접속사 Although가 와야 한다.

UNIT 58

주의해야 할 분사구문의 형태

578 **Having had** a big lunch, / I had no appetite for dinner.

점심을 많이 먹었기 때문에, / 나는 저녁을 먹고 싶은 생각이 없었다.

분사구문이 나타내는 때가 주절에서 나타나는 때보다 앞선 일임을 분명히 할 때 having p.p.가 쓰인다.
= Because[Since, As] I ***had had*** a big lunch, I had no appetite for dinner.

579 Never **having gone** to a concert, / he would love to get the tickets.

콘서트에 가본 일이 한 번도 없기 때문에, / 그는 티켓을 매우 사고 싶을 것이다.

부사절의 동사가 완료형일 때도 분사구문 전환 시 having p.p.가 쓰인다.
= Because[Since, As] he ***has*** never ***gone*** to a concert, he would love to get the tickets.

580 **(Having been) Known** as "the cow of China," / the soybean has been the main source (of protein) / for the Chinese people.

'중국의 소'로 알려져서, / 콩은 주요 공급원이 되어 왔다 (단백질의) / 중국 사람들에게.

= Because[Since, As] it ***has been known*** as "the cow of China," the soybean has been the main source ~.
과거분사로 시작하는 분사구문은 '수동'의 의미로 그 앞에 being 또는 having been이 생략된 형태이다.

581 The teacher, / **not having heard** the bell, / kept on teaching.

그 선생님은, / 종소리를 듣지 못해서, / 수업을 계속하셨다.

= The teacher kept on teaching because[since, as] he/she ***hadn't heard*** the bell.

582 (Being) Worn properly, / safety belts can save many lives / each year.

V′ M′ / S V O / M

제대로 착용되면, / 안전벨트는 많은 생명을 구할 수 있다 / 매해.

= If they ***are worn*** properly, safety belts can save many lives each year.

583 This poem, / (being) translated into English, / would lose its beauty.

S / V′ M′ / V O

이 시는, / 영어로 번역되면, / 그것의 아름다움을 잃게 될 것이다.

= If it ***were translated*** into English, this poem would lose its beauty.

분사구문에 '조건'을 나타내는 가정의 의미가 포함된 경우가 있다. 과거형 조동사가 있으면, 분사구문이 if 조건절을 대신하는 표현이 아닐지 생각해봐야 한다. ▶**UNIT 50**

584 Having been bitten by a snake, / he's afraid of a rope. - Proverb

V′ M′ / S V C

뱀에 물린 일이 있어서, / 그는 줄을 무서워한다.

↳ 한번 큰 충격을 받은 다음에는 조그만 충격이 엿보이기만 해도 과민하게 반응한다. (자라 보고 놀란 가슴 솥뚜껑 보고 놀란다.)

= Because[Since, As] he ***was bitten[has been bitten]*** by a snake, he's afraid of a rope.

585 (Being) A kind person, / she is loved by everyone.

V′ C′ / S V M

친절한 사람이어서, / 그녀는 모든 이에게 사랑받는다.

= Because[Since, As] she ***is*** a kind person, she is loved by everyone.

명사로 시작하는 분사구문은 그 앞에 being 또는 having been이 생략된 형태이다.

그녀가 '사랑받는' 것이므로 she와 love는 수동 관계 ▶**UNIT 38**

586 (Being) Rich in zinc, / pumpkin seeds can be helpful / in enhancing memory.

V′ C′ M′ / S V C / M

아연이 풍부하므로, / 호박씨는 도움이 될 수 있다 / 기억력을 향상시키는 데.

= Because[Since, As] they ***are*** rich in zinc, pumpkin seeds can be helpful ~.

형용사로 시작하는 분사구문은 그 앞에 being 또는 having been이 생략된 형태이다.

587 (Being) Busy with his work, / he didn't sleep at all.

V′ C′ M′ / S V M

일로 바빴기 때문에, / 그는 조금도 자지 않았다.

= Because[Since, As] he ***was*** busy with his work, he didn't sleep at all.

at all은 부정어 not(didn't)을 강조 ▶**UNIT 95**

어법 직결 **588** (Being) Used without care, / words can cause great damage.

V′ M′ / S V O

주의 없이 사용된다면, / 말은 큰 피해를 입힐 수 있다.

정답 | **×, Used**

해설 | 분사구문의 의미상의 주어 words와 use는 수동 관계이므로 과거분사 Used가 적절하다. 이때 앞에 being이 생략된 상태이므로 지시문의 조건이 없다면 Being used도 가능하다.

= If they ***are used*** without care, words can cause great damage.

589 People tend to take larger sniffs / ***when*** imagining pleasant odors. - 모의응용

S V O / V′ O′

사람들은 코를 더 크게 킁킁거리는 경향이 있다 / 기분 좋은 냄새를 상상할 때.

= People tend to take larger sniffs ***when*** **they imagine** pleasant odors.

590 Positive people can handle conflict situations easily / ***while* maintaining** good personal relations.

S V O M / V′ O′

긍정적인 사람들은 갈등 상황을 쉽게 처리할 수 있다 / 좋은 대인 관계를 유지하면서.

= Positive people can handle conflict situations easily ***while* they are maintaining** good ~.

591 ***When* faced** with a problem — a conflict — / we instinctively seek / to find a solution. -모의

V′ M′ S V O

문제 즉 갈등에 직면했을 때 / 우리는 본능적으로 ~하려고 한다 / 해결책을 찾으려고.

= ***When* we are faced** with a problem ~.

be faced with = be confronted with

이때 face[confront]가 능동으로 쓰인다면 전치사 with 없이 바로 목적어가 온다. (When we face[confront] a problem ~.)

a problem = a conflict

592 ***Once* seen**, / the last scene (of the movie) / can never be forgotten.

V′ S V

일단 보면, / 마지막 장면은 (그 영화의) / 결코 잊을 수 없다.

= ***Once* it is seen**, the last scene of the movie can never be forgotten.

the last scene of the movie와 forget은 수동 관계이므로 〈조동사+be p.p.〉가 쓰였다. **▶UNIT 40**

문장 전환 593 Never **having sung** in front of people, / he must be nervous now.

V′ M′ S V C M

사람들 앞에서 노래를 부른 일이 한 번도 없기 때문에, / 그는 지금 틀림없이 떨릴 것이다.

정답 | **having sung in front of people**

해설 | 주절의 주어와 부사절의 주어가 동일하므로 생략한다. 부사절 동사의 시제가 현재완료(has sung)이므로 분사구문에는 having p.p.를 쓰는 것이 적절하다.

문장 전환 594 **(Having been) Written** in haste, / his report had many spelling mistakes.

V′ M′ S V O

급하게 쓰였기 때문에, / 그의 보고서는 철자 오류들이 많았다.

정답 | **(Having been) Written in haste**

해설 | 주절의 주어와 부사절의 주어가 동일하므로 생략한다. 부사절에서 수동태가 쓰였으므로 수동 분사구문이 적절한데, 부사절의 시제(과거완료)가 주절의 시제(과거)보다 앞서고, 부사절의 동사가 완료형이므로 Having been written이 되고 이때 Having been은 생략 가능하다.

UNIT 59 주의해야 할 분사구문의 의미상의 주어

595 *Other things* **being** equal, / I prefer this one.

S′ V′ C′ S V O

다른 점들이 동일하다면, / 나는 이것을 선호한다.

= If *other things* are equal, *I* prefer this one.

분사구문의 의미상의 주어(Other things)와 문장의 주어(I)가 일치하지 않아서 남겨둔 경우

596 Many modern pop musicians, / *one example* **being** Paul McCartney, /
S ... S′ V′ C′
많은 현대 대중음악가들은, / 폴 매카트니가 한 사례인데, /

can't read music at all. - 모의
V O M
악보를 전혀 읽지 못한다.

- = *Many modern pop musicians* can't read music at all, and *one example* is Paul McCartney.
- 분사구문의 의미상의 주어(one example) ≠ 문장의 주어(Many modern pop musicians)
- at all은 부정어 not(can't)을 강조 ▶**UNIT 95**

F·Y·I 의외로 악보를 읽지 못한 음악가들이 많은데, 이는 그들이 음악에 대한 상세한 지식이 아닌 내면적인 이끌림으로부터 음악의 영감을 얻었기 때문이다. 비틀스의 폴 매카트니 이외에도 엘비스 프레슬리, 마이클 잭슨 등과 같은 유명한 가수들이 악보를 읽지 못했다고 전해진다.

597 We will set up telescopes / to view stars, / *weather* **permitting.**
S V O M S′ V′
우리는 망원경을 설치할 것이다 / 별들을 보기 위해, / 날씨가 허락한다면.

- = *We* will set up telescopes ~, if *weather* permits.
- 분사구문의 의미상의 주어(weather) ≠ 문장의 주어(We)
- to view stars는 '목적'을 나타내는 부사적 용법으로 쓰인 to부정사구 ▶**UNIT 54**
- **permit이 만드는 빈출 문형**

SV	허락하다; 여지가 있다 ((of))	I hope to take a nap if time **permits**. 시간이 **허락한다**면 나는 낮잠을 자고 싶다. The law **permits** of no other interpretation. 그 법은 다른 해석의 **여지가 있지** 않다.
SVO	~을 가능하게 하다; ~을 허락하다	The password **permits** access to all files. 그 비밀번호는 모든 파일에 접근을 **가능하게 한다**.
SVOO	IO에게 DO를 허용하다	She **permitted** herself a single bar of chocolate a week. 그녀는 자신**에게** 일주일에 초콜릿 바 한 개**를 허용했다**.
SVOC	O가 C하게 하다	ATMs **permit** you to withdraw money at any time. 현금 인출기는 당신**이** 돈을 어느 때나 인출할 수 있**게 해 준다**.

598 **With *night* coming on,** / it was beginning to snow.
└능동관계┘ S V O
밤이 오자, / 눈이 내리기 시작하고 있었다.

- night와 come on이 능동관계이므로 v-ing(현재분사)가 쓰였다.
- 여기서 it은 '날씨'를 나타내는 비인칭 주어로, 이때 it을 '그것'으로 해석하지 않는다. ▶**UNIT 14**

599 Sitting **with *legs* crossed** / for hours / can raise blood pressure.
S └수동관계┘ V O
다리를 꼰 채로 앉아 있는 것은 / 장시간에 걸쳐 / 혈압을 상승시킬 수 있다.

- Sitting ~ for hours는 v-ing(동명사)가 이끄는 명사구 주어 ▶**UNIT 08**
- legs와 cross가 수동관계이므로 p.p.(과거분사)가 쓰였다.
- with 분사구문에서 목적어 자리에 신체 부위가 오면 대개 과거분사를 사용한다.

e.g. cross my fingers → **with** *my fingers* **crossed** 손가락을 꼰 채로[행운을 빌며]
fold his arms → **with** *his arms* **folded** 팔짱을 낀 채로
close my eyes → **with** *my eyes* **closed** 눈을 감은 채로

600 History goes on / **with *old ideas* giving** way / to new ideas.
S V └능동관계┘
역사는 계속된다 / 낡은 사상이 자리를 내어주면서 / 새로운 사상에.

601 With ***technology*** **progressing** faster than ever before, / there are plenty of devices (to save more water). - 모의응용

(technology progressing: 능동관계 / are: V / plenty of devices: S)

기술이 과거 어느 때보다 더 빠르게 진보하면서, / 많은 장치들이 있다 (더 많은 물을 절약할 수 있는).

- to save more water는 plenty of devices를 수식하는 형용사적 용법으로 쓰인 to부정사구 ▶**UNIT 51**
- ***cf.*** **부사절이 there로 시작되는 경우**

  〈접속사+there+be+S′, S+V ...〉 문장의 부사절이 분사구문이 될 때, there와 부사절의 주어(S′)는 그대로 두고 be동사를 being으로 바꿔 쓴다.

  e.g. As **there** was no vacant seat in the subway, ***we*** kept standing all the way.

  → **There *being*** no vacant seat in the subway, ***we*** kept standing all the way.

  지하철에 빈자리가 없어서, 우리는 내내 계속 서 있었다.

F·Y·I 지구의 물은 대부분이 바닷물이기 때문에 음용수 및 생활용수를 절약하는 것은 미래를 위해서 중요하다. 물을 절약하기 위해서 다양한 장치들이 발명되고 있는데, 대표적인 예로는 사용자가 수도꼭지 아래에 손을 댈 때만 물이 나오는 센서식 수도꼭지가 있다.

602 She was sobbing / **with *her head* buried** in her arms.

(She: S / was sobbing: V / her head buried: 수동관계)

그녀는 흐느껴 울고 있었다 / 머리를 팔 속에 파묻은 채로.

603 When regions can no longer produce food, // people will be forced to move to other areas, / **making** them "climate refugees." - 모의

(regions: S′ / can no longer produce: V′ / food: O′ // people: S / will be forced: V / to move: C / making: V′ / them: O′ / "climate refugees.": C′)

지역이 더 이상 식량을 생산할 수 없을 때, // 사람들은 어쩔 수 없이 다른 지역으로 이주해야 할 것이다, / (그 결과) 그것은 그들을 '기후 난민'으로 만들 것이다.

- 분사구문의 의미상의 주어가 앞에 나온 어구 전체이고 분사구문이 '결과'를 뜻한다.
- = ~ people will be forced to move to other areas, *so (that)* it will make them "climate refugees."

  = ~ people will be forced to move to other areas, *which* will make them "climate refugees."

604 When **studying** for an exam, / it is crucial / to set specific goals.

(studying: V′ / for an exam: M′ / it: S(가주어) / is: V / crucial: C / to set specific goals: S′(진주어))

시험공부를 할 때, / (~은) 중요하다 / 구체적인 목표를 세우는 것은.

- 분사구문의 의미상의 주어가 일반인
- 접속사 When을 생략하지 않은 분사구문 ▶**UNIT 58**
- 여기서 it은 가주어이며, to set 이하가 진주어이다. ▶**UNIT 11**

605 **Generally speaking,** / when you eat is as important / as what you eat.

(when you eat: S / is: V / important: C)

일반적으로 말해서, / 언제 먹는지가 중요하다 / 무엇을 먹는지만큼.

- 몇몇 관용표현의 경우, 분사구문의 의미상의 주어가 문장 전체의 주어와 일치하지 않더라도 생략할 수 있다.
  - generally[frankly, strictly, roughly] speaking 일반적으로[솔직히, 엄격히, 대략] 말해서 (= to speak generally[frankly, strictly, roughly])
  - judging from[by] ~으로 판단하건대
  - granting (that) ~을 인정한다 하더라도
  - speaking[talking] of ~에 관해 말하자면 (= when it comes to, in terms of, regarding[concerning])
  - putting it simply 간단히 말하자면
- 주어 자리에 의문사 when이 이끄는 의문사절이 왔다. ▶**UNIT 09**
- A, B 두 대상을 비교하여 정도의 차이가 없으면 〈A as 원급 as B: A는 B만큼 ~하다〉로 표현한다. ▶**UNIT 87**

606 Some wild mushrooms are poisonous, / **leading** people to lose their lives. - 모의응용

S V C / V′ O′ C′

몇몇 야생 버섯은 독이 있어서, / (그 결과) 사람들의 목숨을 잃게 한다.

- = Some wild mushrooms are poisonous, *so (that)* it leads people ~.
  = Some wild mushrooms are poisonous, *which* leads people ~.
- 분사구문이 결과를 나타내는 경우에는 반드시 문장 뒤에 온다.

607 When **storing** fresh produce, / it is recommended / to store it at a proper temperature.

V′ O′ / S(가주어) V / S′(진주어)

신선한 농산물을 보관할 때, / (~이) 권장된다 / 그것을 적절한 온도에 보관하는 것이.

- 분사구문의 의미상의 주어가 일반인
- 접속사 When을 생략하지 않은 분사구문 ▶**UNIT 58**
- 여기서 첫 번째 it은 가주어이며, to store 이하가 진주어이다. ▶**UNIT 11**
- 두 번째 it = fresh produce

608 **Strictly speaking**, / spiders are not insects, // because they have two main body parts and eight legs.

S V C // S′ V′ O′

엄격히 말해서, / 거미는 곤충이 아니다, // 왜냐하면 그것들은 몸이 두 부분이고 다리가 여덟 개이기 때문이다.

F·Y·I 곤충은 몸이 머리, 가슴, 배의 세 부분으로 나뉘고 다리가 6개인 동물이다. 거미류에 속하는 동물들은 절지동물이라 불리는데, 이들은 곤충과 달리 몸이 두 부분으로 나뉘고 8개의 다리가 있으며 날개 또는 더듬이가 없다. 전갈, 진드기 등이 이에 속한다.

609 **Speaking of** fame, / it can really come and go.

S V

명성에 대해 말하자면, / 그것은 정말 잠깐 있다가 없어질 수 있다.

- it = fame

PART

문장의 확장

UNIT 60 등위접속사 and/but/or/for/nor/yet

610 Have enough courage (to start) / **and** enough heart (to finish). - Jessica N. S. Yourko

V O1 O2

충분한 용기를 가져라 (시작할) / 그리고 충분한 마음을 (끝낼).

↳ 무언가를 시작할 수 있는 용기와 그것을 끝낼 수 있는 마음을 가져라.

- 등위접속사 and가 두 개의 명사구를 연결하고 있다.
- and의 여러 가지 의미

and는 '~ 그리고 ~'의 의미만이 아니라 다른 여러 의미로도 쓰일 수 있으므로 문맥에 따라 적절하게 해석하면 된다.

1. 부가: We were talking **and** laughing. 우리는 대화하**고** 웃고 있었다.
2. 결과: He fell heavily **and** broke his arm. 그는 심하게 넘어져**서** 팔이 부러졌다.
3. 조건: Weed the garden **and** I'll pay you $10. 정원에서 잡초를 뽑으**면** 너에게 10달러를 줄게.
4. 연속: She switched off the television **and** went to bed. 그녀는 텔레비전을 **끄고** 잠자리에 들었다.
5. 대조: I'm currently on a diet **and** I'm still not losing weight. 나는 현재 다이어트 중인**데** 여전히 몸무게가 줄지 않는다.

611 Give a man a fish / **and** you feed him for a day; // teach a man to fish /

V1 IO1 DO1 S2 V2 O2 M2 V3 IO3 DO3

누군가에게 물고기 한 마리를 줘라 / 그러면 당신은 그를 하루 동안 먹여 살리는 것이다. // 누군가에게 물고기 잡는 법을 가르쳐라 /

and you feed him for a lifetime. - Proverb

S4 V4 O4 M4

그러면 당신은 그를 평생 동안 먹여 살리는 것이다.

- = *If* you give a man a fish, you will feed him for a day; *if* you teach a man to fish, you will feed him for a lifetime.
- 명령문 뒤에 and나 or로 절이 연결되면 주로 '충고'나 '경고'의 의미이다.
- 〈teach somebody (how) to-v〉: ~에게 v하는 방법을 가르치다

612 Conflict is always difficult, // **but** it sometimes leads to growth and change /

S1 V1 C1 S2 V2 O2

갈등은 언제나 힘들다. // 그렇지만 그것은 때때로 성장과 변화로 이어진다 /

in organizations. - 모의

M2

조직에서.

cf. Everybody (**but** you) / knows // how the TV drama ended.

S V O (M′ S′ V′)

모두가 (당신을 제외한) / 알고 있다 // 그 TV 드라마가 어떻게 끝났는지를.

- 등위접속사 but이 절과 절을 연결하고 있다.
- *cf.* 문장에 쓰인 but은 전치사로 '~을 제외하고, ~외에는(= except)'을 의미하며 뒤에 명사(구)가 온다.

All **but** *him* were there. **그를 제외하고** 모두 그곳에 있었다.

613 The dot (over the lower case "i" **or** "j") / is known as a "tittle."

S V M

점은 (소문자 'i' 또는 'j' 위에 있는) / '티틀'이라고 알려져 있다.

cf. Botany, / **or** the science of plant life, / is a branch of biology.

S = V C

식물학, / 즉 식물에 대한 학문은, / 생물학의 한 분야이다.

- *cf.*에서 or 뒤에 오는 명사구(the science of plant life)는 앞에 나온 주어(Botany)와 동격 관계이다. ▶UNIT 99

614 Suffering can destroy you, // [or] it can show your true potential.

S1 V1 O1 / S2 V2 O2

고통은 당신을 파괴할 수 있다. // 아니면 그것은 당신의 진정한 잠재력을 보여줄 수 있다.

- it = suffering

615 Don't try to do too much at once, // [or] you will tire yourself out.

V1 O1 / S2 V2 O2

한꺼번에 너무 많이 하려고 하지 마라. // 안 그러면 너는 네 자신을 지치게 할 것이다.

- = *If* you try to do too much at once, you will tire yourself out.
- 주어(you)가 지치게 하는 대상이 자신이므로 목적어 자리에 재귀대명사 yourself가 쓰였다. ▶**UNIT 18**

어법 직결 **616** Focus on one task at a time, // [and] you'll accomplish each task / better, and probably faster. - 모의

V1 O1 M1 / S2 V2 O2 M2

한 번에 한 가지 일에 집중하라. // 그러면 각각의 일을 해낼 수 있을 것이다 / 더 잘, 그리고 아마도 더 빠르게.

정답 | **and**

해설 | 명령문 뒤에 and나 or로 절이 연결되면 '충고'나 '경고'의 의미이다. 한 번에 한 가지 일에 집중하면 일을 더 잘 그리고 더 빠르게 해낼 수 있다는 의미가 문맥상 알맞으므로 and가 적절하다.

- = *If* you focus on one task at a time, you'll accomplish each task better, and probably faster.
- each는 단수명사를 수식한다.
  e.g. each person (○) / each people (×)
- ~ better, [and] probably faster (M1, M2)
- ***cf.*** and/or: 두 가지 모두 또는 둘 중 하나를 나타낼 때 and/or가 쓰이기도 한다.
  Add a potato **and/or** an onion.
  감자**나** 양파, **혹은 둘 다**를 넣으세요. → 감자나 양파 중 하나, 혹은 둘 다를 넣을 수 있음

617 Strive to have friends, // [for] life (without friends) / is like life (on a desert island). - Baltasar Gracián ((스페인 작가))

V1 M1 / S2 V2 C2

친구를 얻으려고 애써라. // 왜냐하면 삶은 (친구가 없는) / 삶과 같기 때문이다 (무인도에서의).

- 여기서 for는 등위접속사로 앞서 말한 내용에 대한 근거나 이유를 제시한다. 전치사 for와 달리 뒤에 〈S+V〉가 이어진다.
- 유사성을 표현할 때 명사나 대명사 앞에 전치사 like를 쓴다.

618 I am not afraid of storms, // [for] I am learning / how to sail my ship. - *Little Women* 中

S1 V1 C1 / S2 V2 O2

나는 폭풍우가 두렵지 않다. // 왜냐하면 나는 배우고 있기 때문이다 / 내 배를 조종하는 법을.

- 〈how to-v〉: v하는 방법, 어떻게 v할지를 ▶**UNIT 15**

619 I never did anything by accident, // [nor] did any (of my inventions) / come by accident. - Thomas A. Edison

S1 V1 O1 M1 / 조동사 S2 / V2 M2

나는 어떤 일도 결코 우연히 하지 않았고, // 어느 것도 ~하지 않았다 (내 발명품 중) / 우연히 나오지 (않았다).

- nor = and neither = and ~ not ... either
- 부정의 의미를 지닌 nor 뒤에 〈조동사+S+V〉의 순으로 도치가 일어났다. ▶**UNIT 94**

620 Trees cannot grow in the sky, // **nor** (can) clouds be in the deep sea, //

S1 V1 M1 조동사 S2 V2 A2

나무는 하늘에서 자랄 수 없고, // 구름은 깊은 바다에 있을 수 없으며, //

nor (can) fish live in the fields. - T. Carus ((로마 철학자))

조동사 S3 V3 A3

물고기는 들판에서 살 수 없다.

↳ 모든 것은 어울리는 곳이 따로 있다.

- 부정의 의미를 지닌 nor 뒤에 〈조동사+S+V〉의 순으로 도치가 일어났다. ▶**UNIT 94**
- nor 뒤에는 반복되는 조동사 can이 생략되었다. 접속사 뒤에서 반복되는 조동사는 보통 생략한다.

621 It's strange **yet** true // that sometimes / black-and-white photos / can look better /

S(가주어) V C1 C2 S'(진주어) S' V' C'

(~은) 이상하지만 사실이다 // 때때로 / 흑백 사진이 / 더 좋아 보일 수 있다는 것은 /

than color photos.

컬러 사진보다.

- that이 이끄는 명사절(that sometimes ~ color photos)을 대신하여 가주어 It이 주어 자리에 왔다. ▶**UNIT 11**

622 Celebrities' reputations are their most valuable asset, //

S1 V1 C1

연예인들의 명성은 그들의 가장 소중한 자산이다. //

yet they can be built or destroyed overnight.

S2 V2 M2

그럼에도 불구하고 그것들은 하룻밤 사이에 쌓이거나 무너질 수 있다.

- 과거분사 built와 destroyed가 접속사 or로 연결된 병렬구조
- they = Celebrities' reputations
- 명성이 '쌓이거나 무너지는' 것이므로 yet이 이끄는 절에 조동사와 결합된 수동태 〈can+be p.p.〉가 쓰였다. ▶**UNIT 40**

UNIT 61 병렬구조

623 Too much inactivity can lead to / **bad physical condition, muscle weakness,**

S V O

(몸을) 너무 움직이지 않는 것은 (~에) 이르게 할 수도 있다 / 좋지 않은 신체 상태, 근육 약화,

weight gain, and **depression**. - 모의

체중 증가, 그리고 우울증에.

- 네 개의 명사(구)가 콤마(,)와 and로 연결된 병렬구조
- 여기서 can은 현재나 미래에 대한 가능성/추측을 나타내는 조동사 ▶**UNIT 34**

624 To communicate clearly with others, / have the courage (**to ask questions** /

M V O

다른 사람들과 명확하게 의사소통하기 위해, / 용기를 가져라 (질문을 할 /

and **express what you really want**).

그리고 당신이 정말로 무엇을 원하는지 표현할).

- the courage를 수식하는 두 개의 to부정사구가 and로 연결된 병렬구조
- to-v가 병렬 연결될 때 접속사 뒤의 to-v에서는 흔히 to가 생략되는 것에 주의한다. ▶**UNIT 96**
- To communicate ~ others는 '목적'을 나타내는 부사적 용법으로 쓰인 to부정사구 ▶**UNIT 54**
- (to) express의 목적어로 의문대명사 what이 이끄는 명사절(what you really want)이 쓰였다. ▶**UNIT 17**

625 Teachers play the role (of **transmitting knowledge** / and **keeping students always motivated**). - 모의응용

S V O

교사들은 역할을 한다 (지식을 전달하는 / 그리고 학생들이 계속 동기부여 받을 수 있게 하는).

- 전치사 of의 목적어인 동명사구 두 개가 and로 연결된 병렬구조
- 학생들이 '동기부여 받는' 것이므로 keeping의 목적격보어로 과거분사 motivated가 쓰였다. ▶**UNIT 25**
- play가 만드는 빈출 문형

SV	놀다; 울리다; 경기하다	The boy **was playing** with his dog. 그 소년은 개와 **놀고 있었다.** The record **is playing** loudly in the corner. 구석에서 그 음반이 크게 **울리고 있다.**
SVC	처신[행동]하다	Snakes **play** dead when they are threatened. 뱀은 위협받으면 죽은 **체한다.**
SVO	배역을 맡다; 공연[연주]하다	The actor **played** the leading role in the movie. 그 배우는 영화에서 주연을 **맡았다.**

626 Fat is vital / **for protecting our body's organs against shock** / and **for maintaining body temperature.**

S V C M1 M2

지방은 필수적이다 / 우리의 신체 장기를 충격으로부터 보호하는 데 / 그리고 체온을 유지하는 데.

- 두 개의 전명구가 and로 연결된 병렬구조이며, 이때 접속사 뒤에 반복되는 for는 생략 가능하다. ▶**UNIT 96**

F·Y·I 지방은 몸의 주요 장기 및 관절을 둘러싸 충격으로부터 보호할 뿐만 아니라 체온을 유지하는 데 큰 역할을 해 몸을 극심한 추위 및 더위로부터 보호한다.

627 A successful team / is a group (**of many hands** / but **of one mind**). - Bill Bethel ((美 목사))

S V C

성공적인 팀은 / 그룹이다 (많은 손(=사람)이 있는 / 그러나 한 마음인).

- 두 개의 〈전치사+명사〉구가 but으로 연결되어 a group을 수식한다.

628 If you're never **scared** or **embarrassed** or **hurt**, // it means / you never take any chances. - Julia Sorel ((美 영화배우))

S′ V′ C′1 C′2 C′3 S V O (S′ V′ O′)

만약 당신이 한 번도 두렵거나 당혹스럽거나 상처 입은 일이 없다면, // 그것은 의미한다 / 당신은 결코 아무런 위험도 감수하지 않는다는 것을.

- 세 개의 형용사가 or로 연결된 병렬구조
- means 뒤에는 명사절을 이끄는 접속사 that이 생략되었다. ▶**UNIT 17**
- 주절의 주어 it은 앞에 있는 종속절 전체를 가리킨다.

629 The signs and symptoms (of burnout) / **are subtle at first**, / but **become worse** // as time goes on.

S V1 C1 M1 V2 C2 S′ V′

신호와 증상은 (번아웃의) / 처음에는 감지하기 힘들다, / 그러나 더 악화된다 // 시간이 지남에 따라.

- 두 개의 동사구가 but으로 연결된 병렬구조
- as 이하는 시간을 나타내는 부사절 ▶**UNIT 73**

630 Books can **add to what we know**, / **widen our vocabulary**, / **make our character strong**, / and **do many other things** [that silver and gold cannot do].

S 조동사 V1 O1 V2 O2 V3 O3 C3 V4 O4 (O′ S′ V′)

책은 우리가 아는 것에 보탤 수 있고, / 우리의 어휘를 확장시킬 수 있고, / 우리의 성격을 강인하게 만들 수 있고, / 다른 많은 것들을 할 수 있다 [은과 금(=돈)이 할 수 없는].

- 조동사 can 뒤에 네 개의 동사구가 콤마(,)와 and로 연결된 병렬구조
- 병렬 연결하는 콤마(,)와 접속사 뒤에서 반복되는 조동사는 보통 생략한다. ▶UNIT 96
- what we know는 관계대명사 what이 이끄는 명사절 ▶UNIT 69
- that 이하는 many other things를 수식하는 목적격 관계대명사절 ▶UNIT 65

631 Happiness is // when **what you think**, / **what you say**, / [and] **what you do** / **are in harmony**. - Mahatma Gandhi

S V C (S'1, S'2, S'3, V', C')

행복은 ~이다 // 네가 생각하는 것, / 네가 말하는 것, / 그리고 네가 행하는 것이 / 조화를 이룰 때.

- 관계대명사 what이 이끄는 세 개의 명사절이 콤마(,)와 and로 연결된 병렬구조
- when what ~ harmony는 앞에 선행사(the time)가 생략된 관계부사절이다. ▶UNIT 67

어법 직결 **632** Note taking depends on / one's ability (**to understand the content** / [and] **(to) hold it in memory** / long enough to write it down).

S V O (= to understand ~)

필기는 (~에) 달려 있다 / 사람의 역량에 (내용을 이해하는 / 그리고 그것을 기억에 담아두는 / 그것을 적을 만큼 충분히 오래).

정답 | **×, (to) hold**

해설 | 문맥상 one's ability와 동격을 이루는 to understand the content와 and로 연결된 병렬구조이므로 (to) hold가 적절하다. to부정사가 등위접속사로 연결되면 접속사 뒤에 오는 to는 생략되는 경우가 많다.

- to understand 이하는 앞에 나온 명사 one's ability에 대한 구체적인 설명을 덧붙이는 동격구문 ▶UNIT 99

어법 직결 **633** When your doctor prescribes medication / without **checking your chart** / [or] **asking the right questions**, // critical mistakes can happen.

S' V' O' M' S V

당신의 의사가 약을 처방한다면 / 당신의 차트를 확인하지 않고 / 또는 올바른 질문을 하지 (않고), // 심각한 실수가 발생할 수 있다.

정답 | O

해설 | 전치사 without의 목적어인 checking your chart와 or로 연결된 병렬구조이므로 asking이 적절하다.

634 **Stop thinking about what you don't have** // [and] **find a solution yourself!** - 모의

V1 O1 V2 O2 M2

당신이 갖고 있지 않은 것에 대해 생각하는 것을 멈춰라 // 그리고 스스로 해결책을 찾아라!

- 특히 and 뒤에 명령문이 나올 수도 있으므로 이때 바로 앞 동사(여기서는 don't have)와 연결되는 병렬구조로 착각하지 않도록 주의한다.
  Stop thinking / about what you don't have [and] find a solution yourself! (×)
- 여기서 yourself는 명령문의 생략된 주어 you를 강조하기 위한 재귀대명사 ▶UNIT 95

635 **Your brain is 80% liquid** // [and] **water is vital** / to keeping your brain / in tip-top condition.

S1 V1 C1 S2 V2 C2 M2

여러분의 뇌는 80%가 액체이다 // 그래서 수분이 필수적이다 / 여러분의 뇌를 유지하는 데 / 최상의 상태로.

- Your brain is 80% liquid and water // is ~. (×)

636 **I confess / I do not know why**, // [but] **looking at the stars / always makes me dream**. - Vincent Van Gogh

S1 V1 O1 S2 V2 O2 C2

고백하건대 / 나는 이유를 모르겠다. // 하지만 별을 바라보는 것은 / 항상 내가 꿈꾸게 만든다.

- confess 뒤에는 명사절을 이끄는 접속사 that이 생략되었다. ▶UNIT 17

UNIT 62

both A and B 등

637 Paganini was famous / for his technical skill (in **both** playing violin / **and** composing music).

파가니니는 유명했다 / 그의 전문적인 기교로 (바이올린을 연주하는 것 / 그리고 음악을 작곡하는 것 둘 다에서의).

전치사 in의 목적어 자리에 〈both A and B〉 구조로 두 개의 동명사구가 연결되었다.

F·Y·I 파가니니는 이탈리아의 바이올리니스트이다. 19세기에 뛰어난 바이올리니스트가 많이 있었지만 파가니니만큼 천재성을 보이는 인재는 없었다. 너무나 뛰어난 재능 때문에 그가 악마와 계약을 맺었다거나, 그의 어머니가 파가니니가 바이올린계의 거장이 될 수 있도록 악마에게 영혼을 거래했다는 소문까지 당시 사람들 사이에서 퍼졌었다. 이러한 소문들로 인해 그는 '악마의 바이올리니스트'라는 별명을 얻게 되었다.

638 You can choose / **either** to have a negative attitude towards your life / **or** to be happy instead.

당신은 선택할 수 있다 / 당신의 삶에 대해 부정적인 태도를 갖는 것과 / 대신 행복해지는 것 중 하나를.

동사 can choose의 목적어 자리에 〈either A or B〉 구조로 두 개의 to-v구가 연결되었다.

639 Energy is **neither** created **nor** destroyed. It just changes shape.

에너지는 생성되지도 파괴되지도 않는다. 그것은 그저 모양을 바꿀 뿐이다.

〈neither A nor B〉의 구조로 두 개의 과거분사가 연결되었다.
It = Energy

640 Choosing an action depends on // **both** what we can do / **and** what we should do.

행동을 결정하는 것은 ~에 달려 있다 // 우리가 할 수 있는 것과 / 그리고 우리가 해야 하는 것 둘 다에.

동사 depends on의 목적어 자리에 〈both A and B〉 구조로 관계대명사 what이 이끄는 명사절 두 개가 연결되었다.
Choosing an action은 v-ing(동명사)가 이끄는 명사구 주어 ▶UNIT 08

641 **Either** write something (worth reading) // **or** do something (worth writing).

- Benjamin Franklin

무언가를 써라 (읽을 가치가 있는) // 또는 무언가를 행하라 (쓸 가치가 있는).

〈either A or B〉의 구조로 두 개의 명령문이 연결되었다.

642 Technology is **neither** good **nor** bad — // it's what you do with it / that makes the difference.

기술은 좋지도 나쁘지도 않다. // 바로 당신이 그것을 가지고 무엇을 하는지이다 / 차이를 만드는 것은.

보어 자리에 〈neither A nor B〉 구조로 두 개의 형용사가 연결되었다.
대시(—) 뒤에 의문사 what이 이끄는 명사절 주어(what you do with it)를 강조하는 〈it is ~ that ...〉 강조구문이 쓰였다. ▶UNIT 95
(= *What you do with it* makes the difference.)

어법 직결 **643** Antibiotics **either** kill bacteria / **or** stop them from growing. - 모의

S / V_1 / O_1 / V_2 / O_2 / A_2

항생 물질은 박테리아를 죽이거나 / 또는 그것이 증식하는 것을 막는다.

정답 | ×, or

해설 | 앞에 either가 사용되었으므로 nor 대신 or가 적절하다. either는 or가 가진 '선택' 의미를 강조한다.

644 When we lose, // we must **not** show our grief and anger, / **but** congratulate the winner.

S′ V′ / S 조동사 / V_1 / O_1 / V_2 / O_2

우리가 패배할 때, // 우리는 슬픔과 분노를 보여서는 안 되며, / 승자를 축하해 주어야 한다.

〈not A but B〉 구조로 두 개의 동사구가 연결되었다.

645 Each stage of life is / **not only** a complete life in itself / **but also** preparation for the next.

S / V / C_1 / C_2

인생의 각 단계는 ~이다 / 그 자체로서 완벽한 삶일 뿐만 아니라 / 다음 단계를 위한 준비.

(= Each stage of life is preparation for the next **as well as** a complete life in itself.)

S / V / C_1 / C_2

보어 자리에 〈not only A but also B〉 구조로 두 개의 명사구가 연결되었다.

〈not only A but also B〉 = 〈B as well as A〉

〈in itself〉: 그 자체로는, 원래 ▶**UNIT 18**

646 Our brains are programmed / to perform at their best, // **not** when they are negative, / **but** when they are positive. - 모의응용

S / V / C / S'_1 V'_1 / C'_1 / S'_2 V'_2 C'_2

우리의 두뇌는 프로그램화되어 있다 / 최상의 상태에서 기능하도록, // 그것(=두뇌)이 부정적일 때가 아니라, / 그것이 긍정적일 때.

〈not A but B〉 구조로 두 개의 시간을 나타내는 부사절이 연결되었다.

뇌가 '프로그램화되는' 것이므로 our brains와 program은 수동 관계 ▶**UNIT 39**

they = our brains

647 Reading comics is worthwhile, // **not just** because they will make you laugh / **but** because they contain the wisdom of life. - 모의응용

S / V / C / S'_1 / V'_1 / O'_1 / C'_1 / S'_2 / V'_2 / O'_2

만화를 읽는 것은 가치가 있다. // 그것(=만화)이 여러분을 웃게 만들 것이기 때문일 뿐만 아니라 / 그것이 삶의 지혜를 담고 있기 때문에.

〈not just A but B〉 구조로 두 개의 이유를 나타내는 부사절이 연결되었다.

Reading comics는 v-ing(동명사)가 이끄는 명사구 주어 ▶**UNIT 08**

they = comics

648 Citrus scents (such as orange) / bring out positive chemical reactions / in your brain / **as well as** work to ease stress.

S / V_1 / O_1 / M_1 / V_2 / M_2

시트러스 향은 (오렌지와 같은) / 긍정적인 화학 반응도 끌어낸다 / 당신의 두뇌에 / 스트레스를 줄이는 작용을 할 뿐만 아니라.

✔ 〈B as well as A〉 구조로 두 개의 동사구가 연결되었다.
✔ = Citrus scents such as orange not only work to ease stress but also bring out positive chemical reactions in your brain.
✔ scent는 보통 '좋은 냄새'를 뜻하며 odor는 주로 '악취'를 뜻한다. smell은 두 가지 의미로 모두 쓰일 수 있다.

F·Y·I 시트러스 계열의 과일에는 감귤, 오렌지, 레몬, 유자, 라임, 자몽 등이 있으며, 구연산 함유량이 높아 특유의 신맛과 시큼한 향이 나는 것이 특징이다.

어법 직결 **649** Reading is **not just** decoding the letters / **but** coming up with your own ideas. - 모의응용

S V C1 C2

읽는 것은 단지 문자를 해독하는 것뿐만 아니라 / 자신만의 발상도 생각해내는 것이다.

정답 | **X, coming**
해설 | 〈not just A but (also) B〉 구조에서 A와 B는 문법적으로 대등한 형태여야 한다.
A에 해당하는 부분(decoding the letters)이 v-ing(동명사)구이므로 B에 해당하는 밑줄 친 부분도 v-ing 형태인 coming이 적절하다.

UNIT 63 one/another/the other가 만드는 표현

650 Saying **is one thing**, doing **is another**.

S_1 V_1 C_1 S_2 V_2 C_2

말하는 것과 행하는 것은 완전 별개의 것이다.

651 Prefer knowledge to wealth, // for **the one** is transitory, / **the other** perpetual. - Socrates

V O S'₁ V'₁ C'₁ S'₂ C'₂

부귀함보다 지식을 원하라, // 왜냐하면 후자(=부귀함)는 일시적이고, / 전자(=지식)는 영원하기 때문이다.

cf. There are two types of pains: // **one** [that hurts you] / and **the other** [that changes you].

V S S' V' O' S' V' O'

두 가지 종류의 고통이 있다. // 한 가지 [당신을 아프게 하는] / 그리고 다른 한 가지 [당신을 바꾸는].

652 Lions are hyenas' primary foe // even though **the former** usually don't eat **the latter**.

S V C S' V' O'

사자는 하이에나의 주된 적이다 // 비록 전자(=사자)는 보통 후자(=하이에나)를 먹지 않을지라도.

✔ even though 이하는 양보/대조를 나타내는 부사절 ▶**UNIT 77**

F·Y·I 사자와 하이에나는 같은 사냥 영역을 두고 있어 서로 경쟁할 수밖에 없기 때문에 숙명적인 앙숙관계이다. 따라서 사자는 하이에나를 같은 정점 포식자로 보고 그들을 먹지 않을지라도 먹잇감을 위한 경쟁을 줄이기 위해 사냥을 하곤 한다.

653 We used to think // that revolutions are the cause of change.

S V O (S' V' C')

우리는 생각하곤 했다 // 혁명이 변화의 원인이라고.

Actually / it is **the other way around**. - Eric Hoffer ((美 철학자))

S V C

사실은 / 그 반대이다. (=변화가 혁명을 위한 토대를 마련해준다.)

✔ 여기서 the other way around는 revolutions are the cause of change의 반대를 의미한다.
✔ used to 동사원형: ~하곤 했다 / ~였다 ▶**UNIT 37**
cf. be used to-v: v하는 데 사용되다
be used to v-ing: v하는 데 익숙하다
✔ used to think의 목적어로 명사절(that revolutions are the cause of change)이 쓰였다. ▶**UNIT 17**

654 Building DIY furniture / can save you money, // but **the other side of the coin** is / that it requires time, skill and effort.

S1: Building DIY furniture, V1: can save, IO1: you, DO1: money, S2: the other side of the coin, V2: is, C2: that it requires time, skill and effort. (S′: it, V′: requires, O′: time, skill and effort)

DIY 가구를 만드는 것은 / 당신이 돈을 절약하게 해줄 수 있다 // 하지만 또 다른 면은 ~이다 / 그것이 시간, 기술 그리고 노력을 필요로 한다는 것.

- the other side of the coin은 '이면', 즉 상황을 바라보는 다른 면을 가리킨다.
- 두 번째 절에서 that이 이끄는 명사절이 보어 자리에 왔다. ▶**UNIT 21**
- it = Building DIY furniture

655 Someone (with an anxiety disorder) / may also suffer from depression, / or **vice versa**.

S: Someone, V: may suffer, M: from depression

사람은 (불안 장애를 갖고 있는) / 또한 우울증으로 고통받을지도 모른다. / 혹은 그 반대도 마찬가지이다. (=우울증을 갖고 있는 사람이 불안 장애로 고통받을지도 모른다.)

영작 직결 **656** To know is **one thing**, to teach is **another**.

S1: To know, V1: is, C1: one thing, S2: to teach, V2: is, C2: another

아는 것과 가르치는 것은 완전 별개의 것이다.

정답 | **one thing, another**

해설 | 'A와 B는 완전 별개의 것이다'는 〈A is one thing, B is another〉 구문으로 표현할 수 있다.

- To know와 to teach 모두 to-v가 이끄는 명사구 주어 ▶**UNIT 08**

UNIT 64 주격/소유격 관계대명사

657 Every team needs *a leader* **[who motivates others]**.
모든 팀은 리더를 필요로 한다 [다른 이들에게 동기를 부여하는].

- ← Every team needs *a leader*. + *He/She* motivates others.
- 선행사가 사람이고 관계대명사가 관계대명사절에서 주어 역할을 하므로 who 또는 that을 쓴다.
- 주격 관계대명사 뒤에 이어지는 동사의 수와 인칭은 선행사에 맞춘다. 여기서는 선행사가 3인칭 단수(a leader)이므로 단수동사 motivates가 쓰였다.
- 반려동물 등의 경우, 친근감을 나타내기 위해 who를 쓰는 경우도 많다.
  e.g. I have *a dog* **who** always greets me first at the door. 나는 항상 현관에서 나를 먼저 반기는 개가 있다.

658 *Kids* **[who eat junk food regularly]** / are not hungry for healthy food.
아이들은 [정크 푸드를 주기적으로 먹는] / 건강에 좋은 음식을 먹고 싶어 하지 않는다.

- ← *Kids* are not hungry for healthy food. + *They* eat junk food regularly.
- who가 이끄는 관계대명사절이 주어 자리에 있는 선행사 Kids를 수식한다.
- 〈주어+관계대명사절〉일 경우 동사는 주어에 수를 일치시켜야 한다. 여기서는 주어가 3인칭 복수(Kids)이므로 복수동사 are가 쓰였다.

659 The best character (of the film) / is *a villain* **[whose aim is to destroy the world]**.
최고의 등장인물은 (그 영화의) / 악당이다 [그의 목적이 세계를 파괴하는 것인].

- ← The best character of the film is *a villain*. + *His/Her* aim is to destroy the world.
- 선행사인 a villain과 관계대명사 뒤에 오는 명사 aim은 소유 관계이므로 whose가 쓰였다.
- 관계대명사절 안에 to-v가 이끄는 주격보어가 왔다. ▶UNIT 21

660 The future belongs to *those* **[who believe in the beauty of their dreams]**.
- Eleanor Roosevelt ((美 32대 대통령 부인))
미래는 사람들의 것이다 [자신들의 꿈의 아름다움을 믿는].

- who가 이끄는 관계대명사절은 선행사 those를 수식한다. 선행사가 those인 경우 관계사로 that은 잘 쓰지 않는다.
- those who ~: ~하는 사람들

661 Aspirin is one (of *the drugs*) **[which don't require a doctor's prescription / for their use]**.
아스피린은 하나다 (약 중에) [의사의 처방전을 필요로 하지 않는 / 그것들의 사용을 위해].

- ← Aspirin is one of *the drugs*. + *They* don't require a doctor's prescription for their use.
- 여기서 their는 the drugs'를 의미한다.

662 They are *good neighbors* **[that live happily / in houses next to each other]**.
그들은 좋은 이웃이다 [행복하게 사는 / 나란히 있는 집에서].

- ← They are *good neighbors*. + *They* live happily in houses next to each other.

663 Every day / do *something* [that will bring you / closer to a better tomorrow].

날마다 / 무언가를 하라 [당신을 데려다줄 / 더 나은 내일로 더 가까이].

← Every day do *something*. + *It* will bring you closer to a better tomorrow.

664 When writing a report, / you should not use *a sentence* [whose meaning is unclear].

보고서를 쓸 때, / 당신은 문장을 쓰지 말아야 한다 [그것의 의미가 불분명한].

← You should not use *a sentence*. + *Its* meaning is unclear.

선행사인 a sentence와 관계대명사 뒤에 오는 명사 meaning은 소유 관계이므로 whose가 쓰였다. 선행사가 동물, 사물, 무생물일 때도 소유격 관계대명사 whose를 사용할 수 있으며, 문어체에서는 the meaning of which나 of which the meaning으로 바꿀 수 있다.

When writing a report는 '시간'을 나타내는 분사구문이며, 정확한 의미를 전달하기 위해 접속사가 생략되지 않았다. ▶**UNIT 58** (= When you write a report, ~.)

어법 직결 **665** A mentor is *someone* [whose work or life is admired, / and who is a good guide to others].

멘토는 누군가이다 [그의 일이나 삶이 존경받는, / 그리고 다른 이들에게 좋은 지도자인].

정답 | **whose, who**

해설 | 두 개의 관계사절이 and로 연결되어 있다. 첫 번째 네모에서는 선행사인 someone과 관계대명사 뒤에 오는 명사 work or life가 소유 관계이므로 소유격 관계대명사 whose가 적절하다. 두 번째 네모에서도 관계대명사의 선행사가 someone이며, 관계대명사가 관계대명사절에서 주어 역할을 하므로 who가 적절하다.

← A mentor is *someone*. + *His/Her* work or life is admired, and *he/she* is a good guide to others.

someone을 수식하는 관계사절 두 개가 and로 연결된 병렬구조. 관계사절은 선행사 바로 뒤에 오는 것이 원칙이지만 선행사와 관계사가 떨어져 있을 수도 있다. ▶**UNIT 68**

어법 직결 **666** *People* [whose diets are rich in vitamins] / are less likely to develop some types of cancer.

사람들은 [그들의 식단이 비타민을 다량 함유하고 있는] / 몇몇 종류의 암에 걸릴 가능성이 더 낮다.

정답 | **are**

해설 | 〈주어+관계대명사절〉일 경우 동사는 주어에 수를 일치시켜야 하는데 선행사 People이 문장의 주어이므로 복수동사 are가 적절하다.

People are less likely to develop some types of cancer. + *Their* diets are rich in vitamins.

UNIT 65 목적격 관계대명사

667 Never judge *someone* [whom you don't even fully know ●].

누군가를 판단하지 마라 [당신이 완전히 알지도 못하는].

← Never judge *someone*. + You don't even fully know *him/her*.

●는 동사 know의 원래 목적어가 위치했던 자리

선행사가 사람인 목적격 관계대명사의 경우, whom, who, that 모두 가능하지만, 구어체에서는 whom 대신 who를 많이 쓴다.

668 I have *some friends* [**who I haven't seen ● for a long time** / **and who I am eager to meet ●**].

S V O

나는 몇몇 친구가 있다 [내가 오랫동안 보지 못한 / 그리고 내가 간절히 만나고 싶어 하는].

- ← I have *some friends*. + I haven't seen *them* for a long time and I am eager to meet *them*.
- 두 개의 ●는 각각 동사 haven't seen과 준동사 to meet의 원래 목적어가 위치했던 자리
- and 뒤에 나오는 목적격 관계대명사절(who I am eager to meet)도 some friends를 수식한다. 관계사절은 선행사 바로 뒤에 오는 것이 원칙이지만 선행사와 관계사가 떨어져 있을 수도 있다. ▶**UNIT 68**

669 All children need *a safe space* [***in* which they can grow and develop**]. - 모의응용

S V O

모든 아이들은 안전한 공간을 필요로 한다 [그들이 자라나고 성장할 수 있는].

- ← All children need *a safe space*. + They can grow and develop in *it*.
- = All children need a safe space [**which** they can grow and develop ***in*** ●].
- ●는 전치사 in의 원래 목적어가 위치했던 자리
- 〈전치사+관계대명사〉일 때 관계대명사로 that은 쓸 수 없고 whom과 which만 가능하다.

670 Dogs (working at airports) / sniff out *things* [**which people are not supposed to bring in ●**]. - 모의응용

S V O

개들은 (공항에서 일하는) / 냄새로 물건들을 찾아낸다 [사람들이 들여오지 않기로 되어 있는].

- ← Dogs ~ sniff out *things*. + People are not supposed to bring *them* in.
- ●는 동사 bring in의 원래 목적어가 위치했던 자리
- working at airports는 명사 Dogs를 뒤에서 수식하는 현재분사구 ▶**UNIT 52**

F·Y·I 공항에서 일하는 마약탐지견은 엄격한 기준을 통해 선발된다. 마약탐지견의 역할은 점점 확대되어 마약뿐만 아니라 문화재에 손상을 입힐 수 있는 흰개미와 같은 해충들까지도 탐지 가능하다. 마약을 탐지하는 것이 힘들어 보일 수 있지만, 탐지견들은 마약을 찾아내는 것을 일종의 놀이로 생각한다고 하니 너무 걱정하지 말자.

671 When people encounter *people or things* [**that they like ●**], // the rate of blinking increases.

S′ V′ O′ S V

사람들이 사람들이나 물건들을 마주칠 때 [그들이 좋아하는], // (눈을) 깜박이는 비율이 증가한다.

- ← People encounter *people or things*. + They like *them*.
- ●는 동사 like의 원래 목적어가 위치했던 자리
- 선행사 people or things가 사람과 사물 둘 다를 포함하므로 이를 수식하는 관계대명사절을 이끄는 관계사로 that이 쓰였다.
- 여기서 when은 시간을 나타내는 부사절을 이끄는 접속사 ▶**UNIT 73**

672 A friend is *a person* [***with* whom I may be sincere**]. Before him, / I may think aloud. - Ralph Waldo Emerson ((美 시인이자 사상가))

S V C M S V M

친구는 사람이다 [내가 진실할 수 있는]. 그 앞에서, / 나는 생각을 입 밖에 낼 수 있다.

- ← A friend is *a person*. + I may be sincere with *him/her*.
- = A friend is a person [**whom** I may be sincere ***with*** ●].
- ●는 전치사 with의 원래 목적어가 위치했던 자리
- 구어체에서는 전치사를 보통 관계사절 끝에 두며, whom 대신에 who를 사용한다.

e.g. Don't forget to thank the people **who** you got a lot of help ***from***.
당신이 많은 도움을 받았던 사람들에게 감사하는 것을 잊지 말아라.

673 Have *people* in your life **[who you can talk to ● / about your daily struggles].**

V O M

사람들을 너의 삶에 두어라 [네가 말할 수 있는 / 일상에서의 분투에 대해].

- ← Have *people* in your life. + You can talk to *them* about your daily struggles.
- ●는 전치사 to의 원래 목적어가 위치했던 자리
- = Have people in your life ***to* whom** you can talk about your daily struggles.
- who가 이끄는 관계대명사절은 people을 수식한다. 관계사절은 선행사 바로 뒤에 오는 것이 원칙이지만 선행사와 관계사가 떨어져 있을 수도 있다. ▶**UNIT 68**

674 Use *simple words* **[which your readers will understand ●], /**

V O_1

간단한 어휘들을 써라 [당신의 독자들이 이해할]. /

and not *words* **[which they will have to look up ●].**

O_2

그리고 어휘들을 쓰지 마라 [그들이 찾아봐야 할].

- ← Use *simple words*. + Your readers will understand *them*. / Do not use *words*. + They will have to look *them* up.
- 첫 번째 ●는 will understand의 원래 목적어가 위치했던 자리 두 번째 ●는 will have to look up의 원래 목적어가 위치했던 자리
- they = your readers

UNIT 66

관계부사

675 There are *times* **[when everyone wants to be alone].**

V S

때가 있다 [누구나 혼자 있고 싶어 하는].

- the time, the day, the year 등 일반적인 시간을 나타내는 선행사 뒤에 관계부사 when 대신 that을 쓸 수도 있다.
  e.g. We'll never forget *the day* **that** she started to toddle.
  우리는 그 애가 걸음마를 뗀 날을 결코 잊지 못할 것이다.

676 "Brain fade" is *a short time* **[when your mind goes blank / or cannot remember something].**

S V C

'브레인페이드'는 짧은 시간이다 [당신의 의식이 텅 비어있는, / 또는 무언가를 기억할 수 없는].

677 My children will live in *a nation* **[where they will not be judged / by the color of their skin].** - Martin L. King Jr.'s speech, *I Have a Dream* 中

S V A

내 아이들은 나라에서 살 것이다 [그들이 판단 받지 않을 / 그들의 피부색에 의해].

- 아이들이 판단을 '받는' 것이므로 they(= my children)와 judge는 수동 관계 ▶**UNIT 40**

F·Y·I 위의 문장은 1963년 마틴 루터 킹 목사의 연설 〈I Have a Dream〉 중 일부분이다. 당시 미국 남부에는 인종차별이 만연하여 흑인들은 백인과 같은 권리를 가질 수 없었으며 교육도 제대로 받지 못했다. 마틴 루터 킹 목사의 연설은 흑인들이 백인들과 같이 법의 보호를 받을 수 있도록 하는 시민권 개정 입법안을 통과시키는 데 큰 역할을 하였다.

678 There are *uncommon cases* **[where grain products can cause an allergic reaction]**.
흔치 않은 경우가 있다 [곡물 가공품이 알레르기 반응을 일으킬 수 있는].

- 관계부사 where의 선행사는 point(점), case(경우), circumstance(사정), condition(상태), situation(상황) 등의 추상적인 공간인 경우도 있다.
  e.g. There are *a few cases* **where** this rule does not apply. 이 규칙이 적용되지 않는 몇 가지 경우가 있다.

679 Diabetes is *a condition* **[that the body can't control / the amount of sugar (in the blood)]**.
당뇨병은 상태이다 [신체가 조절할 수 없는 / 당의 양을 (혈액 속의)].

- 추상적인 공간을 나타내는 선행사 뒤에 관계부사절이 왔으므로 that 대신 where를 쓸 수도 있다.

680 *The reason* **[why people do not obtain success]** / is // that it is disguised as hard work.
이유는 [사람들이 성공을 얻지 못하는] / ~이다 // 그것이 힘든 일로 위장해 있는 것.

- that ~ hard work는 문장의 보어 역할을 하는 명사절 ▶**UNIT 21**
- it = success
- 관계부사의 선행사가 the time, the place, the reason 등 일반적인 시간 · 장소 · 이유를 나타낼 때는 관계부사 또는 선행사가 흔히 생략된다. ▶**UNIT 67**
  e.g. I don't know **the reason** (why) we can't go there. = I don't know (the reason) **why** we can't go there.
  나는 우리가 거기에 갈 수 없는 이유를 모른다.

681 One (of *the reasons*) **[that people (from different countries) / can't understand each other's jokes]** / is cultural differences.
하나는 (이유들 중) [사람들이 (다른 나라에서 온) / 서로의 농담을 이해하지 못하는] / 문화 차이다.

- 이유를 나타내는 선행사 뒤에 관계부사절이 왔으므로 that 대신 why를 쓸 수도 있다.

682 Stereotypes should never influence // **how we deal with or treat others.**
고정관념은 절대 영향을 미쳐선 안 된다 // 우리가 다른 것[사람]을 다루거나 대우하는 방식에.
↳ 다른 사물이나 사람을 대할 때, 고정관념을 가져서는 안 된다.

- 관계부사 how(~하는 방법[방식])는 선행사와 같이 쓰일 수 없고 the way (that), the way in which로 대신할 수 있다.
  = Stereotypes should never influence *the way* **(that)** we deal with or treat others.
  = Stereotypes should never influence *the way* **in which** we deal with or treat others.
- 여기서 should는 충고/의무를 나타내는 조동사 ▶**UNIT 33**

683 *The only way* **[that young people can learn]** / is to make their own mistakes.
유일한 방법은 [젊은 사람들이 배울 수 있는] / 그들 스스로 실수를 하는 것이다.

- to make ~ mistakes는 문장의 보어 역할을 하는 to부정사구 ▶**UNIT 21**

어법 직결 **684** The present is *the only moment* **[when you can take action]**.
현재는 유일한 순간이다 [당신이 행동을 할 수 있는].

정답 | **when**
해설 | 네모 뒤에 완전한 구조가 오고 선행사로 시간을 나타내는 the only moment가 왔으므로 관계부사 when이 적절하다.

어법 직결 **685** Education is *a powerful weapon* [which you can use ● / to change the world].

교육은 강력한 무기이다 [당신이 사용할 수 있는 / 세상을 변화시키기 위해].

정답 | **which**
해설 | 네모 뒤에 동사 can use의 목적어가 없는 불완전한 구조가 왔으므로 목적격 관계대명사 which가 적절하다.

- ●는 동사 can use의 원래 목적어가 위치했던 자리
- to change the world는 '목적'을 나타내는 부사적 용법으로 쓰인 to부정사구 ▶**UNIT 54**

어법 직결 **686** Life and sports present / *many situations* [where critical and difficult decisions have to be made]. - 모의

인생과 스포츠는 제시한다 / 많은 상황들을 [중요하고 어려운 결정이 내려져야 하는].

정답 | **where**
해설 | 네모 뒤에 완전한 구조가 오고 선행사로 추상적인 공간을 나타내는 many situations가 왔으므로 관계부사 where가 적절하다.

- 여기서 have to는 must와 같이 '(반드시) ~해야 한다'는 의미를 갖는다. ▶**UNIT 33**

UNIT 67 관계사의 생략

687 Experience is *the name* [(which) everyone gives to their mistakes]. - Oscar Wilde

경험은 명칭이다 [모두가 자신들의 실수에 부여하는].

688 We consider her *an asset* [(which) any organization would like to work with].

우리는 그녀를 자산으로 여긴다 [어떠한 조직도 함께 일하고 싶어 하는].

- 관계대명사절 내에 목적격 관계대명사 which가 생략되어 있다. 생략된 관계대명사 which는 전치사 with의 목적어로, 전치사와 관계대명사가 떨어져 있어 생략할 수 있다.

689 The moral (of a fable) / is *the principle or lesson* [(which[that]) it teaches].

교훈은 (우화의) / 원칙 또는 가르침이다 [그것이 가르쳐주는].

690 *Everyone* [(that) you will ever meet] / knows *something* [(that) you don't (know)]. - Bill Nye ((美 공학자))

모든 사람은 [여러분이 만날] / 무언가를 알고 있다 [여러분이 알지 못하는].

- 두 개의 관계대명사절이 각각 문장의 주어(Everyone)와 목적어(something)를 수식하고, 관계대명사절 내에 목적격 관계대명사 that이 생략되었다.
- Everyone이 주어 자리에 올 경우 단수 취급하므로 단수동사인 knows가 쓰였다.
- 두 번째 관계대명사절 내의 don't 다음에는 반복되는 동사 know가 생략되었다. ▶**UNIT 96**

691 Spring is // (*the time*) when life is alive in everything.

봄은 ~이다 // 생명이 만물에 살아 있는 때.

- 선행사와 관계부사가 the time when, the place where, the reason why 등일 때는 선행사나 관계부사 중 하나를 생략하는 경우가 많다. 이 문장에서는 선행사 the time이 생략되었다.
- 선행사가 생략되면 관계부사는 명사절을 이끌게 된다.

692 The moment [(when) you want to quit] / is the moment [(when) you need to keep pushing].

순간은 [네가 그만두기를 원하는] / 순간이다 [네가 계속 밀고 나아갈 필요가 있는].

- the moment, the day, the time 등의 선행사 바로 뒤에 관계부사 when이 올 때 when이 생략되는 경우가 많다.

693 Home is // (the place) where children should feel safe and stable.

가정은 ~이다 // 아이들이 안전함과 안정감을 느껴야 하는 곳.

- Matthew Desmond ((美 사회학자))

- where의 선행사 the place가 생략된 상태

694 Do you remember / the place [(where) we first met]?

기억하니 / 장소를 [우리가 처음 만났던]?

- we first met이 장소를 나타내는 선행사를 수식하고 있으므로 the place 뒤에 where가 생략된 상태
- the place 등의 선행사 바로 뒤에 관계부사 where가 올 때 where는 생략되는 경우가 많다.
- place, somewhere, anywhere 등 일반적인 장소를 나타내는 선행사 뒤에 관계부사 where 대신 that을 쓰거나 생략할 수 있다.
- (대)명사 다음에 완전한 구조의 〈S′+V′ ~〉 형태가 이어지면 그 사이에 있던 관계부사가 생략되었을 가능성이 크다.

695 (The reason) Why people prefer Friday to Sunday // is that Friday brings promise — / the promise of the weekend ahead. - 모의응용

사람들이 일요일보다 금요일을 더 선호하는 이유는 // 금요일은 가능성을 가져오기 때문이다 / 즉, 앞으로 다가올 주말의 가능성을.

- Why의 선행사 The reason이 생략된 상태
- 접속사 that이 이끄는 명사절이 주격보어 역할을 하고 있다. ▶**UNIT 21**
- 대시(—) 뒤의 내용은 앞에 나온 promise를 부연 설명한다. ▶**본책 p.145**

696 One (of the reasons) [(why) mature people stop learning] / is // that they become less and less willing to risk failure. - J. Gardner ((前 美 장관))

하나는 (이유들 중) [성인들이 배움을 중단하는] / ~이다 // 그들이 점점 실패를 덜 무릅쓰려고 하게 되는 것.

- mature ~ learning이 이유를 나타내는 선행사를 수식하고 있으므로 the reasons 뒤에 why 또는 that이 생략된 상태
- the reason 등의 선행사 바로 뒤에 관계부사 why가 올 때 why가 생략되는 경우가 많다.
- 접속사 that이 이끄는 명사절이 주격보어 역할을 하고 있다. ▶**UNIT 21**
- 〈비교급+and+비교급〉: 점점 더[덜] ~ ▶**UNIT 90**

UNIT 68 선행사와 떨어진 관계사절

697 You need friends / in your life / [who believe in you and cheer you on].

당신은 친구들이 필요하다 / 당신의 인생에 / [당신을 믿고 응원하는].

- 관계사절은 선행사 friends를 수식한다. 바로 앞의 명사 your life를 선행사로 착각하지 않도록 한다.
- 관계사절 내 두 개의 동사구 believe in you와 cheer you on이 접속사 and로 병렬 연결되었다. ▶**UNIT 61**

698 *The time* will surely come **[when my words will come true]**.

때가 분명히 올 것이다 [내 말이 실현될].

선행사가 주어 부분인 문장에서 주어 부분에 비해 술어 부분이 짧은 경우 관계사절은 종종 문장 뒤에 위치한다.

e.g. The car was finally sold [**which** had been left in the parking lot for two winters].

두 해 동안 주차장에 남겨져 있었던 그 차는 마침내 팔렸다.

699 A black hole is *an area* (in outer space) / **[*into* which everything, including light itself, is pulled]**.

블랙홀은 부분이다 (우주 공간에 있는) / [빛 자체를 포함하여, 모든 것이 안으로 끌려 들어가는].

관계사절은 선행사 an area를 수식한다. 〈전치사+관계대명사〉 바로 앞의 명사(outer space)를 선행사로 착각하지 않도록 한다.

= A black hole is *an area* in outer space [**(which)** everything, including light itself, is pulled ***into***].

including light itself와 같이 문장 중간에 삽입어구가 콤마(,)로 연결될 때는 삽입어구를 제외하고 나머지 부분을 보면 문장의 구조 파악이 더 쉬워진다. ▶**UNIT 98**

itself는 바로 앞의 명사 light를 강조하는 재귀대명사 ▶**UNIT 95**

F·Y·I 블랙홀은 중력이 너무 강해 빛을 포함한 모든 전자기파가 빠져나가지 못하는 우주 공간이다. 모든 빛을 끌어당기는 습성 때문에 시각적으로 블랙홀을 볼 수는 없지만, 블랙홀의 강한 중력이 주변의 별과 가스에 미치는 영향을 통해 간접적으로 볼 수 있다. 블랙홀의 이론적 반대 현상으로는 화이트홀이 있는데, 이는 오로지 이론상으로만 존재한다. 블랙홀이 빛조차도 끌어당기는 천체라면 화이트홀은 아무것도 내부로 받아들이지 않고 밖으로 내뿜기만 하는 천체를 가리킨다.

어법 직결 **700** Physical education should offer *activities* / to young students / **[which are meaningful and enjoyable]**. - 모의응용

체육은 활동들을 제공해야 한다 / 어린 학생들에게 / [의미 있고 즐길 만한].

정답 | **which**

해설 | 의미 있고 즐길 만한 것은 '활동들'이므로 사물 선행사를 수식하는 주격 관계대명사 which가 적절하다. 바로 앞에 있는 명사 young students를 선행사로 착각하지 않도록 주의한다.

어법 직결 **701** Virtual reality is *an environment* (created by computers) / **[which seems almost real]**.

가상현실은 환경이다 (컴퓨터에 의해서 만들어진) / [거의 현실처럼 보이는].

정답 | **seems**

해설 | 거의 현실처럼 보이는 것은 '환경'이므로 관계사절 내의 동사는 선행사 an environment에 수일치시킨 단수동사 seems가 적절하다. 바로 앞에 있는 복수명사 computers를 선행사로 착각하지 않도록 한다. created by computers는 an environment를 수식하는 과거분사구이다. ▶**UNIT 52**

702 You are *the only person* **[I've ever met ●] [who understands me]**.

당신은 유일한 사람이다 [내가 만난] [나를 이해하는].

↳ 당신은 내가 만난 사람 중에 나를 이해하는 유일한 사람이다.

who가 이끄는 관계사절(who understands me) 역시 the only person을 수식한다. 관계사절은 선행사 바로 뒤에 오는 것이 원칙이지만 선행사와 관계사가 떨어져 있을 수도 있다.

하나의 선행사를 수식하는 두 개의 관계사절이 연달아 나올 경우, 첫 번째 관계사절에 오는 목적격 관계대명사는 자주 생략된다.

●는 동사 have met의 원래 목적어가 위치했던 자리

703 There are *many things* [which are important for you to learn / but which can never be taught in a classroom].

많은 것이 있다 [네가 배우는 것이 중요한 / 그러나 결코 교실에서는 배울 수 없는].

- many things를 수식하는 두 개의 관계사절이 but으로 연결된 병렬구조. 이때, 두 번째 오는 관계대명사절은 자연히 선행사와 떨어지게 된다.
- for you는 to learn의 의미상의 주어 ▶UNIT 12

704 This is *the only travel guidebook* [I was recommended to read ●] [which is really useful].

이것은 유일한 여행안내서이다 [내가 읽도록 추천받은] [정말로 유용한].

↳ 이 책은 내가 추천받은 여행안내서 중에서 유일하게 정말로 유용한 책이다.

- 두 개의 관계사절(I was recommended to read, which is really useful)은 선행사 the only travel guidebook을 각각 수식한다.
- 첫 번째 관계사절에는 목적격 관계대명사 which[that]가 생략되었다.
- 첫 번째 관계사절에 〈recommend+O+C(to-v)〉의 수동태가 쓰였다. ▶UNIT 39
- ●는 준동사 to read의 원래 목적어가 위치했던 자리

UNIT 69 명사절을 이끄는 관계대명사 what

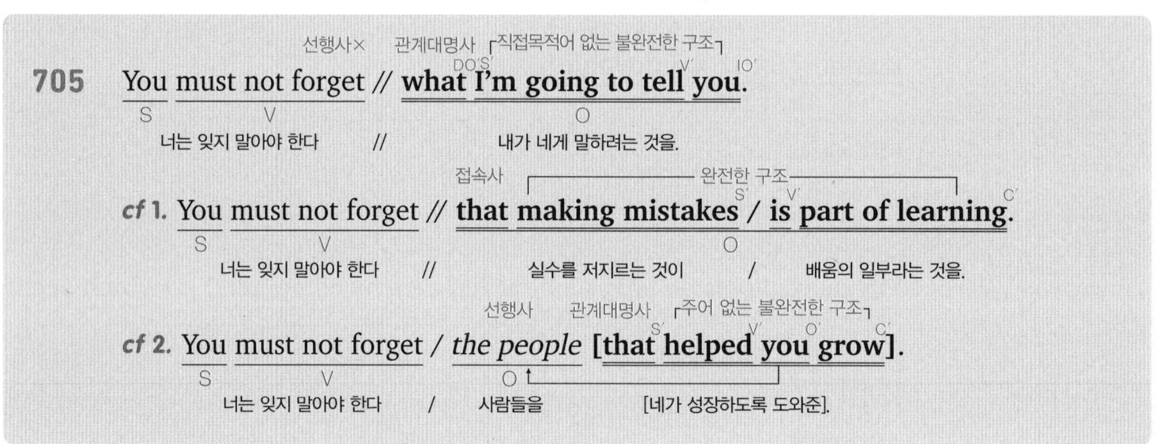

선행사× 관계대명사 ┌직접목적어 없는 불완전한 구조┐

705 You must not forget // what I'm going to tell you.

너는 잊지 말아야 한다 // 내가 네게 말하려는 것을.

접속사 ┌완전한 구조┐

cf **1.** You must not forget // that making mistakes / is part of learning.

너는 잊지 말아야 한다 // 실수를 저지르는 것이 / 배움의 일부라는 것을.

선행사 관계대명사 ┌주어 없는 불완전한 구조┐

cf **2.** You must not forget / *the people* [that helped you grow].

너는 잊지 말아야 한다 / 사람들을 [네가 성장하도록 도와준].

- 여기서 must는 강한 충고/의무를 나타내는 조동사 ▶UNIT 33
- 관계대명사 what이 이끄는 절은 불완전한 구조를 가지며 선행사가 없는 것이 특징이다.
- *cf* **1.** 접속사 that이 이끄는 명사절은 완전한 구조를 가진다.
- *cf* **2.** 관계대명사 that이 이끄는 절은 불완전한 구조를 가지며 선행사가 있다.

	관계대명사 what	접속사 that	관계대명사 that
선행사	×	×	○
완전한 구조	×	○	×

706 What is learned in the cradle // is carried to the grave. - Proverb

요람에서 배운 것이 // 무덤까지 간다.

↳ 세 살 버릇 여든까지 간다.

- 관계대명사 what이 이끄는 명사절이 문장의 주어 역할을 한다.

707 Associate // what you are learning / with what you already know / to memorize the learning material. - 모의응용

관련지어 생각하라 // 당신이 배우고 있는 것을 / 당신이 이미 알고 있는 것과 / 학습 내용을 외우기 위해.

- 동사 Associate와 전치사 with의 목적어로 각각 관계대명사 what이 이끄는 명사절이 쓰였다.
- to memorize ~ material은 '목적'을 나타내는 부사적 용법으로 쓰인 to부정사구 ▶**UNIT 54**

708 Being defeated / is often temporary. Giving up is // what makes it permanent.

패배하는 것은 / 대개 일시적이다. 포기하는 것이 ~이다 // 그것(=패배하는 것)을 영원하게 만드는 것.

- 두 번째 문장에서 관계대명사 what이 이끄는 명사절은 문장의 보어 역할을 한다.
- it = Being defeated

709 We should judge a man / not by what he has / but by what he is.

우리는 사람을 판단해야 한다 / 그의 재산이 아니라 / 그의 인격으로.

- 〈not A but B〉: A가 아니라 B ▶**UNIT 62**
- 〈what A have〉: A의 소유·재산 / 〈what A be〉: A의 존재 · 인격
- 관계대명사 what이 이끄는 명사절 두 개는 각각 전치사 by의 목적어 역할을 한다.

어법 직결

710 What people need to do // is to accept / that some things are beyond their control. - 모의응용

관계대명사 — 불완전한 구조 / 접속사 — 완전한 구조

사람들이 할 필요가 있는 것은 // 인정하는 것이다 / 어떤 일들은 그들의 통제 밖임을.

정답 | **What, that**

해설 | 첫 번째 네모는 앞에 선행사가 없으며 준동사 to do의 목적어가 없는 불완전한 구조가 뒤에 이어지므로 관계대명사 What이 적절하다. 두 번째 네모는 앞에 선행사가 없으며 뒤로는 완전한 구조가 이어지므로 명사절을 이끄는 접속사 that이 알맞다.

UNIT 70 명사절을 이끄는 복합관계대명사

711 Whoever is happy // will make others happy too. - Anne Frank

행복한 누구든지 // 다른 이들 또한 행복하게 만들 것이다.

- = **Anyone who** is happy will make ~.
- who(m)ever, whichever, whatever를 '복합관계대명사'라 한다. 이들은 관계대명사(that 제외)에 '강조' 어미 -ever를 붙인 것으로서 선행사를 포함한다. 명사절을 이끌어 문장에서 주어, 목적어, 보어가 되기도 하고, '양보' 부사절을 이끌기도 한다. 원래 의문사 고유의 의미에 -ever가 붙어 그 의미가 강조되는 것이라고 생각하면 이해가 좀 더 쉽다. 예를 들어, 의문사 who의 의미는 '누구, 누가'이지만 -ever가 붙으면 '~하는 누구든지', '누가 ~하더라도(양보)'의 의미가 되는 식이다.

712 We have a right (to elect // whoever we want).

우리는 권리를 가지고 있다 (선출할 // 우리가 원하는 누구든지).

- = ~ a right to elect **anyone who** we want.
- 절 내에서 목적어 역할을 하면 whomever를 쓸 수도 있으나 현대영어에서는 대부분 whoever를 사용한다.
- a right와 to elect whoever we want는 동격 관계 ▶**UNIT 99**

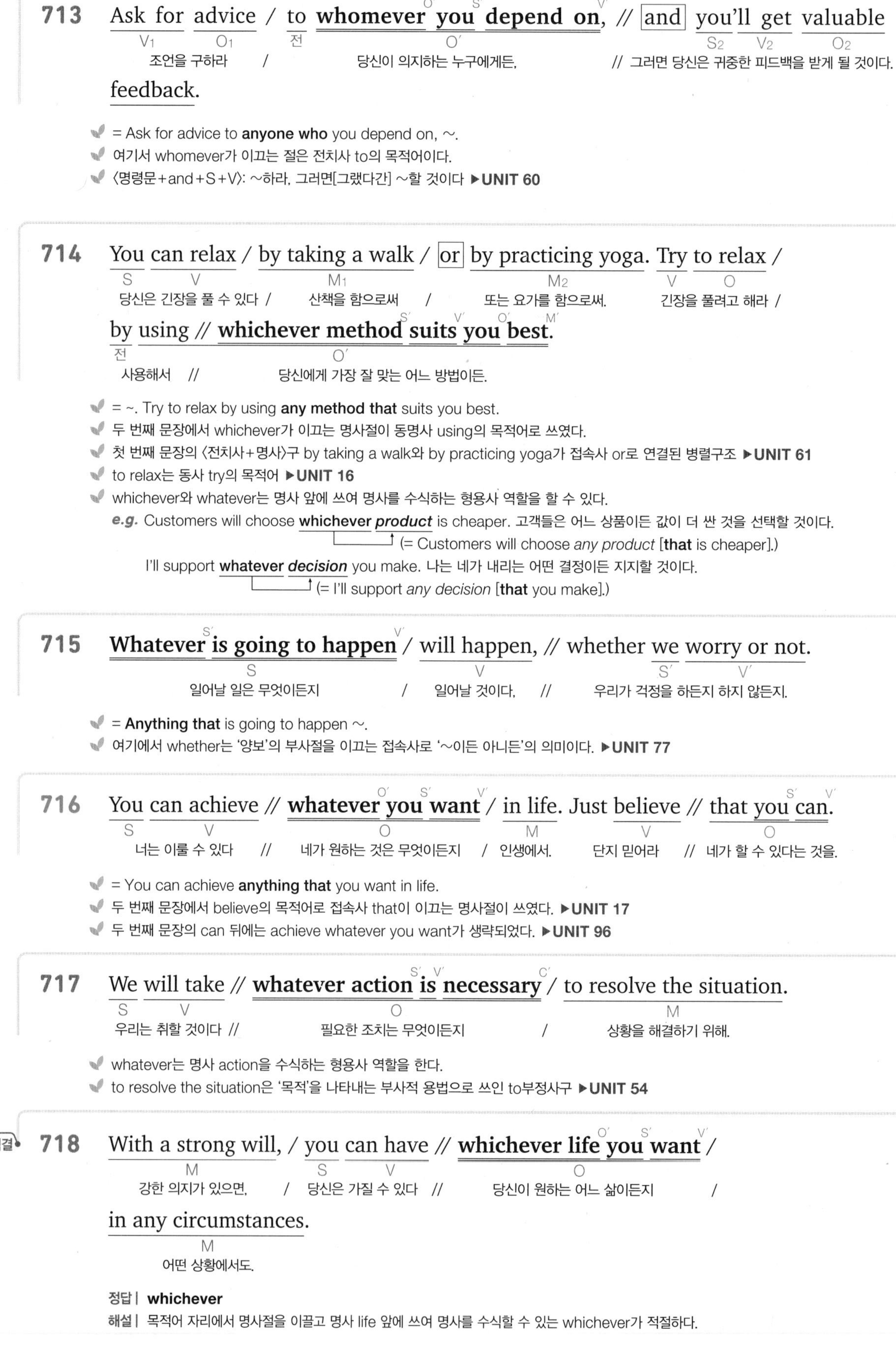

713 Ask for advice / to **whomever you depend on**, // and you'll get valuable feedback.

조언을 구하라 / 당신이 의지하는 누구에게든, // 그러면 당신은 귀중한 피드백을 받게 될 것이다.

- = Ask for advice to **anyone who** you depend on, ~.
- 여기서 whomever가 이끄는 절은 전치사 to의 목적어이다.
- 〈명령문+and+S+V〉: ~하라, 그러면[그랬다간] ~할 것이다 ▶**UNIT 60**

714 You can relax / by taking a walk / or by practicing yoga. Try to relax / by using // **whichever method suits you best**.

당신은 긴장을 풀 수 있다 / 산책을 함으로써 / 또는 요가를 함으로써. 긴장을 풀려고 해라 / 사용해서 // 당신에게 가장 잘 맞는 어느 방법이든.

- = ~. Try to relax by using **any method that** suits you best.
- 두 번째 문장에서 whichever가 이끄는 명사절이 동명사 using의 목적어로 쓰였다.
- 첫 번째 문장의 〈전치사+명사〉구 by taking a walk와 by practicing yoga가 접속사 or로 연결된 병렬구조 ▶**UNIT 61**
- to relax는 동사 try의 목적어 ▶**UNIT 16**
- whichever와 whatever는 명사 앞에 쓰여 명사를 수식하는 형용사 역할을 할 수 있다.

  e.g. Customers will choose **whichever *product*** is cheaper. 고객들은 어느 상품이든 값이 더 싼 것을 선택할 것이다.
  (= Customers will choose *any product* [**that** is cheaper].)
  I'll support **whatever *decision*** you make. 나는 네가 내리는 어떤 결정이든 지지할 것이다.
  (= I'll support *any decision* [**that** you make].)

715 **Whatever is going to happen** / will happen, // whether we worry or not.

일어날 일은 무엇이든지 / 일어날 것이다. // 우리가 걱정을 하든지 하지 않든지.

- = **Anything that** is going to happen ~.
- 여기에서 whether는 '양보'의 부사절을 이끄는 접속사로 '~이든 아니든'의 의미이다. ▶**UNIT 77**

716 You can achieve // **whatever you want** / in life. Just believe // that you can.

너는 이룰 수 있다 // 네가 원하는 것은 무엇이든지 / 인생에서. 단지 믿어라 // 네가 할 수 있다는 것을.

- = You can achieve **anything that** you want in life.
- 두 번째 문장에서 believe의 목적어로 접속사 that이 이끄는 명사절이 쓰였다. ▶**UNIT 17**
- 두 번째 문장의 can 뒤에는 achieve whatever you want가 생략되었다. ▶**UNIT 96**

717 We will take // **whatever action is necessary** / to resolve the situation.

우리는 취할 것이다 // 필요한 조치는 무엇이든지 / 상황을 해결하기 위해.

- whatever는 명사 action을 수식하는 형용사 역할을 한다.
- to resolve the situation은 '목적'을 나타내는 부사적 용법으로 쓰인 to부정사구 ▶**UNIT 54**

어법 직결 **718** With a strong will, / you can have // **whichever life you want** / in any circumstances.

강한 의지가 있으면, / 당신은 가질 수 있다 // 당신이 원하는 어느 삶이든지 / 어떤 상황에서도.

정답 | **whichever**

해설 | 목적어 자리에서 명사절을 이끌고 명사 life 앞에 쓰여 명사를 수식할 수 있는 whichever가 적절하다.

어법 직결 **719** The new store gave a present / to **whoever shopped there** / **on its opening day**.

그 새로 생긴 매장은 선물을 주었다 / 그곳에서 쇼핑한 누구에게든 / 개장일에.

정답 | **whoever**

해설 | 관계대명사가 관계사절 내에서 주어 역할을 하므로 whoever가 적절하다. 바로 앞의 전치사 to만 보고 목적격 관계대명사 whomever를 고르지 않도록 유의한다.

UNIT 71 선행사를 보충 설명하는 관계사절 I

720 I met *an old friend of mine*, // **who didn't recognize me at first**.

나는 나의 옛 친구를 만났다. // 그런데 그 친구는 처음에 나를 알아보지 못했다.

- who의 선행사는 an old friend of mine
- a/an, this, that 등과 소유격을 함께 쓰려면 〈a/an+명사+of+소유대명사〉 형식을 취해야 한다.
  e.g. A friend of mine (O) / A my friend (×)

721 *Time*, // **whose teeth eat away at everything else**, / is powerless against truth.

시간은, // 그것의 이빨은 다른 모든 것을 조금씩 갉아먹지만, / 진실 앞에서는 무력하다.

- 선행사를 보충 설명하는 관계사절은 주어와 동사 사이에 삽입되어 쓰이는 경우가 많다.
- 선행사인 time과 관계대명사 뒤에 오는 명사 teeth는 소유 관계가 성립하므로 whose가 쓰였다. 선행사가 동물, 사물, 무생물일 때도 소유격 관계대명사 whose를 사용할 수 있으며, 문어체에서는 the teeth of which 또는 of which the teeth로 바꿀 수 있다.

722 Millions apparently suffer from *"no mobile phobia,"* // **which has been given the name "nomophobia."**

듣자 하니 수백만이 '휴대폰이 없는 공포'로 고통을 받는다, // 그리고 그것에는 '노모포비아'라는 이름이 주어졌다.

- which의 선행사는 "no mobile phobia"

723 *The solar system*, // **to which planets like Earth and Mars belong**, / was formed approximately 4.5 billion years ago.

태양계는, // 그것에 지구와 화성 같은 행성들이 속해 있는데, / 약 45억 년 전에 형성되었다.

- which의 선행사는 The solar system
- 관계대명사가 관계사절 내에서 전치사의 목적어로 쓰일 때, 전치사는 관계대명사 바로 앞이나 관계사절의 끝에 온다.
  = *The solar system*, **which** planets like Earth and Mars belong ***to***, ~.
- 선행사를 보충 설명하는 관계대명사는 목적격이라도 생략할 수 없다.
  The solar system, planets like Earth and Mars belong to, ~. (×)
- 태양계가 '형성되는' 것이므로 the solar system과 form은 수동 관계 ▶**UNIT 38**

724 One of the best ways (to learn) / is *to teach others*, // **which enhances our own learning experience.**

가장 좋은 방법 중에 하나는 (배우는) / 다른 이들을 가르치는 것이다. // 왜냐하면 그것은 우리 자신의 학습 경험을 향상시키기 때문이다.

✔ which의 선행사는 to teach others
✔ 보충 설명하는 which는 (대)명사뿐 아니라 구, 절을 선행사로 할 수 있다.
✔ 〈one of+복수명사〉가 주어로 올 경우 주어의 핵심은 One이므로 동사는 단수 형태가 온다.

725 Water has no calories, / but *it takes up a space in your stomach*, // **which creates a feeling of fullness.** - 모의

S1 V1 O1 / S2 V2 O2 M2 // S′ V′ O′

물은 칼로리가 없다, / 하지만 위장에서 공간을 차지한다, // 그리고 그것이 포만감을 만든다.

✔ which의 선행사는 it takes up a space in your stomach

어법 직결 **726** *Curing the mind / is the first step (to curing illness)*, // **which is a healing principle (mentioned in the *Dongui Bogam*).**

S V C // S′ V′ C′

마음을 치료하는 것은 / 첫 번째 단계이다 (질병을 치료하는 것으로 가는).// 그리고 그것은 치유 원리이다 (《동의보감》에 언급된).

정답 | **which**
해설 | 관계대명사 what은 보충 설명하는 절을 이끌 수 없기 때문에 which가 적절하다. which의 선행사는 Curing the mind is the first step to curing illness이다.

✔ mentioned in the *Dongui Bogam*은 앞의 명사구 a healing principle을 수식하는 과거분사구 **▶UNIT 52**

727 I've always had *a great many worries*, // **most of which were silly.**

S V O // S′ V′ C′

나는 늘 아주 많은 걱정거리를 가지고 있었다. // 그런데 그것들 중 대부분은 어리석은 것이었다.

✔ ← I've always had *a great many worries*. + *Most of them* were silly.
✔ = I've always had *a great many worries*, **but most of them were silly.**
✔ 선행사가 복수형(a great many worries)이므로 most of which는 복수 취급한다.

728 *Approximately 25,000 people worldwide*, // **many of whom are children**, / are still dying of hunger every day.

S // S′ V′ C′ / V M M

세계적으로 대략 25,000명의 사람들이, // 그들 중 많은 이들은 어린아이들인데, / 여전히 매일 굶주림으로 죽어가고 있다.

✔ ← *Approximately 25,000 people worldwide* are still dying of hunger every day. + *Many of them* are children.
✔ 선행사가 복수형(Approximately 25,000 people worldwide)이므로 many of whom은 복수 취급한다.

729 Carrots are full of *beta carotene*, // **some of which is converted / into vitamin A.**

S V C // S′ V′

당근은 베타카로틴이 풍부하다. // 그런데 그것 중 일부는 전환된다 / 비타민 A로.

✔ ← Carrots are full of *beta carotene*. + *Some of it* is converted into vitamin A.
✔ 선행사가 단수형(beta carotene)이므로 some of which는 단수 취급한다.

730 As a rule, / the panel consists of *ten members*, // **three of whom are students.**

M / S V O // S′ V′ C′

일반적으로, / 패널은 10명의 일원으로 구성된다. // 그리고 그들 중 세 명은 학생이다.

✔ ← As a rule, the panel consists of *ten members*. + *Three of them* are students.

어법 직결 **731** The manager set out / *three solutions* (for the problem), // **one of which was**
S V O
매니저는 제시했다 / 세 가지 해결책을 (그 문제에 대한), // 그리고 그중 하나가
considered the most attractive / by everyone.
가장 매력적인 것으로 여겨졌다 / 모두에 의해서.

정답 | **them, which**

해설 | 두 절이 접속사 없이 콤마로만 연결되어 있으므로 두 번째 절은 첫 번째 절을 보충 설명하는 관계사절이 되어야 한다. 선행사가 three solutions (for the problem)이므로 them 대신 which가 오는 것이 적절하다. 단어 추가가 가능하다면 one of them 앞에 접속사 and를 추가해도 옳은 문장이 된다. (~ and one of them ~.)

- 관계대명사가 most, all, half, some, any 등의 표현과 함께 올 경우 선행사의 수에 따라 단 · 복수가 결정되지만, one, each, either는 단수 취급하므로 선행사가 복수형이라도 단수동사를 쓴다. (One of three solutions for the problem **was** considered ~.)

UNIT 72

선행사를 보충 설명하는 관계사절 II

732 The last time [I went to Santorini] / was in *September*, // **when the weather was really beautiful.**
S V C
마지막으로 ~한 것은 [내가 산토리니에 갔던] / 9월이었다. // 그리고 그때는 날씨가 정말 좋았다.

- = ~ was in *September*, ***and at that time*** the weather was really beautiful.
- 선행사 The last time과 뒤따르는 관계사절(I went to Santorini) 사이에는 관계부사 when이 생략되어 있다. ▶**UNIT 67**

733 We planned our purchases / for *the last day of the sale*, // **when the prices would be really low.**
S V O M
우리는 구매를 계획했다 / 세일의 마지막 날로, // 왜냐하면 그날은 가격이 정말로 낮을 것이기 때문이다.

- = ~ *the last day of the sale*, ***because at that time*** the prices would be really low.

734 South Africa is like *a giant zoo*, // **where elephants, lions, and even penguins wander freely.**
S V C
남아프리카는 거대한 동물원과 같다. // 그리고[왜냐하면] 그곳에서는 코끼리, 사자, 그리고 심지어 펭귄까지 자유롭게 돌아다닌다.

- = ~ *a giant zoo*, ***and[because]*** elephants, lions, and even penguins wander freely ***there***.
- 유사성을 표현할 때 명사나 대명사 앞에 like를 쓴다.

F·Y·I 남아프리카의 수도인 케이프타운에서는 아프리카 펭귄을 볼 수 있다. 주로 펭귄은 극지방에 서식하는 것으로 알려져 있지만 아프리카 펭귄 같은 일부 종은 비교적 따뜻한 지대에서 서식하기도 한다.

735 I walked / along *the streets* (in Paris), // **where I found cafes and restaurants (with pretty outdoor seating).**
S V M
나는 걸었다 / 거리를 따라서 (파리의), // 그리고 그곳에서 나는 카페와 식당들을 발견했다 (예쁜 야외 좌석이 있는).

- = I walked along *the streets* in Paris, ***and*** I found cafes and restaurants with pretty outdoor seating ***there***.

UNIT 73 시간을 나타내는 부사절 I

736 **When it rains**, // look for rainbows. **When it's dark**, // look for stars.

S′ V′ / V O / S′ V′ C′ / V O

비가 올 때는, // 무지개를 찾아라. 어두울 때는, // 별들을 찾아라.

↳ 어려운 시기에도 우리에게 기쁨을 주는 것들을 찾을 수 있다.

- 시간을 나타내는 부사절에서는 현재시제가 미래를 대신한다. ▶UNIT 27
  e.g. When the museum **opens**, I'll visit it with my friends. 박물관이 개장하면, 나는 친구들과 그곳을 방문할 것이다.
- 두 문장에 각각 쓰인 it은 비인칭 주어이다. 첫 번째 it은 '날씨'를, 두 번째 it은 '명암'을 나타낸다. ▶UNIT 14

737 **While we stop to think**, // we often miss our opportunity. - Publilius Syrus ((고대 로마 작가))

S′ V′ M′ / S V O

우리가 생각하기 위해 멈추는 동안, // 우리는 종종 기회를 놓친다.

↳ 기회가 생기면 재빨리 행동해야 한다.

- while은 대조를 나타내어 '~인 반면에'라는 뜻으로도 쓰인다. ▶UNIT 77
- 〈stop to-v〉: v하기 위해 멈추다
  cf. 〈stop v-ing〉: v하는 것을 멈추다

738 Happiness adds [and] multiplies, // **as we divide it with others.**

S V_1 V_2 / S′ V′ O′ M′

행복은 더해지고 크게 커진다. // 우리가 그것을 다른 사람들과 나눌 때.

- 접속사 as는 when과 동일한 의미로도 쓰이고, 두 개의 동작이 동시에 일어날 때도 쓰인다. (~할 때; ~하면서)
- as는 이유를 나타내는 접속사로도 쓰인다. ▶UNIT 75
- it = Happiness
- add가 만드는 빈출 문형

SV	더하다 ((to))	Sales tax **adds** to the price. 판매세가 가격에 **더해 있다.** The blooming flowers **add** to the beauty of the scenery. 만개한 꽃들이 그 풍경의 아름다움을 **더해 준다.**
SVO	~을 더하다	Most restaurants **add** a 10 percent service charge. 대부분의 식당은 10퍼센트의 봉사료**를 더한다.** **Add** your name to the list. 당신의 이름을 명부에 **추가하세요.**

739 It has been about 50 years // **since our school was founded.**

S V C / S′ V′

약 50년이 되었다 // 우리 학교가 설립된 이래로.

- 여기서 it은 '시간'을 나타내는 비인칭 주어 ▶UNIT 14
- 접속사 since가 시간을 나타내는 부사절을 이끌 때 〈S+have/has p.p. ~ since+S′+과거시제 ...: …한 이후로 죽 ~해오고 있다〉의 형태로 자주 쓰인다. ▶UNIT 29
- since는 이유를 나타내어 '~이기 때문에'라는 뜻으로도 쓰인다. ▶UNIT 75

740 Do / what you have to do // **until you can do** / **what you want to do.**

V O / S′ V′ O′

해라 / 해야 할 일을 // 할 수 있을 때까지는 / 원하는 일을.

- 구어체에서는 until 대신 till이 자주 사용된다.
- what you have to do와 what you want to do는 각각 관계대명사 what이 이끄는 명사절 ▶UNIT 69

741 We do not know the value (of health) // until we lose it.

S V O S′ V′ O′

우리는 가치를 알지 못한다 (건강의) // 우리가 그것을 잃을 때까지.

↳ 우리는 건강을 잃고 나서야 비로소 그 가치를 알게 된다.

- **Not until** we lose health, *do we* know the value of it. (도치구문 ▶**UNIT 94**)
- It is *not until we lose health* that we know the value of it. (강조구문 ▶**UNIT 95**)
- it = health

742 **Once you replace negative thoughts / with positive ones, //**

S′ V′ O′

부정적인 사고를 대체하자마자[대체할 때] / 긍정적인 것으로, //

you'll start having positive results. - Willie Nelson ((美 음악가))

S V O

당신은 긍정적인 결과를 갖기 시작할 것이다.

- once는 as soon as, when, after의 의미와 유사하다.
- once가 이끄는 시간을 나타내는 부사절에서는 현재시제가 미래를 대신한다. ▶**UNIT 27**

  Once you *will* replace negative thoughts ~. (×)
- ones = thoughts

743 Man should forget his anger // **before he lies down / to sleep.** - Mahatma Gandhi

S V O S′ V′ M′

사람은 자신의 분노를 잊어버려야 한다 // 눕기 전에 / 자려고.

- 여기서 should는 충고/의무를 나타내는 조동사 ▶**UNIT 33**
- before와 after는 전치사로도 쓰인다.

  e.g. I went for a run **before** breakfast. 나는 아침 식사 **전에** 달리러 나갔다.
- to sleep은 '목적'을 나타내는 부사적 용법으로 쓰인 to부정사 ▶**UNIT 54**

UNIT 74 시간을 나타내는 부사절 Ⅱ

744 **As soon as the fear approaches near,** // attack and destroy it. - Chanakya ((인도 철학자))

S′ V′ M′ V_1 V_2 O

두려움이 가까이 다가오면 바로, // 그것을 공격하여 없애버려라.

- ⟨as soon as ~⟩는 '~하자마자, ~하자 곧'의 의미로서 ⟨no sooner ~ than ...⟩, ⟨hardly[scarcely] ~ than[when/before] ...⟩ 구문과 같은 의미이다.
- 주절은 동사 attack과 destroy가 목적어 it을 공통으로 취하는 공통구문이 쓰였다. ▶**UNIT 97**

  (= As soon as ~, attack **it** and destroy **it**.)
- it = the fear

745 **No sooner had I gone to bed // than I received a text message.**

V S A S′ V′ O′

내가 자러 가자마자 // 나는 문자 메시지를 받았다.

- ⟨no sooner ~ than ...⟩과 ⟨hardly[scarcely] ~ than[when/before] ...⟩ 구문은 주절에 과거완료가 많이 쓰인다.
- 부정어 포함 어구 no sooner 또는 준부정어 hardly[scarcely]가 문두에 오게 되면 ⟨(조)동사+S ~⟩의 어순으로 도치된다. ▶**UNIT 94**

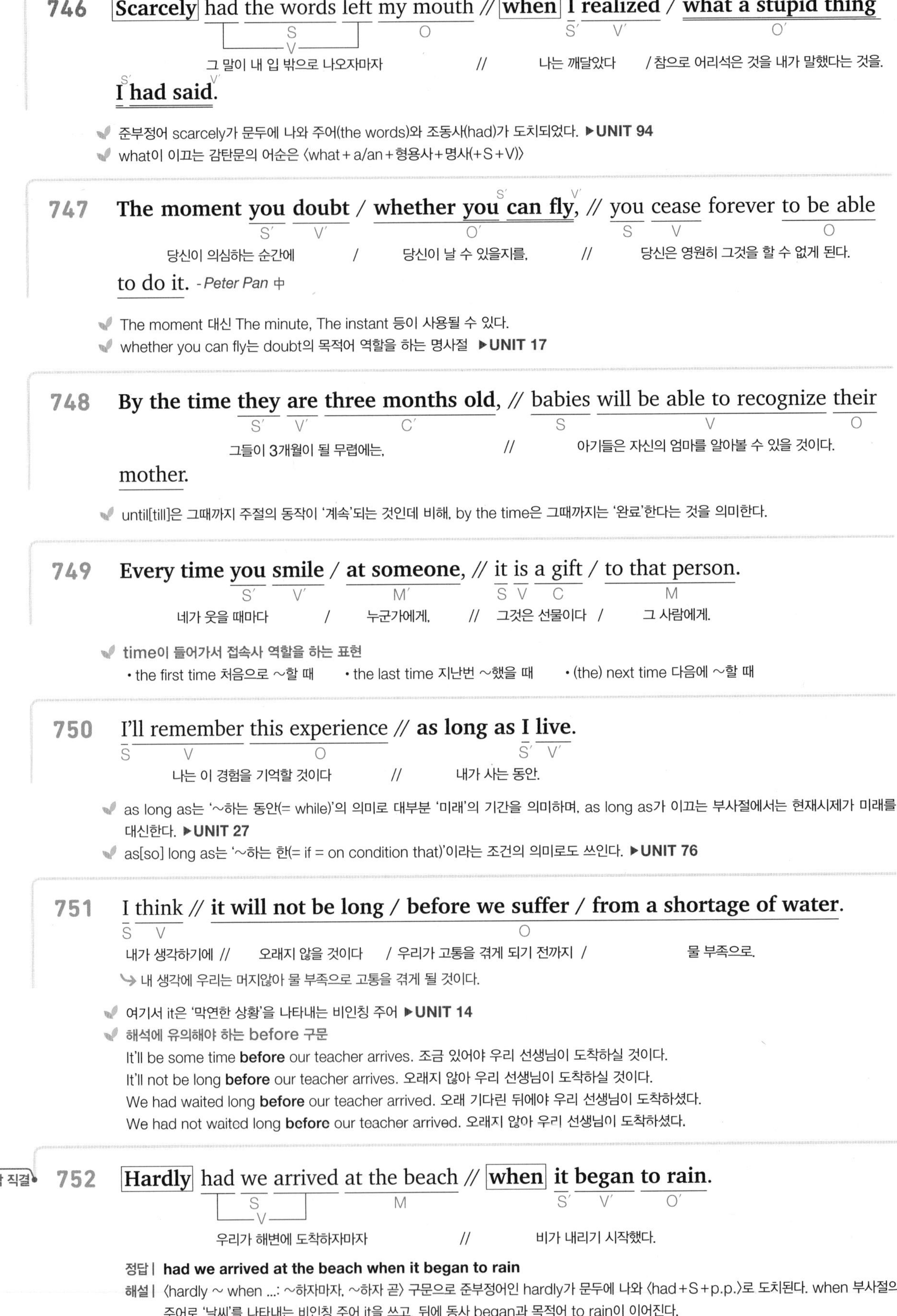

746 **Scarcely** had the words left my mouth // **when** I realized / what a stupid thing I had said.

그 말이 내 입 밖으로 나오자마자 // 나는 깨달았다 / 참으로 어리석은 것을 내가 말했다는 것을.

- 준부정어 scarcely가 문두에 나와 주어(the words)와 조동사(had)가 도치되었다. ▶UNIT 94
- what이 이끄는 감탄문의 어순은 〈what + a/an + 형용사 + 명사(+S+V)〉

747 The moment you doubt / whether you can fly, // you cease forever to be able to do it. - *Peter Pan* 中

당신이 의심하는 순간에 / 당신이 날 수 있을지를, // 당신은 영원히 그것을 할 수 없게 된다.

- The moment 대신 The minute, The instant 등이 사용될 수 있다.
- whether you can fly는 doubt의 목적어 역할을 하는 명사절 ▶UNIT 17

748 By the time they are three months old, // babies will be able to recognize their mother.

그들이 3개월이 될 무렵에는, // 아기들은 자신의 엄마를 알아볼 수 있을 것이다.

- until[till]은 그때까지 주절의 동작이 '계속'되는 것인데 비해, by the time은 그때까지는 '완료'한다는 것을 의미한다.

749 Every time you smile / at someone, // it is a gift / to that person.

네가 웃을 때마다 / 누군가에게, // 그것은 선물이다 / 그 사람에게.

- time이 들어가서 접속사 역할을 하는 표현
  - the first time 처음으로 ~할 때
  - the last time 지난번 ~했을 때
  - (the) next time 다음에 ~할 때

750 I'll remember this experience // as long as I live.

나는 이 경험을 기억할 것이다 // 내가 사는 동안.

- as long as는 '~하는 동안(= while)'의 의미로 대부분 '미래'의 기간을 의미하며, as long as가 이끄는 부사절에서는 현재시제가 미래를 대신한다. ▶UNIT 27
- as[so] long as는 '~하는 한(= if = on condition that)'이라는 조건의 의미로도 쓰인다. ▶UNIT 76

751 I think // it will not be long / before we suffer / from a shortage of water.

내가 생각하기에 // 오래지 않을 것이다 / 우리가 고통을 겪게 되기 전까지 / 물 부족으로.

↳ 내 생각에 우리는 머지않아 물 부족으로 고통을 겪게 될 것이다.

- 여기서 it은 '막연한 상황'을 나타내는 비인칭 주어 ▶UNIT 14
- 해석에 유의해야 하는 before 구문

It'll be some time **before** our teacher arrives. 조금 있어야 우리 선생님이 도착하실 것이다.
It'll not be long **before** our teacher arrives. 오래지 않아 우리 선생님이 도착하실 것이다.
We had waited long **before** our teacher arrived. 오래 기다린 뒤에야 우리 선생님이 도착하셨다.
We had not waited long **before** our teacher arrived. 오래지 않아 우리 선생님이 도착하셨다.

영작 직결 752 **Hardly** had we arrived at the beach // **when** it began to rain.

우리가 해변에 도착하자마자 // 비가 내리기 시작했다.

정답 | **had we arrived at the beach when it began to rain**

해설 | 〈hardly ~ when ...: ~하자마자, ~하자 곧〉 구문으로 준부정어인 hardly가 문두에 나와 〈had+S+p.p.〉로 도치된다. when 부사절의 주어로 '날씨'를 나타내는 비인칭 주어 it을 쓰고, 뒤에 동사 began과 목적어 to rain이 이어진다.

UNIT 75

이유/원인을 나타내는 부사절

753 A bad plan is better than no plan // **because it can be improved.**

S V C / S′ V′ - Arthur D. Rosenberg ((美 작가))

좋지 않은 계획이 무계획보다 낫다 // 그것은 개선될 수 있기 때문에.

- 〈-er(비교급)+than〉 구문으로 좋지 않은 계획이라도 무계획보다는 나음을 의미한다. ▶**UNIT 89**
- it = the bad plan
- 그것(=좋지 않은 계획)이 '개선되는' 것이므로 부사절에 조동사와 결합된 수동태 〈조동사+be p.p.〉가 쓰였다. ▶**UNIT 40**

754 **Since life began in the oceans,** // most life has chemical properties (similar to the ocean). - 모의응용

S′ V′ M′ / S V O

생명체는 바다에서 시작되었기 때문에, // 대부분의 생명체는 화학적 속성을 지니고 있다 (바다와 유사한).

F·Y·I 생명 탄생의 기원은 아직 정확히 밝혀지지 않았지만, 가장 유력한 가설은 생명이 바다에서 기원했다는 것이다. 원시 지구의 대기는 현재 지구의 대기와 달리 산소가 없었고 자외선을 막아주는 오존층도 존재하지 않아 육지에서는 생명의 탄생이 거의 불가능한 상태였다. 이에 과학자들은 첫 생명이 원시 바다에서 다양한 유기물들이 반응하여 탄생했을 것이라고 가정한다.

755 Dyeing hair blond was common / among Roman men, // **as they believed / (that) it made them appear younger.** - 모의응용

S(V′ O′ C′) V C / M / S′ V′ / O′(S′ V′ O′ C′)

금발로 염색을 하는 것은 흔했다 / 로마 남성들 사이에서, // 그들이 믿었기 때문에 / 그것이 자신들을 더 젊어 보이게 한다고.

- Dyeing hair blond는 v-ing(동명사)가 이끄는 명사구 주어 ▶**UNIT 08**
- 이유를 나타내는 as는 보통 가볍고 부가적인 이유를 말할 때 쓰인다. as의 의미가 여러 가지이기 때문에 일반적인 이유를 나타낼 때는 주로 because나 since를 쓴다.
- they believed 뒤에 명사절을 이끄는 접속사 that이 생략된 상태 ▶**UNIT 17**
- it = Dyeing hair blond
- them = Roman men

756 My life has meaning, // **now that I can comfort and give hope to people (in more difficult situations).**

S V O / S′ V′₁ V′₂ O′₂

내 삶은 의미가 있다, // (이제) 나는 (사람들을) 위로하고 사람들에게 희망을 줄 수 있으므로 (더 어려운 상황에 있는).

- now that의 that은 구어체에서는 생략되기도 한다. now that은 '이유'를 나타내는 동시에 '~한 이상 이제'란 시간적 의미가 부가되어 있다.
- ~ I can [comfort / and / give hope to] people ~. ▶**UNIT 97**

757 **Seeing that the level of fine dust is high,** // you'd better wear a mask.

S′ V′ C′ / S V O

미세먼지 수치가 높은 것을 보니, // 너는 마스크를 쓰는 것이 좋겠다.

- had better는 충고/의무를 나타내는 조동사 ▶**UNIT 33**

758 I tried something new. I am sorry / that I wasn't good at it, // [but] I am proud / that I tried.

S V O S1 V1 C1 S′ V′ C′ M′ S2 V2 C2 S′ V′

나는 새로운 것을 시도했다. 나는 유감이다 / 내가 그것을 잘하지 못했어서, // 하지만 나는 자랑스럽다 / 내가 시도했어서.

✔ 여기서 that은 주절의 '기쁨, 슬픔, 화' 등의 감정을 '왜' 느끼는지를 설명한다. because의 뜻에 가까우므로 '부사절'로 분류한다.
e.g. I am *glad* **that** we achieved our goals. 나는 우리가 우리의 목표를 성취했으므로 기쁘다.

어법 직결 759 Humans don't require / high level of carbohydrates // **because our bodies can convert proteins / into carbohydrates.**

S V O S′ V′ O′

인간은 필요로 하지 않는다 / 높은 수치의 탄수화물을 // 왜냐하면 우리 몸은 단백질을 전환시킬 수 있기 때문에 / 탄수화물로.

정답 | ②
해설 | 접속사 because는 이유/원인의 부사절을 이끈다. 사람에게 높은 수치의 탄수화물이 필요하지 않는다는 사실은 '결과'이고, 그에 대한 '이유'는 뒤에 나오는 our bodies ~ carbohydrates이므로 ②에 because가 들어가야 한다.

UNIT 76 조건을 나타내는 부사절

760 If a person starts the day / with a positive mindset, // that person is more likely to have a positive day. - 모의

S′ V′ O′ M′ S V C M

만약 어떤 사람이 하루를 시작한다면 / 긍정적인 사고방식으로, // 그 사람은 긍정적인 하루를 보낼 가능성이 더 높다.

761 Good things happen // **only if you believe / (that) they will (happen).**

S V S′ V′ O′ (S′ V′)

좋은 일들은 일어난다 // 오직 네가 믿을 경우에만 / 그것들이 일어날 거라고.

✔ only if는 어떤 일이 가능한 유일한 상황을 진술할 때 사용한다.
✔ believe의 목적어 역할을 하는 명사절을 이끄는 접속사 that이 생략된 상태 ▶**UNIT 17**
✔ will 뒤에 반복되는 동사 happen이 생략되어 있다. ▶**UNIT 96**

762 People rarely succeed // **unless they have fun / in what they are doing.** - Dale Carnegie ((美 작가))

S V S′ V′ O′ M′ (전, O″)

사람들은 좀처럼 성공하지 못한다 // 만약 그들이 즐겁지 않다면 / 그들이 하고 있는 것에서.
↳ 하는 일에 즐거움을 느껴야 성공할 수 있다.

✔ = People rarely succeed *if* they do*n't* have fun ~.
✔ unless는 '~한 경우[때] 외에는'의 의미로도 쓰인다.
e.g. I won't have an operation **unless** surgery is absolutely necessary.
나는 수술이 절대적으로 필요한 **경우 외에는** 수술을 받지 않을 것이다.
✔ 관계대명사 what이 이끄는 명사절(what they are doing)이 전치사 in의 목적어 역할을 한다. ▶**UNIT 69**

763 We will refund your money // **in case you're not satisfied with your purchase.**
S V O S′ V′ C′ M′
저희가 당신의 돈을 환불해 드리겠습니다 // 만약 당신이 구매에 만족하지 않는다면.

- 조건을 나타내는 부사절에서는 현재시제가 미래를 대신한다. ▶**UNIT 27**
- 여기에서 in case는 if와 같은 의미이다.
- in case (that)은 '~하면 안 되니까, ~할 경우에 대비하여'를 의미하는 목적을 나타내는 부사절 접속사로도 사용된다. ▶**UNIT 79**
  e.g. Take an umbrella **in case** it rains. 비가 올 **경우에 대비해서** 우산을 가져가라.

764 There are always millions of ways (to reach your goal), // **supposing you really want to do it.**
V S S′ V′ O′
언제나 수백만 가지의 방법들이 있다 (당신의 목표를 달성할), // 당신이 그것을 정말로 하고 싶어 한다면.

- supposing (that) ~ = if ~
- to reach your goal은 millions of ways를 수식하는 형용사적 용법으로 쓰인 to부정사구 ▶**UNIT 51**

765 It does not make a big difference / what your hobby is, // **provided you find it interesting.**
S(가주어) V O C S′ V′ S′(진주어) S′ V′ O′ C′
(~은) 크게 중요하지 않다 / 당신의 취미가 무엇인지는, // 당신이 그것을 재미있다고 생각한다면.

- provided (that) ~ = if ~
- 의문사 what이 이끄는 명사절 주어(what your hobby is)를 대신하여 주어 자리에 가주어 It이 왔다. ▶**UNIT 11**
- 두 번째 it = your hobby

766 It does not matter / how slowly you go // **as long as you do not stop.** - Confucius ((공자))
S(가주어) V M′ S′ V′ S′(진주어) S′ V′
(~은) 중요하지 않다 / 얼마나 느리게 가느냐는 // 당신이 멈추지 않는 한.

- 의문사 how가 이끄는 명사절 주어(how slowly you go)를 대신하여 주어 자리에 가주어 It이 왔다. ▶**UNIT 11**

어법 직결 **767** Knowledge is of no value // **unless you put it into practice.** - Anton Chekhov ((러 소설가))
S V C S′ V′ O′ A′
지식은 가치가 없다 // 만약 당신이 그것(=지식)을 실행에 옮기지 않는다면.

정답 | **unless**
해설 | 지식이 가치가 없어지는 상황에 대한 조건을 설명하는 부사절로, 문맥상 unless가 적절하다. if를 사용하여 Knowledge is of no value if you don't put it into practice.로도 쓸 수 있다.

UNIT 77 양보/대조를 나타내는 부사절 I

768 **Although the world is full of suffering,** // it is full also of the overcoming of it. - Helen Keller
S′ V′ C′ S V C
비록 세상은 고난으로 가득하지만, // 그것(=세상)은 그것(=고난)의 극복으로도 가득하다.

- 첫 번째 it = the world, 두 번째 it = suffering

769 **Even if it's a little thing, // do something for those [who have need of a man's help].** - Albert Schweitzer

S′ V′ C′ V O M S′ V′ O′

그것이 작은 일이라 할지라도, // (~한) 사람들을 위해 무언가를 해라 [사람의 도움이 필요한].

- even though, even if: though와 if를 even이 강조하고 있는 형태로, '양보'의 의미가 더 강조된다.
- those who ~: ~한 사람들
- 선행사 those가 사람을 가리키므로 주격 관계대명사 who가 사용되었다. **▶UNIT 64**

770 Aim for the moon. **If you miss, // you may hit a star.** - W. Clement Stone ((美 사업가))

V M S′ V′ S V O

달을 향해 쏴라. 비록 네가 빗맞히더라도, // 별을 맞힐지도 모른다.

↳ 도전해라. 실패하더라도 무엇인가를 얻을 것이다.

771 The left brain analyzes the parts // **while the right looks at the whole.**

S V O S′ V′ O′

좌뇌는 부분들을 분석한다 // 반면에 우뇌는 전체를 본다.

- while 대신 whereas를 써도 의미는 같다.

772 **Whereas knowledge can be acquired from books, // skills must be learned through practice.**

S′ V′ M′ S V M

지식은 책으로부터 얻어질 수 있는 반면에, // 기술은 연습을 통해 습득되어야 한다.

- Whereas 대신 While을 써도 의미는 같다.
- 주절과 부사절에 모두 조동사와 결합된 수동태(can be acquired, must be learned)가 쓰였다. **▶UNIT 40**

773 Playing a game with others / teaches kids / how to be a good team player // **whether they win or lose.** - 모의응용

S V IO DO S′ V′

다른 사람들과 게임을 하는 것은 / 아이들에게 가르쳐 준다 / 훌륭한 팀 플레이어가 되는 방법을 // 그들이 이기든 지든.

- Playing ~ others는 v-ing(동명사)가 이끄는 명사구 주어 **▶UNIT 08**
- 〈의문사+to-v〉는 대개 〈의문사+S′+should[can]+V′〉로 바꿔 쓸 수 있다.
  e.g. **how to be** a good team player → **how they can be** a good team player

774 **Rich as you may be, //** you can't buy sincere friends.

C′ S′ V′ S V O

비록 당신이 부유할지 몰라도, // 당신은 진정한 친구를 살 수 없다.

- = *Though* you may be rich, ~.
- 여기서 may는 현재나 미래에 대한 가능성/추측을 나타내는 조동사 **▶UNIT 34**
- 여기서 can't는 능력을 나타내는 조동사 can의 부정형 **▶UNIT 32**

775 **Coward as he was, //** John couldn't bear such an insult.

C′ S′ V′ S V O

비록 그는 겁쟁이였지만, // 존은 그러한 모욕을 참을 수 없었다.

- 도치된 as 구문에서는 명사가 문두에 올 때 관사가 붙지 않지만, though를 써서 보통의 부사절 어순으로 고쳐 쓰면 관사가 붙는다.
  = **Though he was a coward**, John couldn't bear such an insult.

어법 직결 **776** **Even though** we wear fashionable clothes, // we can't be truly beautiful / without good manners. - 모의

S′ V′ O′ S V C M

비록 우리가 유행하는 옷을 입을지라도, // 우리는 진정으로 아름다울 수 없다 / 좋은 매너 없이는.

정답 | **Even though**

해설 | 접속사 even though 뒤에는 〈주어+동사〉 형태의 절이 오고, 전치사 despite 뒤에는 명사(구)가 온다. 뒤에 완전한 형태의 절이 이어지므로 Even though가 적절하다.

UNIT 78 양보/대조를 나타내는 부사절 Ⅱ

777 Be honest with your friends, // **however painful the truth is.** - 모의응용

V C M 형용사 S′ V′

친구들에게 정직해라. // 진실이 아무리 고통스러울지라도.

- = ~, **no matter how painful the truth is.**
- 부사절을 이끄는 however 뒤에는 일반적으로 〈형용사[부사]+S′+V′〉의 어순이 온다.

778 **Whoever you are,** / **whatever you do,** // do vote / if you can (vote).

C′1 S′1 V′1 O′2 S′2 V′2 V S′3 V′3

당신이 누구더라도, / 무슨 일을 하더라도, // 꼭 투표해라 / 할 수 있다면.

- 동사 vote를 강조하기 위해 앞에 do가 쓰였다. '정말[꼭] ~하라'란 의미 ▶**UNIT 95**
- can 뒤에 반복되는 동사 vote가 생략되어 있다. ▶**UNIT 96**

779 The game will be very exciting, // **whichever side wins.**

S V C S′ V′

그 경기는 아주 재미있을 것이다. // 어느 편이 이기더라도.

- The game will be very exciting, **no matter which side wins.**
- whichever, whatever는 부사절을 이끄는 동시에 명사를 수식하는 형용사로 역할하기도 한다.
  e.g. **Whatever** *results* follow, I'll do my best. 어떤 결과가 나오더라도, 나는 최선을 다할 것이다.
- 경기가 흥미로운 감정을 불러일으키는 원인이므로 현재분사 exciting이 쓰였다.
  cf. I was very **excited** to watch the game. 나는 그 경기를 봐서 너무 **신이 났다.**

780 **Whatever happens** / (— good or bad —) // the proper attitude makes the difference. - 모의

S′ V′ S V O

어떤 일이 일어나더라도 / (좋든 나쁘든) // 적절한 태도는 변화를 가져온다.

- = **No matter what happens** — good or bad — the proper attitude ~.

781 **Whenever you start,** // it is important / that you do not stop / after starting.

S′ V′ S(가주어) V C S′ V′ M S′(진주어)

당신이 언제 출발하더라도, // (~은) 중요하다 / 멈추지 않는 것은 / 출발한 후에.

- = **No matter when you start**, it is important ~.
- whenever, wherever는 각각 때, 장소 부사절을 이끌어 at any time when(~할 때는 언제나), at any place where(~하는 곳은 어디든)의 의미를 나타내기도 한다.
  e.g. I think of her **whenever** I hear this song. 나는 이 노래를 들을 **때면 언제나** 그녀를 생각한다.
  My puppy follows me **wherever** I go. 내 강아지는 내가 가는 **곳이라면 어디든** 나를 따라온다.
- 주절에 나온 it은 가주어이며, that이 이끄는 명사절이 진주어이다. ▶**UNIT 11**

782 Wherever you go in life / or however old you get, // there's always something new (to learn about).

S′1 V′1 M′1 형용사 S′2 V′2 V S

당신이 인생에서 어디를 가더라도 / 또는 당신이 아무리 나이가 들더라도, // 항상 새로운 것이 있다 (배울).

= **No matter where you go in life** or **no matter how old you get**, ~.

수식 받는 명사 something new가 to-v구 내의 전치사 about의 목적어가 된다. ▶**UNIT 51**

영작 직결 783 **However powerful your engine is**, // you won't get very far / if you don't have any wheels. - 모의

형용사 S′1 V′1 S V M S′2 V′2 O′2

여러분의 엔진이 아무리 강력하더라도, // 여러분은 아주 멀리 가지 못할 것입니다 / 바퀴가 하나도 없다면.

정답 | **However powerful your engine is**

해설 | 부사절을 이끄는 접속사 however 뒤에 〈형용사+S′+V′〉의 어순이 온 경우이다.

부사절을 이끄는 접속사 however 뒤에는 〈however+부사+S′+V′〉 또는 〈however+S′+V′〉의 어순도 가능하다.
However much you want, you have a limited budget. **네가 아무리 많이 원하더라도**, 너는 제한된 예산을 가지고 있다.
However I explained, he still didn't understand. **아무리 내가 설명해도**, 그는 여전히 이해하지 못했다.

UNIT 79 목적/결과를 나타내는 부사절

784 We have two ears and one mouth // **so that we can listen** / **twice as much as we speak.** - Epictetus ((고대 철학자))

S V O S′ V′

우리는 두 개의 귀와 한 개의 입을 가지고 있다 // 우리가 들을 수 있도록 / 우리가 말하는 것보다 두 배만큼.

↳ 우리는 말을 많이 하기보다 다른 사람의 말을 경청해야 한다.

so that = in order that

〈A 배수(twice, three times 등) as ~ as B〉: A는 B의 몇 배(두 배, 세 배 등)만큼 ~한 ▶**UNIT 88**

785 Review what happened // **so the same problem does not arise again.**

V O(S′ V′) S′ V′ M′

무슨 일이 일어났는지 살펴봐라 // 같은 문제가 다시 발생하지 않도록.

so (that) = in order that

what happened는 의문대명사 what이 이끄는 명사절로서 동사 Review의 목적어이다. ▶**UNIT 17**

786 You need people in life [who encourage you] // **in order that you can feel confident** / **in your capabilities.**

S V O M (S′ V′ O′) S′ V′ C′ M′

당신은 인생에 사람들이 필요하다 [당신을 격려하는] // 당신이 자신감을 느낄 수 있도록 / 자신의 능력에.

in order that = so (that)

주격 관계대명사 who가 이끄는 관계사절이 선행사 people을 수식하고 있다. 관계사 바로 앞의 명사 life를 선행사로 보지 않도록 주의해야 한다. ▶**UNIT 68**

787 We must learn from history, // **lest we (should) repeat its tragic lessons.**

S V M S′ V′ O′

우리는 역사로부터 배워야 한다. // 우리가 그것의 비극적인 교훈을 반복하지 않기 위해서.

- = ~, *for fear (that)* we (should) repeat its tragic lessons.
  = ~, *so that* we should *not* repeat its tragic lessons.
- 〈lest[for fear (that)]+S′(+should)+V′〉 구문은 '~하지 않기 위해서'란 뜻으로 문어체적인 표현이다. 구어체에서는 주로 〈so that ~ should not〉을 쓴다.

788 Keep a fire extinguisher / near the kitchen // **in case there is a fire.**

V O A V′ S′

소화기를 두세요 / 부엌 근처에 // 불이 날 경우를 대비해서.

- in case (that)은 '만약 ~인 경우에는'을 의미하는 조건을 나타내는 부사절 접속사로도 사용된다. ▶**UNIT 76**

789 Corn was **so** valuable // **that it was used as money / in America.**

S V C S′ V′ M′ M′

옥수수가 아주 귀해서 // 그것이 돈으로 쓰였다 / 미국에서.

- it = corn
- 옥수수가 '사용되는' 것이므로 corn과 use는 수동 관계 ▶**UNIT 38**

790 It was **such** a boring movie // **that I couldn't stay awake / until the end.**

S V C S′ V′ C′ M′

그것은 아주 지루한 영화여서 // 나는 자지 않고 깨어 있을 수 없었다 / 끝날 때까지.

791 Chewier foods take more energy to digest, // **so the number of calories [that our body receives] / is less.** - 모의

S V O M S′ V′ C′

더 질긴 음식은 소화하는 데 더 많은 에너지를 필요로 한다. // 그래서 칼로리 수치는 [우리 몸이 받아들이는] / 더 낮다.

- so (that)이 '그래서, ~하여'라는 결과의 의미로 쓰일 때는 대부분 그 앞에 콤마(,)를 쓴다.
- 접속사 so를 등위접속사로 보는 의견도 있으나, 결과를 나타내는 종속접속사 so that에서 that이 생략된 형태로 보는 의견이 일반적이다.
- that our body receives는 calories를 수식하는 목적격 관계대명사절 ▶**UNIT 65**

어법 직결 792 We were having **such** a good time // **that we decided / to prolong our stay / by another week.**

S V O S′ V′ O′ (V′ O′ M′)

우리는 아주 좋은 시간을 보내고 있어서 // 우리는 결정했다 / 더 오래 머물기로 / 일주일 더.

정답 | **×, such**

해설 | 뒤에 〈a+형용사+명사 ~ that ...〉이 이어지므로 such가 적절하다. 접속사 so는 such와 달리 형용사가 a/an 앞에 오는 〈so+형용사+a/an 명사 ~ that ...〉의 어순을 가진다. 즉, such는 형용사로서 명사(구)를 수식하고 so는 부사로서 형용사/부사를 수식한다.

UNIT 80

양태를 나타내는 부사절

793 Treat others // **as you wanted to be treated.**
V O S' V' O'
다른 사람들을 대하라 // 네가 대우받고 싶던 대로.

- 네가 '대우받는 것'이므로 to부정사의 수동형(to be treated)이 쓰였다. ▶**UNIT 43**

794 Truth cannot be broken, / [and] always gets above falsehood, // **as does oil above water.** - Miguel de Cervantes ((〈돈키호테〉 작가))
S V1 V2 A2 V' S' A'
진실은 부서질 수 없다. / 그리고 언제나 거짓 위에 있다. // 기름이 물 위에 있듯이.

↳ 진실은 항상 드러나게 되어 있다.

- as 뒤에 〈주어–동사〉가 도치된 형태. does는 gets를 대신한다.
- 진실은 부서짐을 당하는 대상이므로 조동사가 결합된 수동태 〈cannot be p.p.〉가 쓰였다. ▶**UNIT 40**

795 She is walking // **as if she doesn't know / where she is headed.**
S V S' V' O' (S' V')
그녀는 걷고 있다 // 마치 알지 못하는 것처럼 / 자신이 어디로 향하고 있는지.

- as if가 이끄는 종속절은 흔히 가정을 전제로 하기 때문에 가정법이 쓰이지만, 사실을 반영하는 경우에는 직설법이 쓰인다.
- 의문사절 where she is headed는 동사 know의 명사절 목적어 ▶**UNIT 17**

796 Look at everything, // **as though you are seeing it for the first time.** - Betty Smith ((美 작가))
V O S' V' O' M'
모든 것을 바라보아라. // 마치 네가 그것을 처음으로 보고 있는 것처럼.

- as though = as if
- it = everything

797 **Just as darkness comes** / at the end of each day, // **so** also comes the dawn (to spread light across the land). - 모의
S' V' M' V S (V' O' M')
꼭 어둠이 오는 것처럼 / 하루의 끝에. // 새벽도 온다 (땅 곳곳에 빛을 퍼뜨리는).

- so 뒤에 〈주어–동사〉가 도치된 형태. 앞 내용을 받는 so 뒤에는 도치가 일어날 수 있다. ▶**UNIT 94**
- to 이하는 the dawn을 수식하는 형용사적 용법으로 쓰인 to부정사구 ▶**UNIT 51**

798 **As a well-spent day brings happy sleep,** // **so** life (well used) / brings happy death. - Leonardo da Vinci
S' V' O' S V O
충실하게 보낸 하루가 행복한 잠을 가져다주듯이. // 인생은 (충실하게 보낸) / 행복한 죽음을 가져다준다.

799 You are awesome // just **the way you are.** - Nick Vujicic ((오스트레일리아 전도사))
S V C S' V'
당신은 정말로 멋져요 // 단지 당신의 모습 그대로.

영작 직결 **800** **(Just) As food and water are essential to life**, // so the spirit (of self-sacrifice) /

S′ V′ C′ M′ S

(꼭) 음식과 물이 생명에 필수적인 것처럼, // 정신은 (자기희생의) /

is a necessary condition (of love).

V C

필수 조건이다 (사랑의).

정답 | **(Just) As food and water are essential to life**

해설 | 《(just) as ~, so ...》 구문을 사용하여 문장을 완성한다. just는 의미를 강조하기 위해 as 앞에 쓰이기도 하지만 생략도 가능하다.

PART 5

주요 구문

UNIT 81

동사 A from B

801 Conservation (of biodiversity) / is important / to **prevent** endangered species **from** becoming extinct.

S V C M (V′ O′)

보존은 (생물 다양성의) / 중요하다 / 멸종 위기에 처한 종들이 멸종되는 것을 막기 위해.

to prevent ~ becoming extinct는 '목적'을 나타내는 부사적 용법으로 쓰인 to부정사구 ▶**UNIT 54**

802 Exercising gives you more energy / and **keeps** you **from** feeling exhausted. - 모의

S V_1 IO_1 DO_1 V_2 O_2

신체 활동은 당신에게 더 많은 에너지를 준다 / 그리고 당신이 지치는 것을 막는다.

cf. • 〈keep from v-ing〉: v하지 못하게 하다

Please **keep from making** loud noises at night. 밤에는 큰 소리를 **내는 것을 자제해** 주세요.

• 〈keep (on) v-ing〉: 계속해서 v하다

If you **keep going** straight this way, you will find it. 이 길로 **계속 가면**, 너는 그것을 찾게 될 거야.

you가 지친 감정을 느끼는 것이므로 과거분사 exhausted가 쓰였다.

803 Don't let fear or insecurity / **stop** you **from** trying new things. - Stacy London ((美 패션전문가))

V O C (V′ O′)

두려움이나 불안이 ~하게 하지 마라 / 당신이 새로운 것들을 시도하는 것을 막게.

804 Self-doubt can **discourage** us / **from** moving forward.

S V O

자기 의심은 우리가 (~하는 것을) 단념시킬 수 있다 / 앞으로 나아가는 것을.

↳ 스스로의 능력을 의심하는 행동은 우리가 발전하는 것을 막을 수 있다.

805 It's not easy / to **distinguish** natural honey **from** fake honey / just by taste.

S(가주어) V C S′(진주어) (V′ O′ M′)

(~은) 쉽지 않다 / 천연 꿀을 가짜 꿀과 구별하는 것은 / 단지 맛으로만.

여기서 it은 가주어이고, to distinguish ~ by taste가 진주어이다. ▶**UNIT 11**

806 All the puppies looked the same, // so I couldn't **tell** one **from** another.

S V C S′ V′ O′

모든 강아지가 똑같아 보였다. // 그래서 나는 그것들을 서로 구별할 수 없었다.

여기서 tell은 '말하다'가 아닌 '구별하다, 식별하다'의 뜻이다.

e.g. Can you **tell** Cindy **from** her twin sister? 넌 신디를 그녀의 쌍둥이 언니**와 구별할** 수 있니?

807 Most human beings / instinctively **know** right **from** wrong.

S V O

대부분의 인간은 / 본능적으로 옳은 것을 그릇된 것과 구별한다.

여기서 right과 wrong은 모두 명사로 쓰였으며, 각각 '옳은 것'과 '그릇된 것'을 의미한다.

808 Prioritizing is **separating** // what's important / **from** what's not important. - 모의응용

S V C (V' O')

우선순위를 정하는 것은 분리하는 것이다 // 중요한 것을 / 중요하지 않은 것으로부터.

what's important와 what's not important는 관계대명사 what이 이끄는 명사절 ▶UNIT 69

UNIT 82 동사 A for B

809 Do not **blame** anybody / **for** your mistakes and failures. - Bernard Baruch ((美 기업인))

V O

누구든 (~의 이유로) 비난하지 마라 / 당신의 실수와 실패의 이유로.

→ 당신의 실수와 실패를 남의 탓으로 돌리지 마라.

810 **Thank** you / **for** everything [you have ever done for me]. - 모의

V O (S' V' M')

당신께 (~에 대해) 감사드려요 / 모든 것에 대해 [지금껏 저를 위해 해 주신].

everything과 you 사이에 목적격 관계대명사 that이 생략되었다. ▶UNIT 67

811 For a vegetarian diet, / **substitute** beans **for** meat / in your recipes.

M V O M

= For a vegetarian diet, / **substitute** meat **with** beans / in your recipes.

M V O M

채식주의 식단을 위해, / 고기 대신 콩을 사용해라 / 너의 레시피에서.

〈substitute A for B〉 = 〈substitute B with A〉

F·Y·I 콩, 감자, 버섯 등을 이용하여 고기의 육즙과 식감을 재현한 식물성 대체육은 요즘 식품업계에서 전 세계적으로 가장 빠르게 성장하는 분야 중 하나이다. 그 중 콩고기의 경우 영양학적으로 식물성 단백질이 풍부하여 골다공증 예방에 탁월하며, 불포화지방산이 다량으로 포함되어 있어 심혈관 질환 예방에 좋다.

812 Because he was big for his age, // people often **took** my younger brother / **for** an adult.

S' V' C' S V O

그는 나이에 비해 덩치가 커서, // 사람들이 종종 내 남동생을 (~로) 여겼다 / 어른으로.

어휘 직결 813 Lots of people **criticize** the airline industry / **for** poor customer service and increased fees.

S V O

많은 사람이 항공 업계를 (~의 이유로) 비판한다 / 부실한 고객 서비스와 인상된 요금의 이유로.

정답 | **criticize**

해설 | 많은 사람이 부실한 고객 서비스와 인상된 요금 때문에 항공 업계를 '비판하는' 것이 문맥상 적절하다.
〈criticize A for B: A를 B의 이유로 비판하다〉 / 〈thank A for B: A에게 B에 대해 감사하다〉

영작 직결 814 The coach **substituted** Kane **with** Lamela / in the second half.

S V O M

감독은 케인을 라멜라로 교체했다 / 후반전에서.

정답 | **The coach substituted Kane with Lamela**

해설 | 〈substitute B with A〉: B를 A로 교체하다, B 대신 A를 쓰다 (= substitute A for B = replace B with A)

UNIT 83 동사 A as B

815 I **think of** myself / **as** a positive person [who doesn't complain much].
S V O C (who: S′, doesn't complain: V′, much: M′)
나는 나 자신을 (~로) 여긴다 / 긍정적인 사람으로 [불평을 많이 하지 않는].

- myself는 동사 think of의 목적어 역할을 하는 재귀대명사 ▶**UNIT 18**
- who 이하는 앞의 명사 a positive person을 수식하는 주격 관계대명사절 ▶**UNIT 64**

816 We **look upon** leisure / **as** a vital time (for recharging our batteries).
S V O C
우리는 여가를 (~로) 여긴다 / 매우 중요한 시간으로 (재충전하기 위한).

- 전치사의 목적어로 (대)명사와 동명사가 모두 쓰일 수 있으나, 뒤에 목적어를 바로 취하는 것은 동명사이므로 전치사 for 뒤에 동명사 recharging이 쓰였다. ▶**UNIT 19**

817 Many people don't **regard** social media / **as** trustworthy sources of news.
S V O C
많은 사람들은 소셜 미디어를 (~로) 여기지 않는다 / 신뢰할 수 있는 뉴스의 소식통으로.

818 The WHO / **views** access (to health care) / **as** a basic human right.
S V O C
세계보건기구는 / 접근권을 (~로) 여긴다 (의료 서비스로의) / 기본적인 인권으로.

- = The WHO **considers** access to health care **(to be)** a basic human right.
〈consider A (to be) B: A를 B로 여기다〉에서 to be는 거의 생략된다.

UNIT 84 동사 A of B

819 Researchers have found // that poor posture can **rob** us / **of** a few inches of height.
S V O (poor posture: S′, can rob: V′, us: O′)
연구원들은 발견했다 // 좋지 않은 자세는 우리에게서 (~을) 빼앗을 수도 있다는 것을 / 몇 인치의 키를.
↳ 연구원들은 자세가 좋지 않으면 키가 어느 정도 작아질 수도 있다는 것을 발견했다.

- 동사 have found의 목적어 자리에 that이 이끄는 명사절이 왔다. ▶**UNIT 17**
- 여기서 can은 현재나 미래에 대한 가능성/추측을 나타내는 조동사 ▶**UNIT 34**

820 Too much screen time (before bedtime) / can **deprive** people / **of** their sleep.
S V O
너무 많은 스크린 시간은 (취침 전) / 사람들에게서 (~을) 빼앗을 수도 있다 / 그들의 수면을.

- 여기서 can은 현재나 미래에 대한 가능성/추측을 나타내는 조동사 ▶**UNIT 34**

821 Building owners should **clear** the sidewalk / **of** snow / for public access.
S V O M
건물 주인들은 보도에서 (~을) 치워야 한다 / 눈을 / 일반 대중의 이용을 위해.

- 여기서 should는 충고/의무를 나타내는 조동사 ▶**UNIT 33**

822 After using the new treatment, / many patients **were cured** / **of** the illness.
새로운 치료법을 사용한 후에, / 많은 환자가 치료되었다 / 그 병에서.

〈cure A of B〉 구문의 수동태는 〈A be cured of B: A가 B에서 치료되다〉
← After using the new treatment, they **cured** many patients **of** the illness.
After using the new treatment는 접속사 after가 생략되지 않은 분사구문 ▶**UNIT 58**

영작 직결 **823** Evening exercise will **relieve** you / **of** all the tension (of the day).
저녁 운동은 당신에게서 (~을) 덜어줄 것이다 / 모든 긴장을 (하루의).

정답 | **Evening exercise will relieve you of all the tension of the day.**
해설 | 문맥상 〈relieve A of B: A에게서 B를 덜어주다[없애다]〉 구문이 적절하다.

824 You **reminded** me **of** my childhood // when you sang that song.
너는 나에게 내 어린 시절을 상기시켜 주었다 // 네가 그 노래를 불렀을 때.

when 이하는 시간을 나타내는 부사절 ▶**UNIT 73**

825 Regular assessment **informs** students / **of** their progress and areas for development.
정기적인 평가는 학생들에게 (~을) 알려준다 / 그들의 (학습) 진행 상황과 발전해야 할 부분을.

전치사 of의 목적어로 their progress와 areas for development가 접속사 and로 연결된 병렬구조 ▶**UNIT 61**

826 He failed to **convince** the jury **of** his innocence.
그는 배심원단에게 자신의 무죄를 확신시키지 못했다.

to 이하는 동사 failed의 명사구 목적어 ▶**UNIT 15**

827 She **assured** parents / **of** improvement (in the quality of basic education).
그녀는 부모들에게 (~을) 보장했다 / 향상을 (기초교육의 질의).

828 Many **accused** the government / **of** lacking a plan (to deal with the economic crisis).
많은 사람은 (~의 이유로) 정부를 비난했다 / 계획이 부족하다는 이유로 (경제 위기를 다룰).

a plan은 to-v구(to deal with the economic crisis)와 동격 관계 ▶**UNIT 99**

UNIT 85 동사 A to B

829 For $13, / the airport shuttle bus **takes** you / directly **to** your hotel.
13달러면, / 공항 셔틀 버스는 당신을 (~로) 데려간다 / 곧장 당신의 호텔로.

830 You cannot **add** more minutes **to** the day, // but you can utilize each one / to the fullest. - M. Schneerson ((러 교사))

S1 V1 O1 // S2 V2 O2 / M2

당신은 하루에 더 많은 분(分)들을 더할 수 없다. // 하지만 당신은 각각의 것을 활용할 수 있다 / 최대한으로.

- 여기서 can은 능력을 나타내는 조동사 ▶**UNIT 32**
- one = minute

831 Finding the cause (of the disease) / will **lead** you **to** the best treatment.

S / V O

원인을 찾는 것은 (질병의) / 당신을 최선의 치료로 인도할 것이다.

- Finding ~ the disease는 동명사구 주어 ▶**UNIT 08**

832 I don't know / how to **apply** the formula / **to** this problem.

S V / O (V′ O′)

나는 모르겠다 / 공식을 (~에) 어떻게 적용해야 할지 / 이 문제에.

- 〈how to-v〉: 어떻게 v할지를, v하는 방법
- • apply to: ~에 적용되다
  e.g. These safety standards **apply to** all workplaces. 이 안전 기준들은 모든 작업장에 **적용됩니다**.
  • apply for: ~을 신청하다
  e.g. You can **apply for** a scholarship this semester. 너는 이번 학기에 장학금**을 신청할** 수 있다.
  • apply: (연고, 크림 등을) 펴 바르다
  e.g. **Apply** the cream to the affected area. 상처 부위에 크림을 **펴 바르세요**.

833 Any creator **owes** their creations / **to** past creations.

S V O

어떤 창작자라도 그들의 창조물은 (~의) 덕분이다 / 과거의 창조물의.

↳ 창조는 과거에 있던 것의 모방에서 만들어진다.

- 〈any+단수명사〉는 단수 취급이 원칙이지만, 복수대명사(their)로 받는 일이 많다.

834 We can **attribute** the failure / **to** a number of factors, / not only one.

S V O

우리는 실패를 (~의 탓으로) 돌릴 수 있다 / 여러 요인의 탓으로, / 단지 하나가 아니라.

835 An introvert may **prefer** online / **to** in-person communication. - 모의응용

S V O

내성적인 사람은 (~보다) 온라인(으로 하는 의사소통)을 선호할지도 모른다 / 직접 대면하는 의사소통보다.

- 여기서 may는 가능성/추측을 나타내는 조동사 ▶**UNIT 34**

영작 직결 **836** Doctors **ascribed** his quick recovery / **to** his strong determination (to beat the illness).

S V O (determination = to beat the illness)

의사들은 그의 빠른 회복을 ~의 덕분으로 돌렸다 / 그의 강한 투지 (덕분으로) (병을 이기겠다는).

정답 | **Doctors ascribed his quick recovery to his strong determination to beat the illness.**

해설 | 문맥상 〈ascribe A to B: A를 B의 덕분[탓]으로 돌리다〉 구문이 적절하며, to beat the illness는 앞의 명사구 his strong determination과 동격 관계이다. ▶**UNIT 99**

UNIT 86

동사 A with B

837 Proverbs **provide** us / **with** timeless wisdom. - 모의응용

S V O

속담은 우리에게 (~을) 제공한다 / 시간을 초월한 지혜를.

(= Proverbs **provide** timeless wisdom **for** us.)

838 A witness **supplied** the police / **with** the criminal's description.

S V O

한 목격자가 경찰에게 (~을) 제공했다 / 범인의 인상착의를.

839 The jury **presented** the team / **with** the winning trophy and medals.

S V O

심사위원단은 그 팀에게 (~을) 수여했다 / 우승 트로피와 메달을.

840 Books **furnish** children / **with** knowledge / by encouraging them to think.

S V O M (V' O' C')

책은 아이들에게 (~을) 제공한다 / 지식을 / 그들이 생각하도록 격려함으로써.

- 전치사 by의 목적어로 동명사구(encouraging ~ to think)가 쓰였다. ▶**UNIT 18**
- 〈encourage+O+to-v〉: O가 v하도록 격려[고무]하다
- them = children

841 The program aims / to **equip** people / **with** the skills (necessary for a job).

S V O (V' O')

그 프로그램은 목표로 한다 / 사람들에게 (~을) 갖추어주는 것을 / 기술들을 (직업에 필요한).

- to equip 이하는 동사 aims의 명사구 목적어

영작 직결 842 The organization will **provide** free meals / **for** all children / during the school closure.

S V O M

그 단체는 (~에게) 무료 식사를 제공할 것이다 / 모든 어린이에게 / 학교 폐쇄 기간에.

정답 | **will provide free meals for all children during the school closure**

해설 | 주어진 어구에 동사 provide와 전치사 for가 있으므로 〈provide B for A: A에게 B를 제공하다〉 구문이 적절하다. 이때 〈provide A with B〉 구문과 A, B의 위치를 혼동하지 않도록 주의해야 한다.

843 Don't **compare** what you have / **with** what others have.

V O (O' S' V')

당신이 가진 것을 (~와) 비교하지 말라 / 다른 사람들이 가진 것과.

- what you have와 what others have는 관계대명사 what이 이끄는 명사절 ▶**UNIT 69**

844 Life **is** often **compared to** a voyage.

S V

인생은 종종 항해에 비유된다.

- ← People often **compare** life **to** a voyage.
- 보통 두 대상의 '유사점'을 비교·비유할 때는 〈compare A to B〉를, '차이점'을 비교할 때는 〈compare A with B〉를 사용한다.

845 Never **confuse** a single defeat / **with** a final defeat // since you have more chances (to win).

V O S′ V′ O′

절대 한 번의 패배를 (~와) 혼동하지 마라 / 최후의 패배와 // 당신은 더 많은 기회가 있으므로 (이길).

- 여기서 since는 이유를 나타내는 접속사 ▶**UNIT 75**
- to win은 앞의 명사 more chances를 수식하는 형용사적 용법으로 쓰인 to부정사구 ▶**UNIT 51**
- 〈chance(s) to-v〉: v할 기회 ***cf.*** 〈chance of ~〉: ~의 가능성

846 There are some words [that **are** frequently **mixed up with** others].

V S S′ V′

몇몇 단어들이 있다 [종종 다른 것들과 혼동되는].

- ← People frequently **mix** some words **up with** others.
- 전명구를 동반하는 동사구는 수동태에서도 하나의 덩어리로 표현된다. ▶**UNIT 41**

847 The police **charged** two young men / **with** causing a disturbance.

S V O

경찰은 두 명의 젊은 남성을 (~로) 기소했다 / 소란을 일으킨 것으로.

- ***cf.*** 〈charge A with B〉: A에게 B의 임무[책임]를 맡기다
  His parents **charged** him **with** taking care of his sisters. 그의 부모님은 그**에게** 여동생들을 돌보는 **임무를 맡기셨다**.

848 Travel opens your heart, / broadens your mind / and **fills** your life / **with** stories (to tell). - Paula Bendfeldt ((여행 블로거))

S V_1 O_1 V_2 O_2 V_3 O_3

여행은 당신의 마음을 열고, / 당신의 마음을 넓힌다 / 그리고 당신의 삶을 (~로) 채운다 / 이야기들로 (말할).

- 세 개의 동사구가 콤마(,)와 and로 연결되어 병렬구조를 이룬다. ▶**UNIT 61**
- to tell은 앞의 명사 stories를 수식하는 형용사적 용법으로 쓰인 to부정사 ▶**UNIT 51**

UNIT 87 원급 구문 I

849 The ability (to express an idea) / is **as** *important* / **as** the idea itself (is).
S V C
능력은 (생각을 표현하는) / 중요하다 / 그 생각 자체(가 중요한 것)만큼.

- A와 B, 즉 The ability to express an idea와 the idea itself가 같은 정도로 중요함을 의미한다.
- 〈A as 원급 as B〉구문에서 첫 번째 as는 '같은 정도로, ~만큼'을 뜻하는 부사이고, 두 번째 as는 '~처럼'을 뜻하는 접속사 또는 전치사이다. 구문 전체를 자연스러운 우리말로 표현할 때 'B만큼 ~하다'가 되는 것이지, 두 번째 as가 '~만큼'을 뜻하는 것은 아니다.
- 재귀대명사 itself는 the idea를 강조하기 위해 쓰였다. ▶**UNIT 95**
- 접속사 as 뒤의 반복 어구는 생략이 가능하다. be동사는 인칭이 다르더라도 생략할 수 있다.
  e.g. She is as confident as I (***am***). 그녀는 나만큼 자신만만하다.
- **〈A as 원급 as B〉의 관용적 표현**
  - as cold as ice 얼음처럼 차가운
  - as hard as nails 완고한, 튼튼한
  - as stubborn as a mule 아주 고집이 센
  - as black as night 칠흑같이 어두운
  - as quiet as a mouse 쥐 죽은 듯이 조용한
  - as wise as an owl 매우 현명한 (= as wise as a Solomon)

850 I have friends [who love music **as** *much* // **as** I do].
S V O (S′ V′ O′ M′)
나는 친구들이 있다 [음악을 아주 좋아하는 // 내가 그런(=아주 좋아하는) 만큼].

- do는 love music을 대신하는 대동사이다. as 뒤에는 비교하는 대상에 맞게 적절한 동사가 와야 한다.
  e.g. He **can** climb the mountain as fast as she **is**(×) → **can**(○). 그는 그녀가 할 수 있는 것만큼 산을 빠르게 오를 수 있다.
- 구어체에서는 as 뒤에 주격 대명사 대신 목적격 대명사가 올 수 있다.
  = I have friends who love music as much as **me**.

851 Surround yourself / with people [whose dreams are **as** *big* / **as** yours].
V O M (S′ V′ C′)
항상 자기 주변에 두어라 / 사람들을 [그들의 꿈이 큰 / 너의 것(=꿈)만큼].

- A와 B, 즉 whose dreams와 your dreams를 비교하는 것이므로 B에는 소유대명사 yours가 왔다.
- 선행사 people과 관계사 뒤에 오는 명사 dreams는 소유 관계이므로 소유격 관계대명사 whose가 쓰였다. ▶**UNIT 64**

852 We ought to do good to others **as** *simply* // **as** a horse runs, /
S V O M M S′1 V′1
우리는 다른 사람들에게 단순하게 선(善)을 행해야 한다 // 말이 달리는 것만큼, /
or a bee makes honey. - Marcus Aurelius ((고대 로마 황제))
S′2 V′2 O′2
또는 벌이 꿀을 만드는 것만큼.
↳ 우리는 말이 달리거나 벌이 꿀을 만드는 것과 같이 당연하게 선을 행해야 한다.

- 〈A as 원급 as B〉에 들어갈 원급이 형용사인지 부사인지는 as를 떼고 문장 구조상 적절한 것을 찾으면 된다. 즉, We ought to do good to others simply.이므로 부사의 원급이 들어갔다.
- 여기서 ought to는 충고/의무를 나타내는 조동사 ▶**UNIT 33**

853 Public recognition is almost **as** *essential* / **as** financial reward.
S V C
대중의 인정은 거의 필수적이다 / 금전적인 보상만큼.

- 〈A almost[nearly] as ~ as B〉: A는 거의 B만큼 ~한[하게] (A < B)
  cf. A와 B가 완전히 같은 정도임을 표현할 때는 just[exactly]가 사용된다.
  〈A just[exactly] as ~ as B〉: A는 꼭[정확히] B만큼 ~한[하게] (A = B)

854 Letting a bad thought get into your mind / is **as** *dangerous* /
나쁜 생각이 너의 마음에 들어오게 하는 것은 / 위험하다 /
as letting a germ get into your body.
세균이 너의 몸에 들어오게 하는 것만큼.

- 비교하고 있는 대상 A와 B는 문법적으로 대등해야 하므로 as 뒤에 동명사 letting이 왔다. (to let (×))
- Letting a bad thought get into your mind는 v-ing(동명사)가 이끄는 명사구 주어 ▶**UNIT 08**

855 The contribution of amateurs (to astronomy) / is often **as**
아마추어들의 공헌은 (천문학에 대한) /
significant and valuable / **as** that of professionals.
종종 중요하고 가치가 있다 / 전문가들의 그것(=공헌)만큼.

- 아마추어들의 공헌과 전문가들의 공헌을 비교하는 것이므로 단수명사인 the contribution을 대신할 수 있는 대명사 that이 왔다.

856 There are **as** *many* opinions // **as** there are people. - Terence ((고대 로마 극작가))
많은 견해들이 있다 // 사람들이 (많이) 있는 것만큼.

- 〈A as 원급 as B〉에서 원급 자리에 〈형용사+명사〉 형태가 오는 경우이며, 명사 opinions가 복수형이므로 셀 수 있는 명사를 수식하는 many가 왔다.

어법 직결 **857** During the off-season, / tours start **as** *regularly* / **as** they do during the peak season.
비수기 동안, / 투어들은 자주 시작한다 / 성수기에 시작하는 것만큼.

정답 | ×, **regularly**
해설 | 원급의 '형용사/부사'의 구별은 as를 떼고 문장 구조상 적절한 것을 찾으면 된다. 〈주어 + 동사〉로 이루어진 SV문형이므로 형용사 regular는 동사를 수식하는 부사 regularly로 바꿔야 한다.

UNIT 88 원급 구문 II

858 Reading ten thousand books / is ***not*** **as** *useful* / **as** traveling ten thousand miles.
- Proverb
만 권의 책을 읽는 것은 / 유용하지 않다 / 만 마일을 여행하는 것만큼.
→ 책을 읽는 것보다는 직접 여행하는 것이 더 유용하다.

- = Reading ten thousand books is ***not*** **so** *useful* **as** traveling ten thousand miles.
- Reading ten thousand books는 v-ing(동명사)가 이끄는 명사구 주어 ▶**UNIT 08**
- 비교 대상 A와 B는 문법적으로 대등해야 하므로 as 뒤에 동명사 traveling이 왔다. (to travel (×))

859 Being recognized for what we do / is ***not*** **so** *important* / **as** being loved for who we are.
우리가 하는 일로 인정받는 것은 / 중요하지 않다 / 우리가 누구인지로 사랑받는 것만큼.

- = Being recognized for what we do is ***not*** **as** *important* **as** being loved for who we are.
- Being recognized for what we do는 v-ing(동명사)가 이끄는 명사구 주어 ▶**UNIT 08**
- 〈recognize A for B〉 구문의 수동형은 〈A be recognized for B: A가 B로 인정받다〉
- 문어체에서는 〈A not as ~ as B〉보다 〈A not so ~ as B〉를 선호하는 편이다.

860 Products [that are black] / are perceived / to be ***twice* as *heavy*** /
S V C
제품은 [검은색인] / 인식된다 / 두 배만큼 더 무거운 것으로 /

as those [that are white]. - 모의응용
제품보다 [흰색인].

thatol 이끄는 두 개의 주격 관계대명사절은 각각 앞에 있는 Products와 those를 수식한다. ▶**UNIT 64**

861 The government spent ***three times* as *much*** money / on national defense //
S V O
정부는 세 배만큼 많은 돈을 지출했다 / 국방에 //

as it did last year.
작년에 그랬던(=지출했던) 것보다.

= The government spent ***three times more*** money on national defense **than** it did last year. ▶**UNIT 90**
did는 spent를 대신하는 대동사
배수/분수 표현: twice(두 배), three times(세 배), half(절반), a third(3분의 1), two thirds(3분의 2) 등
명사를 사용하는 배수 표현
large, long, tall, old, many, heavy와 같은 형용사 원급 대신에 size(크기), length(길이), height(키), age(나이), number(수), weight(무게)와 같은 명사를 사용하는 배수 표현도 가능하다.
e.g. Your piece of bread is three times **as large as** mine.
= Your piece of bread is three times **the size of** mine. 네 빵조각은 내 것의 세 배 크기이다.
This bridge is one and a half times **as long as** that one.
= This bridge is one and a half times **the length of** that one. 이 다리는 저 것의 1.5배 길이이다.

862 When the season changes, // temperatures can fluctuate /
S′ V′ S V
환절기에는, // 기온이 계속 변동할 수 있다 /

by **as much as** 10 degrees in a day.
M
하루에 무려 10도만큼이나.

When the season changes는 시간을 나타내는 부사절 ▶**UNIT 73**
〈as much/many as ~〉는 수나 양이 많다는 느낌을 전달하는 표현이다.

863 You only get one life. It's actually your duty / to live it **as *fully* as possible.**
S V O S(가주어)V C V′ O′ M′ S′(진주어) - 영화 *Me Before You* 中
당신은 단 한 번의 인생을 가진다. (~은) 정말로 당신의 임무이다 / 가능한 한 충실하게 그것(=인생)을 사는 것은.

= It's actually your duty to live it **as** *fully* **as you can.**
〈as ~ as possible = as ~ as+주어+can/could〉: 가능한 한 ~한[하게]
첫 번째 It은 가주어이고, 두 번째 it은 your life를 가리킨다.

864 Laugh every day // **as *much* as** you can. - Roseanne Barr ((美 배우 겸 작가))
V M M
매일 웃어라 // 가능한 한 많이.

= Laugh every day **as** *much* **as possible.**

865 What's important // is **not so much** the path [you're on] / **as** the direction [you're headed]. - 모의응용
S V C
중요한 것은 // 길이라기보다는 [당신이 있는] / 방향이다 [당신이 가고 있는].

What's important는 관계대명사 what이 이끄는 명사절 주어 ▶**UNIT 69**
you're on, you're headed는 앞의 명사를 수식하는 관계사절이다. 첫 번째 관계사절에는 목적격 관계대명사 that[which]이, 두 번째 관계사절에는 관계부사 where가 생략되었다. ▶**UNIT 67**

UNIT 89

비교급 구문 I

866 Imagination is **more important** / **than** knowledge. - Albert Einstein

S V C

상상력이 더 중요하다 / 지식보다.

비교급은 원급 구문과 마찬가지로 비교하는 대상의 의미나 형태, 격, 수가 대등해야 한다.

867 Many disciplines are **better** learned / by entering into the doing / **than** by mere abstract study. - 수능

S M V M

많은 교과가 더 잘 학습된다 / 행하기 시작함으로써 / 단순한 추상적인 공부에 의해서보다.

교과는 행위자에 의해 '학습되는' 것이므로 Many disciplines와 learn은 수동 관계 ▶**UNIT 38**

868 When feeling down, / saying "I am really sad" / is **more helpful** / **than** declaring "I am happy." - 모의응용

V' O' S V C V' O'

기분이 울적할 때, / "나는 정말로 슬퍼"라고 말하는 것이 / 더 도움이 된다 / "나는 행복해"라고 선언하는 것보다.

When feeling down은 의미를 명확히 하기 위해 접속사(when)를 남겨둔 분사구문이며 의미상의 주어는 일반인이어서 생략되었다. ▶**UNIT 58, 59**

saying "I am really sad"와 declaring "I am happy"는 v-ing(동명사)가 이끄는 명사구 주어 ▶**UNIT 08**

869 The population of South Korea is **larger** / **than** that of New Zealand.

S V C

남한의 인구는 더 많다 / 뉴질랜드의 그것(=인구)보다.

남한의 인구와 뉴질랜드의 인구를 비교하는 것으로 that은 the population을 가리킨다. those (×)

870 The hunger for love / is ***much* more difficult** to remove / **than** the hunger for bread. - Mother Teresa

S V C M

사랑에 대한 갈망은 / 훨씬 더 없애기 어렵다 / 빵(=음식)에 대한 갈망보다.

비교급 수식 부사: much, (by) far, a lot, still, even(훨씬) / a little, a bit(조금)
원급을 수식하는 very, too, quite 등은 비교급을 수식하지 못한다.

여기에서 to remove는 형용사 difficult를 수식하는 부사적 용법으로 쓰인 to부정사 ▶**UNIT 55**

871 Despite the laws, / the air (in many places) / is ***still* worse** / **than** it is permitted to be.

M S V C

법에도 불구하고, / 공기는 (많은 곳에서) / 훨씬 더 나쁘다 / 허용되는 것보다.

872 Because of the flood of applicants, / the application process is taking ***a little* longer** // **than** we expected.

M S V M

빗발치는 지원자들 때문에, / 지원 과정이 조금 더 오래 걸리고 있다 // 우리가 예상했던 것보다.

어법 직결 **873** It is **better** / to have loved and lost / **than** never (to) have loved at all.

S(가주어) V C S′(진주어) - Alfred Tennyson ((英 시인))

(~이) 더 낫다 / 사랑해보고 잃었던 것이 / 한 번도 사랑해 본 일이 전혀 없는 것보다.

정답 | **×, (to) have**

해설 | 비교되는 두 대상은 문법적으로 대등해야 하므로 (to) have가 적절하다. to부정사(구)가 비교 대상으로 연결되면 than 뒤에 반복되는 to는 생략될 수 있다.

비교 대상: to have loved and lost vs. never to have loved at all

✔ at all은 부정어 never를 강조 ▶**UNIT 95**

UNIT 90 비교급 구문 Ⅱ

874 **The more** we study, // **the more** we discover our ignorance. - P. B. Shelley ((英 시인))

M1 S1 V1 M2 S2 V2 O2

우리가 더 많이 공부할수록, // 우리는 더 많이 우리의 무지를 깨닫는다.

✔ = As we study more, we discover our ignorance more.

✔ **〈the+비교급 ~, the+비교급 ...〉 구문의 형태와 어순**

- 비교급 뒤에 나오는 〈주어+동사〉는 생략되는 경우도 있다.
  The sooner you go to see a doctor, **the better** (it is). 의사에게 진찰을 더 빨리 받아볼수록, 더 좋다.
- the more ~의 경우, 뒤에 나오는 형용사나 부사는 바로 뒤에 붙여 쓴다.
  The more ***interested*** I got in history, the more I wanted to know about it. (O)
  내가 역사에 흥미를 더 가질수록, 나는 그것에 관해 더 알고 싶었다.
  The more I got ***interested*** in history, the more I wanted to know about it. (×)
- 비교급이 수식하는 명사가 있으면 〈the+비교급+명사〉와 같이 비교급 뒤에 명사를 붙여 쓴다.
  The more ***time*** you have, **the more** ***work*** you can do. (O)
  더 많은 시간이 있을수록, 더 많은 일을 할 수 있다.
  The more you have ***time***, **the more** you can do ***work***. (×)

875 **The harder** you work for something, // **the greater** you'll feel /

M1 S1 V1 M1 C2 S2 V2

당신이 무언가를 위해 더 열심히 일할수록, // 당신은 기분이 더 좋을 것이다 /

when you achieve it.

S′ V′ O′

그것을 성취했을 때.

✔ when you achieve it은 시간을 나타내는 부사절 ▶**UNIT 73**

876 **The more moisture** a food has, // **the more likely** it is to grow harmful bacteria.

O1 S1 V1 C2 S2 V2 M2

식품이 더 많은 수분을 가질수록, // 그것이 해로운 세균을 키울 가능성이 더 크다.

✔ it = a food

877 The modern world makes us live **faster and faster** / without care for others.

S V O C (V′ M′ M′)

현대 세계는 우리가 점점 더 빨리 살아가게 한다 / 다른 사람을 신경 쓰는 것 없이.

✔ 〈비교급+and+비교급〉: 점점 더 ~

✔ **비교급의 관용적 표현**

- more often than not 대개, 보통
- for better or for worse 좋든 나쁘든
- more or less 다소, 얼마간
- for the better[worse] 좋은[나쁜] 쪽으로
- in (less than) no time 즉시, 곧
- get the better of ~을 이기다, 능가하다

878 Group performance (in problem solving) / is **superior** / **to** the individual work
S V C
집단 수행은 (문제 해결에 있어서) / 더 우수하다 / 개별 수행보다
(of the most expert group members). - 모의응용
(가장 숙련된 집단 구성원들의).

라틴어 계통에서 온 senior, junior, major, minor, superior, inferior, interior, exterior, prior와 같이 단어의 어미가 -or인 형용사들은 비교급으로 쓰일 때 than 대신에 to를 쓴다. 동사 prefer 역시 비교를 나타낼 때 전치사 to를 쓴다.
e.g. He is three years **senior to** me. 그는 나보다 세 살 더 많다.
I **prefer** taking a walk **to** seeing a movie. 나는 영화를 보는 것보다 산책하는 것을 더 좋아한다.

879 The air pollution level today / is at least ***three times*** **higher** /
S V C
오늘의 대기 오염 수치는 / 최소한 세 배만큼 더 높다 /
than the World Health Organization's "safe" level.
세계보건기구의 '안전' 수치보다.

= The air pollution level today is at least ***three times*** **as** *high* **as** the World Health Organization's "safe" level.
cf. twice와 half는 ⟨A 배수 비교급 than B⟩ 구문으로 쓰지 않고 ⟨A 배수 as 원급 as B⟩ 구문으로만 쓴다.
He can type ***twice*** *faster* **than** his brother. (×) → He can type ***twice*** **as** *fast* **as** his brother. (O)

880 The part of an iceberg [that is below the surface of the ocean] /
S
빙산의 부분은 [바다의 수면 아래에 있는] /
is about ***nine times*** **larger** / **than** the part [that is above the water].
V C
약 아홉 배만큼 더 크다 / 부분보다 [물 위에 있는].

= The part of an iceberg that is below the surface of the ocean is about ***nine times*** **as** *large* **as** the part that is above the water.
that is ~ ocean과 that is ~ water는 각각 앞에 있는 명사를 수식하는 주격 관계대명사절 ▶**UNIT 64**

881 Several excuses are always **less convincing** / **than** one. - Aldous Huxley ((英 문학인))
S V C
여러 개의 변명은 언제나 덜 설득력이 있다 / 하나(의 변명)보다.
↳ 자신의 잘못에 대해 변명을 늘어놓지 마라.

한쪽이 다른 쪽보다 정도가 낮음을 나타내는 비교는 ⟨A less 원급 than B⟩의 형태를 취한다. 이때는 형용사의 음절과 관계없이 less를 쓴다.
⟨A less 원급 than B⟩는 ⟨A 비교급 than B⟩와는 반대의 뜻을 갖는데, 그렇게 자주 쓰이는 표현이 아님을 기억해 두자. 아래 예에서 오른쪽 표현이 보통 더 많이 쓰이는데, 형용사가 단음절어일 때는 더욱더 그렇다.
e.g. less dangerous than → not so dangerous as / less strong than → weaker than

영작 직결 882 **The stronger** you become, // **the bigger obstacles** you can overcome.
C_1 S_1 V_1 O_2 S_2 V_2
당신이 더 강해질수록, // 당신은 더 큰 장애물을 극복할 수 있다.

정답 | **The stronger you become, the bigger obstacles you can overcome.**
해설 | ⟨the+비교급 ~, the+비교급 ...: ~하면 할수록 더욱 …하다⟩ 구문에서 비교급이 수식하는 명사가 있으면 ⟨the+비교급+명사⟩와 같이 비교급 뒤에 명사를 붙여 쓴다. (~, the bigger you can overcome obstacles. (×))

UNIT 91

혼동하기 쉬운 비교급 구문 I

883 The length (of your education) / is **not** **more** important / **than** its breadth.

S / V / C

기간은 (교육의) / 더 중요하지는 않다 / 그것의 폭넓음보다.

↳ 교육의 기간도 중요하나 교육의 폭넓음보다는 덜 중요하다.

✔ 〈A not more ~ than B〉: A와 B 모두 ~하나, A가 B보다 덜 ~하다 (A≦B)

884 Cultural development is **not** **less** significant / **than** economic development.

S / V / C

문화적인 발전은 (더 중요하면 중요하지) 덜 중요하지 않다 / 경제적인 발전보다.

↳ 문화적인 발전은 경제적인 발전 못지않게 중요하다.

✔ 〈A not less ~ than B = A at least as ~ as B〉: A는 B 못지않게 ~하다 (A ≧ B)
= Cultural development is ***at least as*** significant ***as*** economic development.

885 Stepping onto a brand-new path / is **not** **more** difficult / **than** remaining in a tough reality.

S / V / C

아주 새로운 길에 발을 내딛는 것은 / 더 어렵지는 않다 / 힘든 현실에 남아있는 것보다.

↳ 새로운 길을 찾는 것도 어려우나 힘든 현실에 주저앉는 것보다는 덜 어렵다.

✔ Stepping onto a brand-new path는 v-ing(동명사)가 이끄는 명사구 주어 ▶**UNIT 08**

✔ 비교하고 있는 대상 A와 B는 문법적으로 대등해야 하므로 than 뒤에 동명사 remaining이 왔다. (to remain (×))

886 Children are **not** **less** intelligent / **than** adults; // they are just less informed.

S_1 / V_1 / C_1 // S_2 / V_2 / C_2

아이들은 (더 똑똑하면 똑똑하지) 덜 똑똑하지 않다 / 어른들보다. // 그들은 단지 덜 아는 것이다.

↳ 아이들은 어른들 못지않게 똑똑하다.

✔ = Children are ***at least as*** intelligent ***as*** adults; ~.

✔ they = children

887 Too much is **no more** desirable // **than** too little is (desirable).

S / V / C

너무 많은 것이 바람직하지 않음은 // 너무 적은 것이 그렇지(=바람직하지) 않음과 같다.

↳ 정도를 지나침은 미치지 못함과 같다. (과유불급[過猶不及])

✔ = Too much is ***not*** desirable ***any more than*** too little is.

✔ 〈A no more ~ than B〉: A는 B와 마찬가지로 ~ 아니다. A가 ~이 아닌 것은 B가 아닌 것과 같다 (A=B)

✔ no(= not ... any)는 more를 수식하며 not에 비해 강한 부정의 뜻을 갖는다.

✔ too little is 뒤에는 desirable이 생략되어 있다.

888 Exercise is **no less** important / to our health / **than** nourishment.

S / V / C / M

운동은 (꼭 ~만큼) 중요하다 / 우리의 건강에 / 꼭 음식(이 중요한)만큼.

✔ 〈A no less ~ than B = A just as ~ as B〉: A는 꼭 B만큼 ~하다 (A=B)
= Exercise is ***just as*** important to our health ***as*** nourishment.

889 We can **no more** hold time steady // **than** we can turn it back.

S V O C

우리가 시간을 붙잡을 수 없는 것은 // 우리가 그것을 되돌릴 수 없는 것과 같다.

- = We can***not*** hold time steady ***any more than*** we can turn it back.
- 〈A no more ~ than B〉는 A, B 모두를 부정하는 것이므로 B 부분이 비록 긍정문의 형태더라도 부정으로 해석한다는 점을 꼭 기억하자.
- it = time

890 We must recognize // others' values / are **no less** crucial / **than** our own.

S V O (S′ V′ C′)

우리는 깨달아야 한다 // 다른 사람들의 가치관이 / (꼭 ~만큼) 중대하다는 것을 / 꼭 우리 자신의 것(=가치관)만큼.

- = ~ others' values are ***just as*** crucial ***as*** our own.
- 여기서 must는 강한 충고/의무를 나타내는 조동사 ▶**UNIT 33**
- recognize 뒤에 명사절을 이끄는 접속사 that이 생략되었다. ▶**UNIT 17**
- our own은 대명사로서 our own values를 대신한다.

UNIT 92 혼동하기 쉬운 비교급 구문 Ⅱ

891 Occasionally I have fast food, / but **not more than** once a month.

M S V O

가끔 나는 패스트푸드를 먹는다. / 하지만 많아야 한 달에 한 번이다.

- 〈not more than = at (the) most〉: 많아야, 기껏해야

892 The candidates (for mayor of this city) / must collect / **not less than** 40,000 signatures / for registration.

S V O M

후보자들은 (이 도시의 시장(市長)을 위한) / 모아야 한다 / 적어도 4만 명의 서명을 / 등록을 위해서.

- 〈not less than = at (the) least〉: 적어도
- no less than과 not less than을 구분 없이 사용하기도 한다.

893 Please use / **not less than** four letters / and **not more than** fifteen letters / for your password.

V O_1 O_2 M

사용해 주세요 / 적어도 4자 이상을 / 그리고 많아도 15자 이하를 / 당신의 암호로.

894 The WHO suggests / taking **no more than** 5 grams of salt per day.

S V O (V′ O′ M′)

세계보건기구(WHO)는 권장한다 / 하루당 겨우 5그램의 소금만 섭취하는 것을.

- 〈no more than = as few/little as = only〉: 겨우 ~인
- suggest는 동명사를 목적어로 취하는 동사이므로 suggests 뒤에 taking이 왔다. ▶**UNIT 15**

F·Y·I 소금은 음식의 풍미를 살려줄 뿐만 아니라 박테리아로부터 음식을 보존하는 데 사용되기도 한다. 인간의 신체는 신경 자극 유도, 근육의 이완과 수축 그리고 물과 미네랄의 적당한 균형을 맞추기 위해서 적정량의 소금을 요하는데, 이런 필수적인 기능을 위해서는 하루 5g의 소금이 필요할 뿐이다. 소금을 과다 섭취할 경우 고혈압, 심장병 그리고 뇌졸중의 원인이 될 수 있다.

895 For a butterfly to fly / it must have a body temperature (of **no less than** 30 degrees Celsius).

M S V O

나비가 날기 위해서는 / 체온을 갖고 있어야 한다 (섭씨 30도나 되는).

- to fly의 의미상의 주어는 For a butterfly ▶**UNIT 12**
- to fly는 '목적'을 나타내는 부사적 용법으로 쓰인 to부정사 ▶**UNIT 54**
- 〈no less than = as many/much as〉: ~나 되는, ~만큼의
- it = a butterfly

F·Y·I 나비는 냉혈동물이기 때문에 외부 환경이 체온 유지에 큰 영향을 미친다. 날씨가 추울 경우, 날개를 햇볕에 쐬어 체온을 올리거나 빠르게 몸을 떨어 날개 근육을 따뜻하게 해 비행 준비를 한다.

896 My father is 54 years old // and he still looks **no more than** 40.

S_1 V_1 C_1 S_2 V_2 C_2

우리 아버지는 54세이시다 // 그리고 그(=아버지)는 여전히 40세로밖에 보이지 않으신다.

897 A friend (with an understanding heart) / is worth **no less than** a brother.

S V C - Homer's *The Odyssey* 中

친구는 (헤아리는 마음을 가진) / 형제만큼이나 가치가 있다.

UNIT 93

최상급 구문

898 Music is **the most powerful** form of communication / in the world.

S V C M - Sean Combs ((美 래퍼))

음악은 가장 강력한 의사소통 형태이다 / 세상에서.

- 〈the + 최상급 + in[of] ~〉: ~에서[~들 중에서] 가장 …한[하게] (최상급은 범위를 나타내는 in[of] ~과 함께 많이 쓰인다.)

899 **The most wasted** of all days / is one (without laughter). - E. E. Cummings ((美 작가))

S V C

모든 날 중 가장 헛된 날은 / 하루이다 (웃음이 없는).

- 〈the + 최상급〉 뒤에 〈of + 복수명사〉가 쓰여 '~들 중에서 가장 …한'을 나타낸다.
- one = a day

900 The musical performance contains / **the most astonishing** costumes, stage setting, and lighting [that have ever been used].

S V O

그 뮤지컬 공연은 포함한다 / 가장 놀라운 의상, 무대 장치, 그리고 조명을 [지금껏 사용된 것 중에].

- 〈the + 최상급 + (that) + (S'+)have ever p.p.〉: 지금까지 ~한 것 중에 가장 …한[하게]
- that 이하는 the most astonishing costumes ~ lighting을 수식하는 주격 관계대명사절 ▶**UNIT 64**

901 **No (other) painting** is **as[so] popular** / **as** the *Mona Lisa* / in the world. - EBS 응용

S V C

어떠한 그림도 유명하지 않다 / '모나리자'만큼 / 세상에서.

↳ '모나리자'는 세상에서 가장 유명한 그림이다.

- = The *Mona Lisa* is **the most popular painting** in the world.
- = **No (other) painting** is **more popular than** the *Mona Lisa* in the world.
- = The *Mona Lisa* is **more popular than any other painting** in the world.

902 **Nothing** is **so strong** / **as** parents' love (for their children).

S V C

어떤 것도 강하지 않다 / 부모의 사랑만큼 (자녀에 대한).

- = Parents' love for their children is **(*the*) strongest**.
  보어로 쓰인 형용사 뒤에 〈in ~〉, 〈of ~〉 등의 수식어구가 없는 경우 최상급 앞의 the를 생략할 수 있다.

903 **Nothing** is **more precious** / **than** time, // but **nothing** is **less valued** (than time).

S_1 V_1 C_1 S_2 V_2 C_2

어떤 것도 더 귀하지 않다 / 시간보다. // 그러나 어떤 것도 (시간보다) 덜 소중하게 여겨지지 않는다.

↳ 시간이 가장 소중하지만 우리는 시간을 가장 가볍게 여긴다.

- = Time is **(*the*) most precious**, but time is **(*the*) least valued**.
- less valued 다음에 than time이 생략되었다.

904 The beginning is perhaps **more difficult** / **than anything else**, //

S_1 V_1 C_1

시작은 아마도 더 어려울 것이다 / 다른 어느 것보다도. //

but keep an optimistic view.

V_2 O_2

하지만 낙관적인 관점을 가져라.

문장 전환 **905** Identifying your passion / is **the most essential step** / for your future.

S V C M

당신의 열정을 확인하는 것이 / 가장 중요한 단계이다 / 당신의 미래를 위해.

→ **No other step** is **as[so] essential** / **as** identifying your passion / for your future.

S V C

어떠한 다른 단계도 중요하지 않다 / 당신의 열정을 확인하는 것만큼 / 당신의 미래를 위해.

→ **No other step** is **more essential** / **than** identifying your passion / for your future.

S V C

어떠한 다른 단계도 더 중요하지 않다 / 당신의 열정을 확인하는 것보다 / 당신의 미래를 위해.

정답 | **as[so] essential as identifying your passion, more essential than identifying your passion**

해설 | 〈the + 최상급〉=〈no (other) ... as[so] 원급 as ~〉=〈no (other) ... 비교급 than ~〉

906 **One of the greatest** feelings / is making special memories / with your family.

S V C M

가장 좋은 감정들 중 하나는 / 특별한 기억들을 만드는 것이다 / 당신의 가족들과 함께.

- 〈one of the + 최상급 + 복수명사〉: 가장 ~한 것들 중 하나
- 주어에서 핵이 되는 것은 One이므로 단수동사 is가 왔다.

907 How others see me / is **the least important** / of my worries.

S / V / C / M

남들이 나를 어떻게 보느냐는 / 가장 중요하지 않은 것이다 / 내 걱정거리들 중.

- How others see me는 의문부사 how가 이끄는 명사절 주어 ▶**UNIT 09**
- 〈the least+원급+of[in] ~〉: ~중에서 가장 …이 아닌
- the least important = the most trivial

908 Cyber-related fraud / is ***by far* the most common** form of crime / nowadays.

S / V / C / M - 모의응용

인터넷 관련 사기는 / 단연코 가장 흔한 범죄 형태이다 / 요즘.

- 최상급 강조: much[by far]+the+최상급 / the very+최상급(단연 가장 ~한)

909 Barcelona is **the second largest** city / in Spain / and is famous / for its many historic monuments.

S / V_1 / C_1 / M_1 / V_2 C_2 / M_2

바르셀로나는 두 번째로 큰 도시이다 / 스페인에서 / 그리고 유명하다 / 많은 역사적인 기념물로.

- 〈the +서수+최상급〉: ~번째로 가장 …인

910 By the laws of nature / the stream runs downhill, // and **the strongest** man cannot stop it.

M / S_1 V_1 M_1 / S_2 / V_2 O_2

자연의 법칙에 의해서 / 개울은 아래로 흐른다. // 그리고 아무리 힘이 센 사람이라도 그것을 멈출 수는 없다.

- it = the stream from running downhill
- **최상급의 관용적 표현**
  - at (the) least 적어도 (= not less than)
  - not ~ in the least 조금도 ~ 않은
  - for the most part 대부분
  - at (the) most 많아야 (= not more than)
  - at the latest 늦어도
  - to (the best of) my knowledge 내가 알고 있는 바로는

영작 직결 **911** Introduced by Google in 2004, / Gmail is **one of the most popular** e-mail services / in the world.

V′ M′ M′ / S V C / M

2004년 구글에 의해 도입되어, / Gmail은 가장 인기 있는 이메일 서비스 중의 하나이다 / 세계에서.

정답 | **is one of the most popular e-mail services**

해설 | 〈one of the 최상급+복수명사: 가장 ~한 것들 중 하나〉 구문을 써야 하므로 단수명사 e-mail service를 복수형(e-mail services)으로 바꿔 쓴다. popular는 앞에 the most를 붙여서 최상급을 만든다.

UNIT 94 도치구문

912 **Not only** *did he* come, // but he also helped me.

부정어 포함 어구 조동사1 S1 V1 S2 V2 O2

그가 왔을 뿐만 아니라, // 그는 나를 도와줬다.

- ← He not only came, but he also helped me.
- 부정어(구)가 문두로 가면 반드시 주어, 동사 간의 도치가 일어난다. 이때 일반동사의 경우 조동사 do/does/did가 주어 앞으로 나와 〈부정어(구)+조동사(do/does/did)+주어+동사〉의 어순을 취한다.
- (준)부정어(구)
  no, not, never / little / seldom, rarely / hardly, scarcely / no sooner ~ than, hardly[scarcely] ~ than[when/before] / only / under no circumstances, on no account, for no reason 등
- 〈not only A but (also) B〉: A뿐만 아니라 B도

913 **In the middle of difficulty** / *lies opportunity*. - Albert Einstein

장소 부사구 V S

고난의 한가운데에 / 기회가 있다.

- ← Opportunity lies in the middle of difficulty.
- 장소 부사구가 문두로 나가서 주어(opportunity)와 동사(lies)가 도치된 문장이다.
- 부사구 도치에선 일반동사가 조동사(do/does/did)를 사용하지 않고 동사 형태 그대로 도치된다.
  In the middle of difficulty does opportunity lie. (×)
- 방향·장소 부사(구) 도치는 동사가 자동사일 때로 한정된다.

914 **Great** *is the human* [who has not lost his childlike heart]. - Mencius ((맹자))

보어 V S [S′ V′ O′]

인간은 위대하다 [어린아이와 같은 마음을 잃지 않은].

- ← The human who has not lost his childlike heart is great.
- 이 경우는 보어를 강조하기보다는 문장의 균형을 위해 도치된 것이다. 주어 부분이 길고 〈동사+보어〉는 상대적으로 짧을 경우 〈보어+동사+주어〉의 어순이 영어에서 더 자연스럽다. 마치 to-v구나 that절 주어를 문장 뒤로 보내고 가주어 it을 쓰는 것처럼, 영어에서는 주어가 상대적으로 길고 복잡하면 되도록 뒤로 보내려는 경향이 있다.
- who 이하는 앞에 나온 the human을 수식하는 주격 관계대명사절 ▶**UNIT 64**

915 **Little** *did the students* know // that the unplanned vacation would impact them / in a negative way.

준부정어 조동사 S V O (S′ V′ O′ M′)

학생들은 거의 알지 못했다 // 계획되지 않은 방학이 그들에게 영향을 미칠 것이라는 것을 / 부정적으로.

- ← The students little knew that the unplanned vacation would impact them in a negative way.
- 동사 know의 목적어 자리에 that이 이끄는 명사절이 왔다. ▶**UNIT 17**

916 **Seldom** *does a new brand* [that doesn't appear on TV] / reach high levels of public awareness quickly. - EBS 응용

준부정어 조동사 S [S′ V′ M′] V O M

새로운 브랜드가 ~하는 경우는 거의 없다 [TV에 나오지 않는] / 높은 대중 인지도에 빠르게 도달하는.

- ← A new brand that doesn't appear on TV seldom reaches high levels of public awareness quickly.
- that doesn't appear on TV는 앞의 명사 a new brand를 수식하는 주격 관계대명사절 ▶**UNIT 64**

여기서 reach는 목적어를 취하는 SVO문형의 동사로 뒤에 전치사를 쓰지 않도록 주의해야 한다. ▶**UNIT 07**
e.g. She finally **reached** ~~to~~ New York this morning. 그녀는 오늘 아침 마침내 뉴욕에 **도착했다.**

917 **Only through practice** / *can language skills* be acquired. - 모의응용

only(준부정어) 포함 어구 / 조동사 / S / V

오직 연습을 통해서만 / 언어 기술은 습득될 수 있다.

← Language skills can be acquired only through practice.
only는 부사로서 '오직, ~밖에 없는'이라는 '부정'의 의미를 포함하므로 문두로 나가면 주어와 (조)동사가 도치된다.
언어 기술이 '습득되는' 것이므로 조동사와 결합된 수동형인 〈can+be p.p.〉 형태가 쓰였다. ▶**UNIT 40**

918 **Not until just before dawn** / *do people* sleep best; // **not until people get old** / *do they* become wise. - Proverb

부정어 포함 어구1 / 조동사1 S_1 V_1 M_1 // 부정어 포함 어구2 (S′ V′ C′) / 조동사2 S_2 V_2 C_2

새벽이 되기 직전에야 / 비로소 사람들은 가장 잘 잔다. // 사람들이 나이가 들어서야 / 비로소 현명해진다.

← People don't sleep best until just before dawn; people don't become wise until they get old.
〈not until+명사(구)〉가 문두로 나가는 경우 〈Not until+명사(구)+조동사/be동사+주어(+동사)〉의 형태를 취한다.
〈not until+S′+V′〉가 문두로 나가는 경우 뒤따르는 주절의 주어와 조동사를 도치시켜 〈Not until+S′+V′ ~ 조동사/be동사+주어(+동사)〉의 형태를 취한다.

919 **No sooner** *had he* met his family // than he burst into tears.

부정어 포함 어구 조동사 S V O // S′ V′ O′

그는 가족을 만나자마자 // 울음을 터뜨렸다.

← He burst into tears no sooner than he had met his family.

920 **Hardly** *had it* stopped raining // than a double rainbow appeared.

준부정어 조동사 S V O // S′ V′

비가 그치자마자 // 쌍무지개가 나타났다.

← It had hardly stopped raining than a double rainbow appeared.
〈hardly[scarcely] ~ than[when/before] ...〉, 〈no sooner ~ than ...〉, 〈as soon as ~, ...〉: ~하자마자 …하다 ▶**UNIT 74**
= **Scarcely** *had it* stopped raining **than[when/before]** a double rainbow appeared.
= **No sooner** *had it* stopped raining **than** a double rainbow appeared.
= **As soon as** it had stopped raining, a double rainbow appeared.
위와 같은 구문에서 끝나는 시점을 강조할 때는 주절에 완료시제를 쓴다.

921 **On no account** / *should your child* be left / at home alone.

부정어 포함 어구 / 조동사 S V / M M

무슨 일이 있어도 / 당신의 아이는 결코 남겨져서는 안 된다 / 집에 홀로.

← Your child should be left at home alone on no account.
on no account, under no circumstances, for no reason: 무슨 일이 있어도 결코 ~ 않는
= **Under no circumstances** *should your child* be left at home alone.
= **For no reason** *should your child* be left at home alone.

922 **Only when we realize the reasons behind failure**, // *can the causes of success* be more meaningful.

only(준부정어) 포함 어구 (S′ V′ O′) // 조동사 S V C

우리가 실패 뒤의 이유를 깨닫고 나서야, // 성공의 원인이 더 유의미할 수 있다.

← The causes of success can be more meaningful only when we realize the reasons behind failure.

923 Better than a thousand days of diligent study / *is* *one day with a great teacher*.
보어 V S - Proverb
천 일간의 부지런한 공부보다 더 낫다 / 훌륭한 스승과의 하루가.
↳ 훌륭한 스승에게 하루 배우는 것이 천 일간 독학하는 것보다 낫다.

- ← One day with a great teacher is better than a thousand days of diligent study.
- 〈비교급+than〉을 이용하여 a thousand days of diligent study와 one day with a great teacher를 비교하고 있다. ▶**UNIT 89**

어법 직결 **924** Behind every success / *are* *many hours (of sweat and pain)*.
장소 부사구 V S
모든 성공 뒤에는 / 많은 시간들이 있다 (땀과 고통의).

정답 | **×, are**
해설 | 장소 부사구가 문두에 오면서 주어와 동사가 도치된 문장이다. 문장의 주어(many hours of sweat and pain)는 복수이므로 is를 복수 동사 are로 고쳐야 한다. 앞에 나온 단수명사 success를 주어로 착각하지 않도록 주의한다.

925 The future belongs to all of us, // **and so** *does the responsibility* (to make a good future).
S_1 V_1 O_1 V_2 S_2 =
미래는 우리 모두의 것이다. // 그리고 책임도 그러하다 (좋은 미래를 만들).

- = The future belongs to all of us, and the responsibility to make a good future belongs to all of us, *too*.
- the responsibility와 to make a good future는 동격 관계 ▶**UNIT 99**
- 여기서 does는 앞에 나온 동사구(belongs to all of us)를 대신해서 쓰인 대동사이다.
- 〈so+V+S〉: S도 역시 그렇다

926 A good appearance doesn't make you beautiful inside, // **and neither** *do quality clothes*.
S_1 V_1 O_1 C_1 M_1 V_2 S_2
좋은 외모가 당신의 내면을 아름답게 만들지 않는다. // 그리고 질 좋은 옷도 그렇지 않다.

- = A good appearance doesn't make you beautiful inside, and quality clothes do*n't* make you beautiful inside, *either*.
- 여기서 do는 앞에 나온 동사구(make you beautiful inside)를 대신해서 쓰인 대동사이다.
- 〈neither[nor]+V+S〉: S도 역시 그렇지 않다

927 In life, / love is never planned // **nor** *does it* happen for a reason.
M S_1 V_1 조동사2 S_2 V_2 M_2
인생에서, / 사랑은 결코 계획되지 않으며 // 이유가 있어서 일어나는 것도 아니다.

- = In life, love is never planned and it does*n't* happen for a reason, *either*.
- 사랑이 '계획되지 않는' 것이므로 love와 plan은 수동 관계 ▶**UNIT 38**

928 **So** outstanding *was the performance* // **that** we could not stop clapping.
C V S S′ V′ O′
그 공연은 아주 뛰어나서 // 우리는 박수치는 것을 멈출 수 없었다.

- = The performance was **so** outstanding **that** we could not stop clapping.
- 〈so+형용사[부사]+that ...〉: 아주 ~해서 …하다 ▶**UNIT 79**

929 If **there** *exists no possibility (of failure)*, // then victory is meaningless.
V′ S′ S V C
- Robert H. Schuller ((美 선교사))
가능성이 없다면 (실패의). // 그러면 승리는 무의미하다.

- 〈there+V+S〉 구문에서 there 뒤에는 주로 be동사가 와서 'S가 있다'를 의미하지만, be동사 외에 enter, exist 등의 동사도 올 수 있다. there를 '거기에'라고 해석하지 않도록 한다.

UNIT 95

강조구문

930 It is *confidence* // that allows us to have unlimited success.
바로 자신감이다 // 우리가 무한한 성공을 가지게 하는 것은. 〈명사(주어) 강조〉

→ *Confidence* allows us to have unlimited success.
〈It is[was] A that ~〉 강조구문에서는 A를 강조하기 위해 강조어구를 더한 것이기 때문에 it is[was]와 that을 생략하더라도 문장이 성립한다.

931 It is *your parents* // who love you most.
바로 당신의 부모님이다 // 당신을 가장 사랑하는 사람은. 〈명사구(주어) 강조〉

→ *Your parents* love you most.
강조되는 대상이 사람인 경우에는 that 대신에 who를 쓸 수 있다. 강조되는 대상이 인칭대명사인 경우 주격보다는 목적격을 사용하고 이때는 who보다 that을 사용한다.
e.g. **It was** *him* **that** solved the quiz in only a minute. 단 1분 만에 그 퀴즈를 푼 것은 바로 그였다.

932 It is *the power of speech* // which most clearly differentiates man /
바로 말의 힘이다 // 가장 분명하게 인간을 구별하는 것은 /
from the animals.
동물로부터. 〈명사구(주어) 강조〉

→ *The power of speech* most clearly differentiates man from the animals.

933 It is *the things [I've never tried]* // that I regret, / not the things [I've failed at].
바로 (~한) 일이다 [내가 한 번도 시도해본 일 없는] // 내가 후회하는 것은. / (~한) 일이 아니라 [내가 실패한].
〈명사구(목적어) 강조〉

→ I regret *the things I've never tried*, not the things I've failed at.
두 개의 관계사절이 각각 바로 앞의 선행사 the things를 수식한다. 이때 두 개의 관계사절 내에는 모두 목적격 관계대명사 that이 생략되었다. ▶**UNIT 67**

934 It is *what kind of food people eat* // that plays a significant role /
바로 어떤 종류의 음식을 사람들이 먹는지이다 // 중요한 역할을 하는 것은 /
in improving their health. - 모의응용
그들의 건강을 개선시키는 데. 〈명사절(주어) 강조〉

→ *What kind of food people eat* plays a significant role in improving their health.

935 It is *only with the heart* / that one can see rightly; // what is essential /
오직 마음으로 만이다 / 사람이 바르게 볼 수 있는 것은. // 본질적인 것은 /
is invisible to the eye. - *The Little Prince* 中
눈에 보이지 않는다. 〈부사구 강조〉

→ One can see rightly *only with the heart*; what is essential is invisible to the eye.
관계대명사 what이 이끄는 명사절이 두 번째 절의 주어 역할 ▶**UNIT 69**

936 It was*n't until 1840, / (when Queen Victoria got married),* //
1840년까지는 아니었다. / (빅토리아 여왕이 결혼한). //
that the white wedding dress was made popular.
흰색 웨딩드레스가 인기 있게 된 것은. 〈부사구 강조〉

↳ 빅토리아 여왕이 결혼한 1840년이 되어서야 비로소 흰색 웨딩드레스가 인기를 끌었다.

→ The white wedding dress was *not* made popular *until 1840, when Queen Victoria got married*.
→ *Not until 1840, when Queen Victoria got married*, was the white wedding dress made popular. 〈도치구문 **▶UNIT 94**〉

- 〈not A until B〉: B 이후에야 비로소 A하다
- 여기서 make는 SVOC문형의 동사. the white wedding dress와 make는 수동 관계이므로 SVOC문형의 수동형인 〈be+p.p.+C〉 형태가 쓰였다. **▶UNIT 39**
- 콤마(,) 사이에 있는 when절은 1840년을 보충 설명해주는 삽입절 **▶UNIT 98**

937 It is *while we are young* // that the habit of industry is formed.
- Thomas Jefferson ((美 정치가·교육자·철학자))

바로 우리가 어릴 동안이다 // 근면의 습관이 형성되는 것은. 〈부사절 강조〉

- → The habit of industry is formed *while we are young*.
- 습관이 '형성되는' 것이므로 the habit of industry와 form은 수동 관계 **▶UNIT 38**

938 Experience really **does** *make* you a better man. - Alan Vega ((美 아티스트))

S V O C

경험은 정말 당신을 더 나은 사람으로 만들어 준다. 〈동사 강조〉

- 동사를 강조할 때는 동사 앞에 do[does, did]를 사용한다. '정말[꼭] ~하다'란 의미이다.

939 Childhood growing pains **do** *pass* // and cause no damage to bones or muscles.

S V_1 V_2 O_2 M_2

어린 시절 성장통은 정말 지나간다 // 그리고 뼈나 근육에 아무 손상도 일으키지 않는다. 〈동사 강조〉

940 Sometimes, / a break (from your routine) / is **the very** *thing* [you need].

M S V C S' V'

때때로, / 휴식이 (당신의 일상으로부터의) / 바로 그것이다 [당신이 필요한]. 〈명사 강조〉

- the very가 명사 thing을 강조. 이때 the very는 '바로 그[이]'로 해석한다.
- 관계사절(you need)이 바로 앞의 선행사 the very thing을 수식한다. 이때 관계사절 내에는 목적격 관계대명사 that이 생략되었다. **▶UNIT 67**

941 *Life* **itself** / is the most wonderful fairy tale. - H. Andersen ((덴마크 동화작가))

S V C

인생 그 자체가 / 가장 멋진 동화이다. 〈명사 강조〉

- 재귀대명사 itself가 명사 Life를 강조. 이때 itself는 '그 자신[자체], 직접, 스스로'라고 해석하며 강조를 위해 첨가된 것이므로 생략해도 문장이 성립한다.

942 I do*n't* understand **in the least** // what she's trying to say.

S V O

나는 전혀 이해가 안 된다 // 그녀가 무슨 말을 하려고 하는지. 〈부정어 강조〉

- in the least가 부정어(not)를 강조
- 의문사 what이 이끄는 명사절이 don't understand의 목적어 자리에 쓰였다. **▶UNIT 17**

943 You're wet through. *What* **on earth** *have you been doing*?

S V C 의문사 S V

너 완전히 다 젖었구나. 도대체 무엇을 하고 있었니? 〈의문문 강조〉

- on earth가 의문문(What have you been doing?)을 강조
- 의문문 강조: 의문사+on earth[in the world, ever]
- 과거부터 지금까지 계속하고 있는 행동을 나타내기 위해 현재완료 진행형이 쓰였다. **▶UNIT 29**

UNIT 96 생략구문

944 He said he would *fail*, // but he didn't **(fail)**.
S1 V1 O1 S2 V2
그는 자신이 실패할 것이라고 했다. // 하지만 그는 (실패하지) 않았다.

- 두 문장이 등위접속사(and, but, or)로 병렬 연결된 경우 뒤에 나오는 반복 어구는 생략할 수 있다.
- 동사의 형태가 달라지더라도 반복되는 동사를 생략하기도 한다.
  e.g. We **have** always **missed** him and we **will** always (**miss** him). 우리는 항상 그를 그리워해 왔고, 항상 (그를 그리워할) 것이다.

945 When **(you are)** in Rome, // do as the Romans do. - Proverb
S′ V′ A′ V S′ V′
로마에 있을 때는, // 로마인들이 하는 대로 해라.
↳ 로마에서는 로마법을 따르라.

- when, while, (al)though, even though, if, unless, as 등이 이끄는 부사절의 주어와 주절의 주어가 같을 때, 부사절의 〈S′+be〉를 생략하는 경우가 많다.
- 여기서 as는 접속사이며 〈as S′+V′: S′가 V′하듯이〉로 쓰였다.

946 Don't *take pictures* // if they tell you not to **(take pictures)**.
V O S′ V′ O′ C′
사진을 찍지 마라 // 만약 그들이 너에게 (사진을 찍지) 말라고 하면.

- to-v의 v 이하가 앞에 나온 어구와 반복될 경우 v 이하를 대부분 생략한다. 특히 want to-v, would like to-v가 접속사 if, when(ever), what(ever), as절에 쓰일 경우, 보통 to-v 전체를 생략하며 주로 구어체에서 사용한다.

947 Lost wealth *can be regained*, // but lost time **(can)** never **(be regained)**.
S1 V1 S2 V2
잃어버린 재산은 되찾을 수 있다. // 하지만 잃어버린 시간은 결코 그렇지 않다(되찾을 수 없다).

- 반복되는 동사구(can be regained)가 생략되었다.
- lost wealth와 regain은 수동 관계이므로 조동사와 결합된 수동형인 〈can+be p.p.〉 형태가 쓰였다. ▶UNIT 40

948 The first half *of our lives* / *is spent* sacrificing our health / to achieve wealth //
S1 V1 M1
우리 인생의 전반부는 / 우리의 건강을 희생하는 데 쓰인다 / 부를 얻기 위해 //
and the second half **(of our lives / is spent)** sacrificing our wealth / to achieve health.
S2 V2 M2
그리고 (우리 인생의) 후반부는 / 우리의 부를 희생하는 데 (쓰인다) / 건강을 얻기 위해.

- 앞에 나온 어구와 반복되는 of our lives is spent가 생략되었다.
- to achieve wealth와 to achieve health는 '목적'을 나타내는 부사적 용법으로 쓰인 to부정사구 ▶UNIT 54

949 Under the system of mass education / too much *stress is laid* on teaching //
M S1 V1 A1
대중교육의 체제하에서는 / 가르치는 것을 너무 많이 강조한다 //
and too little **(stress is laid)** on active learning.
S2 V2 A2
그리고 능동적인 학습을 너무 적게 (강조한다).

- 앞에 나온 어구와 반복되는 stress is laid가 생략되었다.
- too much와 too little은 셀 수 없는 명사를 수식하며 stress는 여기서 '강조'를 의미한다.

950 *We are* drowning in information, // while **(we are)** starving for wisdom.

S V M S′ V′ M′

- E. O. Wilson ((美 생물학자))

우리는 정보에 압도당하고 있다. // 반면 (우리는) 지혜를 갈망하고 (있다).

↘ 우리는 정보의 홍수 속에 살고 있음에도 불구하고, 더 지혜로워지지는 않는다.

- 부사절의 we are가 생략된 상태이다.

951 Highly social animals, / (such as parrots), / seem to be adversely affected //

S V C

매우 사회적인 동물들은, / (앵무새와 같이), / 부정적으로 영향을 받는 것 같다 //

if **(they are)** kept alone.

S′ V′ C′

(그것들이) 혼자 있으면(=한 마리만 키우면).

- 부사절의 they are가 생략된 상태이다.
- 콤마(,) 사이에 있는 such as parrots는 앞에 나온 highly social animals에 대한 설명을 덧붙이는 삽입구 ▶**UNIT 98**
- 동물들이 영향을 '받는' 것이므로 to-v의 수동형인 〈to be p.p.〉 형태가 쓰였다. ▶**UNIT 43**

952 Ensure // that your e-mails *convey* the meaning [you intend them to **(convey)**].

V O (S′ V′ O′)

확실히 해라 // 당신의 이메일이 의미를 전달하는 것을 [당신이 그것들이 (전달하도록) 의도하는].

- 같은 v의 반복을 피하기 위해 to convey의 convey가 생략되었다.
- Ensure 뒤에 접속사 that이 이끄는 명사절이 목적어로 왔다. ▶**UNIT 17**
- 목적격 관계대명사 that[which]이 생략된 관계사절이 앞에 나온 명사 the meaning을 수식 ▶**UNIT 67**
- them = your e-mails

어법 직결 **953** *We fuel* our bodies with food, // **(we fuel)** our minds with education //

S_1 V_1 O_1 M_1 S_2 V_2 O_2 M_2

우리는 몸을 음식으로 채우고, // (우리는) 정신을 교육으로 (채우고) //

and **(we fuel)** our hearts with love.

S_3 V_3 O_3 M_3

그리고 (우리는) 마음을 사랑으로 (채운다).

정답 | We fuel our bodies with food,(we fuel) our minds with education and(we fuel) our hearts with love.

해설 | 〈fuel A with B: A를 B로 채우다〉 구문에서 세 개의 'A with B' 부분이 연달아 나온 것으로 보아, 반복되는 주어와 동사가 생략되었음을 알 수 있다.

UNIT 97 공통구문

954 **I** *have loved* / and *will love* / **only you.**

S V_1 V_2 O

나는 사랑해왔다 / 그리고 사랑할 것이다 / 당신만을.

- **공통구문의 도식화**

and, but, or 등의 접속사를 중심으로 아래와 같이 도식화해보는 것도 도움이 된다.

I ┬ have loved ┬ only you.
  ├ and ┤
  └ will love ┘

955 **Education** **means** **development**, / not only *of the brain*, /

S V O

교육은 발달을 의미한다. / 두뇌뿐만 아니라, /

but also *of the whole person*.

그 사람 전체의.

Education means development [not only of the brain / but also of the whole person.]

두 개의 〈전치사+명사〉구가 명사 development에 공통으로 연결되어 수식하고 있다.

〈not only A but also B〉: A뿐만 아니라 B도 ▶**UNIT 62**

956 **Water** **turns** *into ice at 0℃* / and *into steam at 100℃*.

S V M_1 M_2

물은 섭씨 0도에서 얼음으로 변한다 / 그리고 섭씨 100도에서 증기로 (변한다).

Water turns [into ice at 0℃ / and / into steam at 100℃.]

두 개의 〈전치사+명사〉구가 동사 turns를 공통으로 수식하고 있다.

과학적 현상을 나타낼 때는 현재시제를 사용한다. ▶**UNIT 27**

F·Y·I 일반 강물이나 수돗물과 비교해 바닷물이 잘 얼지 않는 이유는 무엇일까? 바다가 잘 얼지 않는 가장 큰 이유는 바닷물 속에 들어 있는 염분 때문이다. 순수한 물은 0도에서 얼기 시작하지만, 바닷물에는 염화나트륨, 염화마그네슘 등이 들어 있어 물이 어는 온도를 떨어뜨린다. 추운 겨울 도로에 염화칼슘을 뿌리는 이유도 염화칼슘으로 인해 어는점이 낮아져 눈이 잘 얼지 못하게 하기 위함이다.

957 **Government** (*of the people*, *by the people*, and *for the people*) / **shall not perish** /

S V

정부는 (국민의, 국민에 의한, 그리고 국민을 위한) / 결코 사라지지 않을 것이다 /

from the earth. - Abraham Lincoln ((게티즈버그 연설 中))

M

세상으로부터.

Government [of the people / , / by the people / , and / for the people] shall not perish from the earth.

세 개의 〈전치사+명사〉구가 명사 Government에 공통으로 연결되어 수식하고 있다.

958 *Passions weaken* // but *habits strengthen* / **with age**.

S_1 V_1 S_2 V_2 M

열정은 약해진다 // 그러나 습관은 강해진다 / 나이가 들면서.

[Passions weaken / but / habits strengthen] with age.

〈전치사+명사〉구 with age가 두 개의 절에 공통으로 연결되어 수식하고 있다.

959 **Your opinion** *seems similar to* // but *is different from* / **mine.**

S V_1 C_1 전1 V_2 C_2 전2 O′

당신의 의견은 ~와 비슷해 보인다 // 하지만 ~와 다르다 / 나의 것(=의견)과.

Your opinion [seems similar to / but / is different from] mine.

'당신의 의견'과 '나의 의견'을 비교하는 것이므로 me가 아닌 소유대명사 mine이 쓰였다.

960 **Even in this most technological age, / the greater part of our activity /**
M S
가장 과학기술적인 이 시대에서조차, / 우리 활동의 더 많은 부분이 /

***is*, [and] *must be*, based on tradition.**
V1 V2 C
전통에 기반하고 있고, 기반을 두어야만 한다.

~, the greater part of our activity [is / [and] / must be] based on tradition.

961 **Efforts are *as valuable as*, // [and] *maybe more valuable than*, /**
S V C1 C2
노력은 ~만큼 귀중하다, // 그리고 어쩌면 ~보다 더 귀중할지 모른다 /

the results [they bring about].
결과(만큼[보다]) [그것들이 가져오는].
↳ 노력은 그 노력이 가져오는 결과만큼 값진 것이며, 어쩌면 그 결과보다도 더 값진 것일 수 있다.

Efforts are [as valuable as / [and] / maybe more valuable than] the results they bring about.

- 〈as 원급 as〉와 〈비교급+than〉을 이용하여 efforts와 the results they bring about을 비교하고 있다. ▶**UNIT 87, 89**
- results와 they 사이에 목적격 관계대명사 that[which]이 생략된 상태 ▶**UNIT 67**
- they = efforts

UNIT 98 삽입구문

962 **Successful people ask better questions // [and], (as a result), /**
S1 V1 O1
성공한 사람들은 더 나은 질문을 한다 // 그리고, (그 결과), /

they get better answers. - Tony Robbins ((美 작가))
S2 V2 O2
그들은 더 나은 답을 얻는다.

- 삽입어구는 앞뒤로 콤마(,)나 대시(—)가 있어 쉽게 파악할 수 있다.
- 삽입어구로 잘 쓰이는 표현들
  - after all 결국
  - as a rule 대체로, 일반적으로
  - in a sense 어떤 의미에서는
  - for example 예를 들어
  - in other words 다시 말해서
  - as you know 너도 알듯이
  - as a result 결과적으로, 그 결과
  - in fact 사실은

963 **Words (once spoken), / (like bullets (once fired)), / can't be recovered.**
S V
말은 (일단 내뱉은), / (총알처럼 (일단 발사된)), / 되돌릴 수 없다.

- once spoken과 once fired가 명사 words와 bullets를 각각 뒤에서 수식한다. ▶**UNIT 52**
- words와 recover는 수동 관계이므로 조동사의 수동형인 〈can't+be p.p.〉 형태가 쓰였다. ▶**UNIT 40**

964 A good plan, / (**violently executed now**), / is better than a perfect plan next week.
S V C - George S. Patton ((美 장군))

좋은 계획이, / (지금 맹렬하게 실행되는), / 다음 주의 완벽한 계획보다 더 낫다.

↳ 완벽한 계획을 세우기 위해 지금의 좋은 계획을 실행하는 것을 늦추지 마라.

- A good plan을 부연 설명하는 분사구문이 삽입된 문장이다.
- 〈비교급+than〉을 이용하여 a good plan, violently executed now와 a perfect plan next week를 비교하고 있다. ▶**UNIT 89**

965 'Time famine' / (**— the feeling of having too much to do and not enough time to do it —**) / is the cause (of unnecessary stress). - 모의응용
S V C

'시간 기근'은 / (해야 할 일이 너무 많고 그것을 할 시간이 충분하지 않다는 기분인) / 원인이다 (불필요한 스트레스의).

- 두 개의 명사구가 the feeling of having에 공통으로 연결되어 있다.
(**the feeling of having** *too much to do* [and] **the feeling of having** *not enough time to do it*)

966 Interpersonal skills, // (**which are used / when we communicate with others**), // help us establish and maintain relationships. - 모의
S V O C

대인관계 기술은, // (그것은 사용되는데 / 우리가 다른 사람들과 의사소통할 때), // 우리가 관계를 확립하고 유지하도록 돕는다.

- which가 이끄는 관계사절이 삽입되어 Interpersonal skills를 보충 설명하고 있다. ▶**UNIT 71**
- establish와 maintain은 목적어 relationships를 공통으로 취한다. (*establish* **relationships** [and] *maintain* **relationships**)

967 Competition, // (**we have learned**), / is [neither] good [nor] evil / in itself.
S V C_1 C_2 M

경쟁은, // (우리가 배우기로는), / 선도 악도 아니다 / 그 자체로는.

- 삽입된 we have learned는 문장 전체의 주절에 해당한다.
= **We have learned (that)** competition is neither good nor evil in itself.
- 〈neither A nor B〉: A도 B도 아닌 (= not either A or B) ▶**UNIT 62**

968 A man's friends can have a great, // (**if not decisive**), / influence on his life.
S V O M

한 사람의 친구들은 큰 ~을 미칠 수 있다, // (비록 결정적이지는 않다 하더라도), / 그의 삶에 (~한) 영향을.

- 삽입어구의 생략된 부분을 보충하면 if (they can) not (have a) decisive (influence)가 된다.
- if는 '비록 ~일지라도'라는 '양보'의 의미를 나타낸다. ▶**UNIT 77**

969 There are few, // (**if any**), / mistakes in his English.
V S M

거의 없다, // (있다 하더라도), / 그의 영어에는 실수가.

- **그 외 삽입에 자주 사용되는 if가 들어간 관용표현**
  - if possible 만약 가능하다면
  - if necessary 만약 필요하다면
  - if not 만약 아니라면
  - if so 만일 그렇다면

970 Shy people seldom, / (**if ever**), / speak // unless they are spoken to.
S V S′ V′

부끄럼을 타는 사람들은 좀처럼 (~하지) 않는다, / (한다 하더라도), / 말을 하지 (않는다) // (누군가가) 말을 걸지 않는 한.

- **if ever와 if any**
  1. if ever는 '설령 ~하는 일이 있다 하더라도'를, if any는 '설령 그런 게 있다 하더라도'를 뜻한다.
  2. 둘 다 부정문에 쓰인다.
  3. if ever와 if any의 삽입 위치: ever는 부사이고 any는 형용사이다. 따라서 if ever는 동사 앞에, if any는 명사 앞에 쓰인다.

971 The greatest pleasure (in life) / is doing // what (**people say**) you cannot do.

S V C

- Walter Bagehot ((英 경제학자·문학평론가))

가장 큰 즐거움은 (인생에서) / 하는 것이다 // (사람들이 말하기에) 당신이 할 수 없다는 것을.

↳ 다른 이들이 네가 할 수 없다고 생각하는 것을 할 때 가장 큰 즐거움을 느낀다.

- 관계대명사 what이 이끄는 명사절이 동명사 doing의 목적어 역할 ▶**UNIT 69**
- 관계사절에서 콤마 없이 〈주어+동사〉가 삽입되는 경우가 종종 있다.
- **〈주어+동사〉의 형태로 자주 삽입되는 어구**
  - it seems 그런 것 같은데
  - I'm afraid 유감이지만
  - I'm sure[certain] 내가 확신하는데
  - you know 있잖아, 그러니까, 저기
  - that is (to say) 다시 말해서, 즉
  - people say 사람들이 말하기에
  - I believe[think, suppose, say, hear 등] 내가 믿기로는[생각하기에, 추측하기에, 말하기에, 듣기로는]
  - they feel[say] 그들이 느끼기에[말하기에]

972 I recommend a self-help book [which (**I believe**) may change your life].

S V O

나는 자기 계발서를 추천한다 [(내가 믿기로는) 너의 인생을 바꿀지도 모르는].

- 여기서 may는 현재나 미래에 대한 가능성/추측을 나타내는 조동사 ▶**UNIT 34**

973 When brainstorming, / write down your ideas, // and then select which idea (**you feel**) is best.

V1 O1 V2 O2

브레인스토밍을 할 때, / 너의 아이디어들을 적어라. // 그러고 나서 (네가 느끼기에) 어떤 아이디어가 가장 좋은지를 선택하라.

- When brainstorming은 '시간'을 나타내는 분사구문으로 정확한 의미를 전달하기 위해 접속사가 생략되지 않았다. ▶**UNIT 58**
- which idea ~ best는 동사 select의 목적어로 쓰인 명사절 ▶**UNIT 17**

974 With persistence, / you can go beyond // what (**you thought**) was possible / for you to achieve.

M S V A

끈기가 있다면, / 당신은 능가할 수 있다 // (당신이 생각하기에) 가능했던 것을 / 당신이 성취하기에.

↳ 끈기가 있으면, 당신이 성취 가능하다고 생각했던 일보다 더 뛰어난 일을 할 수 있다.

- 관계대명사 what이 이끄는 명사절이 전치사 beyond의 목적어 역할 ▶**UNIT 69**
- for you는 to achieve의 의미상의 주어이다. ▶**UNIT 12**

UNIT 99 동격구문

975 *Eric and Tom*, / **both friends of mine**, / are starting a band.
S = / V O
에릭과 톰은, / 둘 다 내 친구인데, / 밴드를 결성하려고 한다.

976 *Acrophobia*, / **or a fear of heights**, / is a well-known phobia.
S = / V C
고소공포증, / 즉 높이에 대한 두려움은, / 잘 알려진 공포증이다.

동격의 or: 즉, 바꾸어 말하면 (= that is (to say), namely, in other words)

F·Y·I 특정 대상이나 물건, 환경, 상황 등에 대하여 지나치게 두려워하고 피하고자 하는 증상을 포비아(공포증)라고 하는데, 공포증의 종류에는 여러 가지가 있다. 대표적으로, 높은 곳에서 두려움을 느끼는 고소공포증, 여러 개의 구멍이나 알맹이들이 촘촘하게 모여 있는 것을 보고 극도의 혐오감이나 거부감을 느끼는 환공포증, 좁은 공간이나 닫힌 장소에 있을 때 극심한 공포를 느끼는 폐소공포증, 날카로운 칼이나 뾰족한 바늘, 모가 난 모서리에 공포를 느끼는 선단공포증, 그리고 깊은 물속에 들어가거나 그런 사진만 봐도 두려움을 느끼는 심해공포증 등이 있다.

977 We are planning a trip / to *the windy city* of **Chicago** / next month.
S V O / M = / M
우리는 여행을 계획 중이다 / 바람의 도시 시카고로 / 다음 달에.

A of B에서 A와 B가 동격 관계

A of B에서 A가 전명구인 of B의 수식을 받는 경우와 구분해야 한다.
e.g. *the paintings* (of Picasso) 피카소의 그림들

F·Y·I 미국 제3의 도시 시카고는 오대호(the Great Lakes)가 만들어내는 거센 바람 때문에 바람의 도시(Windy City)라는 애칭으로도 불린다.

978 *The idea* of **waiting for something** / makes it more exciting. - Andy Warhol ((美 예술가))
S = / V O C
무엇인가를 기다린다는 생각이 / 그것을 더 짜릿하게 만든다.

it = something

979 Scientism is *the view* // **that the scientific description of reality** / **is the only truth**. - 수능응용
S V C = S′ / V′ C′
과학만능주의는 견해이다 // 현실에 대한 과학적 기술이 / 유일한 진실이라는.

동격을 나타내는 접속사 that은 완전한 절을 이끈다.

동격절을 이끄는 주요 명사
news, fact, belief, theory, idea, notion, thought, doubt, question, hope, possibility, opinion, view, sign, answer, appeal, hypothesis, possibility, proposal, reason, reminder, reply, request, statement, suggestion, thesis 등

980 *The idea* occurred to me // **that I should start my own business.**
S V M = S′ V′ O′
(~라는) 생각이 나에게 떠올랐다 // 내가 내 사업을 시작해야겠다는.

that이 이끄는 동격절이 The idea 뒤에 있으면 주어가 너무 길어져 문장 구조 파악이 힘들어지므로 문장 뒤쪽에 위치했다.

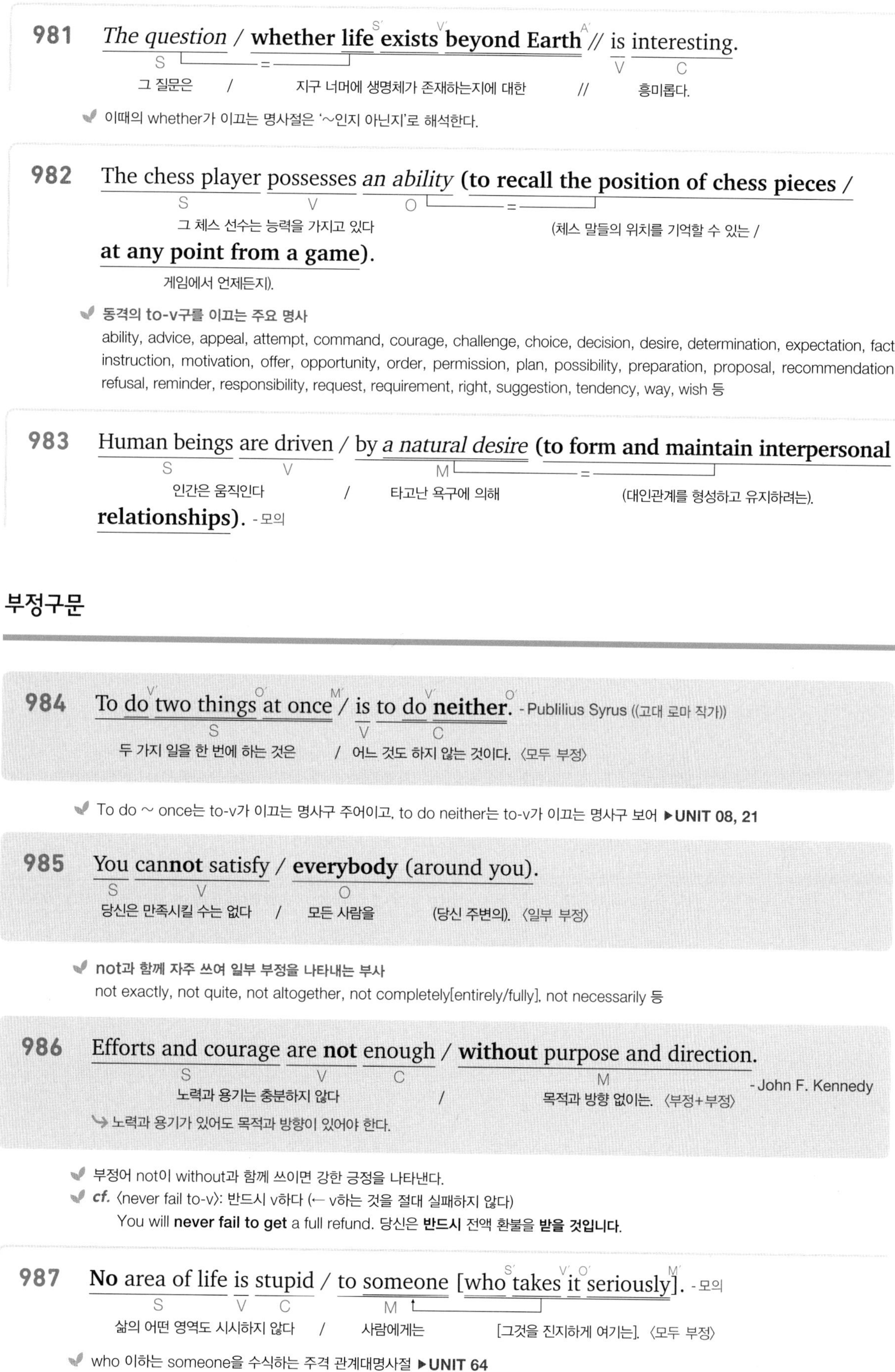

981 *The question* / **whether life exists beyond Earth** // is interesting.
S V C
그 질문은 / 지구 너머에 생명체가 존재하는지에 대한 // 흥미롭다.

이때의 whether가 이끄는 명사절은 '~인지 아닌지'로 해석한다.

982 The chess player possesses *an ability* **(to recall the position of chess pieces / at any point from a game).**
S V O
그 체스 선수는 능력을 가지고 있다 (체스 말들의 위치를 기억할 수 있는 / 게임에서 언제든지).

동격의 to-v구를 이끄는 주요 명사
ability, advice, appeal, attempt, command, courage, challenge, choice, decision, desire, determination, expectation, fact, instruction, motivation, offer, opportunity, order, permission, plan, possibility, preparation, proposal, recommendation, refusal, reminder, responsibility, request, requirement, right, suggestion, tendency, way, wish 등

983 Human beings are driven / by *a natural desire* **(to form and maintain interpersonal relationships).** - 모의
S V M
인간은 움직인다 / 타고난 욕구에 의해 (대인관계를 형성하고 유지하려는).

UNIT 100
부정구문

984 To do two things at once / is to do **neither**. - Publilius Syrus ((고대 로마 작가))
S V C
두 가지 일을 한 번에 하는 것은 / 어느 것도 하지 않는 것이다. 〈모두 부정〉

To do ~ once는 to-v가 이끄는 명사구 주어이고, to do neither는 to-v가 이끄는 명사구 보어 ▶**UNIT 08, 21**

985 You can**not** satisfy / **everybody** (around you).
S V O
당신은 만족시킬 수는 없다 / 모든 사람을 (당신 주변의). 〈일부 부정〉

not과 함께 자주 쓰여 일부 부정을 나타내는 부사
not exactly, not quite, not altogether, not completely[entirely/fully], not necessarily 등

986 Efforts and courage are **not** enough / **without** purpose and direction. - John F. Kennedy
S V C M
노력과 용기는 충분하지 않다 / 목적과 방향 없이는. 〈부정+부정〉
→ 노력과 용기가 있어도 목적과 방향이 있어야 한다.

부정어 not이 without과 함께 쓰이면 강한 긍정을 나타낸다.
cf. 〈never fail to-v〉: 반드시 v하다 (← v하는 것을 절대 실패하지 않다)
You will **never fail to get** a full refund. 당신은 **반드시** 전액 환불을 **받을 것입니다**.

987 **No** area of life is stupid / to someone [who takes it seriously]. - 모의
S V C M
삶의 어떤 영역도 시시하지 않다 / 사람에게는 [그것을 진지하게 여기는]. 〈모두 부정〉

who 이하는 someone을 수식하는 주격 관계대명사절 ▶**UNIT 64**
it = life

988 **Not all** of us can do great things, // but we can do small things / with great love. - Mother Teresa

S1 V1 O1 S2 V2 O2 M2

우리 모두가 위대한 일을 할 수 있는 것은 아니다. // 그러나 우리는 작은 일들을 할 수 있다 / 위대한 사랑으로. 〈일부 부정〉

989 Action may **not always** bring happiness, // but there is **no** happiness **without** action. - Benjamin Disraeli ((英 정치가))

S1 V1 O1 V2 S2 M2

행동이 항상 행복을 가져오는 것은 아닐지 모른다. 〈일부 부정〉 // 그러나 행동 없이는 행복이 있을 수 없다. 〈부정+부정〉

- 여기서 may는 현재나 미래에 대한 가능성/추측을 나타내는 조동사 ▶**UNIT 34**

990 Search engines find the information, / **not necessarily** the truth. - Amit Kalantri ((인도 IT 공학자))

S V O1 O2

검색 엔진은 정보를 찾는다. / 반드시 진실(을 찾는 것)이 아니라. 〈일부 부정〉

↪ 검색 엔진에서 찾은 정보가 반드시 진실은 아니다.

991 **Without** diligence and thrift / **nothing** will happen, // and with them everything (will happen). - 수능

M1 S1 V1 M2 S2 V2

근면과 절약이 없으면 / 아무것도 일어나지 않을 것이다. 〈부정+부정〉 // 그리고 그것들이 있으면 모든 것이 (일어날 것이다).

- them = diligence and thrift
- everything 뒤에는 반복되는 동사 will happen이 생략되었다. ▶**UNIT 96**

992 **Nobody** will believe in you // **unless** you believe in yourself.

S V O S′ V′ O′

아무도 당신을 신뢰하지 않을 것이다 // 당신이 자신을 신뢰하지 않는다면. 〈부정+부정〉

↪ 자기 자신을 신뢰해야만 다른 사람들도 당신을 신뢰할 것이다.

- unless는 '만약 ~이 아니라면'이라는 뜻으로 조건을 나타내는 부사절을 이끌며, 'if ~ not'과 같은 의미이다. ▶**UNIT 76**
- yourself는 believe in의 목적어 역할을 하는 재귀대명사 ▶**UNIT 18**

993 It's **impossible** / to generate good ideas / **without** also generating bad ideas. - 모의

S(가주어) V C V′ O′ S′(진주어) M′

(~은) 불가능하다 / 좋은 아이디어를 만들어내는 것은 / 나쁜 아이디어를 만들어내지 않으면서. 〈부정+부정〉

- 여기서 It은 가주어이며, to generate 이하가 진주어이다. ▶**UNIT 11**

UNIT 101 주어를 부사로 해석해야 하는 구문

994 **Accomplishment** gives you a feeling of pride.

S V IO DO

성취는 당신에게 자부심을 준다.

↪ 무언가를 성취할 때, 당신은 자부심을 느낀다.

- = ***When** you accomplish something*, you have a feeling of pride.

995 **An hour's walk up the hill** / took me to the top.

S V O

언덕 위로 한 시간의 도보가 / 나를 꼭대기로 데려갔다.

↳ 언덕 위로 한 시간을 걸어서, 나는 꼭대기에 도착했다.

= ***After*** *I walked an hour up the hill*, I got to the top.

996 **Studies** show // that sharing your personal experience / makes others like you more.

S V S′ V′ O′ C′ O

연구는 보여준다 // 당신의 개인적인 경험을 공유하는 것이 / 다른 사람들이 당신을 더 좋아하게 만든다는 것을.

= ***According to*** *studies*, sharing your personal experience makes others like you more.

997 **His father's death** forced / him to make a living at an early age.

S V O C

그의 아버지의 죽음은 (~하도록) 만들었다 / 그가 어린 나이에 생계를 유지하도록.

= ***Because*** *his father died*, he had to make a living at an early age.

998 **Your dedicated work** / has made it possible / for us to maintain the high quality (of papers published).

S V O(가목적어) C 의미상의 주어 V′ O′(진목적어)

당신의 헌신적인 연구가 / (~을) 가능하게 만들어 왔습니다 / 우리가 높은 질을 유지하는 것을 (출판된 논문들의).

= ***Thanks to*** *your dedicated work*, we can maintain the high quality of papers published.

for us는 to maintain의 의미상의 주어 ▶**UNIT 12**

published는 papers를 뒤에서 수식하는 과거분사 ▶**UNIT 52**

999 **Traveling** allows us / to relax, explore new places, and have fun.

S V O C_1 C_2 C_3

여행을 하는 것은 우리가 (~하도록) 해 준다 / 긴장을 풀고, 새로운 장소들을 탐험하고, 그리고 즐길 수 있도록.

= ***By traveling***, we can relax, explore new places, and have fun.

allows의 목적격보어인 to relax, (to) explore, (to) have가 콤마(,)와 접속사 and로 연결된 병렬구조 ▶**UNIT 61**

1000 **Focusing on the trees** / keeps you from seeing the forest.

S V O

나무들에 초점을 맞추는 것은 / 당신이 숲을 보지 못하게 한다.

↳ 작은 것에만 집중하다 보면 큰 것을 놓치기 쉽다.

= ***If*** *you focus on the trees*, you cannot see the forest.

Focusing on the trees는 v-ing(동명사)구가 이끄는 명사구 주어 ▶**UNIT 08**

1001 **No amount of money** matters // if we are not healthy.

S V S′ V′ C′

아무리 많은 돈도 중요하지 않다 // 우리가 건강하지 않다면.

= ***However much*** *money we have*, it doesn't matter if we are not healthy.

무생물 주어가 부정어를 포함하면 대개 '양보'의 의미

여기서 matter는 SV문형의 동사로 '중요하다'의 의미 ▶**UNIT 01**

if 이하는 '조건'을 나타내는 부사절 ▶**UNIT 76**